Cuba

7e édition

Seamos realistas y hagamos lo imposible.

« Soyons réalistes, demandons l'impossible. »

Che Guevara

D1397602

ULYSSE

Le plaisir de mieux voyager

La Havane

1. La Plaza de la Catedral, où l'architecture de la vieille Havane explose de tous ses feux. (page 96)
© Dreamstime.com/Dušan Zidar

2. Le Malecón longe la mer sur près de 12 km. (page 112)
© iStockphoto.com/Amanda.Lewis

3. Le dôme du Capitolio, inauguré en 1929 et inspiré du capitole de Washington. (page 107)
© Rodolphe Lasnes

4. Plongeurs sur le Malecón. (page 112)
© iStockphoto.com/Giovanni Rinaldi

5. Une rue typique de la capitale cubaine.
© Dreamstime.com/Alexander Yakovlev

6. L'énorme Monumento a José Martí domine la Plaza de la Revolución du haut de ses 140 m. (page 117)
© Dreamstime.com/Christopher Howey

Cuba coloniale et vie quotidienne

Cuba rurale

Cuba littorale

1. L'une des superbes plages de Varadero, dont les eaux cristallines vont du vert turquoise au bleu foncé. (page 175)
   © iStockphoto.com/Laur-Kalevi Tamm

2. La petite Bahía de Miel, face à la ville de Baracoa. (page 308)
   © Bureau de Tourisme de Cuba

3. Réputé pour la grande variété de coraux mous de ses fonds marins, Cayo Largo fait le délice des plongeurs. (page 208)
   © Bureau de Tourisme de Cuba

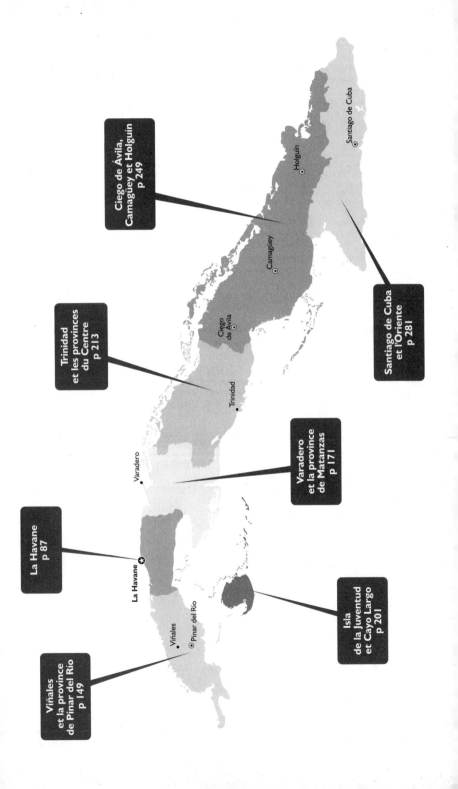

La Havane
p 87

**Viñales
et la province
de Pinar del Río** p 149

**Isla
de la Juventud
et Cayo Largo** p 201

**Varadero
et la province
de Matanzas**
p 171

**Trinidad
et les provinces
du Centre** p 213

**Ciego de Ávila,
Camagüey et Holguín**
p 249

**Santiago de Cuba
et l'Oriente**
p 281

La Havane

Pinar del Río

Viñales

Varadero

Trinidad

Ciego
de Ávila

Camagüey

Holguín

Santiago de Cuba

Mise à jour de la septième édition: Rodolphe Lasnes
Éditeur: Pierre Ledoux
Adjointes à l'édition: Julie Brodeur, Annie Gilbert
Correcteur: Pierre Daveluy
Infographistes: Pascal Biet, Marie-France Denis, Philippe Thomas
Cartographe: Kirill Berdnikov
Recherche iconographique: Nadège Picard
Recherche et rédaction originales: Carlos Soldevila
Recherche, rédaction et collaboration aux éditions antérieures: Julie Brodeur, Alexis de Gheldere, Denis Faubert, Olivier Girard, Claude-Victor Langlois, Pierre Loubier, Stéphane G. Marceau, Israel Hernández Montiel, Yazid Saïdi
Photographies: Page couverture, Scène de rue à La Havane: © mauritius images/imagebroker/J.W.Alker; Page de titre, Kiosque d'un vendeur itinérant sur une plage de Varadero: © iStockphoto.com/Michel Guenette; Contrebassiste à Trinidad: © iStockphoto.com/Ray Hems

Cet ouvrage a été réalisé sous la direction d'Olivier Gougeon.

Remerciements:

Guides de voyage Ulysse tient à remercier Dany Paquette du Bureau de Tourisme de Cuba pour son aide.

Guides de voyage Ulysse reconnaît l'aide financière du gouvernement du Canada par l'entremise du Programme d'aide au développement de l'industrie de l'édition (PADIÉ) pour ses activités d'édition.

Guides de voyage Ulysse tient également à remercier le gouvernement du Québec – Programme de crédit d'impôt pour l'édition de livres – Gestion SODEC.

Guides de voyage Ulysse est membre de l'Association nationale des éditeurs de livres.

Note aux lecteurs

Tous les moyens possibles ont été pris pour que les renseignements contenus dans ce guide soient exacts au moment de mettre sous presse. Toutefois, des erreurs peuvent toujours se glisser, des omissions sont toujours possibles, des adresses peuvent disparaître, etc.; la responsabilité de l'éditeur ou des auteurs ne pourrait s'engager en cas de perte ou de dommage qui serait causé par une erreur ou une omission.

Écrivez-nous

Nous apprécions au plus haut point vos commentaires, précisions et suggestions, qui permettent l'amélioration constante de nos publications. Il nous fera plaisir d'offrir un de nos guides aux auteurs des meilleures contributions. Écrivez-nous à l'une des adresses suivantes, et indiquez le titre qu'il vous plairait de recevoir.

Guides de voyage Ulysse
4176, rue Saint-Denis, Montréal (Québec), Canada H2W 2M5, www.guidesulysse.com
texte@ulysse.ca

Les Guides de voyage Ulysse, sarl
127, rue Amelot, 75011 Paris, France
voyage@ulysse.ca

Catalogage avant publication de Bibliothèque et Archives nationales du Québec et Bibliothèque et Archives Canada
Vedette principale au titre:
    Cuba
    (Guide de voyage Ulysse)
    Comprend un index.
    ISBN 978-2-89464-810-0 (version imprimée)
    1. Cuba - Guides. I. Collection.
F1754.7.C82   917.29104'7   C2007-300197-X

À moi...
Cuba!

Vous souhaitez passer quelques jours à La Havane pour admirer son architecture à nulle autre pareille, une semaine à vous prélasser sur des plages de sable blanc et fin, à l'ombre d'un palmier et les pieds dans l'eau turquoise de la mer des Caraïbes, ou trois semaines à parcourir le pays sur les traces de la Révolution cubaine, tout en profitant des plus beaux sites de plongée de l'île? Quelles que soient vos préférences ou la durée de votre séjour, cette sélection d'attraits saura personnaliser votre découverte de Cuba, pour que ce voyage ne ressemble à aucun autre!

En temps et lieux

• Une semaine

Au départ de La Havane

La Havane à elle seule vaut son pesant d'or. Trois à quatre jours ne sont pas de trop pour la visiter et laisseront dans votre mémoire des souvenirs très colorés. Une journée complète vous permettra de bien explorer **La Habana Vieja** et ses étonnants musées, tel le **Museo de la Ciudad**. Une autre journée peut être consacrée au **Centro** et au **Vedado**, qui vous dévoileront d'autres visages de cette bouillante capitale. Profitez de la fraîcheur du soir pour vous promener le long du **Malecón** avant de passer le reste de la soirée, et une bonne partie de la nuit, à écouter les meilleurs groupes de salsa du moment à la **Casa de la Música de Centro Habana**. Si vous voulez découvrir des endroits plus calmes et moins touristiques, prenez le ferry vers **Regla** ou **Casa Blanca**.

Pour la seconde partie de votre semaine, vous n'aurez que l'embarras du choix. Si l'appel de la plage se fait entendre, rendez-vous aux **Playas del Este** ou à **Varadero**, où vous pourrez profiter de splendides plages. Une autre option est de partir à la découverte du **Valle de Viñales** et de ses mystérieux *mogotes*. En louant une voiture à La Havane, il est envisageable de faire une boucle qui, après Viñales, remontera vers les plages de la **côte nord** de la province de Pinar del Río.

Au départ de Santiago de Cuba

Consacrez deux à trois jours à **Santiago de Cuba**, cette ville métissée où la musique surgit à chaque coin de rue. Le fameux **Parque Céspedes** est le cœur de l'ancienne cité coloniale, non loin duquel se trouve l'un des plus intéressants musées du pays, le **Museo Provincial Emilio Bacardí Moreau**. Les soirées de Santiago sont à l'image de la ville, endiablées et métissées, et un détour par la **Casa de las Tradiciones** vous le prouvera. À quelques kilomètres de la ville, découvrez le **Castillo del Morro de San Pedro de la Roca** entre mer et montagnes et le lieu de pèlerinage du **Santuario Nacional de Nuestra Señora de la Caridad del Cobre**. Vous pourrez ensuite profiter de la plage de **Siboney**, ou vous dégourdir les jambes dans les montagnes qui entourent Santiago, notamment dans la **Gran Piedra**, ou encore aller visiter les fonds marins de quelques-uns des 73 sites de plongée sous-marine qui se trouvent au large de la ville.

• Deux semaines

Au départ de La Havane

Avec deux semaines à votre disposition, une découverte plus approfondie des différents quartiers et des alentours de la capitale s'impose, tout comme la visite du **Museo Nacional de Bellas Artes** ou du **Museo de la Revolución**. Vous pourrez ensuite entamer un voyage vers le centre de l'île: les amants de la nature s'arrêteront à la **Ciénaga de Zapata**, alors que les apprentis révolutionnaires et ceux qui aiment la douceur du sable s'attarderont sur les plages de la **baie des Cochons**. **Cienfuegos**, la «perle du Sud», inscrite au patrimoine mondial de l'humanité de l'UNESCO, se doit de figurer sur votre itinéraire. Vous finirez en beauté avec la star incontestée de la région, la charmante vieille ville coloniale de **Trinidad**, qui a aussi l'avantage d'avoir à ses côtés les magnifiques plages de la **Península de Ancón**.

Au départ de Santiago de Cuba

Après avoir profité de Santiago, tout l'Oriente s'offre à vous. Ne serait-ce que pour la route qui y mène, la magnifique ville de **Baracoa** vaut le déplacement. Plus à l'ouest, les villes de l'intérieur comme **Bayamo** et **Holguín** permettent de sortir des sentiers battus, tandis que **Camagüey**, dont le centre historique est inscrit au patrimoine mondial de l'UNESCO depuis 2008, attire tout naturellement de plus en plus de curieux. Sur la côte nord, ce ne sont pas les plages qui manquent: **Cayo Coco, Cayo Guillermo, Guardalavaca**… Si vous préférez humer le bon air frais de la montagne, rendez-vous dans la mythique **Sierra Maestra**.

• Trois semaines

En trois semaines, la découverte de l'île devient possible, surtout si vous prévoyez revenir en avion à votre point de départ. Un parcours intéressant, au départ de **La Havane** par exemple (mais il est aussi envisageable au départ de **Santiago de Cuba**), pourrait vous mener vers l'ouest, à **Viñales**, puis à la découverte des plages et des fonds marins de la **péninsule de Guanahacabibes**. Vous prendrez ensuite la route vers l'est, avec des arrêts possibles à la **Ciénaga de Zapata**, **Cienfuegos** et bien sûr **Trinidad**. Des détours, comme à **Sancti Spíritus** ou à **Remedios**, vous permettront de goûter à la vie quotidienne des Cubains. Après avoir visité **Camagüey**, rendez-vous à **Gibara**, dans les pas de Christophe Colomb. Assurez-vous de garder quelques jours pour découvrir l'Oriente: **Bayamo**, **Santiago de Cuba**, la **Sierra Maestra** et enfin **Baracoa**, où vous pourrez prendre un avion vers **La Havane**. Ce parcours peut en majeure partie se faire en autocar, mais une voiture vous fera gagner énormément de temps.

À la carte

• Cuba coloniale

La Havane et **Santiago de Cuba**, dont les quartiers historiques, empreints de quatre siècles de domination espagnole, recèlent des trésors de l'architecture coloniale.

Bayamo, ville de Diego Velázquez, et **Baracoa**, fondée en 1511, les deux plus anciennes *villas* de Cuba.

Camagüey, avec ses demeures du XVIIIe siècle, ses ruelles pavées de galets et son centre historique inscrit au patrimoine mondial de l'UNESCO depuis 2008.

Sancti Spíritus et **Trinidad**, deux villes qui se distinguent par leur patrimoine architectural: la première est classée monument national alors que la seconde est inscrite sur la Liste du patrimoine mondial de l'UNESCO.

Aux alentours de Trinidad, le **Valle de los Ingenios**, inscrit au patrimoine mondial de l'humanité, révèle un autre volet de l'héritage colonial cubain.

Cienfuegos, la «perle du Sud», où vous pourrez vous promener le long du Paseo del Prado, bordé de villas datant de la fondation de la ville, inscrite elle aussi au patrimoine mondial de l'humanité de l'UNESCO.

À moi... Cuba!

• Cuba révolutionnaire

Il n'est guère possible de passer un jour à Cuba sans être confronté à l'histoire révolutionnaire du pays. Les amateurs apprécieront et découvriront cette histoire passionnante au travers des musées consacrés aux guérilleros, des monuments qui rappellent à la population leurs faits et gestes, des lieux d'insurrection qui ont ébranlé le régime de Batista ou encore des sites qui ont servi de bases d'opération aux rebelles cubains.

À **La Havane**, rendez-vous au **Museo de la Revolución**, qui loge dans le Palais présidentiel et relate les différentes étapes de la Révolution, puis à la **Fortaleza San Carlos de la Cabaña**, prison sous la dictature de Batista, qui servit de quartiers généraux au Che à la suite de la prise du fort en 1959.

La mémoire de Che Guevara flotte perpétuellement sur la ville de **Santa Clara**. Sa dépouille repose au **Mausoleo del Che**. Le **Monumento del Descarrilamiento, Acción y Toma del Tren Blindado** rappelle l'attaque qu'il a conduit contre un train blindé des forces armées de Batista en 1958, alors que le **Museo Memorial Nacional Comandante Ernesto Che Guevara** retrace son parcours.

C'est à **Cienfuegos** que se déroula en 1957 une importante insurrection qui mit à mal le régime de Batista. À quelques kilomètres à l'ouest, **Playa Girón**, sur la fameuse **baie des Cochons**, fut le site du débarquement des forces paramilitaires américaines en 1961.

Dans les environs de **Trinidad**, on parcourt la **Sierra del Escambray**, chaîne de montagnes et base d'opération des révolutionnaires cubains dès 1956.

Santiago de Cuba, «berceau des révolutionnaires», regorge de lieux chargés d'histoire: le **Museo de la Lucha Clandestina** est dédié aux rebelles qui appuyaient le débarquement du *Granma*, et le **Cuartel de Moncada** fut le lieu de l'une des premières attaques des révolutionnaires en 1953. Aux alentours, on découvre la **Granjita Siboney**, la maison où se réunirent les rebelles avant l'assaut du Cuartel de Moncada.

Dans la province de Granma, qui porte fièrement le nom du bateau des révolutionnaires qui débarquèrent sur ses côtes en 1956, le **Parque Nacional Desembarco del Granma**, de même que le **Museo Celia Sánchez** à Media Luna, vous mettront en condition avant d'aller vous mesurer aux pics de la **Sierra Maestra**, sur les pas de Fidel, de Raúl et du Che.

• Cuba côté mer

Pour ses récifs coralliens, qui raviront les plongeurs, amateurs ou experts: **María La Gorda**, **Playa Santa Lucía**, **Isla de la Juventud**, **Playa Girón** et **Guardalavaca**.

Pour ses plages de sable blanc, bordées d'une végétation tropicale luxuriante: **Isla de la Juventud**, **Cayo Largo**, **Cayo Coco**, **Cayo Guillermo**, la **Península de Ancón**, **Varadero** et **Playa Las Tumbas**.

On profite d'autant mieux de la mer des Caraïbes quand on vogue dessus. On trouve des marinas dans la plupart des centres de villégiature, avec des bateaux de pêche et des voiliers prêts à appareiller vers le large.

• Cuba côté terre

L'intérieur de l'île est plein de promesses pour les amateurs de randonnée et les amants de la nature.

À moi... Cuba!

Dans l'ouest se trouvent le **Valle de Viñales**, où l'on se promène entre *mogotes* et champs de tabac, de même que la **Sierra del Rosario**, avec notamment la communauté de **Las Terrazas** et ses anciennes plantations de café. Au centre, le **Parque Natural Topes de Collantes** offre de beaux sentiers près de Trinidad. Dans l'Oriente, le **Gran Parque Nacional Sierra Maestra** étale majestueusement ses montagnes jusqu'à la mer turquoise tandis que, près de Baracoa, le **Parque Nacional Alejandro de Humboldt** protège une faune et une flore merveilleuses et uniques.

● Cuba culturelle

La *rumba* de **Matanzas**, le *son* de **Santiago de Cuba**, ancêtre de la musique cubaine, ou la *salsa* de **La Havane**: découvrez les rythmes cubains joués par des orchestres populaires dans les **Casas de la Trova** ou sur les *plazas* des villes. Même le jazz est à l'affiche sur les scènes havanaises grâce au **Festival international de jazz de La Havane**.

Les passionnés de cinéma pourront se rendre à La Havane en décembre pour le **Festival international de cinéma latino-américain**. Dans un autre registre, le **Festival Internacional del Cine Pobre** attire de plus en plus de spectateurs à Gibara au mois d'avril.

La peinture, la sculpture, les arts décoratifs et l'art contemporain ont de nombreux musées qui leur sont dédiés, mais aussi d'intéressantes galeries, comme le **Centro de Arte Contemporáneo Wifredo Lam** à La Havane.

La littérature est un des piliers de la vie culturelle à Cuba. Visitez les maisons de l'**Unión Nacional de Escritores y Artistas de Cuba (Uneac)**, présentes dans la plupart des villes. On y propose aussi bien des lectures que des concerts ou des débats culturels.

● Cuba en «tout compris»

Pourquoi ne pas profiter des plages et du soleil cubain pour vous reposer et profiter de la vie? Les grands complexes touristiques offrant des forfaits «tout compris» servent à cela. Un service soigné, de nombreux restaurants, des animations, des activités et sports nautiques, l'alcool à volonté, le sable, la mer… Vous ne manquerez pas d'excuses pour demeurer sur le site de votre hôtel durant tout votre séjour. Mais il serait dommage de ne pas profiter de toutes les autres merveilles de Cuba. Dites-vous qu'en vous aventurant en dehors des zones exclusivement touristiques pour visiter les villes et villages des alentours, vous ne ferez qu'ajouter de beaux souvenirs à vos vacances.

Depuis **Varadero**, n'hésitez pas à faire une excursion d'un jour ou deux à **La Havane**, ou de quelques heures à **Matanzas**.

De **Guardalavaca**, les villes d'**Holguín** et de **Gibara** ne sont aussi qu'à quelques kilomètres.

À partir de **Cayo Coco**, il est facile de se rendre à **Sancti Spíritus** et à **Camagüey**.

La **Península de Ancón** ne se trouve qu'à 10 minutes de **Trinidad**.

À partir des complexes touristiques du sud de la **Sierra Maestra**, il est aisé de se rendre à **Santiago de Cuba**.

À moi... Cuba!

Sommaire

Liste des encadrés

Liste des cartes

Liste des cartes

Légende des cartes

- ★ Attraits
- ▲ Hébergement
- ● Restaurants
- Mer, lac, rivière
- Forêt ou parc
- Place
- ✪ Capitale de pays
- ⊛ Capitale provinciale ou territoriale
- —··—··— Frontière internationale
- Frontière provinciale ou territoriale
- Chemin de fer
- Tunnel

- ✈ Aéroport international
- ✈ Aéroport régional
- **S** Banque
- ✉ Bureau de poste
- @ Café internet
- Cimetière
- ✝ Église
- Gare ferroviaire
- Gare routière

- **H** Hôpital
- ❶ Information touristique
- ▲ Montagne
- 🏛 Musée
- Parc national ou provincial
- Plage
- Point d'intérêt / Bâtiment
- Terrain de golf
- Traversier (ferry)

Symboles utilisés dans ce guide

- @ Accès Internet
- ♿ Accessibilité totale ou partielle aux personnes à mobilité réduite
- ≡ Air conditionné
- ◎ Baignoire à remous
- 🏋 Centre de conditionnement physique
- 🔒 Coffret de sûreté
- 🍳 Cuisinette
- Ⓤ Label Ulysse pour les qualités particulières d'un établissement
- ☕ Petit déjeuner inclus dans le prix de la chambre
- ≋ Piscine
- ❄ Réfrigérateur
- 🍴 Restaurant
- bc Salle de bain commune
- bc/bp Salle de bain privée ou commune
- ﹜ Sauna
- ⅄ Spa
- P Stationnement
- ☎ Téléphone
- *tlj* Tous les jours
- ⤙ Ventilateur

Classification des attraits touristiques

★★★	À ne pas manquer
★★	Vaut le détour
★	Intéressant

Classification de l'hébergement

L'échelle utilisée donne des indications de prix pour une chambre standard pour deux personnes, en vigueur durant la haute saison.

$	moins de 20 CUC
$$	de 20 CUC à 40 CUC
$$$	de 41 CUC à 80 CUC
$$$$	de 81 CUC à 160 CUC
$$$$$	plus de 160 CUC

Classification des restaurants

L'échelle utilisée dans ce guide donne des indications de prix pour un repas complet pour une personne, avant les boissons et le pourboire.

$	moins de 12 CUC
$$	de 12 CUC à 20 CUC
$$$	plus de 20 CUC

Tous les prix mentionnés dans ce guide sont en pesos convertibles (CUC).

Les sections pratiques aux bordures grises répertorient toutes les adresses utiles. Repérez ces pictogrammes pour mieux vous orienter:

- ▲ Hébergement
- 🍴 Restaurants
- ♪ Sorties
- 🎁 Achats

Situation géographique dans le monde

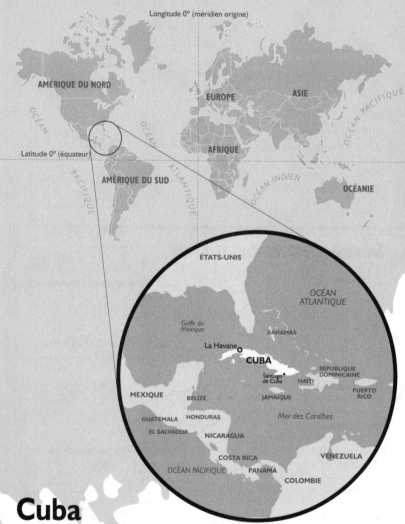

Cuba

Superficie: 110 860 km²
Population: 11 400 000 hab.
Densité: 102 hab./km²
Capitale: La Havane
Principales villes: La Havane, Santiago de Cuba, Camagüey, Cienfuegos
Climat: tropical
Langue: espagnol

Point le plus haut: Pico Turquino (1 974 m)
Fuseau horaire: GMT −5
Religion principale: catholique
Monnaie: peso cubain / peso convertible
Système politique: république socialiste unitaire

©ULYSSE

Portrait

*J*e *n'ai jamais vu de plus beau pays, des feuilles de palmier si grandes qu'elles servent de toit aux maisons, sur la plage, des milliers de coquillages, une eau si limpide et toujours la même symphonie étourdissante des chants d'oiseaux.* C'est grâce à Christophe Colomb, qui décrit ainsi en 1492 la plus grande île des Caraïbes, que Cuba entrera dans l'imaginaire du monde entier...

Cuba demeure cette île merveilleuse, riche de paysages à couper le souffle, de plages idylliques et de terres étonnamment fertiles. Mystérieuse et insaisissable, Cuba sera façonnée de main d'homme au cours d'une histoire tumultueuse et, si une terre peut déterminer le caractère d'un peuple, à Cuba il est aisé de se l'imaginer.

Les plaines qui couvrent la majeure partie du territoire donneront aux colons et aux esclaves l'attitude docile, la bonté et la chaleur si caractéristiques du peuple cubain, un trait de caractère qui permit à l'Espagne de conserver Cuba, alors que toutes ses autres colonies s'étaient déjà rebellées contre son pouvoir. Les hautes montagnes couvertes par une flore tropicale abondante et parfois impénétrable, refuge des *mambises*, les indépendantistes du XIXe siècle, et des *cimarrones*, les esclaves noirs qui réussissaient à prendre la fuite et à y embrasser la liberté, ont façonné le caractère rebelle qu'est aussi celui des Cubains, celui-là même qui permit à ses habitants de s'emparer une fois pour toutes des destinées de leur île. La *palma real* (palmier royal), emblème officiel du pays, symbolise la fierté inébranlable des Cubains, si souvent mise à l'épreuve mais rarement entachée.

Cette métaphore naturaliste se veut bien sûr un raccourci de l'imagination pour décrire un des pays les plus fascinants de la planète, cette île qui saura toujours se trouver au centre de l'histoire, comme si elle était destinée à servir d'étendard aux utopies d'une humanité en mal d'idéaux. Vénérés ou détestés selon le cas, les choix politiques et économiques qui régissent l'île ne laissent personne indifférent, pour le plus grand plaisir des voyageurs qui découvriront le seul pays à caractère socialiste du monde occidental.

Géographie

■ L'archipel de Cuba

Baignant dans la mer des Caraïbes et l'océan Atlantique, l'archipel cubain longe le tropique du Cancer et s'étend jusqu'au golfe du Mexique. Il est formé de l'île principale, Cuba, de l'île de la Jeunesse (Isla de la Juventud), de l'île Romano et de plus de 4 000 autres îles et îlots (*cayos*). Située à 148 km au sud de la Floride, à 210 km à l'est du Mexique, à 140 km au nord de la Jamaïque et à 77 km à l'ouest d'Haïti, Cuba occupe une position géostratégique qui lui vaudra le surnom de «la clef du Golfe» ou encore celui de «Carrefour des trois Amériques».

Avec une superficie de 110 860 km², Cuba est la plus vaste île des Caraïbes. Sa forme allongée, qui s'étend sur plus de 1 200 km de long pour une largeur variant de 30 km à 190 km selon les régions, lui procure près de 6 000 km de côtes, en comptant celles des autres îles et *cayos*. Ces derniers forment autour de l'île de Cuba quatre grands ensembles d'archipels aux récifs coralliens: Los Colorados à l'ouest, Los Canarreos au sud-ouest, Los Jardines de la Reina au sud et enfin, au nord, Sabana-Camagüey, aussi connu sous le nom de Jardines del Rey, qui abrite la plus importante barrière de corail au monde après celle de l'Australie.

■ Le relief

Les terres cubaines offrent un panorama fascinant et extrêmement varié. Montagnes et collines, lacs et rivières, plaines et vallées, plages et forêts se succèdent pour composer ainsi le paysage de «la perle des Caraïbes». Le territoire cubain compte trois principales chaînes de montagnes. Dans sa partie orientale se trouve la plus renommée d'entre elles: la Sierra Maestra, où culmine le Pico Turquino, qui, avec ses 1 974 m d'altitude, représente le sommet le plus élevé de Cuba.

Plus à l'est, la Sierra del Escambray s'étend sur près de 80 km et constitue une sorte de massif central de l'île. Enfin, le long des côtes occidentales, se dresse la cordillère de Guaniguanico, formée par la Sierra del Rosario et la Sierra de los Organos, célèbre pour ses *mogotes* de la vallée de Viñales.

Le relief cubain se distingue aussi par ses bas plateaux et ses vastes plaines propices à l'agriculture et à l'élevage, qui occupent les trois quarts de la superficie du pays. La plaine dite de «Cuba» est à cet égard la plus caractéristique: elle s'étend sur plus de 400 km et va de Pinar del Río, dans l'ouest, à Santa Clara, dans le centre de l'île. Outre les plantations de canne à sucre, de tabac et de café, ce sont aussi les vergers d'agrumes, les bananeraies, les rizières et les palmeraies qui façonnent les plaines verdoyantes de Cuba.

Faune et flore

■ La faune

L'univers faunique de Cuba est d'une remarquable diversité. La faune ailée de l'île se compose de plus de 350 espèces d'oiseaux. Le colibri *zunzuncito* (plus petit oiseau du monde avec ses 3 cm), la *fermina* mélodieuse, la *cartacuba* aux multiples couleurs, la *gallinuella de Santo Tomás*, le *cabrerito* des marécages, le perroquet *cotorras* et, surtout, le *tocororo*, oiseau national aux couleurs du drapeau cubain, sont autant de représentants des espèces locales.

En plus des pélicans, des frégates, des échassiers blancs et des éperviers à longue queue, Cuba abrite des colonies de flamants roses dans l'archipel de Sabana-Camagüey ainsi que dans la péninsule de Zapata. Cette dernière constitue aussi l'habitat naturel du crocodile de Cuba.

D'autres reptiles composent la faune cubaine: iguanes, lézards et serpents non venimeux en constituent l'essentiel. On trouve aussi des *jutías*, une sorte de mammifères rongeurs proches des agoutis, des *polimitas*, soit des escargots aux couleurs chatoyantes, des chauves-souris, des araignées, des papillons et des insectes.

On y rencontre aussi des sangliers et des cerfs, notamment dans la région de Pinar del Río. Dans l'est de l'île, à Cayo Saetía, on peut même observer des antilopes et des zèbres importés d'Afrique.

Les eaux chaudes et peu profondes de Cuba regorgent de vie et de couleurs. Près de 5 000 espèces de poissons, de mollusques, de crustacés, de tortues et de coraux composent la faune aquatique de Cuba. Espadons, barracudas et langoustes côtoient une multitude de colonies coralliennes où évoluent de nombreuses espèces d'éponges et de poissons exotiques. Sur les rivages, les étoiles de mer et les oursins noirs sont très répandus et, en de rares occasions, aux abords de certains estuaires, quelques lamantins peuvent même faire leur apparition.

■ La flore

Le patrimoine floristique cubain est aussi riche que varié. Il compte pas moins de 6 000 espèces végétales différentes, dont près de la moitié sont endémiques. La végétation du littoral et des *cayos* se caractérise surtout par la mangrove, impénétrable forêt poussant en eau salée, où domine le palétuvier, reconnaissable à ses racines aériennes. Le manglier abonde aussi dans les régions marécageuses. Les plages sont souvent bordées de cocotiers et parfois d'*uvas caletas*, une espèce de raisinier aux fruits doux. À l'extrémité orientale de l'île, la région de Maisí forme une zone aride où pousse une grande variété de cactus géants.

Certains canyons de la Sierra Maestra et du massif central abritent des forêts tropicales humides où le flamboyant, un arbre à fleurs rouge vif, est très présent. Des essences de bois précieux telles que l'«acane», l'acajou, l'ébène et le cèdre subsistent encore dans les régions montagneuses. Bien que le pin et l'eucalyptus soient très répandus, c'est le palmier royal, omniprésent dans l'île, qui possède le caractère le plus emblématique: c'est l'arbre national par excellence. Dans l'ouest de l'île, c'est le palmier-liège qui prédomine. L'autre symbole national est la *mariposa*, une délicate fleur blanche aux parfums subtils qui pousse sur les berges des rivières pendant la saison humide. Cuba est aussi réputée pour ses orchidées, dont on dénombre plus de 200 variétés indigènes.

Histoire

■ La découverte

Avant sa découverte par les Espagnols, l'île de Cuba était habitée par les Arawaks, des Autochtones originaires du continent sud-américain. Vers 2000 av. J.-C., les premières peuplades à s'installer dans la partie occidentale de l'île sont les Guanahatabeyes, qui vivent essentiellement de chasse et de cueillette. Suivent les Siboneys, qui s'adonnent à la chasse et à la pêche dans le centre et le nord de Cuba. Les Taïnos constituent la dernière vague de peuplement de l'île de Cuba par les Arawaks. Arrivés à peine trois siècles avant les Espagnols, ils occupent la partie orientale de l'île, où ils cultivent manioc, haricots, patates douces et tabac.

Les estimations de la population indigène présente à l'arrivée des Espagnols à Cuba varient considérablement d'un auteur à l'autre. Bartolomé de Las Casas, ardent défenseur de la cause des indigènes au XVIIᵉ siècle, prétendit que les *«200 000 Indiens qui peuplaient l'île de Cuba disparurent, victimes de la cruauté des Européens»*. S'il exagéra sans doute le taux de population indigène, qui devait plutôt se chiffrer aux alentours de 100 000, il eut raison de dire que les Autochtones furent victimes d'un génocide. Décimés par les maladies et les travaux forcés, exploités, torturés et parfois même tués par simple plaisir, les indigènes disparurent moins d'un demi-siècle après l'arrivée de Christophe Colomb.

Les convois

Les voies qu'empruntaient les navires espagnols faisant route entre le Nouveau et l'Ancien Monde étaient déjà bien dessinées au milieu du XVIᵉ siècle. Tenant compte des courants et des vents dominants, elles étaient rigoureusement définies (voir carte).

C'est cette grande prévisibilité qui rendait si vulnérables les vaisseaux de la flotte espagnole. L'idée de regrouper les bâtiments et de les faire escorter par des galions armés découla naturellement de ce constat. L'organisation en convois semble d'ailleurs avoir été re-

marquablement efficace. À deux reprises seulement, ce système se montra incapable de défendre les trésors de l'Empire: une fois en 1628, lorsqu'une flotte hollandaise de 31 vaisseaux s'empara de la flotte mexicaine de 20 navires juste au large de Matanzas, un peu à l'est de La Havane, et une autre fois en 1656, lorsque des corsaires anglais capturèrent quelques bâtiments de la flotte de la vice-royauté du Pérou approchant le port espagnol de Cadix, avant de se saisir de la flotte de la Nouvelle-Espagne qui s'était réfugiée dans les Açores.

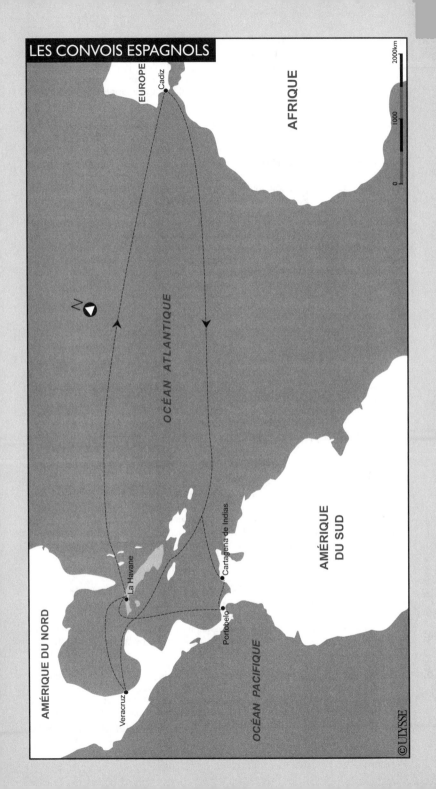

LES CONVOIS ESPAGNOLS

EUROPE

Cadiz

AFRIQUE

OCÉAN ATLANTIQUE

AMÉRIQUE DU NORD

Veracruz

La Havane

Cartagena de Indias

Portobelo

OCÉAN PACIFIQUE

AMÉRIQUE DU SUD

© ULYSSE

0   1000   2000km

Il ne subsiste aujourd'hui de la culture indigène de Cuba que des fresques dans certaines grottes de l'Isla de la Juventud, quelques sculptures exposées dans les musées et le nom de plusieurs régions, montagnes, rivières et villes, dont celui de l'île même: Cuba, provenant du terme taïno *cubanacán*, qui signifie «centre» ou «lieu central». Seule la région de Baracoa, isolée dans la partie orientale de Cuba, abrite encore quelques populations métissées.

Un extrait du journal de bord de Christophe Colomb, qui aborde l'île par l'est en 1492, résume bien l'ignorance et l'attitude des Espagnols envers ces populations: *Des hommes qui avaient un seul œil, et d'autres qui avaient des museaux de chien et qui se nourrissaient de chair humaine.* Ainsi naît, de l'imagination débridée d'un navigateur, la légende des Indiens caraïbes. Dans d'autres récits, Colomb ajoute toutefois que ces peuples sont plutôt pacifiques, qu'ils manquent de tout, qu'ils sont *«très doux, ignorants de ce qu'est le mal»*, qu'ils savent *«qu'il y a un Dieu dans le ciel et restent persuadés que nous sommes venus de là»*.

Convaincu d'avoir atteint le sous-continent chinois, soit l'empire du Grand Khan tel que relaté par Marco Polo, Colomb accoste à Gibara le 28 octobre 1492. Voyant l'or que portent les Autochtones, il est certain de sa destination, d'autant plus que les indigènes lui assurent qu'il trouvera davantage d'or à Cubanacán (le centre de l'île), mot que Colomb interprète comme étant *El Grán Can*, le «Grand Khan». Il croit alors que Cuba est la «Province de Mangi», le nom qu'attribua Marco Polo à la région du sud de la Chine.

■ La colonisation

Diego Velázquez fonda la première *villa* de Cuba en 1512, à Baracoa, près de l'endroit du premier débarquement de Christophe Colomb. En quelques années, Velázquez fonde Bayamo, Santiago, Puerto Príncipe, Trinidad, Sancti Spíritus et La Havane. Les Espagnols s'emparent de tout le territoire cubain, laissant derrière eux misère et désolation parmi les populations indigènes. La colonisation de l'île se révéla longue et difficile pour les Espagnols. Après avoir épuisé les réserves d'or de l'île, les Espagnols vont à la conquête des richesses continentales du Mexique et du Pérou, qu'ils font transiter par les ports de Santiago et de La Havane avant de les acheminer vers l'Espagne. Le départ du conquistador Hernán Cortés pour les contrées voisines laisse l'île dans le plus grand désordre politique. Cuba est alors le théâtre d'affrontements entre adversaires et partisans de Cortés de 1526 à 1537.

Les Autochtones se rebellent aussi plusieurs fois au cours de la même période, réussissant même à mettre le feu à Baracoa et à Puerto Príncipe. Sous la direction d'Hatuey, l'un des premiers rebelles d'Amérique, les indigènes réagissent aux durs traitements qu'ils subissent dans les *encomiendas*, des enclaves où ils sont réduits à l'esclavage et aux travaux forcés. Capturé, Hatuey est brûlé vif devant l'église de Baracoa. La légende raconte que, dans les instants précédant son exécution, un prêtre catholique lui demanda d'expier ses péchés s'il voulait rejoindre le paradis. Hatuey répondit que si un dieu chrétien s'y trouvait, il préférerait aller en enfer...

À cela s'ajoutent d'autres problèmes, notamment reliés à la raréfaction des réserves aurifères, à la chute démographique et aux luttes intestines qui fragilisent les défenses de l'île. Cuba devient ainsi une cible facile pour les corsaires et autres pirates soudoyés par les nations hostiles à l'Espagne. En 1554, le pirate français Jacques de Sores occupe Santiago de Cuba et exige une forte rançon pour la libération de la ville. L'année suivante, il occupe La Havane et l'incendie.

La démographie de Cuba au XVIᵉ siècle révèle une faible population blanche, peu d'indigènes et une population africaine en progression constante. Vers 1570, on ne dénombrait que 270 familles espagnoles au pays, dont une soixantaine à La Havane. Grâce à sa position stratégique dans la mer des Caraïbes, Cuba sert presque exclusivement de base logistique pour la conquête du continent, fournissant hommes, bétail et farine aux conquérants du Nouveau Monde.

L'économie du pays au XVIᵉ siècle est essentiellement basée sur l'élevage, l'exploitation des mines de cuivre, des forêts, et sur la culture naissante de la canne à sucre. Mais l'île reste dépendante de l'extérieur pour l'acquisition de produits finis. Pour pallier les difficultés économiques et renforcer les défenses de l'île, un flot de capitaux est déplacé du Mexique vers Cuba. Ces nouvelles richesses attirent une fois de plus la convoitise des pirates.

Vers 1586, le célèbre pirate anglais Francis Drake ne manque pas d'attaquer et d'écumer de nombreuses *villas* cubaines, en évitant de s'en prendre à La Havane, bien protégée cette fois par ses nouvelles fortifications. Au XVIIᵉ siècle, les flibustiers hollandais attaqueront aussi, et à maintes reprises, les positions espagnoles de Cuba.

Le XVIIᵉ siècle est marqué par la consolidation et l'affermissement de la société coloniale, ainsi que par l'établissement des fondements politiques et économiques de l'île. Bien que l'élevage demeure l'activité dominante, la culture de la canne à sucre, introduite en 1548 près de Santiago, gagne en importance.

Aussi, la culture du tabac prend son essor. Si les Espagnols n'ont pas trouvé d'or à Cuba, ils y ont découvert une terre extraordinairement fertile qui a permis à toute une classe de propriétaires terriens de s'enrichir rapidement et de façon spectaculaire. Cuba devient alors objet de convoitises et de rivalités pour les puissances européennes de l'époque.

■ L'or blanc

En 1762, La Havane tombe aux mains des Anglais. Paradoxalement, cela permet à l'activité commerciale de prospérer. Le port de la capitale cubaine est ainsi agrandi pour absorber le trafic des exportations qui doublent en l'espace de 10 ans. Des événements politiques extérieurs au pays feront de Cuba l'une des plus importantes zones commerciales en Amérique et la propulseront au rang de reine mondiale de la production sucrière.

Ainsi, la guerre de l'Indépendance américaine au XVIIIᵉ siècle rend possible l'établissement de relations commerciales directes entre Cuba et les nouvelles fédérations nord-américaines. Les révoltes haïtiennes à la fin du XVIIIᵉ siècle, qui engendrent la destruction des plantations de canne à sucre en Haïti, fournissent à Cuba l'occasion de s'emparer du marché européen du sucre et de s'enrichir rapidement grâce à une flambée des prix de cette denrée.

L'exode des propriétaires français d'Haïti vers Cuba annonce le début de l'âge d'or de la production sucrière. Le nombre d'*ingenios* (moulins à sucre) double, et les plantations de canne s'étendent vers l'est du pays. En 1840, Cuba fournit déjà le tiers de la production mondiale de sucre. Cette denrée devient une manne d'or qui propulse Cuba dans le club des pays les plus riches du monde. Source de revenus incommensurables pour les uns, la production massive du sucre fut un véritable cauchemar pour d'autres. Pour récolter l'or blanc, les Espagnols asservirent les Noirs.

■ L'esclavage

Pour combler le vide créé par la disparition des populations indigènes, les Espagnols ont recours à la traite d'esclaves noirs dès les débuts de la colonisation. Les premiers esclaves proviennent surtout de la côte occidentale africaine. Ils travaillent dans l'élevage, l'agriculture et surtout dans les plantations de canne à sucre. Au milieu du XVIIIᵉ siècle, le boom sucrier provoque la venue massive d'esclaves africains. Leur nombre passe ainsi de 40 000 en 1774 à 470 000 en 1840, alors que la population globale de l'île ne se chiffre qu'à un million.

Les Espagnols permettent aux esclaves de jouer du tambour et de sortir dans les rues pour le carnaval annuel. Au XVIIIᵉ siècle, l'Église catholique va jusqu'à autoriser les *cabildos*, ces endroits où les Noirs d'une même ethnie se réunissent pour pratiquer leur culte, à condition qu'ils adoptent pour autres divinités la Vierge Marie, le Christ, le Saint-Esprit ou Dieu. C'est ainsi que put se maintenir la tradition des cultes afro-cubains au fil des siècles (voir p 42).

En 1800-1801, l'explorateur allemand Alexander von Humboldt visite Cuba, où il rédige son *Essai politique sur l'île de Cuba*. Le chapitre portant sur l'esclavage est particulièrement révélateur de la société esclavagiste cubaine au tournant du XIXe siècle: *Les lois espagnoles* [à Cuba] *sont complètement contraires aux lois françaises et anglaises puisqu'elles favorisent de façon spectaculaire la liberté. Le droit que possède tout esclave de se trouver un maître, d'acheter sa liberté, le sentiment religieux qui inspire de nombreux maîtres à donner la liberté à des esclaves dans son testament, la facilité avec laquelle ils peuvent travailler pour leur compte, voilà autant de raisons pour lesquelles, dans les villes, tant d'esclaves obtiennent leur liberté, passant de l'asservissement à l'état d'hommes libres de couleur.*

Cependant, Cuba a connu des rébellions d'esclaves qui se sont régulièrement succédé aux XVIIIe et XIXe siècles, sans toutefois prendre l'ampleur de celles d'Haïti par exemple. Il faut attendre 1886 pour que l'esclavagisme soit définitivement aboli. Mais si les coupeurs de canne n'étaient plus des esclaves, ils demeuraient soumis au travail dans les plantations et vivaient dans une extrême pauvreté, ne travaillant que quatre mois par année, le temps des récoltes.

Jusqu'à la Révolution de 1959, les Noirs étaient victimes d'une discrimination raciale subtile qui les empêchait d'obtenir le droit d'accès à l'éducation, aux professions libérales et aux fonctions de l'administration. Cet état de fait allait ainsi contribuer, dans une certaine mesure, au soulèvement national contre la Couronne espagnole, auquel la population noire participera activement.

L'épisode de d'Iberville et l'alliance franco-espagnole

Le texte qui suit sur Pierre Le Moyne d'Iberville a été rédigé par Jean-Guy Allard, journaliste et ancien correspondant à La Havane.

Le 9 juillet 1706, une foule importante se rassemble aux abords de l'église paroissiale de La Havane. Au cours des dernières heures, la nouvelle s'est répandue comme une traînée de poudre: le capitaine général Pedro Álvarez de Villarín, récemment arrivé d'Espagne, est mort mystérieusement, presque subitement. Plus étonnant encore, au même moment et dans les mêmes circonstances, le commandant d'une puissante flotte française ancrée dans le port, le Canadien Pierre Le Moyne d'Iberville, résolu à porter un coup fatal à la présence anglaise en Amérique, est lui aussi emporté par une fulgurante attaque de fièvre.

La mort soudaine des deux hommes fait naître les rumeurs: ont-ils été empoisonnés par les Anglais? L'alliance conclue entre les deux personnages, qui voient tous deux en l'Empire britannique une menace pour tout le continent, leur a-t-elle valu d'être sournoisement exécutés par des agents ennemis?

La réputation de Pierre Le Moyne d'Iberville avait rapidement gagné la capitale cubaine depuis son arrivée à la tête d'une puissante flotte. Le Canadien de 44 ans, né rue Saint-Paul à Montréal, méritait bien sa légende. Commandant de navires de guerre, d'Iberville attaquait et réduisait à néant l'ennemi anglais avec une adresse déconcertante. Pas une seule fois, au cours d'innombrables combats, l'ennemi venu d'Angleterre ne réussit à lui faire baisser pavillon. Ses exploits étaient devenus si fameux que Louis XIV, déterminé à occuper les bouches du Mississippi, l'avait envoyé prendre possession de ce territoire devenu la Louisiane. C'est là que le jeune héros (il n'avait pas encore 40 ans) s'était convaincu d'une théorie qu'il ne cessera de défendre et qui eut un ton de prophétie: *Les Anglais ont l'esprit de la colonie. Si la France ne se saisit pas de cette partie de l'Amérique pour avoir une colonie assez forte pour résister à celle de l'Angleterre,* écrivait-il en 1699, *la colonie anglaise, qui devient très considérable, augmentera de manière que, dans moins de cent années, elle sera assez forte pour se saisir de toute l'Amérique et en chasser toutes les autres nations.*

En 1706, Philippe d'Anjou, neveu de Louis XIV, est roi d'Espagne. Le moment est stratégique, et l'alliance entre Espagnols et Français doit permettre à d'Iberville de porter aux Anglais un coup mortel. D'Iberville reçoit de la Couronne française une imposante flotte et file droit sur les Antilles. À Nevis, il saisit d'un seul coup 40 navires anglais, semant la panique dans les îles anglaises. Les Anglais ont à peine le temps d'organiser une riposte que d'Iberville est entré à La Havane, où il communique ses projets à ses hôtes. C'est alors que débarque à La Havane le nouveau capitaine général Pedro Álvarez de Villarín, séduit par les projets de d'Iberville.

L'Espagnol et le Français font partager aux notables de la ville une victoire qui leur semble acquise.

Le 8 juillet 1706, le rêve des deux alliés prend toutefois fin d'une façon aussi abrupte que mystérieuse. Les deux hommes sont surpris par une fièvre atroce les terrassant en quelques heures et meurent le 9 juillet.

L'événement sème la stupeur parmi la population. L'évêque auxiliaire de La Havane, Dionizio Rozino, apparaît sous le porche de l'église dans ses habits funèbres. C'est lui qui prononcera l'oraison où, au-delà des mots et des odeurs de cire et d'encens, se devine la fin tragique d'un projet aux conséquences insoupçonnées. Avec ces deux cadavres est enterré, dans la crypte du bâtiment religieux de La Havane, le rêve d'une autre Amérique.

En 1738, un archiviste des services hydrographiques de la Marine française évoquera brièvement, en des termes eux-mêmes énigmatiques, la disparition du héros: *Il mourut empoisonné par les intrigues d'une nation célèbre qui craignait un tel voisin.*

■ Les guerres d'Indépendance

En 1825, Cuba et Puerto Rico demeurent les deux dernières possessions coloniales de l'Espagne en Amérique. Vestiges d'un empire qui s'étend du Río Bravo mexicain à la Terre de Feu argentino-chilienne, Cuba, «l'île éternellement fidèle» à l'Espagne, devait cependant voir naître parmi ses habitants des révolutionnaires réclamant son indépendance. Le XIXᵉ siècle sera ainsi marqué par deux grandes guerres qui allaient durement toucher la population et bouleverser profondément l'économie du pays.

Le 10 octobre 1868, Carlos Manuel de Céspedes, riche propriétaire terrien et notable de la région de Manzanillo, libère ses esclaves et lance le *Grito de Yara* (le cri de Yara), l'appel à la liberté que lui et les rebelles proclamèrent lorsqu'ils prirent possession de la ville de Yara.

Héros de la guerre de Dix Ans (1868-1878), Céspedes, aidé de ses troupes, adopte les techniques de la guérilla et s'attaque aux forces espagnoles. Bien que Céspedes ait eu dans ses rangs des esclaves et des paysans, la guerre est surtout dirigée par l'aristocratie créole et notamment par les familles Céspedes et Agramonte. Mais les indépendantistes sont trop divisés pour mener avec succès la première guerre pour l'indépendance de Cuba. Céspedes est finalement tué par l'armée espagnole en 1874.

Après 10 ans d'affrontements, cette guerre se solde par un bilan de 200 000 victimes et la destruction de pratiquement l'ensemble des plantations de canne à sucre. Un armistice est alors signé en 1878, et l'accord de Zanjón promet plus d'autonomie aux *criollos*, descendants cubains des Espagnols. Rejetant l'entente de Zanjón, le général noir Antonio Maceo et Calixto García poursuivent, jusqu'en 1880, ce qui est appelé la «petite guerre». Celle-ci s'achèvera aussi par la défaite des Cubains.

Les années 1880 seront marquées par des changements qui vont déterminer, pour longtemps encore, la destinée de Cuba. La guerre d'Indépendance, la destruction des plantations et l'abolition de l'esclavage finissent par désorganiser l'économie cubaine. L'occasion est ainsi donnée aux Américains d'investir massivement dans l'industrie sucrière à Cuba. En 1898, les capitaux qu'ils y ont investis totalisent près de 100 millions de dollars.

La deuxième guerre d'Indépendance est déclarée le 24 février 1895, pour s'achever en 1898. Cette fois, la population cubaine est entraînée dans la révolte par Antonio Maceo, Máximo Gómez, héros de la guerre de Dix Ans, mais surtout par celui qui allait devenir le plus grand des héros cubains: José Martí. Idéologue et brillant écrivain, José Martí est aujourd'hui considéré comme le leader spirituel de la nation cubaine.

Né à La Havane le 28 janvier 1853 – date anniversaire qui fait l'objet de grandes célébrations à la Plaza de la Revolución de La Havane –, José Martí est l'une des plus nobles figures de l'histoire des Amériques. Son œuvre et son engagement politique ont été entièrement consacrés à la défense des opprimés. Il prône ainsi l'égalité sociale et économique sans distinction de race et la libération du peuple cubain du joug espagnol.

Dès l'âge de 16 ans, Martí publie le journal *La Patria Libre*, dans lequel il fustige les autorités coloniales. Il est alors accusé de trahison et condamné à six mois de travaux forcés. Il est ensuite exilé en Espagne, où il séjournera jusqu'en 1878. De retour au pays, Martí est de nouveau déporté en Espagne, d'où il part rejoindre les Cubains en exil à New York. Le 11 avril 1895, il débarque dans la région orientale de Cuba avec un groupe de rebelles. Il meurt en soldat le 19 mai 1895, trop tôt pour voir se réaliser son rêve d'une Cuba indépendante.

Les martyrs de 1871

L'épisode qui marqua le plus La Havane à cette époque fut certainement l'exécution de huit étudiants en médecine accusés d'avoir défiguré la pierre tombale de Gonzalo Castañón, fondateur du journal *La Voz de Cuba*, organe des volontaires pro-espagnols. Sentence bien sévère qui marqua pour longtemps l'imagination des Cubains.

Un monument à la mémoire des étudiants a été édifié à l'est du Prado, dans le Parque Mártires del 71. Il a été construit avec les restes du mur contre lequel les victimes furent alignées puis fusillées.

Durant sa vie, et tout au long de son œuvre, José Martí n'a cessé d'afficher son antiaméricanisme, attitude qui va déterminer l'éthique et les fondements de la politique cubaine du XXe siècle. La veille de sa mort, José Martí rédige une lettre prémonitoire dans laquelle il écrit: *Je vis quotidiennement dans le danger de donner ma vie pour mon pays et pour mon devoir qui, comme je le comprends et le réalise [...], consiste à prévenir, en temps voulu, avec l'indépendance de Cuba, que les États-Unis n'étendent leur pouvoir sur les Antilles [...]. Ce que j'ai fait jusqu'à ce jour, et que je ferai, c'est pour cela. J'ai vécu à l'intérieur du monstre, et je connais ses entrailles; et mon lance-pierre est le lance-pierre de David.* Ainsi commence le duel politique qui persiste jusqu'à ce jour entre le David cubain et le Goliath américain.

La guerre hispano-cubaine s'enlisera pendant près de trois ans. Pourtant, avec une armée de 100 000 hommes, les Espagnols s'imaginaient pouvoir facilement mater l'insurrection cubaine. Mais vers 1896, l'effectif des troupes espagnoles engagées à Cuba grimpe à près de 300 000 soldats. L'île entière ne compte à cette même époque que 1,8 million d'habitants. En 1897, l'Espagne propose finalement de négocier une autonomie de l'île, mais les insurgés réclament *«l'indépendance ou la mort»*. Constatant l'incapacité des autorités espagnoles à mettre fin à l'insurrection indépendantiste, la grande bourgeoisie cubaine n'hésite plus à susciter indirectement l'intervention des États-Unis pour protéger ses intérêts.

■ La guerre hispano-américaine

Pour de nombreux Sudistes américains, Cuba *«appartient naturellement au continent américain»*. En 1854, Cuba est mise aux enchères, et les États-Unis offrent 100 millions de dollars pour l'acquisition de l'île. Mais la défaite des Sudistes dans la guerre de Sécession et l'abolition de l'esclavage à Cuba mettront fin à ce projet.

Les Américains auront une deuxième chance de s'adjuger Cuba et, cette fois, aucun événement ne les en retiendra. En effet, c'est l'enlisement du conflit hispano-cubain qui leur procure l'occasion de s'emparer de l'île de Cuba. L'entrée en scène des États-Unis s'effectue à la suite de l'explosion du navire de guerre USS *Maine*, survenue le 15 février 1898. Ancré dans le port de La Havane, le navire USS *Maine* avait pour mission de protéger les intérêts des États-Unis durant la guerre hispano-cubaine. Quelque 266 soldats trouvent la mort dans l'explosion, causée selon certains par un sabotage espagnol et selon d'autres par un accident dans la poudrière du navire. Toujours est-il que la presse américaine s'empare de cet événement et que l'opinion publique aux États-Unis envisage rapidement l'éventualité d'une guerre contre l'Espagne. Le Congrès américain assure que son intention n'est pas de prendre possession de Cuba, mais plutôt de ramener la paix

Portrait - Histoire

1700
Les Bourbon s'installent sur le trône d'Espagne.

1706
Pierre Le Moyne d'Iberville meurt à La Havane.

1717
Mise en place du monopole sur le tabac.

1728
Fondation de l'université de La Havane.

1740
Établissement de la Real Compañía de Comercio.

1762
Les Anglais prennent la ville.

1789
Création de l'évêché de La Havane.

1791
Révolte des esclaves à Haïti.

1810
Début des guerres d'Indépendance sur le continent.

1837
Premier chemin de fer reliant La Havane à l'arrière-pays.

1868
Début de la première guerre d'Indépendance cubaine.

1895
Début de la troisième et dernière guerre d'Indépendance.

et de laisser gouverner l'île par un gouvernement cubain. Après un simulacre de guerre, culminant avec la bataille navale hispano-américaine près de Santiago, l'Espagne se résout à remettre Cuba au gouvernement des États-Unis en vertu du traité signé à Paris le 10 décembre 1898.

La victoire est américaine, et les indépendantistes cubains, qui luttèrent près de 30 ans contre l'Espagne, ne peuvent participer à la parade des vainqueurs dans les rues de Santiago. L'armée cubaine est interdite de séjour dans la ville, et le général cubain Calixto García est outré par l'attitude du général américain William R. Shafter. Cet affront à l'armée cubaine est le premier, et le plus symbolique, d'une série d'interventions que plusieurs générations de politiciens cubains n'oublieront pas. Au moment de la victoire de 1959, Fidel Castro défile dans les rues de Santiago et évoque l'événement historique de la révolution «confisquée» de 1898: *Cette fois, il n'y a pas de général Shafter ici pour empêcher notre marche de la victoire.*

■ Protectorat américain et république médiatisée

Les insurgés cubains du XIXe siècle voient un drapeau américain remplacer celui de l'Espagne. Un régime d'occupation militaire est installé par les États-Unis (1898-1902), au grand dam de la population civile. Cependant, durant l'occupation, une vaste campagne sanitaire est rondement menée pour enrayer la fièvre jaune, et une ligne de chemin de fer reliant Santiago à La Havane est construite.

Les premières élections du pays se tiennent en 1901, et le premier président, Tomás Estrada Palma, entre en fonction dès 1902. L'indépendance formelle de Cuba est ainsi accordée le 20 mai 1902. Mais un nouvel affront provoque une vague de protestations à travers tout le pays. En effet, l'imposition de l'amendement Platt dans la nouvelle constitution concède au gouvernement américain une base navale sur le territoire cubain (Guantánamo), lui accorde le droit d'intervenir militairement dans le pays et lui confère le pouvoir de réviser tout traité signé entre Cuba et une tierce nation. Les délégués cubains n'ont d'autre choix que celui d'entériner cette résolution, par crainte de voir l'occupation militaire se poursuivre. C'est le début d'un régime de république médiatisée qui durera près de 60 ans, où des présidents fantoches succéderont à des dictateurs corrompus.

De l'occupation militaire jusqu'à la crise économique de 1929, les États-Unis multiplient par huit leurs investissements à Cuba, soit près d'un demi-milliard de dollars, ce qui équivaut à 30% de la totalité des investissements américains en Amérique latine. En 1906, ils détiennent 15% de l'industrie sucrière cubaine. En 1929, ils contrôlent près de 75% de toute la production.

Les États-Unis interviennent militairement à quelques reprises et occupent de nouveau l'île entre 1906 et 1909, à la suite d'une élection contestée. Finalement, l'amendement Platt est retiré de la Constitution cubaine en 1934, mais l'influence américaine dans la vie politique du pays demeurera constante.

Après la chute du dictateur Machado le 10 août 1933, le nouveau régime de Grau San Martín ne dure que quatre mois, renversé par un coup d'État orchestré par celui qui allait devenir l'homme fort du pays jusqu'à la Révolution: Fulgencio Batista.

À cette époque, Carlos Mendieta occupe la présidence, mais c'est Batista qui détient le véritable pouvoir. L'entrée en scène de Fulgencio Batista dans la politique cubaine sera l'événement politique le plus déterminant sous la République. Simple colonel de l'armée, ce mulâtre ne tardera pas à faire connaître son pouvoir.

En 1940, Batista se fait élire à la présidence du pays. Au cours de la première partie de son mandat, il donne un fier coup de main au mouvement ouvrier et fait adopter l'une des constitutions les plus progressistes d'Amérique latine pour l'époque. Lorsqu'il quitte le pays en 1944 pour la Floride, laissant à Grau San Martín la présidence, le pays est plus stable et plus démocratique que jamais.

À l'élection de 1948, Grau San Martín est remplacé par Carlos Prío Socarrás, qui se révèle tout aussi irresponsable et corrompu que son prédécesseur. Convaincu de remporter les élections de 1952, Batista quitte la Floride et revient au pays. Mais un nouveau parti, les *Ortodoxos*, promet de faire le ménage dans le gouvernement et s'attire la sympathie de l'électorat cubain.

Parmi les figures de ce nouveau parti se trouve un jeune avocat du nom de Fidel Castro, qui se présente comme candidat au poste de député dans un quartier ouvrier de La Havane. Voyant ses espoirs de victoire électorale s'estomper, Batista organise un coup d'État avec le concours de l'armée cubaine.

Sans le savoir, Batista pose ainsi la première pierre d'un édifice qui allait s'écrouler sous le souffle des rebelles castristes. Nul ne sait ce que l'histoire de Cuba serait devenue si Fidel Castro avait obtenu son siège de député. Privé de ses espoirs électoraux, Castro opte dès lors pour la lutte armée, le seul et unique moyen de réaliser ses objectifs politiques.

■ Vers la Révolution

Qu'un petit groupe armé, avec à sa tête un avocat âgé d'à peine 30 ans, ait pu renverser en moins de six ans le pouvoir établi à Cuba, instaurant par la suite une économie socialiste, et ce, en pleine guerre froide et à moins de 150 km des États-Unis, demeure l'une des

Portrait - Histoire

1960
Programme de nationalisation cubain et embargo des États-Unis.

1961
Débarquement avorté des Américains dans la baie des Cochons.

1962
Crise des missiles.

1964
Accords commerciaux avec l'Union soviétique.

1970
Échec de la grande Zafra.

1972
Adhésion de Cuba au Comecon.

1976
Troisième constitution cubaine.

1979
Sommet des pays non-alignés à La Havane.

1986
Campagne de rectification des erreurs et des tendances négatives.

1989
Effondrement du bloc communiste.

1990
Début de la «période spéciale en temps de paix».

grandes prouesses politiques et révolutionnaires du XXe siècle.

Le 13 août 1926, Fidel Castro naît dans une *finca* de Birán, dans la région de Mayarí. Son père, Ángel Castro y Argiz, un émigré espagnol de Galice, était orphelin lorsqu'il arriva à Cuba à l'âge de 13 ans. Dans la région de Mayarí, Ángel Castro se lance en affaires au début de la vingtaine, vendant de la limonade aux travailleurs des champs de canne à sucre. Vers 1910, il commence à louer des parcelles de terre à l'United Fruit Company pour la culture de la canne à sucre, la région de Mayarí étant sous le contrôle de grandes entreprises américaines. Bientôt, il deviendra un influent propriétaire terrien de la région, gérant près de 10 400 ha.

Fidel naquit du second mariage de son père avec Lina Ruz González, d'une vingtaine d'années plus jeune qu'Ángel. Les moments les plus heureux de l'enfance de Fidel Castro datent de l'époque où il nageait dans le Río Birán, montait à cheval et chassait librement. À l'adolescence, on l'envoie étudier à Santiago de Cuba, où il fréquente une école des pères maristes puis un collège de jésuites. En 1945, il entame des études de droit à l'université de La Havane, où il commence à s'impliquer dans le mouvement étudiant jusqu'au coup d'État de Batista.

Le parcours politique de ce jeune *barbudo* tient du miracle. Dès 1952, Fidel organise la résistance et prépare l'attaque du Cuartel Moncada, une caserne militaire de la ville de Santiago. Le 26 juillet 1953, le groupe politique *Generación del Centenario*, sous les ordres de Fidel Castro, attaque la caserne en plein carnaval. À 5h du matin, 120 hommes armés, tous vêtus d'uniformes de l'armée cubaine, sèment la confusion parmi les gardiens de la caserne. Mais l'armée réagit à temps: 6 rebelles sont tués et 55 autres sont torturés puis assassinés le même jour. Fidel réussit à fuir vers l'est avec quelques compagnons d'armes, mais sera capturé quelques jours plus tard. Fidel fait ainsi une entrée fracassante dans le spectre politique cubain.

Devant la cour qui le juge, il assure lui-même sa défense et déclame sa célèbre plaidoirie, *La Historia me absolverá* (l'Histoire m'acquittera). Incarcérés dans le pénitencier de l'île des Pins, l'actuelle Isla de la Juventud, Castro et les membres de son groupe profitent de leur détention pour parfaire leurs connaissances. La prison devient une véritable école pour futurs rebelles.

En 1955, Fidel et ses compagnons bénéficient d'une amnistie générale de Batista, réélu sans opposition à la présidence du pays. Fidel s'exile alors au Mexique en promettant de revenir les armes à la main pour libérer Cuba. Au Mexique, il fait la rencontre d'un des hommes clés de la Révolution: le médecin argentin Ernesto dit «Che» Guevara.

Né le 14 juin 1928 en Argentine, Che Guevara est devenu le plus célèbre *soldado de América* (soldat d'Amérique) par sa participation téméraire dans la Révolution cubaine et dans la lutte armée en Bolivie. C'est d'ailleurs sous les balles de l'armée bolivienne qu'il trouve la mort en 1967. Le parcours politique et idéologique du plus «pur» soldat des marxistes latino-américains fascine encore le monde entier.

En 1952, en compagnie d'un ami, Guevara entreprend un périple de sept mois en motocyclette à travers l'Amérique du Sud. En lui faisant découvrir la misère des populations qu'il rencontre, ce voyage, relaté dans le film *Carnets de voyage* (2004) du réalisateur Walter Salles, d'après le livre de Guevara *Diarios de motocicleta*, déterminera l'engagement politique futur du jeune Guevara. Il reviendra d'abord en Argentine pour achever ses études de médecine. Résolu à s'engager politiquement, il quitte ensuite l'Argentine pour le Guatemala, où il participera au gouvernement du colonel Arbenz, un président anti-impérialiste.

Mais le 18 juin 1954, la capitale du Guatemala est bombardée par l'aviation américaine. Quelques jours plus tard, Arbenz dépose les armes, et Guevara part pour le Mexique, où il fera la rencontre de Fidel Castro.

En 1956, après avoir minutieusement préparé leur débarquement et trouvé des appuis politiques à Cuba, grâce à l'organisation du Movimiento 26 de Julio, Fidel Castro et ses 81 compagnons d'armes, dont Che Guevara, quittent le port de Veracruz à bord du *Granma*, un petit yacht qui a peine à les contenir. Le débarquement s'effectue dans de très mauvaises conditions climatiques et provoque une véritable catastrophe: le *Granma* échoue dans les marais, au sud de la Sierra Maestra, ce qui oblige les rebelles à abandonner leurs vivres.

Avertie de leur arrivée, l'armée cubaine tend une embuscade aux rebelles. Seuls 12 hommes s'en tirent. Caché dans un champ de canne à sucre avec seulement deux de ses compagnons, Fidel crie malgré tout victoire. L'optimisme inébranlable dont fait preuve Fidel Castro, même au moment de la défaite, va être un des principaux atouts du groupe de rebelles.

Castro n'est pourtant pas au bout de ses peines. Dans sa marche vers la Sierra Maestra, il tombe dans une autre embuscade et perd encore des hommes. Ils ne sont plus qu'une poignée d'affamés avec quelques mitraillettes. À eux seuls, ils devront lutter contre l'armée cubaine tout entière. Deux ans plus tard, Fidel Castro renversera pourtant le régime en place. Fulgencio Batista fuira en République dominicaine dans la nuit du 1ᵉʳ janvier 1959, et l'armée rebelle fera une entrée triomphale à La Havane.

La réussite de Castro tient à plusieurs facteurs: son habileté politique et militaire, son leadership, sa conviction,

Portrait - Histoire

les liens d'amitié qu'il a su nouer avec les paysans dans les montagnes, l'aide extérieure, le réseau d'action urbain et surtout la volonté unanime du peuple cubain de se débarrasser de Batista. La dictature de Batista fut l'une des plus corrompues et des plus répressives de l'histoire de la République. Sous son règne, le pays est livré à des familles et des clans de la pègre américaine qui dictent leurs lois à La Havane.

■ Hostilités américaines

Après l'accession de Fidel Castro au pouvoir, les relations entre Cuba et les États-Unis se dégradent et deviennent tendues. La Révolution cubaine est en effet résolue à mettre un terme à plus de 60 ans d'hégé-monie américaine. Fidel et ses rebelles vont ainsi poser de sérieux problèmes aux différents gouvernements américains qui vont se succéder.

Pendant le conflit qui opposa Batista à Fidel Castro entre 1957 et 1959, les États-Unis se souciaient peu de Fidel Castro. Ils commençaient même à critiquer le pouvoir de Batista. Tout semblait indiquer que les auto-rités américaines, dont la Central Intelligence Agency (CIA), fort active à Cuba, étaient en faveur d'un coup d'État mené par des membres de l'armée cubaine.

Les États-Unis étaient loin de se douter des mesures qui allaient découler de la Révolution. Durant la période de lutte, les textes du *Comandante en Jefe* annonçaient la tenue d'élections démocratiques et jamais n'égra-tignaient le gouvernement américain. L'histoire se révélera tout autre, et l'arrogance des États-Unis pro-voquera l'accélération de la radicalisation des mesures adoptées par Fidel Castro.

Le 17 mai 1959, la tension entre les deux pays monte d'un cran avec la promulgation de la réforme agraire qui permet à 250 000 familles de paysans cubains de devenir propriétaires de leurs terres. Dans les jours qui suivent, le *New York Times* tire la sonnette d'alarme, en annonçant que les termes de la nouvelle loi cubaine *«provoquent de plus en plus d'anxiété au fur et à mesure qu'on les étudie»*. Le *Wall Street Journal*, quant à lui, explique que l'objectif des États-Unis à Cuba est de *«mettre Castro en quarantaine»*.

Au milieu de l'année 1960, certaines mesures améri-caines annoncent un blocus imminent contre Cuba. Les principales compagnies pétrolières américaines décident de ne plus exporter de carburant vers Cuba et interdisent l'utilisation de leurs raffineries cubaines pour le traitement de produits soviétiques. En réaction à ces mesures, le gouvernement de Fidel Castro expro-prie les raffineries Esso, Shell et Texaco.

L'escalade se poursuit de plus belle lorsque le Congrès américain et le président Eisenhower décident de sus-pendre l'achat du sucre cubain. Gravement affecté par

2003

Le régime fait de nouveaux prisonniers politiques avec 75 opposants, dont plusieurs journalistes: la plus sévère vague de répression depuis 1959.

2004

Fin de la circulation libre du dollar américain.

2005

Fin de la parité du peso convertible avec le dollar américain et réévaluation du peso cubain et du peso convertible. Fin de la «période spéciale en temps de paix» et nouvelle vague d'arrestations de dissidents.

2006

Fidel Castro délègue temporairement ses pouvoirs à son frère Raúl, à la suite d'une hospitalisation.

2008

Raúl Castro est élu président de la République de Cuba par l'Assemblée nationale. Trois ouragans frappent consécutivement le pays.

2009

Cinquantenaire du «Triomphe de la Révolution». Barack Obama fait un premier geste d'ouverture envers Cuba.

cette politique, Castro renchérit en nationalisant les entreprises sucrières se trouvant sur le territoire cubain. Le gouvernement américain élargit alors le blocus à d'autres produits et finit par interdire la vente de toute marchandise à Cuba, y compris les médicaments et les produits alimentaires. Parallèlement, les États-Unis lancent une vaste offensive diplomatique qui culmine avec la rupture des relations entre les deux pays et aboutit, en avril 1961, à une tentative d'invasion de Cuba par des anti-castristes entraînés et financés par la CIA.

■ Le conflit de la baie des Cochons

Alors que Cuba vit sous la menace d'une invasion imminente, le 13 avril 1961, le grand magasin El Encanto de La Havane est complètement détruit par le feu à la suite d'un acte de sabotage. Deux jours plus tard, des B-26 américains, arborant les couleurs de l'aviation cubaine et pilotés par des exilés cubains, bombardent les bases aériennes de Ciudad Libertad et de San Antonio de los Baños, de même que l'aéroport civil de Santiago de Cuba. Quelques avions civils cubains seront détruits dans les bombardements, mais l'aviation de Fidel Castro demeure intacte. Dès le lendemain, aux funérailles des victimes de ces bombardements, Fidel annonce pour la première fois le caractère socialiste de la Révolution cubaine.

C'est dans la nuit du 17 avril que commence le débarquement de 1 500 mercenaires cubains, avec l'appui de l'armée américaine et de la CIA, à Playa Larga et à Playa Girón, dans la baie des Cochons, au sud de l'île. Ces soldats arrivent de Miami, de Puerto Rico et du Nicaragua pour reprendre le pouvoir à Cuba. Le plan d'invasion a été conçu du temps d'Eisenhower et mis en œuvre par le nouveau président des États-Unis, John F. Kennedy. L'échec de l'invasion est cuisant.

Averti par des miliciens de la région, Fidel Castro mobilise rapidement ses effectifs et s'installe dans la centrale sucrière Australia. Les envahisseurs s'enlisent dans les marécages. Après 72 heures de confrontations, 200 attaquants sont tués et 1 197 faits prisonniers. Fidel Castro est étonné par la tactique adoptée par les États-Unis. En effet, Castro s'attendait à voir débarquer une force bien plus puissante: *Les deux premières journées, nous attendions que commence la véritable invasion*, dit-il à l'époque.

À la suite de sa victoire, Fidel Castro demande que les États-Unis envoient pour 60 millions de dollars d'équipement agricole en échange des prisonniers. Mis dans l'embarras, le gouvernement Kennedy enverra pour 50 millions de dollars de médicaments à Cuba contre la libération des prisonniers.

À Cuba, la victoire est suivie de l'arrestation de près de 35 000 Cubains identifiés comme contre-révolutionnaires. Jugés puis emprisonnés, la majorité d'entre eux seront libérés, mais quelques milliers parmi ceux-là demeureront incarcérés pendant plusieurs années. Wayne S. Smith écrit dans son livre *A Portrait of Cuba*: *Les seuls résultats probants, découlant de l'affaire de la baie des Cochons, furent la destruction même d'une toujours possible rébellion anti-Castro. Cette dernière n'a jamais su se relever des coups qu'elle reçut les 17 et 18 avril 1961. À partir de ce point historique, et ce, jusqu'en 1989, l'opposition interne n'a pas nui au sommeil de Castro. En pratique, il n'y avait plus d'opposition.*

Toujours est-il que c'est la première fois, depuis l'adoption par les États-Unis de la doctrine Monroe à la fin du XIXe siècle, que les Américains perdent une position stratégique dans leur propre zone d'influence. Cette victoire symbolique de Cuba représente aussi la première défaite de l'impérialisme américain en Amérique latine. La réaction des États-Unis ne se fait d'ailleurs pas attendre: à la demande de ses émissaires, Cuba est bannie de l'Organisation des États américains (OEA), et tous les pays du continent, à part le Mexique et le Canada, rompent leurs relations diplomatiques avec Cuba. L'embargo américain est renforcé et, en octobre 1962, la crise des missiles éclate.

■ La crise des missiles

La crise des missiles survient lorsque des avions-espions américains rapportent des photographies démontrant la présence de rampes de lancement de missiles nucléaires soviétiques en sol cubain, tout près de la côte de la Floride. Au bord d'une guerre nucléaire, le monde entier retient son souffle. Les négociations s'intensifient entre Moscou et Washington.

Dans un appel à la réconciliation, Kennedy fait part d'une proposition à Khrouchtchev: si Moscou retire ses ogives nucléaires, Washington s'engage à ne pas envahir Cuba. La proposition américaine est acceptée par Moscou, sans toutefois que Castro ait été consulté, ce qui laissera un goût amer aux relations entre Cuba et l'URSS.

Le 7 février 1962, le président John F. Kennedy impose un embargo total contre Cuba, interdisant, entre autres, d'importer tout produit de fabrication cubaine ou ayant transité par Cuba. Ces mesures économiques drastiques auront un grand impact sur l'économie du pays. Elles obligeront Cuba à s'allier aux Soviétiques sur le plan économique.

■ Cuba embrasse le socialisme

À la prise du pouvoir en 1959, Castro désigne un nouveau président, Manuel Urrutia Leo, qu'il destituera quelques mois plus tard, lui reprochant le ralentissement des réformes. Fidel tiendra définitivement les rênes du pouvoir. Peu à peu, son gouvernement adopte des mesures qui annoncent un changement radical du système politique et économique: adoption d'une réforme agraire, diminution du coût des loyers et nationalisation des propriétés étrangères. La tâche qui incombe aux castristes est énorme.

Même si Cuba affichait encore le revenu *per capita* le plus élevé d'Amérique latine durant les années 1950, cette prospérité économique masquait de criantes inégalités sociales. Près du quart de la population vivait dans une extrême pauvreté. Sur deux millions d'habitants, près d'un demi-million de personnes étaient sans travail, et 650 000 détenaient des emplois saisonniers. Le taux d'analphabétisme était élevé, et le service de santé ne favorisait qu'une partie de la population.

Avec l'aide économique du géant soviétique, le régime de Castro réussira à modifier complètement l'aspect du pays. Alors qu'une personne sur six est analphabète en 1961, le régime de Fidel peut, 40 ans plus tard, se vanter d'avoir un taux de scolarisation qui atteint 97%. Aussi, une réforme complète du système de santé permet la réduction drastique du taux de mortalité infantile. En 1959, ce taux se chiffrait à environ 40 pour 1 000; en 2008, il est de 4,7 pour 1 000, au-dessous de celui des États-Unis. Grâce à la Révolution, l'espérance de vie atteint des seuils comparables à ceux des pays industrialisés, se situant à 77,3 ans. Par comparaison, les Américains ont une espérance de vie de 78,1 ans, et les Canadiens, de 81,2 ans.

Ces changements représentent pour le peuple cubain les plus grandes réussites de la Révolution. Mais, pour d'aucuns, même si le régime castriste a permis la libération du pays de l'hégémonie des États-Unis, il apparaît évident que La Havane a tout simplement troqué sa dépendance des États-Unis contre celle de l'Union soviétique. Difficile de faire autrement pour un pays qui a grandi dans la dépendance d'une métropole. Après Madrid et Washington, Moscou prend la relève. En 1986, 86% des échanges commerciaux de Cuba s'effectuent avec les pays socialistes.

Délaissées par les États-Unis, les exportations de sucre sont dirigées vers l'URSS et les pays du bloc de l'Est. En échange, l'Union soviétique donne annuellement 130 millions de barils de pétrole à Cuba, qui se charge d'en vendre l'excédent sur les marchés internationaux pour acquérir des devises. L'économie demeure toujours aussi dépendante de l'or blanc, et le régime ne réussit pas à diversifier son économie. Cuba dépend de l'extérieur pour les denrées de consommation courante.

Ainsi, en 1980, Cuba importait 94% des graisses et des huiles, 80% des haricots, 40% du riz et 24% du lait consommés au pays. Bien que rendu plus facile pour une grande partie de la population, l'accès à la nourriture demeure une des faiblesses du régime et la principale source de mécontentement.

■ L'embargo renforcé

À partir de 1989, les régimes socialistes d'Europe de l'Est s'effondrent les uns après les autres, et peu de chances de survie sont alors accordées au régime castriste. Le 23 octobre 1992, avec l'appui du Congrès, le président des États-Unis George Bush adopte la loi Torricelli, ou «Acte pour la démocratie à Cuba», pour mettre le dernier clou au cercueil du communisme à Cuba, *«qui ne saurait résister plus de trois mois encore»*.

Bien que cette loi soit censée favoriser l'avènement de la démocratie à Cuba, beaucoup de Cubains y perçoivent plutôt le préambule d'une éventuelle agression armée sous couvert d'une *«intervention militaire à des fins humanitaires»*.

La loi Torricelli élargit considérablement la portée de l'embargo: elle interdit aux filiales américaines établies dans d'autres pays de faire du commerce avec Cuba et empêche les bateaux transportant des marchandises ou des passagers vers Cuba de mouiller dans les ports des États-Unis.

La loi Torricelli prévoit également des sanctions contre les pays qui fournissent une aide économique à La Havane. La dimension extraterritoriale de cette loi est aussitôt condamnée par la communauté internationale. L'ambassadrice canadienne à Cuba en 1992, Mme Lorangel, réagit vivement en déclarant qu'il est *«inacceptable que les entreprises régies par les lois canadiennes doivent du jour au lendemain se conformer aux exigences d'une autre nation»*.

Le régime castriste saura résister aux aléas de cette nouvelle loi, mais un autre projet de loi, encore plus sévère, est adopté par le Sénat américain. La loi Helms-Burton suspend les contributions des États-Unis à toute organisation internationale qui fournit une assistance à Cuba, s'oppose à ce que Cuba adhère aux organisations financières internationales et refuse de délivrer des visas aux étrangers qui utilisent des propriétés américaines nationalisées par le gouvernement cubain.

■ Cuba brise l'isolement international

Pour vaincre son isolement provoqué par l'embargo américain et accentué à la suite de l'effondrement du bloc de l'Est, Cuba a cherché puis trouvé des alliés un peu partout à travers le monde, particulièrement au Canada, au Mexique et en France. D'ailleurs, la communauté internationale s'oppose à l'embargo américain et dénonce avec vigueur les lois Torricelli et Helms-Burton. Lors d'un vote tenu à l'Organisation des Nations Unies, seuls les États-Unis et Israël ont voté le maintien de l'embargo cubain.

Les autres pays, dont la France, l'Espagne et le Canada, parmi les principaux alliés commerciaux de Cuba, préfèrent ne pas s'immiscer dans la politique intérieure de Cuba, mais profiter de la manne résultant de l'absence de concurrence américaine dans l'économie en reconstruction de Cuba.

Bien sûr, les pays amis de Cuba ne sont pas toujours nécessairement d'accord sur tous les points de la politique cubaine. Le Canada et les pays de l'ancienne Communauté économique européenne, d'une part, et Cuba, d'autre part, ont été pendant plusieurs années dans deux camps opposés en ce qui concerne les relations internationales, surtout pendant la période de la guerre froide, tant en ce qui a trait à l'implication de Cuba en Afrique et en Amérique latine que, plus récemment, en ce qui a trait aux droits de la personne.

De plus, les pays européens et Amnistie Internationale ont décidé de porter une attention particulière aux *plantados* (ceux qui demeurent sur leur position), ces prisonniers politiques détenus depuis les années 1960. En 1982, l'insistance de la France de François Mitterrand à l'endroit de Cuba permet la libération d'Armando Valladares, un *plantado*. Depuis, les relations diplomatiques et économiques étroites ont été établies entre Paris et La Havane. Fidel Castro a ainsi effectué, pour la première fois, une visite officielle en France en 1996.

Les marchés libres paysans

Les marchés libres paysans, les *agromercados*, ont vu le jour pour la première fois en 1980. Dans la vague de décentralisation et de restructuration qui marqua la fin des années 1970, le gouvernement avait permis l'établissement de ces marchés afin de répondre aux difficultés d'approvisionnement en denrées auxquelles faisait face la population, spécialement à La Havane.

Dans un premier temps, les fermes d'État furent converties en coopératives agricoles. On établit ensuite que, une fois les quotas de l'État atteints, les agriculteurs pourraient user de leurs surplus comme bon leur semblerait. Les prix seraient librement fixés, tout comme les choix de productions.

Dès 1982, les marchés libres paysans furent durement attaqués à cause des abus qu'ils engendrèrent. Prix exorbitants, profits démesurés et diversions des ressources de l'État forcèrent le gouvernement à intervenir et à régulariser leur fonctionnement. Il semble bien que cela ait eu peu d'effet puisque, au mois de mai de l'année 1986, ces marchés furent fermés de façon permanente pour les mêmes raisons. Les abus étaient alors tels que les *agromercados* devinrent l'une des cibles principales de la «campagne de rectification».

Finalement, ce n'est que depuis 1994, au pire de la pénurie alimentaire, que les marchés libres paysans purent rouvrir leurs portes. Les mêmes abus y sont toujours, mais que faire dès lors qu'il faut nourrir la population? Pour les Cubains les plus pauvres, ces marchés sont l'indice même de leur misère croissante et le symbole de ce capitalisme discriminatoire qui reprend position sur l'île du socialisme.

En ce qui concerne le Canada, le cinquantième anniversaire de relations diplomatiques ininterrompues avec Cuba, célébré en 1995, revêt une grande importance pour le gouvernement cubain, le Canada étant le seul pays, avec le Mexique, à avoir maintenu ses relations diplomatiques avec le régime castriste, alors que Cuba était expulsée de l'OEA en juillet 1964. Allant pour une des rares fois au cours du XXe siècle à l'encontre des diktats de la politique extérieure américaine, le Canada a su maintenir une relation amicale et diversifiée avec Cuba.

Cette relation repose sur le dialogue politique, le commerce, la coopération scientifique et le tourisme. En 2008, le Canada est la deuxième destination des exportations cubaines, totalisant 27% de celles-ci, tandis que les importations de produits canadiens s'élèvent à 6% du total des importations cubaines. Mais les relations entre les deux pays transcendent le commerce et le tourisme, car plusieurs universités canadiennes coopèrent avec des institutions cubaines dans les domaines de la santé, de l'administration, de l'économie et de la recherche scientifique.

■ Les hauts et les bas de la relation américano-cubaine

Cuba a eu l'occasion, au cours des années 1970, de normaliser ses relations diplomatiques avec les États-Unis, particulièrement durant les mandats des présidents Ford et Carter, lorsque des accords migratoires furent signés dans la bonne entente. Mais l'implication cubaine dans la guerre froide, tant par le déploiement de milliers de militaires cubains en Angola que par l'envoi d'armes aux groupes marxistes du Nicaragua et du Salvador, permit à Reagan de durcir la politique des États-Unis envers Cuba.

Avec la fin de la guerre froide et la disparition de la «menace» communiste, plusieurs observateurs s'interrogent sur le bien-fondé du maintien par les Américains d'une politique rigide envers Cuba. D'autant plus que, par le passé, les États-Unis ont entretenu des relations étroites, et même cordiales, avec la Pologne, la Roumanie, et continuent, même aujourd'hui, à en faire autant avec le Vietnam et la Chine, deux pays encore communistes. Certes, l'éloignement géographique de ces pays les place d'emblée en dehors de la zone d'influence des États-Unis, ce qui n'est pas le cas de Cuba, qui persiste, de surcroît, à afficher son antiaméricanisme.

Les objectifs de la politique des États-Unis sont clairs: renverser le régime de Castro et instaurer une transition vers la démocratie, *the American way*. La faillite du blocus, qui n'a pour effet que d'aggraver les conditions de vie déjà précaires des Cubains, fait dire aux observateurs les plus libéraux des États-Unis que la levée de l'embargo et l'entrée massive de touristes et de gens d'affaires américains pourraient, à long terme, déstabiliser le régime castriste. Pour le peuple cubain, cette proposition serait la bienvenue si elle permettait de combler le manque chronique de nourriture, de médicaments et de produits essentiels.

Bien que, du point de vue de la politique internationale, le gouvernement des États-Unis puisse se permettre une certaine ouverture, la réalité de sa politique intérieure en fait autrement. L'influente et importante communauté cubaine en exil aux États-Unis n'est d'ailleurs pas étrangère à cet état de fait. Opposée en grande majorité au dialogue avec le régime castriste, cette communauté représente le plus grand bloc d'électeurs de la Floride. Elle est aussi fortement représentée au New Jersey, en Californie et à New York. C'est d'ailleurs bien elle qui a incité le Congrès à adopter les lois Torricelli et Helms-Burton, renforçant l'embargo commercial contre Cuba.

Il semble toutefois, à la lumière des faits ayant mené au rapatriement du jeune Elián González au printemps de l'an 2000, que le gouvernement américain n'entend plus jouer le jeu de la provocation. Ce jeune Cubain avait abouti seul aux États-Unis après que sa mère se fut noyée sur un radeau de fortune emprunté afin de fuir Cuba. Elián fut recueilli à Miami par des membres de sa famille exilés et installés en Floride, mais la Cour suprême trancha en faveur du père de l'enfant, resté à Cuba.

Portrait - Histoire

Cet assouplissement fut de courte durée. L'avènement de George W. Bush à la Maison-Blanche, suivie de sa guerre contre le terrorisme, a marqué un refroidissement des relations entre les deux nations. L'arrivée des premiers prisonniers sur la base de Guantánamo a relancé le débat autour de cette enclave américaine en territoire communiste, tant de fois décriée par Fidel Castro. De nouvelles restrictions virent le jour, notamment sur l'envoi d'argent vers Cuba et le nombre de jours de voyage autorisés dans l'île pour les ressortissants cubains vivant aux États-unis.

■ Dissidence

Malgré une apparence d'ouverture, notamment lors de la visite du pape en 1998, le régime lutte toujours farouchement contre toute dissidence et de nouvelles lois plus sévères ont même été votées, alors que la plus forte vague de répression depuis 1959 s'abattait sur les dissidents en mars 2003. Même des journalistes étrangers pourraient être inquiétés si ce qu'ils écrivent peut aider les États-Unis.

En mars 1999, le gouvernement cubain a condamné à de lourdes peines de prison quatre dissidents qui avaient réclamé plus de démocratie pour l'île dans un document intitulé *La patrie appartient à tous*. À la suite de cette condamnation, le Canada a décidé de revoir l'ensemble de ses relations avec Cuba. *«C'est un regrettable message que les autorités cubaines envoient à leurs amis de la communauté internationale en faisant de la simple participation à une manifestation pacifique un crime passible d'emprisonnement»*, avait déclaré le premier ministre du Canada.

Lors du Sommet ibéro-américain qui se tenait au Panamá en 2000, une tentative d'attentat contre Fidel Castro fut découverte. L'organisateur de l'attentat, Luis Posada, déjà responsable en 1973 de l'attentat contre un avion de la Cubana ayant fait plus de 75 morts, sera arrêté, mais ne sera jamais extradé. En contrepartie, en 2001, cinq Cubains seront condamnés à Miami pour espionnage: ils avaient infiltré les organisations anti-castristes de Floride. La demande de libération des «cinq héros de la nation» est toujours actuellement relayée par une intense campagne de presse de la part du gouvernement cubain.

D'autre part, le *Líder* allumera un autre feu. En 2002, lors de la conférence de l'Organisation des Nations Unies (ONU) tenue au Mexique, sur l'aide au développement des pays du tiers-monde, Fidel Castro rappelle que le fossé entre pays riches et pays pauvres continue de se creuser depuis 20 ans et que la fortune des trois personnes les plus riches du monde, en l'occurrence des Américains, représente le PIB des 48 pays les plus pauvres et que plus de 800 millions de personnes souffrent de la faim. Il crée un mini-scandale en quittant la réunion quelque quatre heures après son arrivée.

En 2002, l'ancien président des États-Unis, Jimmy Carter, s'adresse au peuple cubain en espagnol par le biais de la télévision d'État. Cette visite du lauréat du prix Nobel de la paix (2002) s'avère le point culminant des initiatives diplomatiques entreprises par le régime castriste depuis le début de la période spéciale en temps de paix. Elle illustre aussi le désaveu des éléments agressifs de la communauté cubaine de Miami par une partie de la classe politique américaine.

Malgré l'essor du secteur informel, malgré le développement du tourisme devenu depuis le début des années 1990 le moteur de l'économie, la plupart des Cubains souffrent largement de la situation économique. La restructuration des entreprises publiques, leur autonomie accrue, la diminution des subventions de l'État, l'utilisation croissante des mécanismes de marché confirment la poursuite lente et graduelle des réformes économiques. La situation reste précaire, car les réformes sont subordonnées à l'impératif du contrôle des inégalités sociales croissantes, et surtout de la stabilité politique du régime.

En outre, de plus en plus de Cubains commencent à penser qu'*«ici on a la Révolution, mais pas d'évolution»*. Le régime maintient une poigne de fer sur la dissidence et étouffe toute forme d'opposition. En mars 2003, il a même lancé la plus sévère vague de répression depuis 1959: quelque 75 opposants ont alors été arrêtés et emprisonnés pour des peines allant jusqu'à 25 ans de prison. L'Union européenne a depuis exercé de fortes pressions sur le régime et a réussi à faire libérer 14 d'entre eux pour raisons de santé, mais les autres demeurent des prisonniers politiques. Cependant, en mai 2005, pour la première fois depuis 1959, un nombre important d'opposants (près de 200) se sont réunis au grand jour pour clamer le départ de Castro. Des diplomates étrangers assistaient à cette rencontre de deux jours, mais des journalistes et politiciens se proposant d'y participer se sont vus expulsés du pays sans possibilité de consulter leur ambassade. Ces opposants représentent l'aile de droite des opposants au régime castriste et appuient le maintien de l'embargo des États-Unis. Cependant, l'éventail des opposants au régime de Castro est assez large et abrite des penseurs de diverses tendances, dont certains ont boycotté ce rassemblement. Plus de 11 000 d'entre eux ont toutefois signé une pétition, le projet *Varela*, pour réclamer plus de démocratie.

D'un autre côté, l'année 2004 a marqué le début d'une période de changements au plan économique, qui débute avec la fin des transactions en dollars et l'obligation d'utiliser les pesos convertibles (CUC), qui n'ont de valeur que sur l'île. Ces changements se poursuivent en 2005, lorsque Fidel Castro annonce la fin de la «période spéciale en temps de paix», en même temps qu'une réévaluation du peso convertible, qui était jusqu'alors à parité avec le dollar américain.

Cette nouvelle période marque un recentrage vers les principes de la Révolution qui va de pair avec la fin de la tolérance envers les «conduites antisociales» et la petite délinquance qui étaient apparues parallèlement à la période spéciale.

■ Passage de pouvoir

À la suite d'une dégradation de son état de santé, El Comandante Fidel, hospitalisé depuis 2006, délègue le pouvoir à son frère cadet Raúl. Ministre de la Défense depuis 1959, Raúl fut toujours aux côtés, et dans l'ombre, de Fidel. Après l'historique renonciation du pouvoir de Fidel le 19 février 2008 (*Je n'aspirerai pas ni n'accepterai – je répète – je n'aspirerai pas ni n'accepterai la charge de Président du Conseil d'État et de Commandant en chef*), Raúl est élu à la présidence du Conseil d'État et du Conseil des ministres par les députés de l'Assemblée nationale en février 2008. Mais dès son discours d'investiture, il affiche clairement sa volonté de continuité, et les maigres espoirs d'une éventuelle transition démocratique s'envolent. Partisan d'un système économique proche de celui de la Chine ou du Vietnam, Raúl profite de ses nouveaux pouvoirs pour annoncer quelques réformes. Il lève notamment l'interdiction faite aux Cubains de pénétrer dans divers établissements touristiques, distribue des terres non cultivées à de petits paysans, autorise l'achat d'ordinateurs et de téléphones portables, et reconnaît, paradoxalement, que la faiblesse des salaires ne permet pas aux Cubains de vivre décemment.

Cependant, Fidel, même s'il n'est plus officiellement au pouvoir, continue d'influer sur celui-ci. Le nouveau président déclare, le premier, qu'il consultera «*el compañero Fidel Castro*» pour toutes les décisions fondamentales pour le futur de la nation. Autre preuve de sa présence et de son importance, on peut lire, quasi quotidiennement dans le journal *Granma*, les «*reflexiones del compañero Fidel*». Ses éditoriaux, repris par les autres médias officiels du pays, se penchent aussi bien sur des aspects nationaux qu'internationaux, en passant par le baseball et l'écologie. On l'aura compris, Fidel, même de loin, continue à jouer de son aura, et reste néanmoins et pour toujours le leader de la Révolution.

■ La situation actuelle

L'année 2009 sonne les 50 ans du «triomphe de la Révolution». Sans contredit, cette révolution a joué un rôle déterminant dans l'histoire du peuple cubain. Elle est venue affirmer l'indépendance du pays face à son voisin du Nord, et Cuba demeure un phare pour ceux qui craignent la domination du géant américain. Les nombreux acquis des 50 dernières années ne sont pas remis en question par la population, qui jouit d'un système d'éducation et de santé fiable. Mais l'accroissement des inégalités est de plus en plus problématique: avant la chute de l'URSS, la différence entre les salaires les plus hauts et les plus bas était de 4,5/1; elle atteindrait en 2008 un ratio de 830/1. Cette différence reflète la double économie créée par l'utilisation conjointe des deux monnaies. Le fossé se creuse entre les salariés de l'État, payés en pesos, et ceux qui travaillent à leur compte et pour le tourisme, dont les revenus se font en CUC. Il résulte de ces grandes inégalités de revenus une démission inquiétante des personnels les plus qualifiés: les médecins et professeurs se reconvertissent en chauffeurs de taxi pour touristes et transforment leur maison en *casa particular*; toute activité permettant de gagner des devises est bonne à prendre.

Dans un contexte de crise économique mondiale et d'austérité de la vie quotidienne pour la majorité des Cubains, le plus grand défi du pouvoir actuel est d'ordre économique: comment développer la richesse du pays sans tomber dans les affres du capitalisme? C'est un exercice périlleux qui met en danger les principes mêmes de la Révolution, et le débat entre les «rénovateurs» et les «immobilistes» a du mal à trouver un consensus.

Avec l'avènement à la Maison-Blanche de Barack Obama, une lueur d'espoir est apparue. En avril 2009, il a levé les restrictions pesant sur les voyages à Cuba des Cubains vivant aux États-Unis, de même que sur l'envoi d'argent vers leurs familles restées sur l'île. Ce geste est vu par plusieurs comme un premier pas vers la levée de l'embargo, mais reste à savoir si le gouvernement socialiste désire réellement voir disparaître cette justification somme toute pratique de tous ses problèmes économiques.

Système politique

Les 10 premières années de la Révolution furent surtout consacrées à la consolidation et à la sauvegarde du régime face aux agressions économiques et militaires des États-Unis. Fidel Castro se devait d'abord d'unir les différentes tendances politiques autour de son projet révolutionnaire avant de pouvoir créer, en 1965, le nouveau Parti communiste cubain (PCC), seul et unique parti politique du pays.

Le PCC est ainsi demeuré l'instance dirigeante suprême du pays jusqu'à l'adoption de la Constitution de 1976, prévoyant la création de nouvelles institutions politiques. Depuis, c'est l'Assemblée nationale qui constitue l'organe suprême exerçant le pouvoir législatif à Cuba. L'Assemblée nationale est élue au suffrage universel direct – depuis 1993 – pour un mandat de cinq ans.

En dehors des sessions ordinaires de l'Assemblée nationale, tenues deux fois par année, c'est le Conseil d'État, composé de 31 membres désignés par l'Assemblée nationale, qui dispose du droit d'adoption de décrets-lois. Le Conseil des ministres représente quant à lui l'organe exécutif et fait office de gouvernement. Les membres du Conseil des ministres sont élus par l'Assemblée nationale.

Par ailleurs, chacune des 14 provinces de Cuba, issues du redécoupage administratif effectué en 1976, possède son assemblée provinciale. Au nombre de 169, les assemblées municipales sont élues au suffrage universel par l'ensemble des citoyens cubains âgés de 16 ans et plus.

Les organisations de masse jouent d'autre part un rôle non négligeable dans la vie politique cubaine. Parmi celles-là, les comités de défense de la Révolution (CDR) sont les plus importants. Mis en place initialement pour parer à toute agression étrangère, ils regroupent des citoyens volontaires et participent à la gestion des affaires municipales. Près de la moitié de la population cubaine était membre des CDR avant qu'ils ne perdent quelque peu de leur pouvoir et de leur influence ces dernières années.

Économie

■ Crise et «période spéciale»

L'avenir de la Révolution se joue dans l'assiette, c'est du moins ce que reconnaissait Raúl Castro dans une entrevue donnée en pleine tempête économique à la suite de l'effondrement de l'Union soviétique: *Aujourd'hui, le problème politique, militaire et idéologique du pays est de trouver de la nourriture. C'est la principale tâche à tous les points de vue.*

Après l'écroulement du bloc communiste, Cuba s'est retrouvée dépourvue de ses principaux partenaires commerciaux, perdant ainsi entre quatre et cinq milliards de dollars en subventions annuelles. Les bateaux remplis de pétrole, de nourriture et de biens de production ne faisaient plus escale dans les ports cubains. De 1989 à 1993, l'économie cubaine enregistre un taux de récession de 37%.

Pour pallier une crise aussi subite que profonde, le régime castriste lance un programme de mesures économiques drastiques connu sous le nom de *periodo especial en tiempo de paz* (période spéciale en temps de paix). Ce programme consiste en une série de dispositions rationnant les approvisionnements alimentaires, les biens de consommation, les combustibles et l'électricité. Ses répercussions sur le niveau de vie de la population se font durement sentir. Les hôpitaux manquent dramatiquement de médicaments, et le carnet de rationnement ne satisfait les besoins alimentaires du Cubain que pour seulement 15 jours par mois. La quête de nourriture est alors un véritable «sport national du pays». La malnutrition refait son apparition après 30 ans de révolution socialiste. La *libreta* est un petit carnet vert de rationnement permettant aux citoyens cubains de se procurer des denrées essentielles selon des quotas établis par le gouvernement.

La «période spéciale» se transforme en une source de mécontentement croissant pour la population cubaine. Face à cette situation, le régime de Castro tente de concilier économie socialiste et économie de marché, seule option permettant la préservation des acquis essentiels de la Révolution, notamment en matière d'éducation et de santé. Cuba applique ainsi chaque jour un peu plus les principes de l'économie de marché.

La débrouille

Peut-être serez-vous témoin, lors de votre passage à Cuba, de cette incroyable faculté d'invention (les Cubains appellent cela l'*invención*) dont les Cubains et Cubaines font preuve pour arriver à trouver de l'argent. C'est bien connu, outre celui du *son*, Cuba vit au rythme de l'interdit. Les Cubains et Cubaines doivent souvent faire preuve d'ingéniosité pour survivre. Cela se traduit par un système de petites magouilles qui se déploie largement dans toute l'île, depuis les officines de l'État jusque dans les zones touristiques. Parallèlement aux quelques entreprises privées que l'État tolère dorénavant, dont les *casas particulares* et les *paladares* destinés aux touristes, nombreux sont ceux qui, ne pouvant payer les forts impôts reliés au commerce légal, se tournent vers les activités illicites. Ces activités peuvent aller de la vente de faux cigares aux touristes, jusqu'à l'échange de biens et services avec leurs concitoyens, en passant par le vol et la revente. Mais on voit fleurir aussi de nombreux «petits métiers»: en vous promenant dans les rues, vous remarquerez la ménagère qui expose quelques biscuits sur le pas de sa porte, le remplisseur de briquets, ou encore le coiffeur qui s'occupe de ses clients sur son balcon.

■ Ouverture de l'économie

L'introduction des premières mesures visant l'ouverture de l'économie remonte à 1993. Les secteurs du tourisme, des mines et du pétrole s'ouvrent partiellement aux capitaux étrangers. Les Cubains sont légalement autorisés à détenir des devises étrangères, créant ainsi deux économies parallèles, l'une fonctionnant avec les pesos et l'autre avec les dollars américains. Des *diplotiendas* (magasins en devises) ouvrent leurs portes et proposent toutes sortes de denrées importées. Les Cubains s'adonnent alors au système D pour se procurer des dollars: prostitution, vente de produits volés, taxi au noir... D'autres se procurent des devises par l'entremise de leurs familles exilées qui envoient jusqu'à 800 millions de dollars annuellement à leurs parents restés à Cuba.

Avec la fin de la politique du plein-emploi, annoncée en mai 1995, le chômage augmente et atteint un taux de 8%. Le gouvernement décide alors de permettre la création d'entreprises familiales indépendantes. Des milliers de plombiers, mécaniciens, cuisiniers, coiffeurs et chauffeurs de taxi «fondent» ainsi leur première petite entreprise. La majorité des fermes d'État sont reconverties en quelque 2 600 coopératives agricoles, qui s'ajoutent aux 3 000 déjà existantes, pour employer au total près de 400 000 travailleurs. En septembre 1994, le gouvernement autorise l'ouverture des *agromercados*, soit des marchés où les paysans peuvent vendre leurs produits selon les règles de l'offre et de la demande. Mais malgré toutes ces mesures d'ouverture, l'économie du pays demeure encore fortement étatisée.

Au cours de 1995, Cuba ajoute une autre pierre à l'édification d'une économie de marché. Une nouvelle loi sur les investissements est adoptée. S'inspirant du modèle chinois, cette loi permet aux étrangers de détenir 100% des parts d'une entreprise à Cuba. Dès lors, un montant global de 2,5 milliards de dollars est injecté par plus de 300 entreprises étrangères dans différents secteurs de l'économie cubaine, ce qui a pour effet de stimuler le taux de croissance économique, qui passe de 2,5% en 1995 à 6,2% en 1999, mais baisse à 1,3% en 2003. Les Cubains jouissent d'un produit intérieur brut par habitant de 2 857$US en 2003. Le secteur économique qui enregistre la plus forte croissance est sans aucun doute celui de l'industrie touristique.

■ Le tourisme

Le tourisme a été le tout premier secteur économique à avoir bénéficié d'une ouverture aux capitaux étrangers. Dès 1989, des dizaines d'investisseurs (canadiens, espagnoles, mexicains, allemands et italiens) s'installent à Cuba pour développer cette branche d'activité.

La construction hôtelière prend ainsi un rapide essor, et une multitude de complexes touristiques surgissent dans le paysage cubain. Le nombre de chambres d'hôtel que compte Cuba passe de 6 000 en 1984 à plus de 22 000 en 1994. On dénombre aujourd'hui, dans la seule région de Varadero, environ 35 000 chambres équipées selon les normes internationales de l'industrie touristique.

L'afflux de touristes à Cuba suit des courbes tout aussi ascendantes. Plus de 600 000 visiteurs se sont rendus à Cuba en 1993, près de 1,2 million en 1997, et autour de 2 millions par année depuis l'an 2000, avec un record de 2,3 millions en 2008. Dans cette masse, les Canadiens représentent 25% du tourisme qui entre à Cuba; suivent de près les Latino-Américains puis les Italiens, les Espagnols, les Français et les Allemands.

Générant plus de 2 milliards de dollars en recettes (2,7 milliards $US en 2008), le secteur du tourisme se dispute la seconde place de l'industrie cubaine avec la production de nickel et de cobalt. Ce qui fait dire à Fidel Castro: *Avant, on pensait que le tourisme risquait de nous rabaisser, mais en vérité, le tourisme c'est de l'or.* Avec la levée, en 2009, des restrictions pesant sur les voyages à Cuba des Cubains vivant aux États-Unis, il est estimé que l'afflux touristique supplémentaire pourrait atteindre 1,5 million de visiteurs.

■ Revers de la médaille

Carlos Lage, secrétaire du Conseil des ministres et artisan des réformes économiques cubaines, a bien décrit les effets pervers de l'ouverture à l'économie de marché: *En ouvrant les fenêtres de l'économie, il est entré beaucoup d'air frais, mais aussi des araignées et des vipères.*

À la suite de la légalisation de la devise américaine en 1994 et de la création d'un peso convertible à valeur égale avec le dollar, il s'est instauré un véritable «apartheid du dollar» accentuant les inégalités sociales. Échangé sur le marché parallèle pour environ 25 pesos, le dollar n'a pas tardé à dicter ses lois. Alors que le salaire mensuel moyen à Cuba était d'environ 250 pesos (20$) et qu'un médecin gagnait mensuellement environ 400 pesos (33$), un chauffeur de taxi ou un vendeur de cigares pouvait facilement gagner ce montant sur le marché noir en quelques journées de travail.

Les Cubains qui ont des familles à l'étranger (55%) profitaient d'envois d'argent, alors que la majorité de la population continue à recevoir son salaire mensuel en pesos.

Après la quête de nourriture, la chasse au dollar ou peso convertible est alors devenue la principale préoccupation des Cubains. Certains mettent en place un véritable système «au noir» de la petite débrouille. Cette quête de la devise américaine provoque également le retour du tourisme sexuel à Cuba, un phénomène que la Révolution avait pratiquement enrayé.

■ La fin du dollar

Il y eut aussi, le 25 octobre 2004, l'annonce de la fin de la circulation interne du dollar américain. Depuis 1994, les Cubains et les étrangers pouvaient posséder et utiliser la devise américaine pour acheter certains produits de consommation. Dorénavant, cela n'est plus permis: les dollars, comme toutes les autres devises étrangères, devront être changés en pesos convertibles. Cette mesure viserait à rééquilibrer la situation économique entre les Cubains, mais frappe durement ceux qui reçoivent, de leurs proches exilés, de l'argent, généralement en dollars. Quelque 55% des Cubains jouiraient ainsi d'environ 800 millions de dollars envoyés chaque année de l'extérieur. Autres coups durs pour le dollar: en mars 2005, en même temps que la proclamation de la fin de la «période spéciale en temps de paix», le gouvernement cubain a annoncé d'abord la réévaluation de 7% du peso cubain, puis une réévaluation de 8% du peso convertible qui met fin à sa parité avec le dollar. Le peso cubain s'échange maintenant à 25 pour un peso convertible, alors qu'il en fallait 27, et ce, depuis 2002. De son côté, le peso convertible, utilisé par les étrangers et les Cubains mieux nantis, n'a plus de parité avec le dollar. N'ayant de valeur que dans l'île, le peso convertible s'y échangera dorénavant à sa propre valeur contre les autres devises étrangères, à l'exception du dollar américain dont chaque échange sera taxé de 10%.

■ Situation actuelle

La crise économique qui a sévi durement jusqu'en 2004 fut suivie par des taux de croissance allant de 7% à 12% par an entre 2005 et 2007. Cependant, une chose demeure certaine: l'embargo des États-Unis continue à peser lourdement sur l'île, même si l'on y a fait une entorse pour permettre l'achat de produits agricoles américains. De même, les nombreux ouragans qui ont frappé l'île ces dernières années, notamment *Ike* en 2008, n'ont certes pas facilité cette reprise.

Les accords économiques signés avec la Chine pour l'extraction du nickel, les nombreux investissements européens et, surtout, la relation fraternelle avec le Venezuela d'Hugo Chávez, ne sont pas étrangers à cette reprise. Le Venezuela est désormais le principal allié de Cuba. Les deux pays suivent le même modèle socialiste, et la complicité entre Fidel Castro et Hugo Chávez est entretenue par leur haine commune de l'ennemi américain. Ainsi, c'est sur un modèle social plutôt que sur le profit que s'est forgé leur partenariat économique. Le Venezuela, qui dispose de grandes réserves pétrolières, fournit à Cuba l'équivalent de 100 000 barils de pétrole par jour à des prix très préférentiels. En contrepartie, c'est pas moins de 26 000 professionnels de la santé cubains qui furent envoyés en 2006 au Venezuela, pour palier aux déficiences du système de santé de ce pays. L'exportation de ces services techniques et médicaux a engrangé 8,4 milliards de dollars en 2008, ce qui en fait le premier secteur économique du pays. Ce partenariat, tant économique que politique, est officialisé par la création de l'ALBA (Alternative bolivarienne pour les Amériques), qui englobe aussi désormais la Bolivie, le Nicaragua, la Dominique et le Honduras.

Le premier geste d'ouverture de Barack Obama en 2009, soit la levée des restrictions pesant sur les voyages à Cuba des Cubains vivant aux États-Unis et l'envoi d'argent vers leurs familles restées sur l'île, laisse penser que d'autres mesures viendront s'ajouter et que le processus de normalisation des relations entre les deux voisins ennemis est enclenché. Cependant, il serait trompeur de voir le blocus américain comme seul coupable des problèmes économiques structurels du pays.

Ainsi, dans un contexte de crise économique mondiale, l'économie cubaine est plus que jamais dépendante de conditions extérieures sur lesquelles elle n'a aucun contrôle. Avec les prix du pétrole fluctuant plus que jamais, des alliances politiques internationales qui ne sont pas à l'abri d'une nouvelle conjoncture, un besoin crucial d'importer des biens de consommation de base, et une délicate transition vers un système d'entreprise privée en accord avec les principes de la Révolution, ce ne sont pas les écueils qui manquent pour replonger Cuba dans une situation critique.

Population

Au dernier recensement officiel de 2002, la population cubaine était de 11,2 millions d'habitants (on l'estime aujourd'hui à environ 11,4 millions d'habitants). Environ 20% de cette population est âgée de moins de 15 ans. La densité de 102 habitants par km² est toute théorique puisque 75% de la population vit en zone urbaine. À elle seule, La Havane accueille 2,2 millions d'habitants, ce qui équivaut à un Cubain sur cinq. La deuxième ville la plus peuplée est... Miami, en Floride. En effet, cette dernière compte plus d'un million de résidents cubains.

Le métissage de la population cubaine est la première chose qui attire l'attention à Cuba. Les *mestizos* (métis), les *morenos* (Noirs d'Afrique), les *criollos* (descendants d'Espagnols), les *chinos* (Philippins et Chinois) et les *blancos* (immigrants Européens) cohabitent relativement bien et en bonne intelligence.

Les Cubains possèdent un grand sens de l'hospitalité et de l'humour. Tous les tracas de la vie quotidienne sont tournés en dérision, et rien ni personne n'y échappe. Tout y passe, les Américains, Fidel Castro, la «période spéciale», voire... le tourisme.

■ L'émigration cubaine

En décembre 1994, des milliers de Cubains fuient l'île sur des radeaux de fortune en direction de Miami. Plusieurs n'arriveront pas à destination. À la mi-août 1994, la base navale américaine de Guantánamo héberge plus de 22 000 réfugiés cubains à la suite de la décision du président Bill Clinton de ne pas les accepter aux États-Unis. Ironie du sort, certains se retrouveront subitement emprisonnés dans des camps américains sur cette même île de Cuba.

Pour échapper à la situation économique désastreuse provoquée par la fin de l'aide soviétique, le seul espoir résidait, pour des milliers de candidats à l'exil, dans cet horizon pas trop lointain: les côtes de la Floride. À la veille de Noël 1994, ils sont 36 000 *balseros* à prendre le large. Sur des pneus de camions, ce sont parfois des familles entières qui se jettent à la mer sous les yeux complices des autorités cubaines. Laisser partir les mécontents était en effet une façon de désamorcer la crise.

Jusqu'au tournant du XXe siècle, Cuba a été un pays d'immigration, les Européens et les Africains venant en grand nombre au pays. À partir des années 1920, il y eut plus d'émigrés que d'immigrants, bien qu'ils ne fussent que 60 000 à quitter l'île entre les années 1930 et 1959, date de la prise du pouvoir par Fidel Castro. C'est à partir de cette date que les Cubains vont émigrer en masse: 50 000 en 1959, 120 000 en 1965 et 260 000 entre 1966 et 1973. Puis vint l'exode du port de Mariel en 1980, totalisant 125 000 réfugiés. Il faudra ensuite attendre le jour de Noël 1994 pour revoir une vague d'émigration cubaine aussi importante.

■ La situation de la femme

La situation de la femme s'est améliorée dans la société cubaine depuis la Révolution, ce qui lui permet d'accéder à l'éducation et à des postes dans toutes les sphères du travail. Cependant, la femme reste sous-représentée au sein du pouvoir politique.

La création de la Fédération des femmes cubaines, au début de la Révolution, a rendu possible la tenue de nombreux débats sur la place de la femme dans la société cubaine, entre autres sur le thème délicat de la prostitution.

■ La prostitution

La prostitution a connu un essor considérable au pays avec la croissance du tourisme international depuis la fin des années 1980. Les grandes villes, entre autres La Havane et Santiago de Cuba, et les villages touristiques, surtout Varadero, connaissent un problème grandissant de prostitution. Les *jineteros* et les *jineteras* (voir p 78) abordent impunément les touristes pour leur soutirer de l'argent et des cadeaux en échange de leur compagnie. Ce phénomène a pris au dépourvu le régime castriste, qui croyait l'avoir enrayé et avoir inculqué une forte morale socialiste à ses citoyens.

Non institutionnalisée (il n'y a pas de bordel à Cuba), cette pratique s'opère dans la rue et sur les plages. Les autorités procèdent régulièrement à des opérations de «nettoyage» dans les villes, renvoyant les jeunes filles et garçons dans leur village natal, la plupart provenant de l'intérieur du pays, attirés par l'appât du gain.

Fidel Castro, dépassé par les événements, a même déclaré lors d'un discours, sur un ton sarcastique: *Au moins, Cuba offre les prostituées les mieux éduquées de la planète.*

■ La vie gay à Cuba

Bien qu'elle se soit améliorée par rapport aux années 1960, la situation des homosexuels à Cuba aujourd'hui semble ni pire ni meilleure que dans les autres pays latino-américains. Les gays sont toujours victimes d'une certaine forme de répression qui trouve sa source, dorénavant, davantage dans le poids des vieilles valeurs familiales et machistes que dans le pouvoir politique.

Le *machismo*, cette idéologie de la supériorité du mâle, demeure bien vivant à Cuba, et son obsession à figer les gens dans des comportements stéréotypés basés sur le sexe contribue plus que tout à l'oppression des homosexuels, de même qu'elle maintient les femmes dans leur rôle traditionnel.

Cependant, le film *Fresa y Chocolate* (1992) du réalisateur Tomás Gutiérrez Alea (voir p 49) semble avoir contribué à une prise de conscience de la population face aux torts causés par la répression envers les gays et a probablement permis une meilleure acceptation des homosexuels. On peut aussi citer la chanson *El pecado original* du très populaire chanteur cubain Pablo Milanés, qui fut aussi très appréciée du public.

Il n'existe que très peu d'endroits spécifiquement gays à Cuba, comme on les connaît en Amérique du Nord ou en Europe, et cela peut peut-être s'expliquer par le fait que les gays latino-américains ne semblent pas autant chercher à se regrouper au sein de leur propre communauté.

Portrait - Population

Néanmoins, un peu partout à Cuba, même dans les petites villes, ils sont susceptibles de se rencontrer sur le *malecón*, cette voie qui longe la mer au centre-ville, ou dans ces *fiestas de diez pesos* organisées clandestinement chez des particuliers.

■ La lutte quotidienne

Les trois plus gros problèmes auxquels doivent faire face les Cubains sont la nourriture, le transport et l'hébergement.

Largement subventionné par l'État, l'achat de biens de consommation courante est rationné, et chaque foyer a droit, mensuellement, à une certaine quantité de produits de première nécessité. Cependant, ces quotas, régis par la *libreta*, un carnet de rationnement, ne suffisent généralement pas à nourrir une famille pour un mois complet. Ainsi, c'est en se tournant vers le marché noir, les *agromercados* et les magasins en devises que les familles cubaines parviennent à remplir leur réfrigérateur, mais les prix pratiqués dans ces commerces en interdisent l'accès à une grande partie de la population.

Le transport est un casse-tête quotidien pour les Cubains, tant dans les villes que dans le reste du pays. Malgré les *camellos*, ces énormes camions-bus où s'entassent les Havanais pour se rendre à leur travail, les longues files d'attente aux arrêts de bus en découragent plusieurs. L'auto-stop est couramment utilisé, et même institutionnalisé par l'État: les voitures officielles étant obligées de prendre les auto-stoppeurs qui se rendent dans la même direction qu'elles. Les moyens de transport privés, à part le vélo, restent pour la plupart des habitants de l'île un rêve inaccessible. Ceux qui en ont les moyens doivent avoir l'aval gouvernemental pour s'acheter une voiture neuve; les Ladas sont offertes aux bons et loyaux serviteurs de l'État et ne peuvent être revendues; restent les bonnes vieilles voitures américaines, rafistolées de toute part, qui roulent bien souvent avec un moteur de Toyota, une boîte de vitesse Peugeot et un pot d'échappement Lada. Celles-ci sont les seules qui peuvent être librement vendues et achetées.

Enfin, l'hébergement est également cause de nombreux tracas. Il n'est pas rare de voir plusieurs générations vivre sous le même toit. Les immeubles et appartements, dont beaucoup souffrent d'un manque d'entretien grave, sont aménagés par leurs habitants pour répondre à ce manque crucial de place, à force de mezzanine et autres murs de carton pour séparer les pièces. D'ailleurs, cette promiscuité n'est pas étrangère au taux élevé de divorces dans le pays. Il faut savoir que le marché de l'immobilier n'existe tout simplement pas, officiellement, à Cuba. Une famille qui voudrait déménager ne peut qu'échanger son appartement ou sa maison contre un autre logement équivalent, ou par exemple deux plus petits. Ainsi, vous verrez des écriteaux *«se permuta»* affichés sur certaines maisons, mentionnant le quartier désiré, et le type de logement recherché. La majeure partie de ces déménagements sont effectués afin que plusieurs familles vivant sous le même toit puissent avoir chacune leur propre logement. Il va sans dire que la probabilité qu'une autre personne corresponde exactement à la transaction proposée n'est guère élevée. Officieusement, la plupart de ces échanges incluent des compensations financières de l'une ou l'autre partie. Vous pouvez visiter le site Internet *www.sepermuta. com* pour avoir une idée de ce «marché de l'immobilier» socialiste.

■ Religions

Le triomphe de la Révolution cubaine a considérablement diminué l'influence de l'Église et, de la sorte, la pratique des religions. En effet, même si la liberté de culte est garantie par la Constitution de 1976, la pratique religieuse a longtemps été mal perçue dans la réalité. Pratiquer sa foi à Cuba constituait souvent un frein pour l'avancement social de ceux qui s'y adonnaient ouvertement.

Cependant, à partir du milieu des années 1980, l'État amorce une timide ouverture en ce sens. En 1988, il autorise l'importation de bibles et l'entrée d'hommes d'Église étrangers sur le territoire cubain. En 1991, le Parti communiste cubain permet, pour la première fois de son histoire, la pratique religieuse à ses membres. En 1997, avec l'aval des autorités, une grand-messe regroupant quelques milliers de Cubains est célébrée à la cathédrale de La Havane. Ces ouvertures successives sont couronnées par la visite officielle qu'effectue à Cuba le pape Jean Paul II en janvier 1998. Depuis, la pratique religieuse connaît un certain regain. C'est ainsi que la fête de Noël, longtemps interdite par les autorités, a pu être de nouveau célébrée par les Cubains en 1998.

Aux côtés de la religion catholique, historiquement majoritaire, il existe à Cuba une importante minorité protestante et, dans une proportion moindre, une communauté juive. Mais la pratique des cultes afro-cubains demeure certainement la plus prisée et la plus répandue à Cuba. Des trois manifestations d'origine africaine qui se pratiquent à Cuba, à savoir la Règle du bâton, la société secrète Abakuá et la *santería*, cette dernière se veut la plus pratiquée.

La santería ou règle d'Ocha

La *santería* ou règle d'Ocha (Ocha signifie «dieu et saint») se présente comme l'une des trois religions afro-cubaines, ainsi appelées parce qu'elles sont le fruit du syncrétisme entre des pratiques religieuses apportées par des esclaves africains et la religion catholique. Le peuple Yoruba du Bénin apporta avec lui la règle d'Ocha au milieu du XVIIe siècle et créa à Cuba une liturgie pour préserver ses 450 déités. La *santería* se pratiquait alors dans les *cabildos*, ces endroits situés à l'extérieur des villes où pouvaient se réunir les esclaves noirs d'une même région ou ethnie, pour pratiquer leur religion, leurs danses et leur langue.

Pour s'initier à la *santería*, il faut sacrifier toute une série d'animaux: colombes, poules, coqs, canards et chèvres. La première journée de l'initiation, le sang de ces animaux est utilisé dans les rituels initiatiques pour l'alimentation des dieux. Vous reconnaîtrez facilement les pratiquants de la *santería* par leurs costumes typiques, blancs généralement, et par leurs colliers multicolores représentant des saints.

La Règle du bâton

La Règle du bâton provient du Congo, de l'Angola et du Zaïre. Les esclaves arrachés à ces régions apportèrent avec eux un *enganga*, soit un réceptacle qui contient tout ce qui vibre dans la nature, les terres, les eaux, les métaux.

Pendant l'initiation à la Règle du bâton, on fait des incisions en plusieurs endroits sur le corps de l'initié pour qu'il puisse communier avec son *enganga*. Le rituel se déroule comme suit: on commence par rayer le corps de l'initié pour voir si un *enganga* lui correspond et s'il peut en posséder un; si c'est le cas, on refait des rayures sur les bras, la nuque, la langue, les cuisses et le dos; le sang de l'initié est ensuite bu par le parrain et l'initié.

La société secrète Abakuá

Seule la société secrète Abakuá possède des temples, utilisés pour les rituels et pour les initiations. La société secrète Abakuá fut créée vers la fin du XVIIe siècle par et pour des hommes du Sud-Est nigérien. Ces hommes très forts furent amenés comme esclaves pour travailler sur les quais, et ils se regroupaient aux alentours des ports de La Havane, de Matanzas et de Cárdenas. Ils se réunissaient pour accumuler de l'argent afin de venir en aide à ceux qui étaient toujours esclaves en payant le prix de leur libération.

Cette société secrète, qui ressemble beaucoup, dans sa forme, à celle des francs-maçons, est toujours très vivante aujourd'hui. Les membres de la société secrète Abakuá doivent suivre une rigoureuse éthique sociale.

Portrait - Population

«Si l'on doit revenir à la clandestinité, nous y reviendrons»

Natalia Bolívar est l'une des grandes spécialistes des religions afro-cubaines et a publié de nombreux livres, disponibles dans toutes les librairies du pays:

Bien que les religions afro-cubaines soient généralement identifiées à la population noire, les Blancs ont historiquement frayé avec ces cultes. Depuis le XVIᵉ siècle, toutes les maisons de Blancs avaient des domestiques noires, qui allaitèrent les enfants des Blancs. Tous les Cubains ont donc cette culture dans leur sang. Il y a toujours, jusqu'à la fin du XIXᵉ siècle, plus de population noire que blanche. Il y avait des différences sociales, certes, mais lorsqu'un enfant de Blanc ou même un adulte tombait malade et qu'il n'y avait pas de médecin ou que ce dernier ne pouvait guérir la maladie, à qui avaient-ils recours pour se faire soigner? Au santero! *Parce que c'est lui ou elle qui avait le pouvoir des herbes.*

À Cuba, les Espagnols étaient plus tolérants face à ce type de manifestation, même si par moments on la pratiquait dans la clandestinité. Fondamentalement, ces religions sont personnelles: celui ou celle qui la pratique a un contact direct avec ses divinités et n'a donc pas besoin de rendre publique sa croyance. C'est une religion sans temple, sans église.

Pendant la Révolution, on refusait généralement un emploi à la personne qui inscrivait sur la fiche d'inscription qu'elle était croyante. Aujourd'hui, et depuis 1989, la pratique religieuse est davantage permise que par le passé. Cependant, si l'on doit revenir à la clandestinité, nous y reviendrons. C'est ce que l'on appelle «la double morale» [...], la religion catholique d'un côté et ses divinités africaines de l'autre.

La fête d'une sainte de *santería*

L'expérience suivante a été vécue par Carlos Soldevila.

Un jour, un ami musicien pratiquant la *santería* m'invite à une cérémonie: *C'est la fête d'une sainte. Apporte une bouteille de rhum et un peu d'argent pour donner en offrande. Tu peux enregistrer, mais pas de photos.* On se donne rendez-vous dans un immeuble de la vieille Havane à la tombée du jour.

Sur les lieux de la cérémonie, il fait déjà nuit. D'étage en étage, la musique se fait plus insistante, et son écho s'infiltre dans les couloirs. Chaque marche franchie semble m'éloigner de l'Amérique et me rapprocher de l'Afrique.

Dans le petit appartement, une quinzaine de personnes sont regroupées autour de cinq percussionnistes. Un grand homme noir dirige la cérémonie et les chants aux divinités afro-cubaines. C'est le *babalao*, l'intermédiaire entre les dieux et les hommes.

Il m'invite à passer dans une autre pièce pour y laisser mes offrandes. Au centre, la statue d'une Vierge catholique vêtue d'une longue robe verte et jaune, et portant une couronne dorée. À ses pieds: des gâteaux, des biscuits, du vin, du rhum et des coquilles de noix de coco remplies d'argent. Une femme, toute de blanc vêtue, me reçoit. Elle m'explique que c'est aujourd'hui son anniversaire de «sainte». Dans la *santería*, le pratiquant célèbre sa naissance le jour correspondant à son initiation dans la religion. Chaque année, elle offre donc une fête à Ochun, le saint qui la protège.

La bonne humeur règne parmi les convives, mais une sorte d'attente flotte dans l'air. Le *babalao* entonne un chant nouveau, et les percussionnistes scandent un rythme soutenu, étourdissant. Au bout de quelques minutes, l'incroyable se produit: une femme commence à tourner sur elle-même, éprise d'une sorte de transe. Dans un bref moment de lucidité, elle tente de sortir de la pièce, de s'enfuir, mais des hommes debout devant la porte l'en empêchent. Elle pousse des sons gutturaux, crie et danse comme un coq, de plus en plus vite, tournant sur elle-même, alors que le *babalao* invoque des prières en yoruba.

Le spectacle est étourdissant aux yeux du profane. Après quelques minutes, le *babalao* invite la jeune femme possédée par son saint à passer dans la chambre où se trouve le temple. La jeune femme ressortira de la pièce vêtue aux couleurs de son saint, soit le vert et le jaune, vraisemblablement toujours en transe.

Depuis, fasciné, j'ai rencontré de nombreux *babalaos*, généralement très ouverts aux étrangers. Tous ont prédit mon avenir en tirant des coquilles de noix de coco et en observant les contours de la fumée de cigare. Ils sont très populaires en temps de crise, et j'ai dû faire la queue sagement pour attendre mon tour. Dorénavant, chaque fois qu'un rythme de tambours s'élève dans les nuits obscures de La Havane, je pense à ces milliers de pratiquants qui ont tous lu, à la petite école, les conseils des braves Marx et Engels.

Arts et culture

■ Musique

Cuba est le berceau d'une culture musicale extraordinaire qui aura influencé tout le continent américain au XXe siècle. Issus des rythmes afro-cubains, de nombreux genres musicaux, entre autres le cha-cha-cha, le *danzón*, le mambo et la rumba, naîtront à Cuba et feront danser l'Amérique. Nulle part ailleurs en Amérique latine, les rythmes d'origine africaine ont été aussi prépondérants, sauf au Brésil peut-être. L'adoption des *cabildos* au temps de la colonie permit aux esclaves de conserver leur langue et leur religion, mais aussi leur musique complexe et rythmée, d'ailleurs très reliée aux pratiques religieuses puisque les cérémonies se déroulent selon les rythmes endiablés des tambours. La musique cubaine d'aujourd'hui a hérité de nombreux instruments de musique d'origine africaine, entre autres les tambours *batá* et le *shekere*, un petit instrument à percussion.

La richesse de la musique cubaine fait l'unanimité à travers le monde. Est-il encore besoin de parler du *Buena Vista Social Club*, ce regroupement de musiciens cubains qui fit revivre la musique cubaine qui berça La Havane durant les années de la République à travers quelques-uns de ses plus illustres interprètes? Grâce à l'initiative de Ry Cooder, un Américain, quelques interprètes d'un âge avancé, ayant délaissé le métier depuis longtemps, étaient remontés sur les planches pour offrir au monde entier une série de disques et de spectacles. Wim Wenders, le célèbre réalisateur allemand, a même tourné un documentaire portant comme titre le nom du club social qui regroupait ces musiciens et racontant son histoire.

La rumba

Née dans les quartiers noirs de la ville de Matanzas, la rumba se veut l'un des plus purs genres musicaux d'inspiration afro-cubaine, combinant les musiques rituelles et les rythmes plus contemporains. La rumba se divise en trois styles traditionnels, le *yambú*, le *guaguancó* et la *columbia*. Le rythme de la rumba est assuré par les tambours *batá*, ou par les congas, et par la *clave*, soit deux courts bâtons de bois dont l'un s'insère dans le creux de la main pour créer une caisse de résonance. La *clave* constitue aussi la base rythmique de la salsa et du jazz latino-américain.

Le danzón

Le *danzón*, populaire à partir des années 1920, tire ses origines du syncrétisme entre la «contredanse», d'origine haïtienne, arrivée au XVIIIe siècle à Cuba, et des rythmes afro-cubains qui se sont peu à peu mariés avec cette musique, complexifiant son rythme. La flûte en bois, d'origine française, et le violon sont les instruments de prédilection du *danzón*, joué par les orchestres *charangas*, contrairement aux *típicas*, qui utilisent des cuivres. De véritables maîtres de la flûte traversière marqueront la musique cubaine à partir des années 1930, entre autres Arcaño et son groupe Arcaño y sus Maravillas, de même que Richard Egües et son Orquesta Aragón. Le *danzón* se veut aussi la matrice à partir de laquelle naîtront deux rythmes populaires, le cha-cha-cha, joué par des flûtistes de renom, et le mambo.

Le son

Le plus grand héritage de la musique cubaine demeure le *son*, qui s'impose aujourd'hui comme le rythme le plus influent de la musique latino-américaine et qui agit à titre de base rythmique d'une multitude de musiques latino-américaines contemporaines, dont la salsa et le jazz latino-américain. Le *son* est né dans la province d'Oriente, à Santiago de Cuba, de la rencontre des cultures haïtiennes, africaines et espagnoles au XIXe siècle, et la paternité de ce rythme a été attribuée au musicien et compositeur Miguel Matamoros. À la *clave*, comme pour la rumba, s'ajoutent des instruments à percussion tels que le *bongó*, les maracas et le *güiro*.

C'est dans les années 1940, à La Havane, que se développe ce genre musical, surtout grâce au Sexteto Habanero (auparavant le Trio Oriental), qui y joignit le piano et les cuivres. Grâce à Félix Chapotín, le Sexteto Habanero est devenu l'un des groupes les plus influents des années 1940 et 1950. Le célèbre chanteur Beny Moré confirmera la domination de ce rythme par la suite.

La salsa

À ce jour, la salsa est sans conteste la musique la plus populaire au pays. Issue de rythmes africains et populaires, la salsa comporte l'une des bases rythmiques les plus complexes de la musique latino-américaine et fait vibrer tout le continent. Les musiciens cubains vous diront que la salsa provient de Cuba. S'il est vrai que sa base rythmique est le *son* typiquement cubain, ce genre s'est surtout développé, à ses débuts, dans les bars enfumés de New York grâce à la rencontre de musiciens cubains et portoricains.

Aujourd'hui, La Havane fourmille d'orchestres populaires de salsa. Les paroles de leurs chansons portent, dans bien des cas, un regard ironique, parfois subtilement critique, sur la vie quotidienne au pays. Citons par exemple Los Van Van et leur thème *¡La Habana no aguanta más!* (La Havane n'en peut plus), qui traite du manque de logements et des «drôles» de conséquences, entre autres la promiscuité, que cela cause. Aujourd'hui, le *son* s'intègre à la salsa et au jazz latino-américain, notamment grâce à des groupes comme Irakere.

Le jazz

Les musiciens cubains ont longtemps partagé avec leurs frères noirs de Louisiane le goût pour le jazz, ajoutant à ce genre des rythmes typiquement cubains dont le *son*. Bien qu'interdit au début de la Révolution, le jazz refera une entrée remarquée sur la scène musicale havanaise avec la fondation du Festival de jazz de La Havane par le musicien Roberto (Bobby) Carcassés dans les années 1970; il se tient annuellement à la mi-février.

Depuis une vingtaine d'années, le groupe Irakere est l'ensemble de jazz latino-américain (ou plutôt de *jazz cubano*) qui constitue le phare par excellence de toute une génération de grands musiciens cubains. Aujourd'hui sous la direction du pianiste Jesús *Chucho* Valdés, Irakere fit aussi connaître des géants internationaux du jazz latino-américain, entre autres le saxophoniste et clarinettiste Paquito D'Rivera et le trompettiste Arturo Sandoval.

La trova et la Nueva Trova

Les *trobadores* (troubadours), qui autrefois sillonnaient l'île de Cuba, parcourent aujourd'hui le monde entier. Les célèbres chansons *La Bayamesa* et *Guantanamera* sont autant de *trovas* qui marquèrent les débuts de ce mouvement qui fut modernisé par le courant de la Nueva Trova dans les années 1970, surtout grâce aux chanteurs et compositeurs Sylvio Rodríguez et Pablo Milanés. Leurs textes, à la différence de ceux de la traditionnelle *trova*, sont à caractère beaucoup plus social et politique, et généralement prorévolutionnaires. Moins connu à l'étranger, mais fort populaire dans son pays, Carlos Varela se montre plus critique que ses compagnons de la Nueva Trova, posant un regard acerbe sur les problèmes politiques et économiques qui sévissent à Cuba.

Le blocus n'est pas culturel

Fils d'un célèbre jazzman de La Havane, Roberto Carcassés se présente comme un véritable explorateur musical. Rythmes cubains, musique classique, jazz, rock: les compositions de Carcassés forment un mélange explosif dont la notoriété lui permet de parcourir le monde:

Les musiciens cubains ont toujours su s'inspirer des musiques de tous les pays du monde. Ici, malgré les conflits entre les gouvernements cubain et américain, nous, les musiciens, n'avons jamais dénoncé un certain impérialisme culturel. La culture nord-américaine était déjà présente à la naissance de la culture moderne cubaine.

Même si, avec le triomphe de la Révolution, Cuba a tenté de s'éloigner de la culture nord-américaine en nous présentant des films russes, en disant que le jazz était la musique de l'ennemi et en interdisant les Beatles, il était impossible d'éviter ces influences. Le peuple et les artistes cubains n'ont jamais eu de préjugés envers la création culturelle provenant des États-Unis.

Lorsque nous voyageons à l'extérieur de Cuba, nous vivons avec la crainte d'être éloignés du développement musical constant qu'il y a à La Havane.

L'évolution rythmique de la musique cubaine est sans aucun doute parmi les plus dynamiques et les plus sophistiquées du monde. Cependant, la culture ne se porte pas très bien à Cuba, parce qu'il n'y a pas d'argent pour subventionner les artistes, ni les infrastructures culturelles nécessaires à leur développement. Au-delà de la politique, j'aime La Havane. J'aime son peuple et ceux qui l'ont quittée.

La musique classique

Cuba est l'un des rares pays dans le monde où se complètent de façon aussi magistrale les musiques folklorique, populaire et classique. Une longue tradition de musique savante naît au pays dès le XVIIIe siècle avec le premier compositeur notoire, Esteban de Salas (1725-1803).

Le plus grand apport musical viendra au XXe siècle avec Ernesto Lecuona, considéré à juste titre comme le plus grand compositeur du pays. Il saura marier tous les genres musicaux du pays à la musique classique, déviant peu à peu vers la musique de films et fondant un orchestre populaire, les Lecuona Cuban Boys.

Les musiques d'aujourd'hui

L'émergence de musiques plus modernes est un phénomène en pleine croissance dans l'île, et il est même difficile de ne pas être bombardé de rythmes hip-hop et reggaeton dans les bars, les restaurants, les boîtes de nuit et même les bus. D'ailleurs, le reggaeton, très à la mode dans tous les pays latino-américains, est principalement abreuvé de groupes étrangers, et par conséquent guère encouragé par le ministère de la Culture. À l'inverse, le hip-hop cubain ne se prive pas pour dénoncer les dures réalités quotidiennes des habitants de l'île, mais paradoxalement, ce mouvement est reconnu et appuyé par le gouvernement en tant qu'une expression authentique de la culture cubaine. Deux autres mouvements musicaux, guère appréciés par le gouvernement ceux-là, sont le punk et le métal. Principalement centrés sur La Havane, ces courants «underground» attirent de nombreux jeunes. Un des principaux groupes de punk cubain, Porno Para Ricardo,

Portrait - Arts et culture

fut propulsé sur le devant de la scène médiatique internationale en 2008 lorsque son chanteur, Gorki Águila, fut arrêté pour ses propos subversifs.

■ L'île qui danse

Ce texte sur la danse a été rédigé par Rakel Mayedo, animatrice à la télévision cubaine, ballerine professionnelle et critique de danse. Nous remercions *Topo Magazine* pour sa collaboration:

S'il existe une chose dont les Cubains sont orgueilleux, c'est d'être de très bons danseurs. Le Cubain ressent dans tout son corps la nécessité de la danse, l'exprime tous les jours dans sa façon de marcher, dans ses gestes. L'origine de cette plasticité de mouvement vient de l'union des cultures africaine et espagnole, union qui a formé en grande partie l'identité culturelle du peuple cubain.

La lente assimilation de la forte tradition africaine a servi à créer chez le Cubain une impressionnante composition rythmique qui vient des tambours yoruba, locumi, congo *ou* bantu. *Plus tard, d'autres influences se sont ajoutées, comme le rythme haïtien et la danse française, qui arrivèrent à Cuba au XVIIIe siècle, entre autres le «quadrille», que les Créoles ont appelé la «contredanse», dans laquelle se perçoivent des éléments cubains, dont des combinaisons rythmiques brèves et positionnées en succession. Cet élément se retrouve encore plus dans le* danzón, *où l'on obtient une superposition de figures rythmiques sur deux plans différents.*

Avec toutes ces influences, la musique et la danse cubaines se développent sur des bases rythmées très précises, qui s'expriment non seulement sous la forme de battements de pied, mais également dans le mouvement des épaules, des bras, des hanches et de la tête, comme si la musique s'emparait peu à peu du danseur. Aussi l'étranger qui tient à apprendre à danser comme un Cubain recevra-t-il toujours de son professeur de danse la même réflexion: la danse cubaine peut se sentir mais ne peut pas se décrire.

Tout doit danser parce que c'est la seule façon d'exercer la complète indépendance des mouvements: voilà la façon de base d'interpréter les danses cubaines populaires comme le danzón, *le mambo et le cha-cha-cha, qui ont traversé les frontières pour se transformer en véritables succès dans certains pays d'Amérique et d'Europe. Actuellement, la salsa, avec son rythme très caractéristique, sa mélodie et son énergie personnelle, se veut la conclusion de tout ce processus.*

Le rapport du couple dans la danse cubaine est important. Une relation très sensuelle s'exprime non seulement par le rapprochement des corps, mais aussi par le mouvement du bassin de l'homme et l'ondulation des hanches de la femme. Dans toutes ces formes et ces mouvements de la danse cubaine, l'homme courtise toujours la femme, la protège, l'idéalise.

■ Cinéma

Ce texte sur le cinéma a été rédigé par André Paquet, directeur de la représentation québécoise au Festival international du film de La Havane en 1996. Nous remercions *Topo Magazine* pour sa collaboration:

Il faudra attendre l'époque de la Seconde Guerre mondiale pour que les Cubains voient leurs propres images, leurs propres imaginaires et leurs propres histoires commencer à illuminer les écrans. Cuba connaît ainsi un certain essor entre 1939 et 1959, alors que l'industrie et les studios nationaux emploient près de 8 000 personnes à La Havane seulement.

Mais les nouvelles installations et la main-d'œuvre qualifiée, abondante et bon marché, furent très vite utilisées pour le tournage de films musicaux ou de films noirs de série B. En même temps, des entrepreneurs y tournaient des films pornographiques, dont la production était alors interdite aux États-Unis.

La véritable éclosion du cinéma à Cuba surviendra cependant avec la Révolution de 1959 et la création de l'Instituto Cubano de Arte e Industria Cinematográficos (I.C.A.I.C), sous la direction d'Alfredo Guevara.

Formés à l'École européenne par la fréquentation du néoréalisme ou du cinéma français de La Nouvelle Vague, les réalisateurs García Espinoza, Tomás Gutiérrez Alea et quelques documentaristes tels que José Massip et Jorge Fraga offrent les premières images flamboyantes de la jeune Révolution. Il règne alors une sorte de liberté créatrice qui prône une décolonisation des écrans.

La création de la cinémathèque et de la revue Cinecubano *donne aussi un formidable élan au cinéma cubain, qui se placera alors à l'avant-garde du cinéma sud-américain dont La Havane constitue la plaque tournante, loin des productions de films musicaux à caractère folklorique.*

Aujourd'hui, la crise économique que traverse le pays et la censure politique exercée par le régime castriste touchent de plein fouet cette industrie, dont les infrastructures ne sont entretenues qu'avec difficulté. En témoignent la vétusté des salles. L'offre, réduite aux quelques productions nationales et aux rétrospectives du Festival international du nouveau cinéma latino-américain, qui a lieu chaque année à La Havane, se voit concurrencée par la projection vidéo de films américains, une façon de contourner l'embargo imposé également aux achats de l'I.C.A.I.C. Le marché de la distribution, exsangue, manque également de fonds pour la mise en circulation de films étrangers. L'industrie tente donc de se tourner vers les coproductions, avec l'Espagne notamment, afin de financer et d'exporter ses réalisations. Une stratégie qui semble porter ses fruits puisque les spectateurs ont eu la chance de voir en 2002 *Nada*, du jeune cinéaste cubain Juan Carlos Cremata, sélectionné par la Quinzaine des réalisateurs à Cannes. La rareté de l'offre ne décourage cependant pas les Cubains qui demeurent de grands cinéphiles et l'un des publics sud-américains les plus assidus.

Mentionnons aussi le Festival Internacional del Cine Pobre, qui se déroule tous les ans à Gibara, dans la province d'Holguín, et se taille une place unique dans le paysage cinématographique de l'île et même en dehors. Sa particularité est de présenter uniquement des films à petits budgets.

Pour plus d'information sur le cinéma cubain, visitez le site Internet *www.cubacine.cu*.

Tomás Gutiérrez Alea

Le 16 avril 1996 est décédé l'un des plus grands cinéastes de Cuba, Tomás Gutiérrez Alea, né en 1928. Il est le réalisateur du célèbre film *Fresa y Chocolate*, tourné au début des années 1990 et abordant des thèmes controversés à Cuba, comme la prostitution, l'homosexualité et la délation.

Plus que tout autre artiste cubain, Gutiérrez Alea a réussi le tour de force de produire plusieurs œuvres critiques sur la société révolutionnaire cubaine tout en respectant la volonté de Fidel Castro, qui déclara aux artistes, au début de la Révolution, qu'il accepterait des critiques seulement si elles contribuaient à approfondir l'esprit révolutionnaire: *Dentro de la Revolución, todo; fuera de la Revolución, nada* (À l'intérieur de la Révolution, tout; hors de la Révolution, rien). Le plus grand film de Tomás Gutiérrez Alea est sans doute *Memorias del subdesarrollo* (Mémoires du sous-développement), réalisé en 1968. Principale figure du cinéma cubain, il a fondé l'Institut cubain de l'art et de l'industrie cinématographiques (I.C.A.I.C.).

■ Littérature

Cuba engendrera quelques bons écrivains au XIXe siècle, dont les œuvres porteront principalement un message critique sur la société coloniale. José María de Heredia (1803-1839), premier grand poète cubain, sera ainsi banni pour son activité révolutionnaire.

Le premier romancier du pays, Cirilo Villaverde (1812-1894), avec son roman intitulé *Cecilia Valdés*, s'impose comme un précurseur du réalisme, avant même que ce courant n'atteigne la métropole espagnole, pourtant encore très influente dans les lettres cubaines à l'époque.

C'est avec l'œuvre monumentale de José Martí que commence à se dessiner réellement le modernisme à Cuba. Orateur, essayiste, romancier et poète, José Martí s'annonce comme la figure de proue de la littérature de son pays, bien que seulement trois de ses livres furent publiés de son vivant.

Cuba a contribué à la littérature universelle du XXᵉ siècle grâce à trois grands écrivains: Nicolás Guillén, Alejo Carpentier et José Lezama Lima. Guillén, mulâtre et fils de mère esclave, commence le mouvement de la négritude dans les lettres cubaines et va devenir rapidement le plus connu des poètes cubains, d'ailleurs pressenti à plusieurs reprises pour le prix Nobel (qu'il ne remportera jamais). Né à Camagüey en 1902, il est célèbre dès sa première œuvre, *Motivos de son*, un recueil inspiré de la sonorité des langues et de la culture africaine dans son pays. Poète, journaliste et communiste, il introduit dans la littérature espagnole le thème des Noirs, de la misère et de l'exploitation.

Dans son recueil *West Indies Ltd* et nombre de ses œuvres subséquentes, il dénonce, 30 ans avant l'arrivée de Castro, l'injustice dans un roulement de rythmes africains qui révolutionneront la langue de Cervantes. Pendant la Révolution, il sera nommé directeur de l'Union des écrivains artistes cubains, et il poursuivra une œuvre essentiellement engagée jusqu'à sa mort. Voici un extrait de *J'ai*, un poème écrit sur les acquis de la Révolution:

J'ai, voyons un peu,
j'ai le plaisir de m'avancer dans mon pays,
maître de tout ce qu'il y a en lui,
regardant là bien près ce qu'autrefois
je n'ai pas eu et pouvais avoir.
Je peux dire le sucre,
je peux dire les monts,
je peux dire la ville,
dire l'armée,
à moi déjà et pour toujours, à toi, à nous,
comme l'immense éclat de l'éclair, de l'étoile, de la fleur.

Alejo Carpentier (1904-1980) est le plus grand romancier cubain du XXᵉ siècle et l'un des maîtres de la littérature latino-américaine. *Le Siècle des lumières*, *Le Royaume de ce monde* et *Les Pas Perdus* sont des œuvres universelles qui racontent les aléas des sociétés des Caraïbes.

Inspiré autant par les cultures africaines qu'européennes, Carpentier démontre dans ses romans une érudition exemplaire qui ne fait qu'ajouter au plaisir de la lecture. Plus que tout autre, Carpentier réussit à exposer ses critiques sociales avec brio et à évoquer la cosmogonie afro-cubaine sans pourtant sombrer dans l'exotisme.

Son contemporain, José Lezama Lima (1910-1976), avec son roman *Paradiso*, accède au cercle restreint des plus importants écrivains latino-américains. Ce roman se veut la chronique de l'éducation sentimentale et poétique d'un jeune Havanais. *Paradiso*, avec son incursion dans la violence, l'innocence et les déviations sexuelles du Cuba du début du XXᵉ siècle, est une œuvre colossale et difficile qu'il faut aborder lentement mais sûrement. José Lezama Lima participa de façon active aux cercles d'écrivains de son époque, notamment en fondant la revue *Origenes*.

Parmi les écrivains de l'exil cubain contemporain, il faut souligner l'œuvre de Guillermo Cabrera Infante et d'Eduardo Manet. Zoe Valdes, exilée en France, est aussi reconnue mondialement grâce à ses romans tels que *La douleur du dollar* et ses nouvelles comme *Les mystères de La Havane*. Son roman paru en 2009, *La Fiction Fidel*, est une violente diatribe contre Castro et la Révolution. De son côté, Pedro Juan Gutiérrez a choisi de rester au pays, même si ses romans n'y sont pas publiés. Ceux-ci, tels *La Trilogie sale de La Havane*,

Animal tropical ou encore *Le Roi de La Havane*, sont cependant traduits en plusieurs langues: on a comparé leur auteur à Charles Bukowski et Henry Miller. Le poète et fondateur de l'agence indépendante CubaPress, Raúl Rivero, a lui aussi refusé l'exil. Accusé par le régime castriste de publier des «articles subversifs» et de collaborer avec les États-Unis, il a été condamné en 2003 à 20 ans de prison, puis relâché un an plus tard, à la suite des pressions internationales.

■ Peinture et sculpture

La période coloniale offre des œuvres représentant des paysages cubains et des gravures témoignant de la vie quotidienne. Au XVIIIe siècle, José Nicolás de Escalera est considéré comme le premier peintre cubain, et Vicente Escobar sera le plus connu de son époque puisqu'il fut le peintre officiel des capitaines généraux; la légende veut que Vicente Escobar ait été le protégé de Goya lors de son séjour en Espagne.

Le développement de la peinture s'amorce véritablement au tournant du XXe siècle, avec la création en 1910 de l'Association des peintres et sculpteurs. René Portocarrero et Wifredo Lam sont, au XXe siècle, les peintres cubains les plus universels. Wilfredo Lam fréquenta Pablo Picasso et fit partie du mouvement surréaliste avec André Breton et Paul Éluard. Son œuvre maîtresse, *Selva* (la jungle), est exposée au Musée d'art moderne de New York. L'ensemble de son œuvre explore la culture et l'esthétique afro-cubaines.

Dans les années 1970, les toiles de Raúl Martínez, avec un style pop art inspiré d'Andy Warhol, scrutent l'imaginaire populaire de la Révolution, notamment avec son célèbre portrait de Che Guevara.

■ Les cigares

Fumer le cigare est une expérience purement sensuelle. Fabriquer et déguster les meilleurs cigares au monde est un art, et laisser une fortune s'envoler en fumée aussi en est un...

On ne fume pas un *habano* comme on fume une simple cigarette. Tout comme le champagne et le cognac, le *habano* est une dénomination d'origine pour les cigares cubains. Si la langue des vins est le français, l'espagnol est la langue des cigares, bien que le terme «havane» soit couramment utilisé.

Interdits au début de la colonie espagnole *«parce qu'ils étaient l'œuvre du Diable»*, les cigares ont été adulés par des personnages aussi célèbres que Winston Churchill, dont le nom a été retenu pour les cigares grand format qu'il appréciait. Les Onassis ont fait fortune avec les cigares, d'autres ont vu leur fortune s'envoler en fumée.

Saviez-vous que, quelques jours avant de rendre publique sa décision d'instaurer le blocus économique de Cuba, John F. Kennedy a commandé des centaines de boîtes de havanes? On a aussi raconté qu'Arnold Schwarzenegger, en visite à La Havane, a fait tout un tabac auprès du personnel de l'usine de cigares Partagas. Il y aurait reçu plusieurs demandes en mariage de la part des employées de la fabrique...

Adulé par ses aficionados, détesté par plusieurs pour son odeur, le cigare est un loisir de riches. Une boîte de 25 Cohiba Lanceros, le nec plus ultra des *habanos*, se vend plus de 800$US. Certains poussent l'audace jusqu'à commander des cigares uniques, faits sur mesure. Avec plus de 30 marques et 600 formats de *habanos*, ce n'est pourtant pas le choix qui manque.

L'art de fumer

Cadeau des dieux ou œuvre du Diable? Sans doute un peu des deux avec, bien sûr, l'aide du soleil, des tabaculteurs et des artisans qui conçoivent les cigares à la main. Depuis ma rencontre avec Martínez, j'admire toujours avec autant d'enthousiasme la perfection d'un havane (sa cape lui donnant sa beauté) et les tons de brun des feuilles (environ une cinquantaine!), mais je ne le fume plus comme auparavant. Je traite *el habano* avec les égards que mérite une maîtresse, et je m'assure qu'il ne s'éteigne jamais.

Fumer un *habano* est un art. En visite à La Havane, j'ai demandé à Adriano Martínez, représentant de Cubatabaco, la firme cubaine exportatrice de *habanos*, comment il fallait s'y prendre pour fumer le «Montecristo Churchill n° 2» que je venais de choisir parmi les cigares de toutes marques et formats qu'il m'offrait. Portant la *guayabera*, une longue chemise blanche et bouffante traditionnelle de Cuba, Adriano Martínez, au visage malléable et légèrement craquelé comme une feuille de tabac, me répondit avec le plus grand sérieux du monde: *Je crois en la liberté humaine, alors chacun fume un cigare comme il l'entend. On ne dicte pas aux gens comment faire l'amour.*

La douceur de la fumée en bouche, la pointe du cigare humide sur les lèvres, fumer un *habano* est une expérience hautement sensuelle. Le vieux routier de Cubatabaco explique quelques règles de base pour augmenter le plaisir de fumer un *habano*. Bien sûr, il faut couper la pointe du cigare pour permettre à l'air de circuler.

Pour l'allumage, Martínez proscrit l'utilisation de briquets à gaz et d'allumettes cirées. Il recommande les briquets ordinaires ou des allumettes en bois. *Par contre, précise-t-il, le rite c'est de l'allumer avec un bout de cèdre, puisque les habanos sont emballés dans des boîtes de cèdre. Ce bois et son odeur caractéristique ajoutent au parfum des bons cigares.*

Certains réchauffent préalablement le cigare en passant la flamme d'un briquet ou d'une allumette sur toute sa longueur. Pour l'allumer, d'autres posent le cigare à 45° au-dessus de la flamme et, sans l'aspirer, ils font tourner le cigare lentement dans la main jusqu'à ce qu'il prenne feu.

Il y a une grande tradition à Cuba qui consiste à tremper la pointe du cigare dans du café fort et sucré ou dans du cognac. Ce sont toutes des choses suggestives et sensorielles. Envoûté par les histoires de Martínez, et le regard plongé dans mon carnet de notes, j'oublie de fumer mon cigare qui, malencontreusement, s'éteint.

Paternaliste à souhait, le sage Martínez décide de pousser un peu plus loin l'éducation du jeune et inexpérimenté fumeur qui lui pose tant de questions: *Un* habano, *il faut le traiter comme une femme. Si l'on ne le soigne pas, si l'on ne le caresse pas de sa bouche de façon régulière, il s'éteint. Le cigare d'un bon fumeur ne s'éteint pas.* Machos, les Cubains?

Carlos Soldevila

Renseignements généraux

Visiter Cuba, quel que soit le type de voyage, sera toujours une expérience fascinante. Mais pour profiter au maximum de son séjour, il est important de bien se préparer. Le présent chapitre a pour but de vous aider à organiser votre voyage. Vous y trouverez des renseignements généraux et des conseils pratiques visant à vous familiariser avec les habitudes locales.

Tous les prix mentionnés dans ce guide sont en pesos convertibles (CUC) (voir p 62).

Formalités

Avant de partir, veillez à posséder tous les documents nécessaires pour entrer et ressortir du pays. Quoique les formalités d'entrée soient peu exigeantes, sans les documents requis on ne peut voyager à Cuba. Gardez donc avec soin ces documents officiels.

■ Le passeport

Pour entrer à Cuba, les voyageurs canadiens, français, belges et suisses doivent avoir en leur possession un passeport valide au moins jusqu'à un jour après leur date de départ.

Il est recommandé de toujours conserver une photocopie des pages principales de son passeport et d'en conserver le numéro et la date d'expiration. Dans l'éventualité où ce document serait perdu ou volé, il sera alors plus facile de le remplacer. Lorsqu'un tel incident survient, il faut prendre contact avec l'ambassade ou le consulat de son pays (pour les adresses, voir ci-dessous) pour en faire émettre un nouveau. En outre, votre passeport sera systématiquement exigé pour l'enregistrement dans un hôtel ou une *casa particular*, pour changer de l'argent et parfois pour acheter des «cartes Internet». Veillez à l'avoir toujours sous la main.

■ La carte de tourisme

Pour entrer à Cuba, il est nécessaire d'avoir en sa possession une carte de tourisme (*tarjeta de turista*). Celle-ci remplace le visa pour les citoyens de nationalité canadienne, française, belge et suisse. Au Canada, la carte de tourisme est fournie gratuitement avec tout forfait ou vol sec. En

France, la carte de tourisme vous sera facturée 47€ par le voyagiste, en sus de votre forfait. Si vous n'achetez que le vol sec, vous devrez vous la procurer auprès de la filiale de Cubana, **Soleil de Cuba** *(41 boul. du Montparnasse, 2ᵉ étage, 75006 Paris, ☎01 53 63 39 39)*, ou directement auprès du Consulat de Cuba à Paris (voir p 61), où vous devrez présenter passeport et billet d'avion aller-retour; notez que le paiement se fait uniquement en argent comptant *(22€)*.

La carte de tourisme permet à tout visiteur de rester au pays pour la durée de son séjour (trois mois pour les Canadiens et résidents permanents au Canada, la carte est renouvelable pour trois autres mois; un mois pour les Français, Belges et Suisses, la carte est renouvelable pour un mois). Il faut la conserver avec soin durant tout le voyage, car elle devra être remise aux autorités à la fin du séjour.

La réglementation cubaine exige que vous indiquiez l'adresse de l'établissement où vous passerez vos deux premières nuits, que ce soit dans les hôtels ou les *casas particulares* (officielles). Ne vous en formalisez pas si vous n'avez pas de confirmation de réservation: indiquez alors simplement l'établissement où vous prévoyez aller.

■ La taxe de départ

Une taxe de départ de 25 CUC (argent comptant uniquement) doit être versée par toute personne quittant Cuba. Le paiement de cette taxe s'effectue avant de partir de l'aéroport.

■ La douane

On peut entrer au pays en possession de ses effets personnels, d'un litre d'alcool, de 200 cigarettes, de 10 kg de médicaments et d'articles électroniques tels qu'un ordinateur portable. Il est formellement interdit d'importer de la drogue, des armes à feu et toute littérature ou objet à caractère pornographique. Pour la liste complète et à jour des articles autorisés, visitez le site Internet de la douane: *www.aduana.co.cu* (en espagnol).

Au départ de Cuba, outre les mêmes interdictions qu'à l'arrivée, vous devrez présenter une preuve d'achat officielle si vous quittez le pays avec plus de 50 cigares. De même, toutes les œuvres d'art doivent être estampillées du sceau autorisant leur exportation. On ne peut quitter le pays avec plus de 200 CUC.

Accès et déplacements

■ En avion

Différentes compagnies aériennes proposent des billets vers Cuba: **Cubana de Aviación** *(www.cubana.cu)*, **Air Transat** *(www.airtransat. com)*, **Sunwing** *(www.sunwing.ca)* et **Air Canada** *(par le biais de voyagistes, www.aircanada.com)* depuis Montréal ou Toronto; et **Cubana de Aviación**, **Air France** *(www.airfrance.fr)* et **Iberia** *(www.iberia.fr)* depuis l'Europe. Il est bien entendu impossible d'accéder à Cuba au départ des États-Unis, mais on peut très bien s'y rendre à partir du Canada, du Mexique, de l'Amérique centrale, des Antilles ou de l'Amérique du Sud.

L'avion est sans doute le moyen de transport le plus efficace pour des trajets nationaux de longue distance sur le territoire cubain, et les prix sont plutôt abordables. Vous pouvez acheter vos billets quelques jours à l'avance ou même la veille dans les agences de voyages ou aux bureaux de **Cubana de Aviación** *(www.cubana.cu)*. Les autres lignes aériennes nationales sont **Aerogaviota** *(☎ 7-203-0668 ou 7-203-0686)* et **Aerocaribbean** *(www.aero-caribbean.com)*.

Il existe 10 aéroports internationaux à Cuba, entre autres ceux de La Havane, de Santiago de Cuba et de Varadero. Les autres aéroports n'accueillent que des vols intérieurs ou nolisés.

Les aéroports internationaux

De belle taille, les aéroports internationaux de Cuba offrent tous les services utiles aux voyageurs et proposent des taxis qui peuvent conduire les visiteurs dans toutes les villes environnantes. Il n'y a généralement pas d'autocars desservant les aéroports, outre ceux nolisés par les agences de voyages pour les voyageurs qui ont effectué des réservations préalables. La plupart des agences de location de voitures y ont un petit comptoir; elles se trouvent généralement toutes les unes à côté des autres, alors profitez-en pour comparer les prix et la qualité des voitures proposées.

Les trois principaux aéroports cubains sont les suivants:

Aeropuerto Internacional José Martí
Av. Van Troi, angle Final, Rancho Boyeros
15 km au sud-ouest de La Havane
☎ (7) 642-0100 ou 649-5666

Aeropuerto Juan Gualberto Gómez
20 km au sud-ouest de Varadero
☎ (45) 61-3016

Aeropuerto Internacional Antonio Maceo
5 km au sud de Santiago de Cuba
☎ (22) 69-8614

■ En voiture

Louer une voiture est la façon la plus efficace de visiter Cuba de façon indépendante. Malgré les prix affichés, il devient rentable de louer une voiture lorsqu'on voyage en groupe de trois ou quatre personnes. Les tarifs débutent à environ 50 CUC par jour, en plus des assurances *(20 CUC)* qui sont fortement recommandées. En outre, il faut avoir au moins 21 ans et détenir son permis depuis au moins un an pour louer une automobile. Tous les permis de conduire étrangers sont acceptés. Il est nettement plus avantageux de réserver une voiture depuis son pays plutôt que directement sur place.

Lors de la prise en main du véhicule, il convient de prendre le temps de vérifier tous les détails sur le véhicule (égratignures, essuie-glaces, phares, pneu de secours...). Choisissez une voiture en bon état, de préférence neuve. Avant de signer un contrat de location, veillez à ce que les modalités de paiement soient clairement définies. Lors de la signature du contrat, votre carte de crédit devra couvrir les frais de location et le montant de la franchise de l'assurance. Certaines cartes de crédit vous assurent automatiquement, mais vérifiez que la couverture offerte soit bien complète. N'hésitez pas à demander l'identité de l'agent de location, surtout si vous faites un paiement en argent comptant. Faites-vous préciser et détailler tous les frais additionnels: plein du réservoir, coût de la remise (abandon) si vous rendez le véhicule dans une autre province *(ces frais peuvent aller de 15 CUC à 150 CUC)*. Enfin, gardez précieusement le contrat de location avec vous.

Il existe quatre compagnies de location de voitures à Cuba. Le groupe **Transtur** *(www.transtur.cu)* regroupe les compagnies **Cubacar** (économique), **Havanautos** (moyenne gamme) et **Rex** (de luxe). **Via Rent-a-Car** offre plusieurs types de véhicules et appartient au groupe **Gaviota** *(www.gaviota-grupo.com)*. On trouve des succursales de ces compagnies dans la plupart des villes touristiques du pays. Vous pouvez aussi contacter les voyagistes suggérés dans la section «Renseignements touristiques» p 71.

Le Code de la route et la conduite automobile

Les distances sont parfois longues à Cuba, aussi est-il important de bien planifier son itinéraire. Procurez-vous une bonne carte routière, la meilleure étant l'atlas routier *Guía de Carreteras*, que l'on peut se procurer à l'aéroport et dans certaines agences de location de voitures. Cet atlas indique toutes les stations-service.

Les autoroutes et les routes principales sont généralement en bon état et bien revêtues. Mais attention aux nombreux trous, et sachez qu'il n'est pas rare de se retrouver derrière un vieux tracteur ou de croiser çà et là piétons et cyclistes. La conduite se fait à droite, mais sur les routes à plusieurs voies, celle de droite est habituellement laissée aux véhicules lents (vélos, charrettes, tracteurs…). Il faut redoubler de prudence sur les routes secondaires et, surtout, lors de la traversée de villes ou villages, les obstacles et animaux pouvant surgir à l'improviste. Les limites de vitesse sont de 100 km/h sur les autoroutes, 90 km/h sur les routes et 50 km/h en ville.

Les feux de signalisation se trouvent, comme au Canada, de l'autre côté des carrefours. Il convient de s'arrêter à chaque passage de voie ferrée. La règle de la priorité à droite est utilisée.

Partez toujours du principe que le véhicule devant vous est certainement usagé, et que ses feux de signalisation ou ses clignotants ne fonctionnent probablement pas. Il est courant de tendre le bras par la fenêtre pour signaler que l'on tourne.

La signalisation routière est nettement insuffisante en de nombreux endroits. Aussi, pour retrouver son chemin, il n'existe parfois pas d'autres moyens que de demander aux gens des villages, qui répondent généralement avec beaucoup d'empressement.

Du fait du manque d'éclairage et du manque de balisage des routes cubaines, il est fortement recommandé d'éviter de conduire la nuit. D'autant plus que, s'il survenait une panne, vous vous retrouveriez bien seul.

Les accidents

En cas d'accident, les policiers seront appelés sur les lieux pour faire un compte rendu des dommages. La loi cubaine considère tous les protagonistes comme fautifs, et vous devez prouver votre innocence s'il y a lieu. Il est important de se mettre immédiatement en contact avec la compagnie de location et votre assurance voyage (voir p 64). Lorsqu'il y a des blessés, toute personne témoin de l'accident est un «témoin principal». Les démarches peuvent prendre jusqu'à 48h. Bien que cela arrive fort rarement, si vous êtes impliqué dans une telle histoire, ne vous inquiétez pas: vous n'avez qu'à être patient.

L'essence

L'approvisionnement en essence n'est plus un casse-tête à Cuba pour les touristes, puisque des stations-service (Cupet et Oro Negro) fournissant une essence de qualité, la *especial*, sont réparties sur tout le territoire cubain. Ces stations sont relativement modernes et vendent l'essence à environ 1 CUC le litre. Certaines acceptent la carte Visa. Le hic, c'est que les principales villes n'ont généralement qu'une seule station-service. Vous devez donc, chaque jour, bien vous renseigner avant votre départ sur l'emplacement de ces stations-service. La Havane est cependant bien pourvue en stations-service, et vous n'aurez aucun mal à vous y procurer de l'essence. Il peut arriver que l'on vous propose de l'essence sur le marché noir; sachez que cette essence est souvent mélangée à du pétrole et que, dans bien des cas, vous risquez d'avoir des problèmes de moteur.

Le stationnement

Se garer en ville ne pose pas de problème. En plus des terrains de stationnements officiels *(2 CUC)*, en de nombreux endroits de la ville, des «gardiens» s'improvisent aux abords des rues. Ils vous offriront de surveiller et de laver votre voiture. Le tarif généralement pratiqué pour les touristes est de 1 CUC, qu'on paie au retour. Autrement, vous pouvez garer votre voiture dans les stationnements des hôtels environnants. Lorsque vous restez dans une *casa particular*, vos hôtes vous indiqueront la personne en charge *(comptez 2 CUC)* de surveiller votre véhicule, s'ils n'ont pas de stationnement fermé.

La police

Le long de l'autoroute, principalement aux passages à niveau et aux traverses pour piétons, des policiers sont postés pour surveiller les automobilistes. Ils détiennent le pouvoir d'arrêter toute personne qui commet une infraction au Code de la sécurité routière, ou de simplement vérifier les papiers du conducteur. En règle générale, les agents de police sont serviables et, si vous avez des problèmes sur la route, ils vous aideront.

Si vous avez à payer une amende pour infraction alors que vous conduisez une voiture louée, ne payez qu'à la compagnie de location et non au policier directement. En cas contraire, vous retrouverez à payer deux fois puisque la compagnie, qui sera automatiquement facturée pour l'infraction, exigera que vous la remboursiez.

■ En autocar

Il existe deux compagnies d'autocars, appelés *guaguas* par les Cubains (prononcer «oua-oua»): **Astro** est désormais réservée exclusivement aux Cubains; **Víazul** *(horaires, tarifs et achat en ligne: www.viazul. cu)* accueille les touristes et les Cubains ayant les moyens de se payer un trajet en devise.

Les autocars Víazul sont modernes, confortables et climatisés (pensez à prendre de quoi vous couvrir). Le service est très fiable, et les départs se font à l'heure annoncée. Malheureusement, seules les routes touristiques principales sont desservies par cette compagnie, et attendez-vous à ne voyager qu'avec des touristes comme vous.

On achète ses billets directement à la gare de bus ou dans la plupart des agences touristiques officielles, ou encore directement en ligne sur le site Internet de Víazul. Cependant, il est conseillé de réserver (en personne ou par téléphone) au moins une journée à l'avance, surtout pour les destinations les plus courues (Varadero, Trinidad et Viñales, entre autres). Avec ou sans réservation, présentez-vous au moins une heure avant le départ à la gare. Vous trouverez les coordonnées des différentes gares routières régionales dans les sections «Accès et déplacements» de chacun des chapitres.

■ En train

Le réseau ferroviaire dessert la très grande majorité des villes du pays. Le train est donc un moyen de transport envisageable à Cuba, bien qu'il soit généralement plus lent que l'autocar et sujet à de nombreuses pannes et annulations. De même, les retards sont fréquents, et les départs se font même parfois avant l'heure! Il n'en demeure pas moins que le train peut être une expérience unique et un moyen de voyager comme les Cubains.

Il existe plusieurs types de trains qui offrent des niveaux de confort différents. Tous les trains à Cuba sont de seconde main et proviennent soit de France, du Canada, d'Espagne ou du Mexique. Certains sont encore en relativement bon état, mais d'autres sont de plus en plus vieillots et sales. Il n'existe aucun train avec couchettes. Les wagons de train *primera especial* et *especial* sont généralement climatisés. Dans tous les cas, veillez à apporter de l'eau, de la nourriture et du papier de toilette, car ces services ne sont pas toujours proposés.

Les tarifs varient selon les types de trains et les temps de trajets, qui peuvent être très longs. Il est recommandé de bien se renseigner sur place avant le départ pour connaître le type de train. Sur le trajet entre La Havane et Santiago, en passant par Camagüey, le train le plus confortable et le plus rapide est le *Tren Francés* (1re classe: *primera especial*; 2e classe: *especial*). Réputé

Renseignements généraux – Accès et déplacements

comme le plus fiable du pays, ce service n'était pas assuré lors de notre dernier passage. Il devrait théoriquement reprendre ses liaisons à l'été 2009. Le même trajet dans d'autres trains peut coûter jusqu'à moitié prix, mais les conditions de voyage sont bien sûr moins agréables. En règle générale, on se procure les billets, à partir de trois jours avant le départ, auprès des guichets Viajero, et le jour même directement à la gare.

Pour de l'information concernant les routes et les horaires, consultez le site Internet *www.seat61.com/Cuba*.htm

Gare centrale
Av. de Bélgica, angle Arsenal
La Havane
☎ (7) 861-8540

Vous trouverez les coordonnées des différentes gares ferroviaires régionales dans les sections «Accès et déplacements» de chacun des chapitres.

■ En moto et en scooter

Dans la plupart des lieux de villégiature, il est possible de louer une motocyclette moyennant environ 10 CUC par heure de location. On exigera que vous laissiez en dépôt votre passeport (ou une pièce d'identité valide), et parfois la présentation du permis de conduire sera obligatoire. N'oubliez pas que la conduite doit être prudente, car les automobilistes ne font pas toujours attention aux motocyclistes. Assurez-vous toujours de vous entendre sur le prix et sur toutes les conditions de paiement avant de partir avec le véhicule loué.

■ En taxi

Des services de taxis sont proposés partout au pays. Les voitures sont généralement de bonne qualité. Dans tous les cas, les prix, en pesos convertibles uniquement, sont déterminés par un compteur (*metrotaxi*). Exigez que le chauffeur l'utilise plutôt que d'accepter le tarif fixe que nombre d'entre eux vous proposeront. Les frais initiaux sont de 1 CUC, puis comptez entre 0,50 CUC et 1 CUC par kilomètre.

Toutes les compagnies de taxis sont maintenant regroupées sous l'enseigne de **Cubataxi**. Cependant, il existe des différences de

Les plaques d'immatriculation

Les plaques d'immatriculation cubaines suivent un code de couleur qui sert à les identifier:

Jaune: véhicule privé
Rouge: véhicule de tourisme
Bleu: véhicule d'État
Orange: véhicule de résident étranger
Vert: véhicule de l'armée
Blanc: véhicule de chef gouvernemental
Noir: véhicule diplomatique

prix, selon le véhicule, à l'intérieur même de cette compagnie. Les taxis en Lada de couleur jaune ou blanche (anciennement sous l'enseigne de Panataxi) sont les moins chers. Les voitures récentes de marque européenne ou asiatique, de n'importe quelle couleur, avec un panneau *Taxi* sur le toit, et que l'on trouve généralement devant les grands hôtels, sont les plus chères.

Taxis en pesos

Depuis janvier 1996, une multitude de permis pour des taxis en pesos ont été attribués à La Havane, faisant suite à une certaine libéralisation des entreprises privées et familiales. Il faut toutefois savoir que ces taxis sont autorisés à transporter des Cubains mais pas d'étrangers. Vous ne seriez pas embêté par la police si l'on venait à arrêter la voiture dans laquelle vous prenez place, mais le chauffeur aurait quant à lui à débourser une amende juteuse. Ces voitures sillonnent la ville, et vous les reconnaîtrez par un carton annonçant *Taxi* sur le pare-brise. Ce sont généralement des Ladas noir et jaune ou de vieilles voitures américaines. Elles traversent la ville sur des parcours préétablis. Le prix de la course est prédéterminé et se paie en pesos *(10 pesos/trajet)*. Vous partagerez alors la voiture avec un nombre variable de Cubains.

Dar una botella

À Cuba, le transport en commun fait cruellement défaut. D'autre part, rares sont les Cubains qui peuvent s'offrir une voiture ou l'essence pour la faire rouler. Le moyen de transport le plus commun demeure donc le covoiturage. Sur le bord de tous les types de routes, dans les villages comme dans les villes, vous verrez des gens *pedir una botella* (littéralement «demander une bouteille»), c'est-à-dire faire du pouce ou de l'auto-stop. Hommes et femmes de tout âge vous feront de grands signes ou se mettront carrément en travers de votre route, et ce, même sur l'autoroute, pour que vous leur fassiez faire un bout de chemin *(dar una botella)*. Certains agents officiels vêtus de jaune, les *amarillos*, sont même postés aux intersections stratégiques pour faire stopper les véhicules appartenant à l'État qui ont l'obligation de cueillir ceux qui en ont besoin.

Si vous louez une voiture, vous n'êtes bien entendu pas tenu de vous arrêter. Si le cœur vous en dit, vous pouvez emmener des gens qui attirent votre sympathie; la pratique étant commune, vous n'aurez généralement pas de problème, et cela peut s'avérer très pratique pour trouver votre chemin. Cependant, sachez que, comme partout, certains individus mal intentionnés profitent de la générosité des touristes pour les voler. Ces voleurs connaissent bien les voitures de location et tous les trucs possibles pour en ressortir avec vos effets personnels, même bien gardés, sans que vous vous rendiez compte de rien. Toujours en restant vigilant, nous vous conseillons donc de favoriser les personnes âgées et les femmes avec des enfants.

Taxis particulares

La crise économique au pays a favorisé l'éclosion d'un marché noir dans le domaine des transports routiers. De nombreux propriétaires de voitures privées (plaque jaune), généralement issus d'emplois professionnels sous-payés, vous aborderont pour vous proposer un service de taxi urbain ou interurbain. Moins économiques que l'autocar, ces taxis permettent toutefois d'effectuer des excursions à moindre coût qu'une voiture de location. Tout au long de ce guide, vous trouverez des indications quant aux tarifs suggérés, ainsi que les endroits où vous pourrez trouver ce type de moyen de transport (dans bien des cas, les chauffeurs vous aborderont avant que vous n'ayez eu le temps de les trouver!). Négociez ferme le tarif proposé par le chauffeur puisque, pour les touristes, il demande systématiquement le double ou plus du tarif qu'il accorde aux voyageurs cubains. Tâchez toujours de comparer le tarif demandé avec celui d'une voiture de location, et vérifiez que l'essence est incluse dans le prix.

En général, ces voitures sont en piteux état, et vous prenez le risque de passer l'après-midi en bordure de la route plutôt qu'à la plage! Aussi, faites attention aux bagages dans le coffre de la voiture: à cause des problèmes d'approvisionnement en combustible, les Cubains transportent souvent de l'essence dans le coffre de leur voiture, provenant généralement du marché noir. Pour que vos objets personnels ne soient pas tachés d'essence, il est préférable de procéder à une petite inspection de l'endroit où vous les déposerez avant votre départ.

L'utilisation de *taxis particulares*, la plupart sans permis, est illégale, mais vous ne risquez rien. Ce sont plutôt les chauffeurs qui risquent une juteuse contravention.

■ En auto-stop

Cuba constitue le paradis de la *botella* (voir l'encadré à ce sujet). L'auto-stop se trouvant élevé au rang de mode de transport public, une grande majorité de Cubains en font quotidiennement pour se rendre au

Renseignements généraux - Accès et déplacements

travail. Pour remédier aux problèmes de transport, le covoiturage est devenu indispensable, et obligatoire pour les conducteurs de voitures d'État, lesquelles arborent une plaque d'immatriculation bleue. Les conducteurs de ces voitures doivent s'immobiliser devant les auto-stoppeurs pour leur demander la direction qu'ils prennent. Le meilleur moyen pour arrêter ces véhicules est de se poster à des intersections où se trouve un officiel portant un uniforme jaune. Appelés communément *amarillos*, ces représentants de l'ordre interceptent les voitures d'État ayant des sièges vacants. Il convient de rémunérer le chauffeur qui vous prend à bord (en fonction de la distance parcourue), ainsi que l'*amarillo (0,50 CUC à 1 CUC)* s'il a arrêté une voiture pour vous.

Autrement, les voitures portant une plaque jaune sont de propriété privée. Leur conducteur s'arrête parfois devant les auto-stoppeurs, mais il est important de négocier un tarif fixe avant de monter.

À Cuba, les femmes pratiquent autant l'auto-stop que les hommes, parfois même davantage.

Renseignements utiles, de A à Z

■ Achats

Les amateurs de magasinage ne sont pas des plus choyés à Cuba. Hors des centres touristiques, vous trouverez peu de boutiques. Par contre, chaque ville dispose d'un établissement du Fondo de Bienes Culturales proposant une bonne sélection d'artisanat et d'art. Quelques villes disposent aussi de marchés en plein air proposant différents types d'artisanat. L'**artisanat** local est parfois intéressant; on trouve notamment de belles sculptures de bois ou des pots en céramique. Afin de pouvoir être exportée du pays, toute **œuvre d'art** doit être accompagnée d'un certificat du Fondo de Bienes Culturales. Nous vous indiquerons leur emplacement tout au long du guide.

En outre, il peut parfois être difficile de se procurer de l'eau embouteillée ou un petit goûter. Recherchez les stations-service, car elles sont généralement pourvues de petits magasins généraux.

Quoi rapporter?

Il faut bien sûr rapporter du **rhum**, excellent et peu coûteux (le meilleur rapport qualité/prix est sans doute offert par le Habana Club Añejo 7 años, mais des marques régionales, comme le Ron Caney de Santiago, sont difficiles à trouver en dehors du pays). Les **cigares** constituent aussi un achat de premier choix. Différents formats et marques sont proposés un peu partout au pays. Vous songerez à rapporter des cigares de marque Montecristo ou Cohiba. Le marché noir des cigares est omniprésent, et vous risquez d'être abordé par des vendeurs dans la rue. Sachez que ces cigares sont généralement faux, bien que vendus dans les boîtes originales et fermées avec les sceaux officiels. Parfois, ils s'avèrent non fumables. Pour l'aficionado, il est préférable d'acheter les cigares dans des boutiques spécialisées assurant des cigares d'origine et des conditions d'entreposage idéales. Rappelez-vous que si vous sortez du pays avec plus de 50 cigares (par personne), une preuve d'achat vous sera demandée.

Les boutiques hors taxes

On trouve des boutiques hors taxes dans les aéroports. On y vend des produits étrangers et cubains.

Les mercados agropecuarios

Les marchés paysans proposent des fruits, des légumes ainsi que des viandes. Les achats s'effectuent en pesos cubains (*moneda nacional*), et l'on trouve généralement un bureau de change Cadeca à proximité de ces marchés. Si vous faites des achats, passez d'abord chez le vendeur de sacs en plastique, car les marchands n'en ont pas. Une incursion dans ces marchés vous fera découvrir la vie quotidienne des Cubains, mais ces marchés ne sont pas aussi fournis et colorés que dans divers pays des Caraïbes ou en Amérique centrale.

Les shoppings et les tiendas

Appelés *shoppings* par les insulaires, les petits commerces d'alimentation vendent des produits alimentaires, des produits de beauté, de l'alcool, des cigarettes, du rhum et des bouteilles d'eau.

Les *tiendas* s'apparentent aux *shoppings*, mais elles sont intéressées à satisfaire les besoins des touristes plutôt que ceux des Cubains. Elles se spécialisent dans les produits de luxe et, comme pour les *shoppings*, tout s'y transige en pesos convertibles. Les cigares, l'alcool, les vêtements, les souvenirs, accessoires photographiques, tout cela occupe normalement une place de choix sur les étagères de ces commerces. On trouve des *tiendas* dans la plupart des grands hôtels. Dans les petites villes, ou en province, la ligne est toutefois mince entre *shoppings* et *tiendas*, les deux termes étant alors utilisés indistinctement pour décrire les endroits où l'on peut se procurer des denrées autrement introuvables, à condition, bien sûr, de disposer de pesos convertibles.

Dans tous les grands magasins, il est courant de devoir laisser son sac au *garda bolso*. Ce service est gratuit. Veillez à ne pas laisser d'objets de valeur ou d'argent dans votre sac.

■ Alcool

Dans tous les petits commerces d'alimentation, on vend de l'alcool, plus particulièrement du rhum et de la bière.

■ Ambassades et consulats cubains à l'étranger

Les bureaux des ambassades et des consulats cubains émettent les visas nécessaires, entre autres dans le cas de voyages d'affaires, et disposent généralement d'un office de tourisme afin d'aider les voyageurs à préparer leur séjour à Cuba. Les responsables peuvent répondre aux questions des visiteurs et fournir des brochures.

Belgique

Ambassade de Cuba
77 rue Robert-Jones, 1180 Uccle
Bruxelles
☎ 32-2-343-0020
www.embacuba.be

Canada

Ambassade de Cuba
388 Main Ave.
Ottawa, ON, K1S 1E3
☎ (613) 563-0141
www.embacubacanada.net

Consulat général de Cuba
4542 boul. Décarie
Montréal, QC, H3X 2H5
☎ (514) 843-8897

France

Ambassade et consulat de Cuba
14-16 rue de Presles
75015 Paris
☎ 01 45 67 55 35
www.cubaparis.org

Suisse

Ambassade de Cuba
Gesellschaftstrasse 8, C.P. 5275
3012 Berne
☎ 31-302-2111

■ Ambassades étrangères à Cuba

Les ambassades et les consulats peuvent fournir une aide précieuse aux visiteurs qui se trouvent en difficulté (par exemple en cas d'accident ou de décès, pour fournir le nom de médecins ou d'avocats, etc.). Toutefois, seuls les cas urgents sont traités. Il faut noter que les coûts relatifs à ces services ne sont pas défrayés par ces missions consulaires.

Belgique

Ambassade de Belgique
Calle 8, n° 309, entre Av. 3 et Av. 5, Miramar
La Havane
☎ (7) 204-2410 ou 204-2561
www.diplomatie.be/havanafr

Canada

Ambassade du Canada
Calle 30 n° 518, angle Av. 7, Miramar
La Havane
☎ (7) 204-2516
www.canadainternational.gc.ca/cuba

France

Ambassade de France
Calle 14 n° 312, entre Av. 3 et Av. 5, Miramar
La Havane
☎ (7) 201-3131
www.ambafrance-cu.org

Renseignements généraux · Renseignements utiles, de A à Z

Suisse

Ambassade de Suisse
Av. 5 n° 2005, Calzada, entre Calle 20 et Calle 22,
Miramar
La Havane
☎ (7) 204-2611
www.eda.admin.ch/havana

Cette ambassade abrite aussi le Bureau des intérêts américains à Cuba *(http://havana. usint.gov)*.

■ Argent et services financiers

La monnaie

Il existe deux monnaies officielles en circulation à Cuba.

Le **peso convertible (CUC)** doit être obligatoirement utilisé par les étrangers pour payer les services touristiques (environ 99% de leurs dépenses). Il est aussi utilisé par les Cubains pour se procurer des biens et services inexistants dans les magasins subventionnés par l'État. Cette monnaie, malgré son nom, n'a pas cours à l'extérieur du pays; on ne peut pas en acheter avant de partir, et le montant maximal que l'on peut sortir du pays est de 200 CUC. Par contre, chaque aéroport international est muni d'un bureau de change permettant d'obtenir des CUC dès l'arrivée à Cuba. On retrouve des billets de 1, 3, 5, 10, 20, 50 et 100 CUC (ce dernier n'étant pas toujours pratique à utiliser), et des pièces de 5, 10, 25, 50 centavos, et de 1 CUC. Il est important de se familiariser avec cette monnaie pour ne pas la confondre avec la seconde. Il est clairement indiqué «pesos convertibles» sous la dénomination en lettres du billet.

Le **peso cubain (CUP)**, souvent appelé tout simplement *peso*, et aussi appelé *moneda nacional* (MN), est la monnaie généralement utilisée par les Cubains. Les touristes peuvent être amenés à l'utiliser dans plusieurs occasions, notamment dans les restaurants en pesos, aux petits comptoirs de nourriture dans les rues, pour des achats dans les *mercados agropecuarios*, les transports publics en ville, ou pour prendre des taxis en pesos. Ainsi, il est pratique de toujours avoir sur soi quelques pesos, que l'on se procure dans les Cadecas. Le taux de change est fixe: 1 CUC = 24 MN (et 25 MN pour acheter 1 CUC). Il existe des billets de 1, 3, 5, 10, 20 et 50 pesos, et des pièces de 5 et 20 centavos, et de 1 et 3 pesos.

La fin du dollar

Le dollar américain, qui avait cours légal depuis 1994, n'est plus accepté à Cuba depuis 2004. Depuis, c'est avec le peso convertible (CUC) que les touristes voyagent. Ce dernier a été créé par les autorités en 1993, et son taux fut d'abord fixé à valeur égale sur le dollar américain. Depuis avril 2005, le gouvernement a décidé de nouvelles mesures économiques, dont une valorisation de 8% du peso convertible. Pour donner encore plus de force à cette décision, le gouvernement impose dorénavant une taxe de 10% pour l'échange de dollars américains. Il n'est donc pas avantageux de voyager à Cuba avec des billets verts.

Le **dollar US** n'est plus accepté à Cuba (voir l'encadré à ce sujet), et il n'est pas avantageux de changer la devise américaine pour des CUC. Par contre, l'**euro** est accepté dans certains centres touristiques, comme à Varadero, Cayo Largo, Cayo Coco et Guardalavaca.

Cuba est un pays où l'argent comptant est roi, alors prévoyez de toujours avoir sur vous suffisamment de monnaie pour régler toutes vos dépenses. De même, nous vous recommandons de toujours conserver sur vous des pièces de monnaie de 25 ou 50 centavos pour pouvoir facilement offrir des pourboires.

Le change

Il est facile de changer de l'argent dans les banques, notamment auprès du réseau de **Banco de Crédito y Comercio** ou de **Banco Financiero Internacional** *(lun-ven 8h30 à 15h)* et auprès des bureaux de change **Cadeca** *(tlj 8h30 à 18h, horaires variables)* que l'on trouve partout dans le pays et souvent près des *mercados agropecuarios*. Toutes les opérations de change peuvent se faire indistinctement auprès des banques comme des bureaux de change. Les banques offrent généralement un taux sensiblement meilleur que les Cadecas. La présentation du passeport est obligatoire pour toute transaction, excepté pour changer quelques CUC en pesos.

Nous vous conseillons de calculer de votre côté combien de CUC ou de devises vous êtes censé récupérer (une calculatrice peut être utile) et d'exiger un reçu pour toute transaction. Il arrive parfois que des employés peu scrupuleux profitent des sommes importantes qui sont parfois échangées pour en soutirer quelques sous.

On vous proposera certainement de changer vos devises sur le **marché noir**. Nous vous déconseillons cette option car vous risquez fort de vous faire arnaquer, voire voler, avec le seul espoir de gagner quelques centimes.

Pour connaître les taux de change officiels, visitez le site Internet du **Banco Central de Cuba**: *www.bc.gov.cu*.

Les cartes de crédit

Les cartes de crédit sont acceptées dans quelques commerces et restaurants, et leur utilisation est généralisée dans les hôtels, en particulier les cartes Visa et MasterCard. **La carte American Express et les cartes de crédit émises par des banques américaines sont systématiquement refusées.** Veuillez noter que toute transaction effectuée par carte de crédit (paiement ou retrait à un distributeur automatique) est sujette à une surcharge de 11,24%, peu importe la devise d'origine de la carte.

On peut retirer des pesos convertibles avec sa carte de crédit au guichet de certaines banques ou même dans les distributeurs automatiques installés dans certains aéroports, les plus grandes villes et quelques hôtels de La Havane (assurez-vous avant votre départ que votre carte est munie d'un numéro d'identification personnel vous permettant de l'utiliser dans un distributeur automatique). Visa et MasterCard sont généralement acceptés. Comme partout ailleurs dans le monde, il est aussi possible de retirer de l'argent sur les cartes de crédit dans les grandes banques ou les bureaux de change, mais il faut présenter son passeport. Sachez aussi que des frais vous seront généralement facturés par la

Taux de change

1 CUC	=	1,30$CA
1 CUC	=	0,80€
1 CUC	=	1,20FS
1 CUC	=	1,08$US
1$CA	=	0,80 CUC
1€	=	1,25 CUC
1FS	=	0,83 CUC
1$US	=	0,92 CUC

N.B. Les taux de change peuvent fluctuer en tout temps.

compagnie émettrice de votre carte pour de telles avances de fonds.

Les chèques de voyage

Les chèques de voyage de marque American Express (même s'ils sont en dollars canadiens) ainsi que tous les autres émis par une banque des États-Unis ne sont pas acceptés à Cuba. Ainsi, les voyageurs canadiens ne pourront pas utiliser ce moyen de paiement, à moins de se procurer des chèques d'une autre marque. Par contre, les voyageurs européens n'auront pas de difficulté à se procurer des chèques de voyage en euros, émis par Thomas Cook ou Visa, et à les changer sur place. Ces chèques sont encaisser dans les banques et les bureaux de change des grandes villes et centres touristiques, mais en province, il est possible qu'on refuse de les changer. Dans tous les cas, la commission sera de 2% à 4%, et il vous faudra présenter votre passeport pour pouvoir encaisser vos chèques. Nous vous conseillons de garder une copie des numéros de vos chèques dans un endroit à part, car, si vous les perdez, la banque émettrice pourra vous les remplacer plus facilement et plus rapidement.

Renseignements généraux – Renseignements utiles, de A à Z

■ Assurances

En cas de problème sur place, depuis la perte de vos bagages jusqu'à un besoin d'hospitalisation, contactez **Asistur** *(Prado n° 208 entre Trocadero et Colón, La Havane,* ☎ *7-866-4499 ou 7-866-8527, 7-866-8339 ou 7-866-8920 pour les urgences, www.asistur.cu)*, qui agit comme le correspondant local de la plupart des assurances voyage.

Annulation

Cette assurance est normalement suggérée par l'agent de voyages au moment de l'achat du billet d'avion ou du forfait. Elle permet le remboursement du billet ou forfait dans le cas où le voyage devrait être annulé en raison d'une maladie grave ou d'un décès.

Maladie

Sans doute la plus utile, l'assurance maladie doit être achetée avant de partir en voyage. Cette police d'assurance doit être la plus complète possible, car, même à Cuba, le coût des soins est relativement élevé pour les étrangers. Au moment de l'achat de la police, il faudrait veiller à ce qu'elle couvre bien les frais médicaux de tout ordre, comme l'hospitalisation, les services infirmiers et les honoraires des médecins (jusqu'à concurrence d'un montant assez élevé). Une clause de rapatriement, pour le cas où les soins requis ne peuvent être administrés sur place, est précieuse. En outre, il peut arriver que vous ayez à débourser le coût des soins en quittant la clinique. Il faut donc vérifier ce que prévoit votre police dans ce cas. Durant votre séjour, vous devriez toujours garder sur vous la preuve que vous avez une assurance maladie, ce qui vous évitera bien des ennuis si par malheur vous en avez besoin.

Vie

Plusieurs compagnies aériennes proposent une assurance vie incluse dans le prix du billet d'avion. D'autre part, beaucoup de voyageurs disposent déjà d'une telle assurance; il n'est donc pas nécessaire de s'en procurer une supplémentaire.

Vol

La plupart des assurances habitation au Canada protègent une partie des biens contre le vol même si celui-ci a lieu à l'étranger. Pour réclamer un remboursement, il faut présenter un rapport de police. En général, la couverture pour le vol en voyage correspond à 10% de la couverture totale. Selon les montants couverts par votre police d'assurance habitation, il est plus ou moins utile de prendre une assurance supplémentaire. Pour les voyageurs européens, il est recommandé de contracter une assurance bagages.

■ Climat

On distingue deux saisons à Cuba: la saison sèche, un peu plus fraîche, qui s'étend de décembre à avril, et la saison humide, qui s'étend de mai à novembre. Des typhons et ouragans s'abattent parfois sur la région du golfe du Mexique de septembre à novembre. La saison sèche est la plus agréable, car la chaleur est moins étouffante, l'humidité réduite, et les pluies sont plus rares. À cette époque de l'année, on enregistre des températures moyennes oscillant entre 25°C et 28°C, et les nuits sont fraîches. On peut aussi voyager durant la saison des pluies, puisque les averses, bien qu'intenses, sont brèves. Du mois de mai à la mi-juin, les averses sont plus fréquentes. Durant la saison humide, il faut s'attendre à des températures moyennes de 30°C. Les heures d'ensoleillement demeurent à peu près les mêmes tout au long de l'année.

Les vêtements à emporter

Le type de vêtements à emporter varie peu d'une saison à l'autre. D'une manière générale, les vêtements de coton et de lin, amples et confortables, sont les plus appréciés dans ce pays. Pour les balades en ville, il est préférable de porter des chaussures fermées couvrant bien les pieds, car elles protègent mieux des blessures qui risqueraient de s'infecter. Pour les soirées fraîches, un chemisier ou un gilet à manches longues peuvent être utiles. N'oubliez pas vos sandales de caoutchouc pour la plage. Durant la saison des pluies, un petit parapluie s'avérera fort utile pour se protéger des ondées. En prévision de certaines sorties, il est bon d'emporter des vêtements plus chics, puisque certains établissements favorisent le port d'une tenue vestimentaire soignée. Enfin, si vous prévoyez faire une randonnée dans les montagnes, mettez dans vos bagages de bonnes chaussures et un chapeau.

■ Décalage horaire

Cuba se trouve dans la zone horaire GMT –5. Ainsi, il n'y a pas de décalage horaire avec le Québec, mais six heures de retard sur la France. Le pays effectue un passage à l'heure avancée d'été (+1h) le deuxième dimanche de mars (comme en Amérique du Nord) et retourne à l'heure normale (-1h) le dernier dimanche d'octobre (une semaine avant les pays d'Amérique du Nord).

■ Électricité

La majorité des prises électriques sont plates et donnent un courant alternatif d'une tension de 110 volts. On trouve aussi dans certaines régions et dans les grands hôtels des prises de 220 volts à fiches rondes. La puissance est généralement indiquée sur les prises, mais renseignez-vous en cas de doute. Les Européens qui désirent utiliser leurs appareils électriques devront se munir d'un adaptateur, bien que de nombreuses prises acceptent aussi les fiches rondes. En règle générale, tous les appareils chauffants tels que les sèche-cheveux nécessitent un convertisseur pour fonctionner avec un voltage différent, mais les ordinateurs portables ou les chargeurs acceptent aussi bien le 110 que le 220 volts.

■ Fumeurs

Cuba, véritable royaume du tabac, s'est doté paradoxalement en 2005 de mesures anti-tabac destinées à protéger la santé de la population et à favoriser le respect des non-fumeurs. Aussi, selon le décret, est-il dorénavant interdit de fumer dans les lieux publics. Dans la pratique, cette loi n'est guère suivie: les restaurants non-fumeurs sont des exceptions et certains offrent une section non-fumeur, mais dans la plupart des cas, les bars, les restaurants, les hôtels et même les bureaux gouvernementaux sont envahis de fumeurs. Dans tous les cas, comme partout, il est toujours poli de demander la permission de fumer avant d'allumer.

■ Guides

Près des centres touristiques, bon nombre de personnes se débrouillant parfois en anglais, parfois en français, se prétendent guides touristiques. Certaines en ont sans doute la capacité, mais nombreuses sont celles qui ont très peu de connaissances en la matière. Méfiez-vous donc. Si vous désirez louer les services d'une telle personne, renseignez-vous bien sur ses compétences. Ces guides ne travaillent pas gratuitement et exigent parfois des sommes d'argent importantes. Avant de partir, entendez-vous clairement sur les services correspondant au montant d'argent réclamé, et ne payez qu'à la fin.

■ Hébergement

Le type d'hébergement que vous allez choisir dépend du style de voyage dont vous rêvez. Vous aurez le choix entre le sans tracas et le repos assuré du «tout compris», la flexibilité et le confort des hôtels, ou la convivialité et l'aspect économique des *casas particulares*.

Prix et symboles

L'échelle utilisée donne des indications de prix, en pesos convertibles, pour une chambre standard pour deux personnes, en vigueur durant la haute saison:

$	moins de 20 CUC
$$	de 20 CUC à 40 CUC
$$$	de 41 CUC à 80 CUC
$$$$	de 81 CUC à 160 CUC
$$$$$	plus de 160 CUC

Le label Ulysse ⬭ULYSSE

Le pictogramme du label Ulysse est attribué à nos établissements favoris. Bien que chacun des établissements inscrits dans ce guide s'y retrouve en raison de ses qualités ou particularités, en plus de son rapport qualité/prix, de temps en temps un établissement se distingue parmi d'autres. Aussi mérite-t-il qu'on lui attribue un label Ulysse. Les labels Ulysse peuvent se retrouver dans n'importe quelle catégorie d'établissements: supérieure, moyenne-élevée, petit budget. Quoi qu'il en soit, dans chacun de ces établissements, vous en aurez pour votre argent. Repérez-les en premier!

Les saisons

La **haute saison** s'étend de décembre à mars, pendant les vacances scolaires de juillet et d'août, et autour des festivités de Noël et de la Semaine sainte (début avril).

La **basse saison** s'étend d'avril à juin (climat chaud et humide) et de septembre à novembre (saison des ouragans).

Les hôtels

On distingue trois catégories d'hôtels. Situés près des centres-villes, les hôtels pour petit budget offrent un confort souvent rudimentaire. Ces établissements affichent leurs tarifs en pesos et sont généralement réservés aux Cubains. Pour un étranger, il n'est pas impossible d'y loger, mais nombre de ces établissements refusent systématiquement les non-Cubains. Les chambres de ces hôtels comportent généralement une petite salle de bain et un ventilateur de plafond, et il est préférable d'apporter un sac de couchage ou des draps puisque l'hygiène peut y faire défaut. Dans les hôtels de catégorie moyenne, les chambres sont climatisées et offrent un confort simple mais adéquat. Ils se trouvent généralement dans les centres touristiques, et chaque grande ville dispose d'au moins un de ces établissements. Leurs tarifs sont en pesos convertibles. Enfin, les hôtels de catégorie supérieure sont situés dans les centres touristiques, à La Havane et dans les autres villes, sur des sites exceptionnels offrant luxe et confort. Plusieurs de ces hôtels, gérés par des firmes hôtelières européennes ou canadiennes, proposent aussi un forfait «tout compris».

Les casas particulares

Le phénomène des *casas particulares* (littéralement «maisons particulières») est en pleine expansion à Cuba. Le succès de ce type d'hébergement est tout naturel: il permet au touriste d'entrer dans l'intimité d'une famille cubaine, tout en étant accueilli chaleureusement, logé confortablement à un prix économique et bien nourri car on y prépare généralement une délicieuse cuisine locale. C'est définitivement le meilleur choix pour le voyageur indépendant qui désire comprendre et vivre la culture cubaine. On trouve ces *casas particulares* partout dans l'île, sauf dans les enclaves touristiques comme Varadero, où elles sont interdites.

Il faut savoir que les propriétaires des *casas particulares* doivent verser un impôt mensuel substantiel à l'État pour chaque chambre qu'ils proposent aux touristes, et ce, que la chambre ait été louée ou pas. Les sommes varient, mais dans un lieu touristique, il faut compter environ 200 CUC par mois et par chambre. En sus, chaque année, une taxe de 30% est calculée sur les revenus générés. On reconnaît une *casa particular* officielle à son autocollant bleu distinctif où il est inscrit *Arrendador Inscripto*, affiché à l'entrée. Il vous faudra montrer votre passeport lors de votre arrivée pour que votre hôte vous inscrive au registre officiel. Il existe évidemment des *casa particulares* qui opèrent sans permis, mais nous ne vous les conseillons pas: la qualité de l'hébergement ne serait pas garantie, et le propriétaire de la maison risque de gros problèmes qui peuvent aller jusqu'à la délocalisation.

Le confort, l'accueil et le type de maison peuvent varier énormément d'une adresse à une autre; cependant les prix restent semblables dans un même lieu, alors n'hésitez pas à visiter plusieurs maisons. Il faut compter entre 15 CUC et 40 CUC pour une chambre pour deux personnes; les prix sont négociables pour une personne. Les adresses conseillées dans ce guide répondent à trois critères: confort, accueil et localisation. Il est toujours préférable de réserver à l'avance (par téléphone ou courriel), mais cela ne vous mettra pas à l'abri de la «surréservation», une pratique couramment utilisée dans ce genre d'établissement. Dans tous les cas, avec ou sans réservation, vous pouvez être assuré qu'en vous présentant à une *casa* qui n'aurait plus de chambre de libre, le propriétaire pourra vous diriger vers une autre *casa* qui sera très heureuse de vous accueillir.

Notez bien que, si quelqu'un vous amène à l'une de ces maisons (*jinetero*, taxi…), il reçoit une commission de 5 CUC par jour, et ce, pour toute la période où vous occuperez la chambre. Ce surplus pourrait vous être refilé sur la note de votre chambre qui, autrement, peut être négociée.

La majorité des *casas particulares* proposent le petit déjeuner *(3 à 5 CUC)* et le dîner *(6 à 10 CUC)*. Dans tous les cas, ces repas sont satisfaisants, tant en quantité qu'en qualité.

Les hôtels «tout compris»

De nombreux voyageurs qui cherchent principalement à se reposer sous le soleil, les pieds dans la mer des Caraïbes, choisissent de séjourner à Cuba en formule «tout compris». Pour des vacances sans complication ni surprise, et à des prix avantageux, ces forfaits peuvent s'avérer un bon choix. Nous vous proposons ici quelques informations et conseils pratiques pour vous aider à choisir l'établissement qui répond à vos besoins. Mais n'oubliez pas que c'est en sortant de votre complexe hôtelier que vous découvrirez la culture et les habitants de Cuba.

Les grandes chaînes

À Cuba, les complexes touristiques, tout comme les autres hôtels, appartiennent soit uniquement à l'État, soit à 50% à des investisseurs étrangers. Quelques grands groupes se partagent la plupart de ces établissements: Sol Meliá *(www.solmelia.com)*, Sandals *(www. sandals.com)* et Gran Caribe *(www.gran-caribe.com)*, entre autres. Ce sont donc essentiellement des hôtels de ces grands groupes qui vous seront proposés par votre agence de voyages ou sur les sites Internet que vous consulterez.

Comparer et choisir

Votre premier choix se fera certainement en fonction de votre budget, les qualités et le luxe de l'établissement étant en relation directe avec le tarif affiché. Ensuite, selon vos envies et la nature de votre voyage (en famille, en couple, entre amis…), une seconde sélection se fera. Enfin, nous vous conseillons de naviguer sur Internet: on y trouve de nombreux forums de discussion sur ce sujet, par exemple *www.voyagesforum.com* (en français), *www.tripadvisor.com* (en anglais) ou *www.debbiesreviews.proboards.com* (en anglais). Il ne faut toutefois pas prendre tous les commentaires qu'on retrouve sur ces forums au pied de la lettre; il est préférable d'en lire plusieurs pour se faire une idée d'un établissement.

Quels services?

Ces établissements offrent à peu près tous la même panoplie de services et d'installations: restaurants, piscine, activités sportives et nautiques, animations et spectacles, bureaux de tourisme, de change et de location de véhicules, accès Internet, centre de soins… Mais il convient de vérifier quels services sont compris dans le forfait. On entend par «tout compris», la gratuité pour tous les repas, l'alcool, ainsi que l'accès aux activités et installations sportives. Typiquement, les soins, l'accès Internet et les autres services faisant appel à des opérateurs externes sont payants.

En famille ou entre adultes?

Informez-vous sur la particularité des établissements: si certains sont appropriés aux familles, avec des jeux pour les enfants, un service de garderie et des activités spéciales pour les plus jeunes, d'autres hôtels n'acceptent tout simplement pas les personnes âgées de moins de 18 ans.

Quand et comment réserver?

Puisque la plupart des complexes louent leurs chambres «en bloc» aux agences de voyages et ne permettent pas la location sur place, il convient de réserver votre chambre à l'avance par Internet ou auprès d'une agence de voyages dans votre pays d'origine. Les forfaits incluant le vol et l'hébergement sont souvent les plus économiques, et le transfert depuis l'aéroport est alors souvent compris. Pour avoir les meilleurs prix, il est préférable de réserver des mois à l'avance, ou d'attendre et de profiter des rabais de dernière minute.

Le site Internet *www.particuba.net* regorge de bonnes adresses sur toute l'île.

Les «tout compris»

Plusieurs agences de voyages et voyagistes proposent des forfaits incluant le transport en avion, l'hébergement et les repas. Ces formules «tout compris» ont l'avantage de permettre aux voyageurs de n'avoir aucun souci à se faire une fois arrivés à Cuba, où ils s'installeront généralement dans un des villages touristiques du pays, notamment Varadero, Cayo Coco, Guardalavaca, Playa Girón, Playa Santa Lucía, Isla de la Juventud, Cayo Largo, etc.

Vous trouverez dans ce guide quelques exemples d'établissements «tout compris» qui se démarquent, ainsi que des conseils pour vous aider à choisir le complexe touristique qui répondra à vos besoins (voir l'encadré à ce sujet).

Les auberges de jeunesse

Il n'existe pas d'auberge de jeunesse à Cuba. Pour ceux qui veulent se loger à peu de frais, il leur faudra regarder du côté des petits hôtels en pesos ou des *casas particulares*.

Le camping

Cuba compte un excellent et méconnu réseau de campings à travers l'île. Créées quelques mois à peine après la Révolution, les *bases de campismo* sont gérées par **Cubamar** *(www.cubamarviajes.cu)* et proposent leurs services surtout aux citoyens cubains. La plupart de ces adresses offrent de petits bungalows plutôt qu'un espace pour planter sa tente. Par contre, ces endroits nécessitent souvent un véhicule pour y accéder.

■ Heures d'ouverture

Les magasins sont pour la plupart ouverts de 9h à 17h. Bien rares sont ceux qui ferment le midi, surtout dans les centres touristiques.

■ Internet

Bien qu'Internet soit parfois accessible aux Cubains, les cybercafés sont encore rares à Cuba et leurs tarifs souvent exorbitants.

Certains hôtels proposent cependant ce service à leurs clients. Attendez-vous à payer au moins 1 CUC pour 10 min ou 6 CUC l'heure.

Les **Telepunto ETECSA** *(www.etecsa.cu)*, qui se trouvent dans toutes les villes, offrent un service fiable et généralement rapide. Pour utiliser ce service, vous devez acheter dans ces mêmes centres de services une carte Internet *(6 CUC/h)* que vous pouvez utiliser dans tous les autres centres ETECSA ainsi que dans de nombreux hôtels. Il est possible qu'on vous demande votre passeport à l'achat de cette carte.

■ Jours fériés

Pendant les jours fériés, toutes les banques et plusieurs commerces ferment. Prévoyez donc changer votre argent et acheter vos souvenirs la veille. Durant ces festivités, le pays semble fonctionner au ralenti.

Anniversaire de la Révolution
1er janvier

Journée internationale des travailleurs
1er mai

Anniversaire de l'attaque du Cuartel Moncada
25, 26 et 27 juillet

Anniversaire du début des guerres d'Indépendance de 1868
10 octobre

Noël
25 décembre

■ Médias

Le secteur médiatique à Cuba est contrôlé par l'État. La censure est latente, et rares sont les articles ou les émissions qui vont à l'encontre du gouvernement. Il convient donc de nuancer et de lire entre les lignes pour comprendre un peu plus ce pays. Cependant, pour ce qui est des nouvelles internationales, il est très intéressant de découvrir un point de vue souvent radicalement différent de celui qui est véhiculé sous nos latitudes.

Voyager pour pas cher

Même si Cuba est loin d'être la destination la plus économique des Caraïbes, en ayant beaucoup de temps devant soi et quelques notions d'espagnol, on peut économiser quelques pesos. Voici quelques conseils pour sillonner l'île à moindre coût:

Saison: préférez la basse saison (voir p 66) car le coût de l'hébergement y est moins élevé.

Hébergement: choisissez des *casas particulares* en dehors du centre-ville et des centres touristiques. Moins visitées, elles offrent de meilleurs prix, qu'il est souvent possible de négocier. Certaines proposent de véritables petits appartements, avec tout le nécessaire pour cuisiner.

Transport: pour voler jusqu'à Cuba, pensez à regarder du côté des compagnies de nolisés (*charter*) (Air Transat et Sunwing, entre autres), qui affichent parfois des tarifs pour une semaine en «tout compris» moins élevés que pour un vol sec; vous pouvez utiliser les première et dernière nuits de votre forfait et voyager de façon indépendante le reste du temps. Pour vos déplacements intérieurs, privilégiez le train. Bien que plus lent et moins fiable que les bus Víazul, ce mode de transport est sensiblement plus économique, surtout pour les longues distances. Vous pouvez aussi tenter votre chance en auto-stop: en plus des tarifs imbattables, cette expérience vous promet de nombreuses rencontres avec les Cubains. Dans les villes, préférez les *bicitaxis* et autres calèches pour vous déplacer, ou essayez de monter dans les taxis en pesos. Les voyageurs à vélo économisent évidemment toutes ces dépenses.

Nourriture et boissons: les restaurants en pesos, les *mercados agropecuarios* et les comptoirs de hot-dogs et de sandwichs dans la rue vous permettront de vous restaurer à petit prix. Si vous voulez goûter au rhum cubain, faites comme la population locale: achetez une bouteille et partagez-la entre amis sur le *Malecón*.

La presse écrite

Le quotidien national principal est le *Granma* *(www.granma.cu)*. Une version internationale est disponible entre autres en anglais et en français sur le site Internet du journal, et est en vente dans les grandes villes. C'est le journal officiel du Comité central du Parti communiste, et il se compose de huit pages, dont une est souvent réservée aux «*Reflexiones del Compañero Fidel*». *Juventud Rebelde* *(www.juventudrebelde. co.cu)* est le second quotidien national. De même format, il est l'organe de l'Union des jeunesses communistes et rejoint plus cette population. Les pages sportives y sont aussi plus développées.

Il existe d'autres publications régionales, mais la pénurie de papier a fait de nombreuses victimes parmi les journaux. De même, il n'est pas toujours évident en province de se procurer les quotidiens nationaux. On trouve aussi quelques kiosques à journaux tristement vides dans les centres urbains, mais vous pourrez aussi vous rendre au bureau de poste ou dans les hôtels pour trouver un journal. On ne trouve que rarement des journaux étrangers ou des revues étrangères, sauf dans les grands hôtels internationaux, et le plus souvent en espagnol.

Les magazines culturels (arts, littérature, musique…) par contre sont de bonne qualité et disponibles dans toutes les librairies. Ce sont d'ailleurs ces publications qui se permettent le plus de liberté d'expression. **Cubarte** *(www.cubarte.cult.cu)* publie un trimestriel qui donne une bonne vue d'ensemble du paysage artistique cubain.

L'hebdomadaire **Cartelera** et son site Internet *www.guiahabana.com/cartelera.asp* annoncent toutes les activités culturelles. Sa version papier est offerte gratuitement dans la plupart des grands hôtels.

La télévision

Les cinq chaînes de télévision cubaines ne sont pas des plus intéressantes. Les bonnes nouvelles nationales succèdent ensuite aux mauvaises nouvelles internationales, avec un débat politique et un documentaire historique sur la Révolution. La bonne nouvelle, c'est que comme partout dans le pays, il n'y a pas de publicité pour interrompre les films, dont certains sont diffusés en version originale sous-titrée. Par contre, les passionnés de baseball seront comblés, et la chaîne éducative fait partie de ces initiatives que devraient suivre de nombreux pays.

Les grands hôtels internationaux offrent des chaînes internationales telles que CNN, TV5 et de nombreuses chaînes chinoises.

La radio

La radio est un excellent moyen, pour peu que vous parliez l'espagnol, de vous rapprocher de la vie quotidienne des Cubains et de découvrir les musiques à la mode.

Parmi les quelque 70 chaînes de radio que l'on peut écouter, il faut retenir **Radio Taino** *(89,1; www.radiotaino.cubasi.cu)*, qui s'adresse aux touristes en anglais et en espagnol et offre de bonnes revues culturelles; **Radio Habana Cuba** *(106,9; www.radiohc.cu)* pour les informations; **Radio Progreso** *(90,3)* pour la musique; et **Radio Reloj** *(94,3; www.radioreloj. cu)* pour son concept unique d'horloge parlante radiodiffusée.

Note: les fréquences que nous indiquons ici sont pour La Havane; elles peuvent varier d'un endroit à l'autre du pays.

Internet

Fureter sur Internet permet d'accéder à de nombreuses sources d'information, tant officielles et partisanes que critiques.

Le portail officiel du pays: *www.cuba.cu*.

Cuban News Agency, l'agence de presse officielle: *www.ain.cubaweb.cu*

Cubanet, un organe de presse indépendant qui jette un autre regard sur les actualités cubaines: *www.cubanet.org*

■ Poste

On trouve des bureaux de poste dans chaque ville. Certains hôtels proposent aussi un service efficace d'envois postaux. Quel que soit l'endroit où vous postez votre lettre, dites-vous bien qu'elle prendra beaucoup de temps avant d'arriver chez le destinataire. Le service postal est relativement peu efficace. Si votre envoi est urgent, utilisez plutôt les agences **DHL** *(www.dhl. com)*. Les timbres sont vendus dans les bureaux de poste.

■ Pourboire

Pour récompenser un service, il est convenu de donner un pourboire *(una propina)*. Dans les restaurants et les bars, comptez de 10% à 15% du total des frais, selon la qualité du service, bien sûr. Certains établissements touristiques ajoutent directement le service sur la facture. Dans les hôtels, il est habituel de laisser un pourboire sur l'oreiller pour les femmes de chambre; le montant varie en fonction de la durée de votre séjour, de la qualité de l'établissement et de la propreté de la chambre. On laisse ce pourboire en début de séjour pour s'assurer d'un meilleur service. Bien d'autres employés liés au secteur touristique n'hésiteront pas à vous demander un pourboire (pour mettre vos sacs dans les compartiments à bagages des bus, ou encore pour vous donner accès aux toilettes…), alors prévoyez de la petite monnaie et ne vous sentez pas obligé de donner quelque chose si le service n'est pas correct.

Si vous payez avec votre carte de crédit dans un établissement gouvernemental, il faut donner le pourboire en espèces, sinon c'est l'établissement qui le conserve.

■ Renseignements touristiques

Au Canada

Bureau de tourisme de Cuba
2075 rue University, bureau 460
Montréal, QC, H3A 2L1
☎ (514) 875-8004
www.gocuba.ca

En France

Office du tourisme cubain
280 boul. Raspail
75014 Paris
☎ 01 45 38 90 10
www.cubatourisme.fr

Sur place

Infotur *(www.infotur.cu)* est l'office de tourisme officiel à Cuba. On retrouve ses bureaux dans les villes et les grands centres touristiques. Outre des renseignements touristiques et pratiques, on peut souvent y acheter des billets de transport.

On trouve sur place plusieurs agences de voyages officielles: **Cubatur** *(excursions, transport et forfaits; www.cubatur.cu)*, **Cubanacan** *(hôtels, excursions et centres de plein air; www.hotelescubanacan.com)*, **Havanatur** *(excursions et tourisme spécialisé; www.havanatur.cu)*, **San Cristóbal** *(excursions thématiques, prestations de luxe, cours de danse; centralisé sur La Havane et appartenant à la société Habaguanex; www.viajessancristobal.cu)*, **EcoTur** *(destinations nature, chasse et pêche; www.ecoturcuba.co.cu)*, **Cubamar** *(tourisme de nature et réservations de camping; www.cubamarviajes.cu)* et **Gaviota** *(propriétaire d'hôtels et de marinas, agence appartenant à l'armée; www.gaviota-grupo.com)*. Toutes ces agences ont des bureaux dans les villes touristiques et dans la plupart des hôtels internationaux.

Il existe en outre des agences privées qui prônent la découverte du pays dans ses multiples réalités en évitant autant que possible les circuits classiques. Parmi ces dernières, l'agence cubano-française **Cuba Autrement** *(Lonja del Comercio, Oficina 5-G, La Habana Vieja, ☎ 7-866-9874, www.cubaautrement.com)*, qui a pignon sur rue dans la vieille Havane, pourra certainement être utile aux francophones.

Sur Internet

Sites officiels du ministère du Tourisme cubain:
www.cubatravel.cu
www.gocuba.ca
www.cubatourisme.fr

Sites d'intérêt général:
www.cubasi.cu
www.cubagob.cu
www.cubamapa.com
www.cubaweb.cu

Sites de réservations touristiques:
www.cubalinda.com
www.wowcuba.com

Sites culturels:
www.cubarte.cult.cu
www.cnpc.cult.cu
www.guije.com

■ Restaurants

La nourriture cubaine servie dans les restaurants et dans les hôtels fait souvent l'objet des principales critiques formulées par les touristes. Étonnamment, pour un pays des Caraïbes, les plats s'avèrent fades et peu épicés, tellement que plusieurs voyageurs n'hésitent pas à apporter avec eux des épices. Cependant, les principaux établissements ont embauché des chefs européens et canadiens pour apprêter les plats au goût des voyageurs, et la situation s'est considérablement améliorée au cours des dernières années. Près des centres touristiques, on trouve quelques restaurants spécialisés dans la cuisine cubaine ou autres, notamment italienne et française. Dans les villages situés à l'extérieur des zones touristiques, on ne trouve que des établissements proposant de la cuisine locale.

Prix et symboles

L'échelle utilisée donne des indications de prix, en pesos convertibles, pour un repas complet pour une personne, avant les boissons et le pourboire:

$	moins de 12 CUC
$$	de 12 CUC à 20 CUC
$$$	plus de 20 CUC

Le label Ulysse

Le pictogramme du label Ulysse est attribué à nos établissements favoris (voir p 65).

La cuisine cubaine

Le porc (*cerdo*) est la viande préférée des insulaires. Il est cuisiné de différentes façons (au four, grillé et frit) et souvent badigeonné de *mojo*, une sauce à base d'huile, de citron et d'ail. Le riz, les bananes plantains et le manioc accompagnent cette viande. L'*arroz morro*, ou *congrí*, est du riz cuit avec des haricots noirs ou rouges, des oignons et des épices, et vous pourrez le commander dans tous les bons restaurants de cuisine créole. Étonnamment, les Cubains consomment peu de poisson. Les fruits de mer, entre autres la langouste, sont proposés dans de nombreux restaurants.

Lexique gastronomique

Agua: eau

Ajo: ail

Arroz: riz

Batido: boisson à base de jus de fruits, de glace et de lait

Camarones: crevettes

Carne: viande

Carne de res: bœuf

Cerveza: bière

Chicharrón: viande ou poulet mariné et cuit

Chivo: chevreau

Chuleta: côtelette

Conejo: lapin

Empanadas: petits chaussons farcis de viande ou de légumes

Filete: bifteck

Granadilla: grenadine

Huevo: œuf

Jamón: jambon

Jugo: jus

Langosta: langouste

Leche: lait

Limón: citron

Mariscos: fruits de mer

Mermelada: confiture

Naranja: orange

Pan: pain

Papas fritas: pommes de terre frites

Pescado: poisson

Piña: ananas

Plátanos: bananes plantains frites

Pollo: poulet

Pollo frito: poulet frit

Postre: dessert

Queso: fromage

Sopa: soupe

Tortilla: galette de maïs

Tostada: pain grillé

Vino: vin

Zanahoria: carotte

Les paladares

Dans plusieurs villes du pays, on ne cessera de vous suggérer des restaurants familiaux. Appelées *paladares*, ces entreprises familiales peuvent accueillir au plus 12 convives à la fois. Contrairement aux grands établissements, les *paladares* prennent soin de servir une savoureuse cuisine familiale, généralement créole. Comptez au moins 10 CUC par personne, les *paladares* les plus en vogue, notamment à La Havane, pratiquent des prix nettement plus élevés. Dans tous les cas, informez-vous du prix avant de commander.

À l'instar des *casas particulares*, les propriétaires des *paladares* doivent payer une taxe à l'État. Certains opèrent donc illégalement, et d'autres peuvent fermer sans crier gare, faute de clients.

Les casas particulares

À quelques exceptions près, il est toujours possible de manger dans la *casa particular* où l'on séjourne. Et nous vous conseillons chaudement cette option, car ce sont souvent les meilleurs repas de cuisine cubaine qu'il vous sera donné de déguster. Ces repas sont généralement facturés entre 6 CUC et 10 CUC. Même si vous ne logez pas dans une *casa particular*, les propriétaires se feront un plaisir de vous préparer à dîner si vous les prévenez le matin.

Les restaurants en devise

Les restaurants en devise s'adressent majoritairement aux touristes. Certains disposent tout de même d'une carte en pesos pour les Cubains. On y mange une nourriture de qualité, mais la variété n'est pas toujours au menu. Cependant, les prix affichés sont raisonnables, et un menu complet s'avère généralement plus économique que dans un *paladar*.

Les restaurants en pesos et dans la rue

Que ce soit pour parfaire votre expérience cubaine ou tout simplement pour économiser, n'hésitez pas à manger dans les établissements en pesos. Il vous faudra souvent faire la queue avant d'entrer (plus ou moins longue selon la notoriété du restaurant), et ne vous attendez pas à un service exemplaire. En contrepartie, vous aurez droit à des plats simples (pizza, pâtes, poulet, riz…) avec, comme premier critère, la quantité plus que la qualité, et ce, à des prix très bas (comptez entre 7 et 10 pesos pour une pizza). Attention, certains de ces établissements affichent aussi leurs prix en CUC, et le rapport qualité/prix s'en ressent.

Dans la rue, vous aurez souvent l'occasion de craquer pour des en-cas, comme le *perro caliente* (hot-dog) du matin, le *pan con lechón* (sandwich au porc) du midi, ou encore les petites pâtisseries proposées sur le pas d'une porte. Il ne vous en coûtera que quelques pesos, et votre estomac n'éprouvera en général aucun risque.

■ Santé

Cuba est un superbe pays à découvrir sans avoir à se préoccuper des maladies tropicales, puisque la grande majorité de ces maladies, entre autres la malaria, la typhoïde, la diphtérie, le tétanos, la polio et l'hépatite A, ont été enrayées au pays. Aussi les visiteurs européens et canadiens n'ont-ils pas besoin de recevoir de vaccin avant leur départ. Cependant, il est recommandé, avant de partir, de consulter un médecin (ou une clinique des voyageurs) qui vous conseillera sur les précautions à prendre.

Malgré le manque de moyens, les équipements médicaux de Cuba sont semblables à ceux de votre pays. En dehors des grandes villes, les centres médicaux pourront vous paraître modestes, mais ils disposent de tout l'équipement nécessaire. Pour les Cubains, les soins de santé sont gratuits, mais devront être payés en pesos convertibles par les étrangers. Dans les centres touristiques, on trouve des cliniques internationales réservées aux étrangers, avec des médecins qui parlent l'anglais et des pharmacies bien fournies.

Les sites Internet suivants sont mis à jour régulièrement et fournissent de précieuses informations sur la santé et la sécurité des voyageurs:

www.diplomatie.gouv.fr
www.voyage.gc.ca
www.santevoyage.com

Diphtérie et tétanos

Ces deux maladies, contre lesquelles la plupart des gens ont été vaccinés dans l'enfance, ont des conséquences graves. Donc, avant de partir, vérifiez si vous êtes bel et bien protégé contre elles; un rappel s'impose parfois. La diphtérie est une infection bactérienne qui se transmet par les sécrétions provenant du nez ou de la gorge, ou encore par une lésion de la peau d'une personne infectée. Elle se manifeste par un mal de gorge, une fièvre élevée, des malaises généraux et parfois des infections de la peau. Le tétanos est causé par une bactérie qui pénètre dans l'organisme lorsque vous vous blessez et que cette blessure entre en contact avec de la terre ou de la poussière contaminée.

Ciguatera

Cette maladie rare est causée par l'ingestion d'une toxine, la ciguatoxine, qui se retrouve dans le poisson corallien contaminé (lui-même infecté par l'ingestion d'algues poussant sur les récifs de corail). Parmi les espèces pouvant être contaminées, qui ne sont d'ailleurs jamais au menu des restaurants, mentionnons le vivaneau (*red snapper* en anglais ou *huachinango* en espagnol) et le mérou. La toxine, qui n'a ni goût ni odeur, résiste à la cuisson. Il n'y a donc pas d'autre façon de prévenir la maladie qu'en évitant de manger les poissons coralliens. Son effet se fait sentir rapidement, parfois quelques minutes après l'avoir ingérée, ou jusqu'à 30 heures après le repas. Cette maladie provoque des nausées, des vomissements et des diarrhées, mais aussi des symptômes neurologiques, comme des douleurs musculaires, de la fatigue et une inversion des sensations de chaud et de froid. Il n'existe pas encore de traitement pour la guérir, mais il est possible de soigner les symptômes.

Le tourisme médical à Cuba

Secteur en plein développement et attirant de nombreux Canadiens, le tourisme médical à Cuba est de plus en plus prisé. Le système de santé cubain n'a rien à envier aux meilleurs hôpitaux et cliniques nord-américains ou européens. Par le biais de nombreux centres de soins spécialisés et de cliniques internationales, les patients étrangers peuvent profiter du professionnalisme des médecins et chirurgiens locaux, et ce, à des prix très avantageux. Un autre avantage non négligeable est que la plage, le soleil, la mer et une culture à nulle autre pareille sont au rendez-vous pour assurer une convalescence dans les meilleurs conditions.

La plupart des patients viennent à Cuba pour des chirurgies (orthopédique, esthétique, neurologique, dentaire et oculaire, entre autres) ou pour effectuer un bilan de santé complet. Les frais médicaux sont payables sur place en CUC. Au Canada, ces frais ne sont (en principe) pas remboursés par la Régie d'assurance maladie (RAMQ au Québec). Cependant, que ce soit pour éviter des délais trop longs ou pour économiser environ 50% des tarifs appliqués par le système privé canadien, cette solution est de plus en plus prisée.

La société **Servimed** *(service multilingue, entre autres en français;* ☎*7-204-4811, www.servimedcuba.com)* propose tous ces programmes santé. Au Canada, la société **Services Santé International** *(*☎*418-479-2942, www.hsi-ssi.com)* est un intermédiaire privilégié pour encadrer toutes vos démarches, vous diriger vers les meilleurs spécialistes et faire en sorte que l'expérience soit aussi agréable qu'utile.

Autres maladies

Des cas de maladies telles que l'hépatite B, le sida et certaines maladies vénériennes ont été rapportés, surtout dans les grands centres touristiques; il serait donc sage d'être prudent à cet égard.

Les nappes d'eau douce sont fréquemment contaminées par la bactérie causant la schistosomiase (bilharziose). Cette maladie, provoquée par un ver qui s'infiltre dans l'organisme pour s'attaquer au foie et au système nerveux, est difficile à traiter. Il faut donc éviter de se baigner dans toute nappe d'eau douce.

N'oubliez pas non plus qu'une trop grande consommation d'alcool peut causer des malaises, particulièrement lorsqu'elle s'accompagne d'une trop longue exposition au soleil. Elle peut aussi entraîner une certaine déshydratation.

Dans l'éventualité où vous auriez la diarrhée, diverses méthodes peuvent être utilisées pour la traiter. Tentez de calmer vos intestins en ne mangeant rien de solide et en buvant des boissons gazeuses, de l'eau en bouteille ou du thé (évitez le lait) jusqu'à ce que la diarrhée cesse. La déshydratation pouvant être dangereuse, il faut boire beaucoup. Pour remédier à une déshydratation sévère, il est bon d'absorber une solution contenant un litre d'eau, deux ou trois cuillerées à thé de sel et une de sucre. Vous trouverez également des préparations toutes faites dans la plupart des pharmacies. Par la suite, réadaptez tranquillement vos intestins en mangeant des aliments faciles à digérer. Des médicaments, tel l'Imodium, peuvent aider à contrôler certains problèmes intestinaux. Dans les cas où les symptômes sont plus graves (forte fièvre, diarrhée importante...), un antibiotique peut être nécessaire: il est recommandé de consulter un médecin.

La nourriture et le climat peuvent également être la cause de divers malaises. Une certaine vigilance s'impose quant à la fraîcheur des aliments (en l'occurrence la viande et le poisson) et à la propreté des lieux où la nourriture est apprêtée. Une bonne hygiène (entre autres, se laver fréquemment les mains) vous aidera à éviter bon nombre de ces désagréments.

Il est recommandé de ne jamais marcher pieds nus à l'extérieur, car parasites et insectes minuscules pourraient traverser la peau et causer divers problèmes, notamment des dermites (infections à champignons).

Les insectes

Les insectes, qu'on retrouve en abondance un peu partout au pays, s'avèrent souvent fort désagréables. Il sont particulièrement nombreux durant la saison des pluies. Dans le but de minimiser les risques d'être piqué, couvrez-vous bien, évitez les vêtements de couleur, ne vous parfumez pas et munissez-vous d'un bon insectifuge (concentration de DEET minimale de 35%). N'oubliez pas que les insectes sont plus actifs au coucher du soleil. Pour des promenades dans les montagnes et dans les régions forestières, des chaussures et chaussettes protégeant les pieds et les jambes seront certainement très utiles. Il est aussi conseillé d'apporter des pommades pour calmer les irritations dues aux piqûres. Des spirales insectifuges vous permettront de passer des soirées plus agréables sur la terrasse et dans la chambre (si les fenêtres sont ouvertes).

L'eau que l'on boit

L'eau courante est généralement potable. Cependant, dans la pratique, de nombreux Cubains filtrent l'eau ou la font bouillir, et dans certains endroits reculés du pays, des tablettes purifiantes ou un filtre à eau peuvent s'avérer nécessaires. Consommer de l'eau embouteillée peut vous éviter quelques ennuis éventuels. Lorsque vous achetez l'une de ces bouteilles, tant au magasin qu'au restaurant, vérifiez toujours qu'elle est bien scellée. Les fruits et les légumes nettoyés à l'eau courante (ceux qui ne sont donc pas pelés avant d'être consommés) peuvent causer les mêmes désagréments, ainsi que les glaces, sorbets et glaçons. Évitez-les si vous n'êtes pas certain de leur provenance.

Les malaises que vous risquez le plus de ressentir sont causés par une eau mal traitée, susceptible de contenir des bactéries provoquant certains problèmes, comme des troubles digestifs, de la diarrhée ou de la fièvre. Souvenez-vous que, pour éviter la déshydratation en pays chaud, vous devez boire au moins 2 litres d'eau par jour et jusqu'à 6 litres de boissons (non alcooli-sées, bien sûr). Bref, il ne faut pas attendre d'avoir soif pour boire parce qu'alors vous êtes déjà déshydraté.

L'eau où l'on se baigne

Évitez de vous baigner dans les plans d'eau douce, sauf si vous êtes certain de sa pureté. L'eau de mer est moins à risque, mais l'eau douce peut contenir des micro-organismes dangereux pour la santé. Les bains de boue et de sable sont aussi à éviter pour les mêmes raisons. Qui plus est, dans plusieurs pays, dont Cuba, le sable des plages (même au bord de la mer) cache des larves qui peuvent en profiter pour s'introduire sous la peau; aussi vaut-il mieux s'étendre sur une serviette.

Le soleil et la chaleur

Aussi attirants que puissent être les chauds rayons du soleil, ils peuvent être la cause de bien des petits ennuis. Pour profiter au maximum de ses bienfaits sans souffrir, veillez à toujours opter pour une crème solaire qui vous protège bien (indice de protection 15 pour les adultes et 25 pour les enfants) et à l'appliquer de 20 à 30 min avant de vous exposer. Toutefois, malgré une bonne protection, une trop longue période d'exposition, au cours des pre-mières journées surtout, peut causer une insolation, provoquant étourdissement, vomissement, fièvre, etc. N'abusez donc pas du soleil. Un parasol, un chapeau et des lunettes de soleil de qualité sont autant d'accessoires qui vous aideront à contrer les effets néfastes du soleil tout en profitant de la plage. Cependant, souvenez-vous que le sable et l'eau peuvent réfléchir les rayons et causer des coups de soleil même si vous êtes à l'ombre!

Portez des vêtements amples et clairs en évitant qu'ils soient faits de fibres synthé-tiques, les tissus idéaux étant le coton et le lin.

Quelques douches par jour vous aideront à éviter les coups de chaleur. Ne faites pas d'effort inutile pendant les heures les plus chaudes de la journée. Et surtout, buvez de l'eau! Si votre nourriture est déjà salée, il est inutile d'y ajouter excessivement du sel pour éviter la déshydratation.

La trousse de santé

Une petite trousse de santé permet d'éviter bien des désagréments. Il est bon de la pré-parer avec soin avant de partir en voyage. Veillez à emporter une quantité suffisante de tous les médicaments que vous prenez habituellement, ainsi qu'une ordonnance valide pour le cas où vous les perdriez. Il peut en effet être malaisé de trouver certains médicaments à Cuba. De plus, n'oubliez pas d'apporter des pansements adhésifs, des désinfectants, des analgési-ques, des antihistaminiques, des gouttes pour soigner les conjonctivites, du liquide pour verres de contact et une paire de lunettes supplémentaire si vous en portez, des comprimés contre les maux d'estomac, une lotion anti-moustique et bien sûr de la crème solaire.

■ Savoir-vivre

Les Cubains sont chaleureux et cordiaux de nature et, si vous parlez l'espagnol, il vous sera aisé de rencontrer des gens de la place. Beaucoup d'entre eux parlent aussi l'anglais et quelquefois le français et ne demandent qu'à pratiquer leurs langues étrangères. Le sens de l'humour, le sourire et la patience sont des traits de caractère qu'ils ont su développer pour déjouer les contrariétés de la vie quotidienne. Agissez de même: après tout, vous êtes en vacances.

Vos nouveaux amis cubains vous deman-deront souvent votre adresse courriel ou postale, et vous donneront la leur. Une carte postale ou quelques photos prises sur place et envoyées à votre retour vous assurent un accueil amical lors de votre prochain séjour à Cuba.

Si vous êtes invité chez des Cubains, n'ar-rivez pas les mains vides. Une bouteille de rhum fait toujours plaisir, de même que les petits produits qu'on ne trouve pas toujours sur place (voir l'encadré à ce sujet).

Faire la queue est une chose courante à Cuba, que ce soit pour entrer dans un res-taurant ou pour emprunter les transports publics. Ces files d'attente sont scrupuleu-sement respectées, et il est impoli de ne pas suivre cette coutume. Demandez qui est le dernier (*¿Quien es el último?*) et placez-vous à sa suite.

Petits cadeaux

Beaucoup de Cubains ne peuvent s'offrir des produits qui nous semblent de première nécessité, et du fait des nombreuses pénuries, plusieurs de ces produits ne sont tout simplement pas trouvables sur le marché. Ainsi, vous ferez des heureux en apportant quelques menus objets que vous pourrez distribuer au cours de votre voyage. Ce ne seront pas les occasions qui manqueront, entre les enfants réclamant un stylo, les employés des hôtels, les mendiants dans la rue ou les familles avec qui vous auriez sympathisé. Voici une liste (non exhaustive) d'objets peu encombrants que vous pourrez mettre dans votre valise:

- savons parfumés, shampoing, échantillons de parfum, produits de beauté, vernis à ongle et dissolvant…

- médicaments (vous avez le droit d'en apporter jusqu'à 10 kg, dans leur emballage d'origine, et bien sûr ne contenant pas de substances interdites), vitamines, dentifrice…

- crayons fantaisistes, carnets, gommes à effacer, taille-crayons, briquets…

- balles et gants de baseball

- cordes de guitare et pièces de rechange pour les vélos

- collants en nylon et autres vêtements pour femmes

À la fin de votre séjour, vous pourrez aussi faire de la place dans votre valise pour rapporter plus de souvenirs, en vous débarrassant de votre restant de lotion solaire et de quelques vêtements, qui seront tous appréciés par la population locale.

S'il est poli d'aborder une personne inconnue en la nommant *Señor* ou *Señora* et en la vouvoyant, le tutoiement s'installe rapidement dans la conversation. Les hommes se serrent la main ou se donnent une accolade (*un abrazo*), alors que les femmes donneront facilement un ou deux baisers sur la joue. Ne vous formalisez pas si quelqu'un vous appelle *mi amor* ou encore *mi vida* (mon amour, ma vie), ce sont des expressions courantes et utilisées sans arrière-pensées.

Une tenue vestimentaire propre et élégante est de mise pour sortir. Les Cubains considèreront une tenue négligée comme un manque de respect.

■ Sécurité

Cuba n'est pas un pays dangereux, et il s'agit de l'un des pays les plus sécuritaires des Caraïbes. Cependant, il y a toujours des risques de vol. N'oubliez pas qu'aux yeux de la majorité des habitants vous détenez des biens (appareil photo, valises de cuir, caméscope, bijoux…) qui représentent beaucoup d'argent. Une certaine prudence peut donc vous éviter bien des problèmes. Vous avez dès lors intérêt à ne porter que peu ou pas de bijoux, à garder vos appareils électroniques dans un sac discret que vous porterez en bandoulière et à ne pas sortir tous vos billets de banque quand vous achetez quelque chose. Le soir, redoublez de prudence et ne vous aventurez pas dans des rues peu éclairées, particulièrement si vous êtes accompagné par des inconnus.

Une ceinture de voyage vous permettra de dissimuler une partie de votre argent, vos chèques de voyage et votre passeport. Dans l'éventualité où vous vous feriez voler vos valises, vous conserverez les documents et l'argent nécessaire pour vous dépanner. N'oubliez pas que moins vous attirez l'attention, moins vous courez le risque de vous faire voler.

Si vous apportez vos objets de valeur à la plage, il vous est fortement conseillé de les garder à l'œil. La plupart des hôtels sont munis de coffrets de sûreté dans lesquels vous pouvez placer vos objets de valeur. Si vous louez une voiture, lisez les conseils de sécurité de la rubrique «En voiture», p 55.

Femme seule

Une femme voyageant seule dans ce pays ne devrait pas rencontrer de problèmes. Dans l'ensemble, les gens sont bien gentils et peu agressifs. En général, les hommes sont respectueux des femmes, et le harcèlement est relativement peu fréquent, même si les Cubains s'amuseront à draguer les femmes seules. Bien sûr, un minimum de prudence s'impose; par exemple, évitez de vous promener seule dans des endroits mal éclairés tard la nuit.

Prostitution et sollicitation

La prostitution, qui augmente au même rythme que le tourisme, a pris une forme unique à Cuba. Ici tout se fait avec subtilité, les hommes et les femmes que vous rencontrerez n'ayant pas nécessairement l'attitude de prostitués. Ce phénomène porte le nom de *jineterismo* à Cuba, désignant ces jeunes hommes et femmes qui lorgnent galamment les touristes pour leur soutirer le plus de dollars et de cadeaux possible. Subtils, ils utilisent leur caractère hospitalier pour vous tromper. Pour plusieurs Cubains, l'objectif ultime d'un *jinetero* ou d'une *jinetera*, contrairement à une prostituée, est de se marier avec leur conquête pour partir du pays. La prostitution masculine connaît une augmentation notable au pays. Ce n'est pas une prostitution masculine habituelle, mais plutôt une façon subtile qu'ont certains hommes de soutirer tout ce qu'ils peuvent de leurs conquêtes féminines venues de l'étranger.

Généralement, les *jineteros* ne s'avèrent pas dangereux, mais de nombreux cas de vols ont eu lieu dès que les objets personnels des touristes ont été laissés sans attention pendant un moment. Vous reconnaîtrez les *jineteros* à leur habillement: les femmes portent des vêtements osés ou chics (nécessairement des cadeaux qu'elles ont reçus...) et les hommes, quant à eux, portent des lunettes de soleil de luxe, des jeans ou une casquette de baseball. Ils approchent les voyageurs en leur demandant l'heure (*¿Que hora es?*) ou leur nationalité.

Après un brin de causette, voilà que vous vous sentirez obligé de les inviter dans une boîte de nuit et de payer leur entrée et leurs consommations. Puis après vient l'histoire de la famille pauvre qui est dans le besoin (une mère ou un père malade...). Sachez que, dans 90% des cas, ces histoires ne sont que l'invention de véritables professionnels qui vous abordent. Les Cubains ont un sens profond de la dignité, et rarement de véritables amis vont vous demander de leur payer les droits d'entrée dans une boîte de nuit et surtout de leur donner de l'argent pour aider leur famille.

Vous serez aussi très certainement abordé par une foule de personnes de tout âge, qui ne sont pas nécessairement des *jineteros* mais qui chercheront à profiter de vos sous. Qu'ils vous quêtent directement ou qu'ils cherchent à vous vendre des cigares, une pièce de monnaie à l'effigie du Che ou autres babioles, sachez que ce n'est probablement pas votre amitié qu'ils recherchent.

Il n'y a pas de recette magique pour se débarrasser rapidement de quelqu'un qui vous approche de la sorte. Cependant, vous pouvez essayer de dire dès le premier contact: *¡No tengo guaniquiqui, amigo!* (Je n'ai pas d'argent, l'ami!). *Guaniquiqui* est un terme rendu populaire par une salsa; ainsi, vous soutirerez un sourire aux gens qui vous accostent tout en affichant clairement vos intentions. Si la personne se fait plus insistante, n'hésitez pas à être plus ferme: *¡Dejame en paz!* (Laisse-moi tranquille!).

■ Taxes

Sauf la taxe de départ (voir p 54) qui doit être versée par toute personne quittant le pays, il n'y a pas de taxes sur les biens et services à Cuba.

■ Téléphone

Les appels internationaux peuvent être effectués depuis les grands hôtels ou dans les kiosques **ETECSA** *(www.etecsa.cu)* que l'on trouve dans chaque ville. Ces appels sont toutefois très chers: comptez 2,5 CUC/min pour appeler au Canada, et plus de 5 CUC/min pour appeler en Europe.

Tant dans les hôtels que dans les centres de télécommunications, il est impossible d'effectuer des appels à frais virés (PCV). La seule et unique façon de faire un appel en PCV est d'utiliser le téléphone d'une résidence privée en passant par l'opérateur international (on ne peut pas appeler directement l'étranger depuis une ligne privée).

On trouve des cabines téléphoniques à pièces (en pesos et en CUC) et de plus en plus de cabines à cartes (en pesos et en CUC). On se procure les télécartes (à partir de 5 CUC) chez ETECSA.

Appels internationaux

L'indicatif international de Cuba est le **53**. Pour appeler à Cuba de l'étranger, il faut ensuite composer l'indicatif de la province (sans le zéro), puis le numéro.

Pour appeler à l'étranger depuis Cuba, faites le 119, puis l'indicatif du pays et le numéro.

Appels à l'intérieur du pays

Dans la même province: composez directement le numéro sans l'indicatif de la province.

Depuis La Havane vers une autre province: 0 + indicatif de la province + numéro.

Depuis une autre province vers La Havane: 0 + 7 + numéro.

De province à province: 01 + indicatif de la province + numéro.

Indicatifs régionaux:

Camagüey (province): 32
Cayo Largo: 45
Ciego de Ávila (province): 33
Cienfuegos (province): 43
Granma (province): 23
Guantánamo (province): 21
Holguín (province): 24
Isla de la Juventud: 46
La Havane (province): 47
La Havane (ville): 7
Las Tunas (province): 31
Matanzas (province): 45
Pinar del Río (province): 48
Sancti Spíritus (province): 41
Santiago de Cuba (province): 22
Topes de Collantes: 42
Villa Clara (province): 42

Cellulaires

La plupart des cellulaires fonctionnent à Cuba, mais informez-vous au préalable si votre compagnie de cellulaire a un accord avec **Cubacel** *(www.cubacel.cu)*. Tous les numéros de cellulaire commencent par 5.

Appel international vers un cellulaire: 53 + 5 + numéro.

Depuis La Havane: 05 + numéro.

De partout ailleurs au pays: 01 + 5 + numéro.

■ Unités de poids et mesures

Le système en vigueur est le système métrique.

Renseignements généraux - Renseignements utiles, de A à Z

Plein air

Grâce à ses plages et à ses montagnes, Cuba est en voie de devenir un haut lieu du tourisme de plein air. Les quelque 300 plages répertoriées au pays attirent un nombre grandissant de touristes chaque année. Qu'elles soient caressées par les eaux de la mer des Caraïbes au sud, du golfe du Mexique au nord-ouest ou de l'océan Atlantique au nord-est, ces plages de sable blanc se prêtent à toute une gamme d'activités de plein air.

Véritables trésors cachés, les fonds marins sont exceptionnels et regorgent de bancs de coraux et d'une faune marine multicolore, pour le plus grand plaisir des plongeurs qui découvrent les nombreux sites de plongée et de plongée-tuba du pays.

Moins connu, mais regorgeant d'attraits, l'intérieur du pays offre des paysages à couper le souffle. Les chaînes de montagnes, le long desquels s'étend une forêt parfois luxuriante, parfois clairsemée et protégée par des parcs nationaux, s'avèrent idéales pour la randonnée pédestre et l'équitation.

Parcs nationaux

Les beautés naturelles de Cuba sont protégées grâce à la création de plusieurs parcs nationaux, dont certains sont inscrits au patrimoine de l'humanité de l'UNESCO, ainsi que de réserves de la biosphère sous les auspices de ce même organisme. On trouve de ces parcs et réserves dans tous les coins du pays, et chacun protège un environnement naturel bien particulier. Mangrove, montagne, vallée, barrière de corail, forêt humide, toutes les particularités géographiques et naturelles de l'île sont couvertes. La faune et la flore y sont particulièrement riches, et tous ces espaces naturels offrent de nombreuses possibilités d'activités de plein air, notamment la randonnée et la plongée sous-marine. Cependant, afin de préserver la nature, par simple contrôle ou par souci de sécurité en raison de la difficulté du terrain, la plupart des activités à l'intérieur de ces parcs se font uniquement sous l'auspice d'un guide, dont certains parlent l'anglais et, plus rarement, le français. Sachez que cette règle est rigoureusement appliquée et contrôlée. Les tarifs varient en fonction de la durée ou du type d'excursion, mais il faut compter de 8 CUC à 10 CUC pour une randonnée de 1h à 2h.

Dans la pratique, des aires naturelles fantastiques, comme les chemins de campagne qui se faufilent entre les plantations de tabac dans le Parque Nacional de Viñales, se prêtent très bien à une exploration en solitaire, si vous vous débrouillez en espagnol. Par contre, dans ce même parc, toute randonnée vers le sommet des fameux *mogotes* n'est pas conseillée sans l'aide d'un guide officiel, ou tout du moins, d'un ami cubain qui vous fait profiter généreusement des beautés et curiosités de son pays. Alors renseignez-vous toujours auprès de la population locale (les *casas particulares* sont souvent une source de bons conseils) avant de vous aventurer sans guide dans un parc.

Côté pratique, il faut noter que les possibilités d'hébergement dans les parcs nationaux, quand il y en a, sont limitées. Les réservations sont donc nécessaires. Aussi, la plupart de ces endroits ne sont malheureusement pas desservis par les transports en commun, et un véhicule est généralement nécessaire.

Nos suggestions:

Le **Parque Nacional Guanahacabibes** (voir p 161), réserve de la biosphère de l'UNESCO: des plages désertes, les plus beaux sites de plongée à Cuba et, sur terre, une mangrove et une forêt qui cachent des sangliers et des crocodiles.

Le **Parque Nacional de Viñales** (voir p 155), patrimoine mondial de l'UNESCO: une splendide vallée parsemée de champs de tabac et entourée de spectaculaires montagnes, les *mogotes*.

Le **Parque Nacional Alejandro de Humboldt** (voir p 311), patrimoine mondial de l'UNESCO: un endroit naturel et encore sauvage qui abrite un écosystème unique dans un état de conservation remarquable.

Activités de plein air

■ Baignade

Sport préféré des Cubains en été et des touristes à longueur d'année, la baignade n'aura jamais été aussi agréable que dans les eaux entourant la plus grande île des Caraïbes! Sachez cependant que les courants marins sont parfois forts et qu'il faut y prendre garde. Lorsque vous sentez que les vagues sont trop fortes, ne vous aventurez pas trop loin. En outre, ne vous baignez pas en solitaire si vous ne connaissez pas la force des courants marins. En général, les plages fréquentées par les touristes sont bien entretenues, mais veillez à maintenir leur propreté et à respecter leur environnement naturel. Il est rare que l'on soit vraiment seul sur une plage cubaine. Les belles plages sont souvent prises d'assaut par les visiteurs, mais elles demeurent tranquilles et agréables puisqu'il y a relativement peu de vendeurs ambulants, contrairement à d'autres destinations dans les Caraïbes. Mis à part certaines plages appartenant à des complexes hôteliers, toutes les autres sont publiques et ouvertes à tous.

En ville, vous pourrez profiter des piscines des hôtels. Les grandes chaînes internationales, comme celles de La Havane ou de Santiago de Cuba, ouvrent généralement leur piscine *(5 à 15 CUC)* à ceux qui ne résident pas dans leur palace.

Nos suggestions:

Varadero (p 175): bien que surpeuplée de touristes, cette bande de sable de 20 km est toujours à la hauteur de sa réputation.

Playa Las Tumbas (p 162): à l'extrême ouest de l'île, au Cabo de San Antonio, sur des kilomètres de plage déserte, bordée de cocotiers, on se croirait au bout du monde.

L'**Archipiélago Jardines del Rey** (p 256): Cayo Coco et Cayo Guillermo sont les prochains Varadero, mais il reste encore de nombreuses plages paradisiaques et tranquilles dans cet archipel, comme Playa Pilar, la préférée d'Hemingway.

■ Chasse

Le petit gibier se trouve en grand nombre dans les quelques *cotos de caza* (terrains de chasse) établis un peu partout au pays, particulièrement dans la zone qui s'étend du centre de l'île jusqu'à la région orientale. Pour vous y adonner, vous devrez cependant débourser des sommes substantielles pour l'équipement et les permis nécessaires.

Nos suggestions:

Les régions de **Ciego de Ávila** (voir p 254) et de **Camagüey** (voir p 263) sont de fertiles terrains de chasse.

■ Équitation

L'équitation constitue une façon plaisante de visiter le pays. Dans certaines régions, les habitants se déplacent plus souvent à cheval qu'autrement. Les routes étant souvent étroites et en terre battue, il s'agit là d'un choix fort approprié. Les visiteurs peuvent aussi goûter aux plaisirs équestres, car plusieurs hôtels et parcs de l'intérieur du pays proposent de telles excursions.

Nos suggestions:

Les régions de **Viñales** (voir p 156) et de **Pinar del Río** (voir p 161) se prêtent bien à la randonnée à cheval, et la plupart des complexes touristiques proposent cette activité.

■ Pêche

En haute mer

Les amateurs de pêche en haute mer pourront s'adonner à cette activité, divers centres proposant des excursions de pêche, entre autres à La Havane et à Varadero. Selon que vous désiriez pêcher de gros poissons (par exemple le marlin) ou que vous préfériez pêcher à la ligne, on vous emmènera plus ou moins loin de l'île. Ces excursions durent en moyenne 3h et coûtent assez cher. À bord, l'équipement et des conseils sont fournis. En outre, il s'agit d'une agréable balade en mer.

Nos suggestions:

Les professionnels se donnent rendez-vous tous les mois de juin à la **Marina Hemingway** (voir p 124) de La Havane pour participer à l'**Ernest Hemingway International Marlin Tournament**.

Plein air - Activités de plein air

Toutes les grandes destinations touristiques en bord de mer offrent des forfaits de pêche au gros, notamment par le biais de la compagnie **Marlin** *(www.nauticamarlin. com)* et du groupe **Gaviota** *(www.gaviota-grupo.com)*.

En eau douce

Cuba compte de nombreux lacs aménagés pour la pêche à la ligne. Moins chère que la pêche en haute mer, la pêche en étang attire, comme autrefois, de plus en plus d'amateurs, particulièrement des Européens.

Nos suggestions:

La **Laguna de La Leche** et la **Laguna La Redonda** (voir p 256), entre Morón et Cayo Coco, sont deux endroits de prédilection pour pêcher des poissons d'eau douce, notamment des truites.

Le **Lago Zaza** (voir p 231), et l'**Embalse Hanabanilla** (voir p 232), dans les provinces centrales, sont des hauts lieux de la pêche à la truite. Ils disposent tous deux de beaux hôtels particulièrement adaptés aux pêcheurs.

■ Planche à voile, surf et surf cerf-volant

Certaines plages de Cuba, particulièrement celles de la côte nord, sont propices aux véliplanchistes, bien que la plupart soient caressées par des eaux généralement calmes. Si vous désirez pratiquer le surf ou la planche à voile, vous pourrez louer de l'équipement dans les hôtels et les centres spécialisés situés sur les plages. Certains centres proposent des cours. Si vous n'en avez jamais fait, quelques consignes de sécurité doivent cependant être suivies avant de vous lancer à l'assaut des eaux miroitantes: veillez à choisir une plage dont les flots ne sont pas trop agités; assurez-vous de ne pas pratiquer ces sports trop près des nageurs; ne vous éloignez pas trop du bord (n'hésitez pas à faire des signes de détresse si vous en ressentez le besoin); portez des chaussures pour éviter de vous blesser les pieds sur les rochers.

La pratique du surf est plus restreinte, mais à certaines périodes de l'année, de septembre à décembre, les vagues de la côte nord se prêtent plus au surf.

Nos suggestions:

Varadero (p 180): le cœur touristique de l'île dispose de tous les services nécessaires (location d'équipement, cours) pour la pratique de la planche à voile et du surf cerf-volant (*kitesurf*).

Les **Playas del Este** (voir p 124): à deux pas de La Havane, Playa Santa María offre de bonnes conditions pour la pratique de la planche à voile.

■ Plongée sous-marine

Située à la confluence des eaux des Caraïbes, du golfe du Mexique et de l'océan Atlantique, Cuba, avec ses 4 000 îles, est un véritable paradis pour les amateurs de plongée. On y trouve plus de 500 espèces de poissons, 200 familles d'éponges, de nombreuses barrières de corail et de plages coralliennes, ainsi que des épaves de navires en eaux peu profondes: en tout, près de 400 sites répertoriés et facilement accessibles grâce aux nombreux centres de plongée qui ont pris racine, ces dernières années, sur toutes les côtes de l'archipel cubain.

La plongée sous-marine est devenue un pan important du tourisme à Cuba. Les efforts n'ont d'ailleurs pas été ménagés pour que ce sport puisse se pratiquer dans des conditions optimales de sécurité et de confort. Les nombreux centres spécialisés font la location d'équipements modernes et possèdent des bateaux parfaitement adaptées aux besoins des plongeurs. Toutes les certifications internationales sont reconnues, et les plongeurs débutants pourront aisément prendre des cours d'initiation. La compagnie **Marlin** *(www.nauticamarlin.com)* et le groupe **Gaviota** *(www.gaviota-grupo. com)* offrent de nombreuses possibilités de plongée tout autour de Cuba.

Nos suggestions:

María La Gorda (voir p 162): les fonds protégés du **Parque Nacional Guanahacabibes** font partie des préférés des plongeurs, aussi bien pour la variété des sorties proposées que pour la proximité et la qualité des installations mises à leur disposition.

Cabo Francés (voir p 207): au sud de l'Isla de la Juventud, coraux multicolores, éponges, grottes, épaves et poissons tropicaux attirent les plongeurs du monde entier.

Playa Girón (voir p 190): la péninsule de Zapata est reconnue pour ses fonds marins, et le centre de plongée de Playa Girón propose des cours de plongée d'une semaine qui permettent d'obtenir une certification internationale.

■ Plongée-tuba

L'équipement de plongée-tuba se résume à peu de choses: un masque, un tuba et des palmes. Accessible à tous, la plongée-tuba est une bonne façon de prendre conscience de la richesse et de la beauté des fonds marins. Vous pourrez vous adonner à cette activité autour des quelques barrières de corail peuplées de diverses espèces marines et situées non loin des plages. La plupart des entreprises qui organisent des sorties en plongée sous-marine proposent aussi des excursions de plongée-tuba au large des côtes. N'oubliez pas que les règles fondamentales pour protéger l'environnement marin doivent être également respectées par les amateurs de plongée-tuba.

Nos suggestions:

Playa Rancho Luna (voir p 221): entre Cienfuegos et Trinidad, cette belle plage dispose de points ombragés, et ses fonds marins se prêtent particulièrement à la plongée-tuba.

Cayo Coco et **Cayo Guillermo** (voir p 258): les barrières de corail de l'archipel de Jardines del Rey sont de merveilleux endroits pour cette activité.

■ Randonnée pédestre

La randonnée est sans doute l'une des activités à laquelle on peut s'adonner le plus facilement, bien que les parcs comportant des sentiers bien balisés se fassent rares, et que la plupart des randonnées doivent se faire accompagnées d'un guide. Près des villages touristiques, on trouve quelques sentiers qui méritent une petite visite; veillez dans ce cas à emporter tout ce dont vous pourriez avoir besoin.

Il est bon de respecter quelques règles. Ainsi, avant de vous aventurer sur une quelconque piste, vérifiez, dans la mesure du possible, quels sont sa longueur et son niveau de difficulté. Sachez qu'il n'existe pas de cartes détaillées des parcs. En outre,

si vous vous aventurez loin, n'oubliez pas qu'il n'y a pas d'équipes de secouristes.

Il vous faudra partir bien équipé pour ne manquer de rien durant votre balade. Plus vous envisagez de faire une longue balade, plus vous devrez être prévoyant. Ainsi, apportez beaucoup d'eau (car vous n'en trouverez pas en route) et suffisamment de nourriture. De plus, n'oubliez pas que le soleil se couche entre 18h et 19h, et que vous ne pourrez alors plus continuer votre randonnée; prévoyez donc revenir avant la noirceur. Idéalement, vous débuterez votre excursion tôt le matin; cela vous évitera ainsi de marcher durant les périodes les plus chaudes de la journée, et vous pourrez rentrer au bercail avant la tombée du jour.

Nos suggestions:

Le **Gran Parque Nacional Sierra Maestra** (voir p 305): près de Bayamo, dans l'Oriente, ce parc offre de fantastiques randonnées, avec l'histoire révolutionnaire en toile de fond.

Las Terrazas, réserve de la biosphère de l'UNESCO (voir p 154): ce complexe touristique entre La Havane et Viñales dispose de sympathiques sentiers à travers une nature luxuriante.

Le **Parque Natural Topes de Collantes** (voir p 228): ce parc permet de parcourir de beaux sentiers aux alentours de Trinidad.

L'habillement

Un habillement adéquat vous permettra de ne pas souffrir des nombreux petits inconvénients que vous réserve la forêt. Ainsi, portez des vêtements légers de couleur claire; un pantalon est de mise afin de vous protéger le bas des jambes des herbes coupantes, des branches et des piqûres de moustiques; mettez des chaussures épaisses, à la fois légères et solides, dont les semelles sont pourvues de crampons; apportez des vêtements de pluie car les ondées sont fréquentes; bien sûr, si vous entrevoyez la possibilité de vous rafraîchir au pied de l'une des multiples chutes du massif, n'oubliez pas votre maillot de bain.

Les insolations

Certaines pistes comportent de longues sections à découvert, sans possibilité de se réfugier à l'ombre. Les risques d'insolation sont donc importants et guettent tout marcheur sous les tropiques. Crampes, chair de poule, nausées et manque d'équilibre constituent les premiers symptômes d'une insolation. Dans une telle situation, la personne souffrante devrait être rapidement mise à l'ombre, réhydratée et ventilée. Afin d'éviter ces embarras, veillez à toujours porter un chapeau et munissez-vous d'une bonne crème solaire.

Quoi apporter?

Afin de parer à toute éventualité, il est préférable de se munir de quelques articles qui peuvent s'avérer utiles, entre autres une gourde, un canif, un antiseptique, des pansements, du sparadrap, des ciseaux, de l'aspirine, de la crème solaire, un insectifuge ainsi que la nourriture et l'eau nécessaire à la durée de l'expédition.

■ Vélo

Le réseau routier du pays n'est pas toujours dans des conditions parfaites, et certaines routes, même en ville, sont parsemées de trous. Néanmoins, Cuba est un véritable pays de cyclistes, et vous en rencontrerez beaucoup: aussi bien des habitants qui utilisent le vélo comme moyen de locomotion que des passionnés de cyclotourisme qui découvrent à leur rythme cette île des Caraïbes.

Il n'est pas toujours évident de louer des vélos à Cuba, mais les hôtels et complexes touristiques en mettent souvent à la disposition de leurs clients. Autrement, adressez-vous aux *casas particulares* qui, si elles n'en ont pas, pourront certainement vous renseigner.

Il est tout à fait possible d'apporter son propre vélo à Cuba. Les compagnies aériennes chargent souvent des frais supplémentaires et ont des directives précises concernant l'emballage. Les réglementations douanières cubaines autorisent l'importation temporaire d'un vélo par personne, mais rappelez-vous que vous êtes censé repartir avec le vélo que vous avez apporté. Si vous voyagez avec votre propre monture, assurez-vous d'avoir assez de pièces de rechange et d'outils pour faire les réparations courantes, car vous n'en trouverez guère sur place. D'ailleurs, sachez que ces pièces, neuves ou d'occasion, sont des cadeaux extrêmement appréciés à Cuba.

Le vol des vélos et des pièces détachées est courant à Cuba. Assurez-vous d'avoir un bon système de sécurité. Dans les villes, le moyen le plus sécuritaire de garer son vélo est de le mettre dans un *parqueo*. On trouve ces garages à vélo dans tous les quartiers, et il n'en coûte que quelques pesos pour y remiser son vélo.

La compagnie d'autocars **Víazul** (voir p 57) accepte les vélos dans ses compartiments à bagages, moyennant un surplus de 3 CUC.

Nos suggestions:

La route de **Soroa à Viñales** (voir p 154) est un trajet favori des cyclistes, mais toutes les petites routes de campagne du pays, tranquilles et agréables, se prêtent parfaitement aux randonnées en vélo.

■ Voile

Les excursions en voilier sont une autre occasion de voguer librement sur les flots cristallins de la mer. De nombreux centres organisent des excursions; d'autres, qui s'adressent aux navigateurs plus expérimentés, louent des voiliers. Les marinas de la compagnie **Marlin** *(www.nauticamarlin. com)* et du groupe **Gaviota** *(www.gaviotagrupo.com)* offrent ces services.

La plupart des complexes touristiques louent des catamarans et des dériveurs légers.

Nos suggestions:

Península de Ancón (voir p 228): les excursions à la journée ou avec hébergement sur le bateau vous feront découvrir les *cayos* des environs.

Cayo Largo (voir p 209): de nombreuses excursions à la voile, à bord d'énormes catamarans, permettent d'observer les barrières de corail de la région.

La Havane

La Habana Vieja

Le Parque Central et le Prado

Le Centro

Le Vedado

Miramar

À l'ouest de La Havane

Au sud de La Havane

À l'est de La Havane

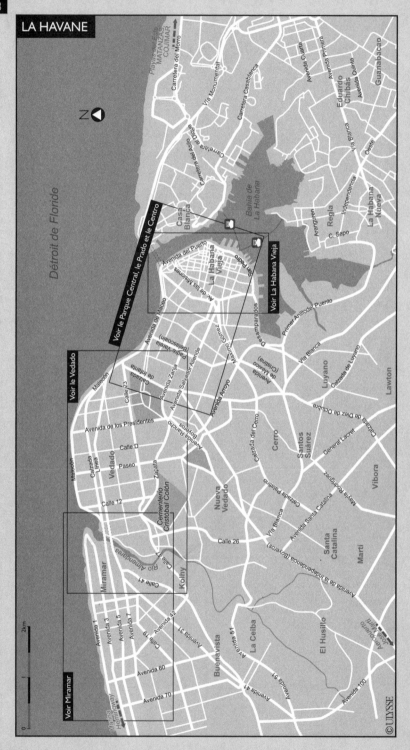

C apitale vivante et dynamique d'un pays aux systèmes politique et économique uniques en Amérique, voilà **La Havane** ★ ★ ★. Avec près de 2,5 millions d'habitants, La Havane est le centre névralgique de Cuba et, sur ses grandes avenues bordées de palmiers, les édifices gouvernementaux côtoient les sièges sociaux des plus grandes entreprises cubaines et étrangères. Si elle partage ces traits avec d'autres métropoles du monde, La Havane vibre et vit à un rythme qui lui est propre, à mi-chemin entre la candeur d'une ville tropicale assoupie et la frénésie d'une ville comme New York.

La première chose qui surprend lorsque l'on arrive à La Havane, c'est son urbanité. Non pas une urbanité factice, superficielle, mais une urbanité profondément ancrée dans ses murs, dans sa façon de vivre, dans sa population.

La Havane fut un temps, il ne faut pas l'oublier, la troisième ville des Amériques, juste derrière Lima et México, et elle a su garder les traces de sa grandeur passée.

La position stratégique de La Havane, «porte du Nouveau Monde», et son intérieur riche et fertile, en ont fait un creuset de cultures donnant à la ville un charme insurpassable. La vieille ville rappelle la présence espagnole qui dirigea la destinée de l'île durant près de 400 ans. Le Vedado souligne la présence américaine dont les effets furent plus profonds qu'il n'y paraît. Et le rythme des Antilles transpire, se sent, se vit à travers sa population bigarrée dont l'âme noire a su trouver sa place. Le caractère, la fascination de La Havane vient de l'amalgame de ces trois courants culturels qui ont atteint ici un équilibre tout à fait unique.

Et puis il y a plus. Comme si cela n'avait suffi, il y eut cette révolution qui mena la ville aux portes de l'histoire contemporaine et qui l'habille encore de nos jours d'une aura de mystère qui pousse à vouloir savoir, à vouloir comprendre.

Tous ces éléments font de La Havane une destination particulièrement riche. La Havane est plus que la somme de ses monuments, de ses palais, de ses forteresses, de ses promenades. C'est une ambiance, une atmosphère sur laquelle l'indifférence n'a pas prise.

La Havane est aussi et surtout le musée vivant de près de quatre siècles de domination espagnole. Fondée en 1514 par Panfilio de Narváez sous les ordres de Diego Velázquez, La Havane est inscrite sur la Liste du patrimoine mondial de l'humanité de l'UNESCO, le centre historique de la vieille Havane possédant un riche héritage architectural. Cette reconnaissance internationale en dit long sur cette ville historique qui fut le fleuron des colonies espagnoles. La Havane était alors l'arrêt obligatoire de tous les galions espagnols, qui repartaient pour l'Europe chargés d'argent et d'or de toutes ses colonies. La Havane d'alors était une *«Clef du Vieux Monde ouvrant la porte du Nouveau Monde»*, et c'est d'ici que les Espagnols partaient à la conquête de l'Amérique.

Port de mer et centre commercial, La Havane était aussi un important marché d'esclaves africains revendus impunément aux marchands d'Amérique centrale. La fortune croissante de La Havane attira la convoitise des pirates qui attaquèrent la capitale en maintes occasions. Les plus célèbres combats furent engagés par le corsaire français Jacques de Sores en 1555 et par le navigateur anglais Francis Drake en 1589. Pour contrecarrer ces indésirables, les Espagnols construisirent dès le XVIe siècle le Castillo de la Real Fuerza et le Castillo de los Tres Reyes del Morro, deux forteresses situées sur chacune des côtes de la baie de La Havane. Ces nouvelles fortifications dônnèrent au port de La Havane une aura d'invulnérabilité, et la croissance économique de la ville s'en trouva accrue.

Depuis, la capitale cubaine a été au centre des rebondissements de l'histoire du pays, des guerres d'Indépendance du XIXe siècle jusqu'à la révolution cubaine de 1959. Témoin privilégié d'une histoire mouvementée, son legs historique et culturel est unique. À l'ombre de ses milliers de colonnes, un trait architectural propre à La Havane qui fit qu'on lui donna aussi le nom de «Cité des colonnes», les hommes politiques ont écrit l'histoire du pays.

La Havane - Introduction

De 1898 à 1902, La Havane vécut sous la férule directe des États-Unis à la suite du traité de Paris signé par les États-Unis et l'Espagne. La République, indirectement contrôlée depuis Washington, vit la capitale changer profondément d'aspect sous l'influence américaine, tant dans le mode de vie de ses habitants que dans l'architecture. Les années 1940 et 1950 virent fleurir dans la capitale cubaine les casinos, les cabarets et les boîtes de nuit. C'était alors le «Monte-Carlo des Caraïbes»; le rhum coulait à flots dans les salons feutrés, et le jeu attirait nombre de gangsters et maffiosi. Leurs repaires, le Hilton, devenu l'Hotel Habana Libre, l'Hotel Habana Riviera et son célèbre night-club, l'Hotel Capri et l'Hotel Nacional, n'ont rien perdu de leur faste et rappellent aux voyageurs cette époque controversée de la capitale cubaine, période durant laquelle La Havane inspira les écrivains Ernest Hemingway et Graham Greene.

Bien sûr, La Havane n'est plus ce qu'elle était: l'arrivée de Fidel Castro au pouvoir en 1959 et l'implantation du modèle socialiste allaient changer l'habitude des Havanais. Les écoliers souriants, toutes couleurs unies dans leurs uniformes rouges et blancs, prennent d'assaut les nombreux parcs à la sortie des classes; des milliers de Lada et de vélos de fabrication chinoise sillonnent les rues; les coqs font la cour jour et nuit, bien campés sur les balcons des nombreux HLM construits par des brigades bénévoles; les files d'attente sont longues devant les entrepôts de nourriture du gouvernement, et des jardins communautaires poussent comme des champignons en pleine ville; la grande fresque du visage de Che Guevara domine la Plaza de la Revolución, et le siège du comité central du Parti communiste cubain est décoré aux couleurs de la révolution cubaine. Voilà autant de traits qui témoignent du seul système socialiste d'Occident qui fait de La Havane une ville unique en Amérique.

Malgré tout, les Havanais raffolent de Coca-Cola et n'hésitent pas à porter les couleurs des différentes équipes de sport professionnel des États-Unis. La Havane a décidément tout pour plaire aux voyageurs: une riche architecture coloniale, une vie culturelle intense, un peuple chaleureux et plusieurs des avantages d'une destination soleil. Vous pourrez facilement passer entre 2 et 10 journées à La Havane et, en la quittant, vous aurez le sentiment que vous n'avez pas encore percé tous ses mystères. S'y promener à pied ou à bicyclette est un pur plaisir, et la sensation de découvrir une ville unique s'accroît à mesure qu'on la connaît.

Accès et déplacements

■ En avion

Situé à 15 km de La Havane, l'**Aeropuerto Internacional José Martí** (voir p 55) possède trois aérogares. L'aérogare n° 3 accueille généralement les vols internationaux, et le n° 1 les vols nationaux.

Lignes aériennes

Aerocaribbean
Calle 23 entre O et P, Vedado
☎ (7) 870-4965

Air Canada
Calle 23 angle P, Vedado
☎ (7) 836-3226
à l'aéroport José Martí
☎ (7) 649-7365 ou 266-4175
www.aircanada.com

Air France
Calle 23 angle P, Vedado
☎ (7) 833-2642
à l'aéroport José Martí
☎ (7) 649-7146
www.airfrance.com

Cubana de Aviación
Calle 23 entre O et P, Vedado
☎ (7) 834-4949 ou 834-4446
www.cubana.cu

Accès à La Havane

Vous trouverez sans difficulté un taxi de la compagnie officielle **Cubataxi** à la sortie des différents terminaux. Comptez entre 20 CUC et 25 CUC pour rejoindre le Centro ou la vieille ville, et entre 15 CUC et 20 CUC pour les quartiers de Miramar et Vedado. Dans tous les cas, exigez que le chauffeur utilise le compteur (*metrotaxi*), plutôt que le montant fixe qu'il vous proposera certainement. Si votre budget est limité, éloignez-vous des lignes de taxis réguliers et essayez de repérer les taxis de marque Lada qui proposent de meilleurs tarifs. Sinon vous pouvez aller attendre un des autobus publics qui passent sur l'Avenida Boyeros ou faire de l'auto-stop, une pratique très répandue à Cuba. Si vous avez la chance de monter à bord d'une vieille voiture américaine des années 1950, vous serez plongé de plain-pied dans l'univers pittoresque de La Havane dès votre arrivée!

■ En voiture

Conduite

La conduite automobile à La Havane n'est pas plus complexe que dans n'importe quelle autre grande ville du monde. Il faudra cependant vous habituer à la présence de milliers de cyclistes dans les rues de la capitale et vous rappeler que **les vélos ont priorité en tout temps sur les voitures**. Ainsi, aux intersections et si vous avez à tourner à droite, laissez le passage aux vélos puisqu'ils s'arrêteront rarement pour vous laisser passer. Prenez garde, surtout la nuit, parce que les cyclistes respectent peu les consignes de conduite. Il est commun de les voir utiliser une voie complète sur une grande avenue, utiliser la voie de gauche et même se tenir en plein centre d'un boulevard, comme si de rien n'était! Les cyclistes sont donc imprévisibles: vous devez toujours être attentif à ce qui se passe autour de vous et être prêt à toute éventualité.

Location

On trouve des bureaux de location de véhicules à l'aéroport international José Martí et dans la plupart des hôtels.

Havanautos
Edificio Maestra, Av. 1, angle Calle 0, Miramar
☎ (7) 203-9825 ou 835-0000
www.transtur.cu

Cubacar
Calle L nº 456 E., entre Av. 25 et Av. 27, Vedado
☎ (7) 835-3727 ou 835-0000
www.transtur.cu

Via
Calle 98, entre Calle 9 et Calle 11, Playa
☎ (7) 206-9935 ou 204-3606
www.gaviota-grupo.com

Stationnement

Vous aurez rarement de la difficulté à trouver un endroit pour garer votre voiture à La Havane. En plus des parcs de stationnement officiels *(2 CUC)*, en de nombreux endroits de la ville, des «gardiens» s'improvisent aux abords des rues. Ils vous offriront de surveiller et de laver votre voiture. Le tarif généralement pratiqué pour les touristes est de 1 CUC, qu'on paie au retour. Autrement, vous pouvez garer votre voiture dans les stationnements des hôtels environnants.

■ En autocar

Il existe deux gares d'autocars à La Havane: la gare **Víazul** *(Av. 26, angle Zoológico, Nuevo Vedado,* ☎ *7-881-1413 ou 7-881-5652, www.viazul.com)*, d'où partent tous les autocars de cette compagnie, et l'**Estación de Ómnibus Nacionales** *(101 Av. Independencia, angle 19 de Mayo, près de la Plaza de la Revolución)*, qui est la gare des bus de la compagnie Astro (réservée aux Cubains). Même s'il est plus prudent, pour s'assurer une place, de partir de la gare Víazul, il faut savoir que tous les autocars Víazul passent aussi par l'Estación de Ómnibus Nacionales, ce qui peut s'avérer pratique pour ceux qui logent dans le Centro ou la vieille ville.

Il est nécessaire de réserver ses places au moins une journée à l'avance (par téléphone ou directement sur place) et de se présenter à la gare une heure avant l'embarquement.

Les principales destinations desservies par Víazul depuis La Havane sont **Varadero** *(10 CUC; 2 à 4 départs/jour; durée: 3h; arrêt à Matanzas)*, **Trinidad** *(25 CUC; 2 départs/jour; durée: 6h; arrêt à Cienfuegos)*, **Viñales** *(12 CUC; 2 départs/jour; durée: 3h; arrêt à Pinar del Río)* et **Santiago** *(51 CUC; 3 départs/jour; durée: 13 à 16h; arrêts à Santa Clara, Sancti Spíritus, Ciego de Ávila, Camagüey, Holguín et Bayamo)*.

Les agences **Cubanacan** (voir p 71) et **Havanatur** (voir p 71) proposent des excursions vers **Viñales** *(14 CUC; 1 départ/jour à 8h; durée: 3h)* qui s'avèrent pratiques lorsque les autocars de Víazul sont complets. Ce service fait le tour des grands hôtels pour récupérer les passagers (et vous fait économiser le temps et l'argent nécessaires pour vous rendre à la gare de bus si vous résidez dans ou près d'un de ces hôtels) et s'arrête en route pour visiter une fabrique de cigares. Réservations nécessaires un jour à l'avance.

En train

Il y a des départs quotidiens à La Havane pour toutes les villes importantes du pays. Vous devez vous rendre à l'agence **Viajero** *(Av. del Puerto, derrière la gare centrale)* pour acheter ou réserver un billet à partir de trois jours avant le départ. Présentez-vous avec votre passeport et demandez le guichet réservé aux touristes. Il est conseillé de réserver ses places au moins une journée à l'avance, mais en vous présentant le jour même à la gare, quelques heures avant le départ, vous pourriez trouver des siéges libres. Notez toutefois qu'il est nécessaire de vérifier les horaires, car les changements et annulations de train sont fréquents.

Gare centrale
Av. de Bélgica, angle Arsenal
☎ (7) 861-8540

Pour rejoindre **Matanzas**, vous avez aussi la possibilité d'emprunter le **Tren Eléctrico Hershey** *(2,80 CUC; 3 à 5 liaisons dans chaque sens/jour; durée: 3h; voir aussi p 123 et 174)*. Moins rapide, mais beaucoup plus pittoresque, c'est le seul train électrique de l'île. Il assure des liaisons entre **La Havane** *(départ à Casa Blanca, de l'autre côté de la baie, à deux pas du débarcadère du ferry, voir p 122; ☎ 7-862-4888)* et **Matanzas** *(la gare Hershey se trouve dans le quartier de Versalles, Calle 67, ☎ 45-24-7254)*, via entre autres **Guanabo** et les **Playas del Este**. Il est fortement conseillé de téléphoner à l'avance pour connaître les horaires du jour.

En autobus

Le service public d'autobus à La Havane constitue un véritable casse-tête. Il n'existe aucune documentation sur les horaires et les trajets des autobus. La meilleure façon de prendre l'autobus est de vous rendre à l'un des nombreux arrêts et de dire le nom de votre destination à une personne qui attend l'autobus. Aux heures de pointe, vous devrez vous armer de patience, et nul doute que les longues queues auront même raison des touristes les plus décidés à utiliser ce moyen de transport. Il n'en demeure pas moins que l'autobus est très économique (de un à trois pesos). Si vous restez quelques jours à La Havane, il est conseillé d'utiliser le bus au moins une fois lors de votre séjour: l'expérience est pittoresque. Appelés *camellos* (chameaux), les longs semi-remorques remplis de passagers répondent à la crise du transport public à La Havane. Les routes qui vous seront probablement les plus utiles sont celles qui vont de la vieille ville au Vedado. Les autobus n°s 195, 232, 264 et 298 font ce trajet. De la vieille ville, vous pouvez les prendre au Parque de la Fraternidad, alors qu'au Vedado il vous sera plus facile de vous rendre au Parque Coppelia, du côté de La Rampa. L'autobus n° 400 débute sa route à la gare centrale de trains et dessert Habana del Este et les Playas del Este.

L'autobus touristique rouge à deux étages du **Habana Bus Tour** *(5 CUC/jour; tlj 9h à 20h, toutes les 30 min environ)* propose un service pratique qui relie divers quartiers de la ville et va même jusqu'aux Playas del Este. On monte et descend autant de fois qu'on le désire dans la même journée. La ligne 1 part de la vieille Havane (Av. del Puerto, face au Castillo de la Real Fuerza) et se dirige vers la Plaza de la Revolución; la ligne 2 part de la Plaza de la Revolución et se dirige vers Miramar; et la ligne 3 démarre au Parque Central (en face de l'Hotel Telégrafo) et va jusqu'aux Playas del Este (Playa Santa María del Mar). Les arrêts sont clairement indiqués.

En taxi

Les taxis officiels pour les touristes fonctionnent désormais tous sous la bannière de **Cubataxi** *(☎ 7-855-5555)*. On les trouve devant tous les hôtels et près des centres touristiques. Exigez que le chauffeur utilise le compteur (*metrotaxi*) plutôt que le tarif fixe qu'il ne manquera pas de vous proposer. Il n'existe pas de tarif fixe pour un trajet, même de longue distance comme par exemple de l'aéroport au centre-ville (comptez autour de 20 CUC pour cette course).

Les *cocotaxis*, ces sortes de rickshaws en forme d'œuf et de couleur jaune (les noirs sont réservés aux Cubains), peuvent transporter des touristes et facturent en CUC. Moins chers que les taxis, ils peuvent être pratiques pour de courtes distances. Peu d'entre eux sont équipés de compteur, il convient donc de négocier le tarif au départ.

Taxis en pesos

Depuis janvier 1996, une multitude de permis pour des taxis en pesos ont été attribués à La Havane, faisant suite à une certaine libéralisation des entreprises privées et familiales. Il faut toutefois savoir que ces taxis sont autorisés à transporter des Cubains mais pas d'étrangers. Vous ne seriez pas embêté par la police si l'on venait à arrêter la voiture dans laquelle vous prenez place, mais le chauffeur aurait quant à lui à débourser une amende juteuse. Ces voitures sillonnent la ville, et vous les reconnaîtrez par un carton annonçant *Taxi* sur le pare-brise.Si vous choisissez ce moyen de transport, essayez d'arrêter les vieilles voitures américaines qui traversent la ville sur des parcours préétablis. Le prix de la course est prédéterminé et se paie en pesos *(10 pesos/trajet)*. Vous partagerez alors la voiture avec un nombre variable de Cubains. De la vieille ville vers le Vedado ou Miramar, vous pouvez tenter votre chance dans la Calle San Lázaro, au coin du Prado, ou encore sur l'Avenida Simón Bolívar, au coin du Parque Central. Du Vedado, rendez-vous au coin de La Rampa et de la Calle O.

Taxis particulares

De nombreux professionnels cubains sous-payés ont délaissé leur emploi pour faire du taxi au noir. Stationnés aux endroits les plus touristiques de la ville, ces chauffeurs, sans permis et illégaux, sont très nombreux dans les rues de la capitale. Si vous vous faites arrêter par la police, vous ne risquez pas grand-chose, mais votre chauffeur aura une belle amende. Vous pouvez utiliser leurs services pour des trajets simples ou même louer leurs services pour la journée ou des excursions hors de la ville. On trouve ces chauffeurs entre autres aux abords des gares de trains et de bus, ainsi qu'au Parque Central, à l'angle de Neptuno et Prado.

Attention! Sachez négocier si vous ne voulez pas vous faire rouler (tout en gardant à l'esprit le risque que prend le chauffeur) et n'oubliez pas de vérifier que le coût de l'essence est inclus dans le prix. Comptez 10 CUC/heure pour vous balader dans La Havane, 15 CUC pour vous rendre aux Playas del Este et 50 CUC pour la journée complète.

■ À bicyclette et à motocyclette

Il est possible de louer des bicyclettes ou des motos pour circuler en ville, mais les prix sont relativement élevés si vous passez par les rares compagnies accréditées *(par exemple Rumbos, qui compte plusieurs agences en ville,* ☎*7-204-5491 ou 7-204-0646)* ou par les hôtels fournissant ce service. Le mieux pour se procurer une bicyclette est donc de s'arranger directement avec les Cubains eux-mêmes. Comptez environ 3 CUC/jour pour une bicyclette et 20 CUC/jour pour une moto. Dans les deux cas, il est possible d'obtenir de meilleurs prix pour de plus longues périodes, ou d'acheter votre propre vélo si vous restez plus longtemps sur place.

Si vous louez une bicyclette, vous verrez qu'il existe des milliers de stationnements pour vélos à La Havane. Appelés *parqueos*, ils se trouvent facilement près de l'endroit que vous voudrez visiter. Le coût oscille entre un et deux pesos par bicyclette, et le paiement s'effectue généralement à votre départ. Aussi, prenez soin de cadenasser votre bicyclette dans un de ces stationnements. Tous les vélos étant semblables, le gardien aura peine à savoir lequel est le vôtre! Pour les identifier, il est courant que l'on vous remette deux petites plaques numérotées, l'une que vous attachez à votre vélo et l'autre que vous gardez sur vous. À votre sortie, il vous suffit de montrer les deux plaques identiques, et le tour est joué. Ces *parqueos* sont sécuritaires; évitez de laisser votre vélo sans surveillance dans les rues, et ce, même s'il est cadenassé. Vous risquez dans ce cas de ne retrouver que le cadre de la bicyclette, sans roues, sans pédales, sans guidon et sans selle: des pièces très convoitées à La Havane.

Renseignements utiles

■ Bureaux de change

La plupart des hôtels ont des bureaux de change. Les taux de change des devises étrangères y sont généralement les mêmes que dans les institutions bancaires.

On trouve des bureaux de change Cadeca à l'Aeropuerto Internacional José Martí et dans tous les quartiers, dont:

La Habana Vieja

257 Calle Obispo (avec guichet automatique)

Calle Oficios, angle Baratillo (Plaza de San Francisco)

Vedado

Calle 23 (Rampa), entre Calle L et Calle J (en face du Parque Coppelia, avec guichet automatique)

■ Communications

Poste

La façon la plus sûre d'envoyer du courrier depuis La Havane est d'utiliser les services de courrier des grands hôtels dont celui du Habana Libre, ouvert 24 heures sur 24. Pour les envois prioritaires, adressez-vous à **DHL** *(lun-ven 8h30 à 18h, sam 8h à 14h; Av. 1, angle Calle 26, Miramar,* ☎*7-204-1578, www.dhl.com)* pour les envois internationaux ou à **CUBAPACKS** *(Calle 22 nº 4115, Konly,* ☎*7-204-2134)* pour les envois à l'intérieur du pays.

Internet

Tous les hôtels offrent un service d'accès à Internet. La plupart fonctionnent avec les cartes prépayées d'ETECSA *(6 CUC/h)*, dont l'Hotel Telégrafo, l'Hotel Sevilla, l'Hotel Santa Isabel et l'Hotel Inglaterra. Le **Cibercafé Capitolio** *(5 CUC/h; tlj 9h à 17h)* offre un service économique à l'intérieur même du **Capitolio** (voir p 107).

■ Renseignements touristiques

Infotur *(*☎*7-866-3333, www.infotur.cu)*, l'office du tourisme de La Havane, possède des bureaux à l'aéroport (Terminal 3) et dans La Habana Vieja *(tlj 9h30 à 13h et 13h45 à 17h; Calle Obispo nº 524)* ainsi qu'à Miramar *(angle Av. 5 et Calle 112)*. En plus d'y obtenir de l'information touristique, on peut aussi y réserver des excursions ainsi que des billets d'autocar.

Voyagistes et visites guidées

La plupart des grands hôtels disposent d'un comptoir touristique des agences **Cubatur** *(www.cubatur.cu)* ou **Havanatur** *(www.havanatur.cu)* proposant aussi bien des services de réservation pour des spectacles que des excursions aux alentours de La Havane.

Cuba Autrement

Lonja del Comercio, Oficina 5-G, La Habana Vieja

☎ (7) 866-9874

www.cubaautrement.com

San Cristóbal

Calle de los Oficios 110 bajos, entre Lamparilla et Amargura

☎ (7) 861-9171

www.viajessancristobal.cu

Les guides du **Museo de la Ciudad** (voir p 101) proposent d'intéressantes visites commentées de la vieille ville *(5 CUC/pers., minimum de 6 personnes; 2h)*. Les réservations se font directement au musée.

■ Sécurité

La Havane est une ville sécuritaire, et la situation s'est grandement améliorée ces dernières années. Les risques les plus courants sont de passer malencontreusement au milieu d'une partie de baseball de rue, ou de tomber dans un trou laissé béant par une bouche d'égout inexistante. Cependant, comme dans toute grande ville, il convient de ne pas étaler ses richesses, et de redoubler sa vigilance dans les endroits sombres ou très fréquentés par les touristes. Des rapports confirment notamment que le Malecón est le théâtre de vols à la tire. Il en est de même pour les rues les plus achalandées de La Habana Vieja. De nombreux policiers parcourent les rues des secteurs les plus touristiques. En cas d'urgence, appelez le ☎106.

■ Soins médicaux

En cas d'ennuis de santé, contactez votre compagnie d'assurances voyage ou **Asistur** *(Prado nº 208, entre Trocadero et Colón, Vieille Havane,* ☎*7-866-4499, ou en cas d'urgence 7-866-8527, 7-866-8339 ou 7-866-8920)*.

Clinique

Clínica Central Cira García

Calle 20 nº 4101, angle Calle 41

Miramar

☎ (7) 204-4300 ou 204-4309

Pharmacies

Tous les hôpitaux proposent un service de pharmacie. Vous pouvez aussi vous rendre à la **Farmacia Internacional** *(Av. 41 nº 1814, angle Calle 22, Miramar,* ☎*7-204-2051)*.

Un jour à La Havane

Une seule journée n'est certes pas suffisante pour découvrir cette passionnante capitale, mais voici un parcours sur mesure qui vous permettra d'en admirer les principales merveilles.

Commencez votre visite par la **vieille ville**. Tôt le matin, les petites rues pavées du centre historique ne sont pas encore envahies par les groupes touristiques. Profitez-en pour faire le tour des grandes places.

Avant de vous lancer à la découverte de toutes ces petites rues, prenez l'ascenseur vers la **Cámara Obscura** (voir p 103), d'où vous aurez une vue d'ensemble sur la vieille ville, ou allez contempler la magnifique **Maqueta del Centro Histórico** (voir p 104). Commencez votre visite par la **Catedral de San Cristóbal de La Habana** (voir p 97), sur la Plaza de la Catedral, qui possède sans doute l'une des plus belles façades baroques de toute l'Amérique latine. Puis profitez des bancs et de l'ombre de la **Plaza de Armas** (voir p 98), au milieu des bouquinistes, avant d'aller visiter l'admirable **Museo de la Ciudad** (voir p 101). Vous remarquerez l'architecture et les travaux de rénovation effectués sur votre chemin vers les autres places de la vieille ville, et n'hésitez pas à passer les portes de ces magnifiques hôtels parfaitement reconstitués. Ce ne sont pas les restaurants qui manquent dans ce quartier, vous n'aurez que l'embarras du choix.

Marcher dans la **Calle Obispo** (voir p 104), vivante, commerçante et réservée aux piétons, est une agréable façon de se diriger vers le Prado, mais ceux qui voudront voir un visage singulièrement différent de la vieille ville pourront emprunter la **Calle Brasil** (voir p 103), qui est bien plus représentative de la réalité de cette ville.

Dans le secteur du Prado et du Parque Central, faute de temps, vous devrez faire un choix drastique entre le **Capitolio** (voir p 107), le **Museo Nacional de Bellas Artes** (voir p 111) et le **Museo de la Revolución** (voir p 111), à moins que vous ne préfériez regarder tout cela en même temps depuis la terrasse de l'**Hotel Inglaterra** (voir p 130) tout en buvant un café.

Au bout du Prado, le **Malecón** (voir p 112) vous attend. L'air frais, le bruit de la mer et toute l'activité de cette promenade le long de l'eau turquoise des Caraïbes vous mènera jusqu'au **Vedado** (voir p 113) (taxis disponibles en temps de pluie ou pour les moins courageux), où vous aurez bien mérité de déguster une crème glacée au fameux **Coppelia** (voir p 140). Une balade dans ce quartier reflétant différentes architectures du XXe siècle pourra vous mener le long de la Calle 17 pour revenir à l'**Hotel Nacional de Cuba** (voir p 132) et profiter de ses magnifiques jardins pour siroter un *mojito* bien frais.

Pour finir la journée, réservez une table dans l'un des excellents *paladares* de la ville et n'hésitez pas à prendre un taxi pour vous y rendre: le chauffeur se fera un plaisir de vous servir de guide.

En dernier conseil, nous vous rappelons que la majorité des musées étant fermés le lundi, il est préférable de choisir un autre jour de la semaine pour visiter La Havane.

La Havane - Renseignements utiles

Attraits touristiques

Les attraits touristiques de La Havane sont nombreux. De La Habana Vieja à Miramar, la ville se dévoile avec faste en une multitude de magnifiques images.

La vieille ville, avec ses rues étroites et ses édifices coloniaux, le Parque Central et l'architecture néoclassique qui l'habille, le Centro et sa vie grouillante, les splendides demeures du Vedado et de Miramar sont autant de rappels de l'incroyable richesse historique des lieux.

La Havane est une des plus belles villes qui soit, et elle vaut la peine que l'on explore un peu les méandres de son passé. Son histoire l'ayant marqué d'un courant allant d'est en ouest, c'est sans doute sur cet axe qu'il convient de l'approcher pour bien la saisir.

Enfin, notez que la plupart des musées sont fermés le lundi.

La Habana Vieja ★ ★ ★

▲ p 125 ◉ p 137 ⇒ p 143 ■ p 146

Inscrite sur la Liste du patrimoine mondial de l'UNESCO en 1982, la vieille Havane est véritablement le cœur touristique de la ville. Les travaux de restauration vont bon train, ce qui donne parfois à penser que l'on se promène au milieu d'un immense chantier de construction. Les touristes y sont légion, ce qui n'est pas étonnant si l'on considère le nombre impressionnant d'édifices coloniaux dont regorge cette partie de la capitale. Certains de ceux-ci sont de véritables bijoux du baroque colonial.

La Habana Vieja comprend deux régions distinctes, tant par l'histoire que par l'architecture: la vieille ville, celle qui était jadis entourée par une haute muraille et qui présente une architecture définitivement baroque; et le secteur du Parque Central et du Prado, qui s'étend vers l'ouest au delà des limites précédemment citées. La section traitant de la vieille ville ne s'intéressera, pour les raisons de clarté, qu'à la première de ces deux zones, soit La Havane *intra-muros*. Bordée à l'est par le port et son goulet, et à l'ouest par l'Avenida de las Misiones, l'Avenida de Bélgica et l'Avenida Egido, cette partie forme le cœur de la ville coloniale.

Le développement touristique de la vieille ville s'est fait à partir de ses grandes places ou *plazas* jusqu'aux rues environnantes. Les quatre Plaza de Armas, Plaza de la Catedral, Plaza de San Francisco et Plaza Vieja regroupent donc en une zone assez restreinte la majorité des points d'intérêt. Il est ainsi possible de couvrir l'essentiel de La Habana Vieja en peu de temps, en arpentant les rues Mercaderes et Obispo. Il peut toutefois s'avérer intéressant de se laisser attirer hors de ce circuit pour prendre la mesure des lieux et d'en bien sentir l'atmosphère. Une sortie vers le sud ajoutera grandement à l'expérience de la visite.

Le tourisme étant florissant dans cette partie de la ville, il vaut mieux s'y rendre tôt le matin pour en profiter pleinement. Sinon on risque de se retrouver piégé par des colonnes de touristes et leurs guides.

Il est facile de passer de l'une des quatre *plazas* principales à l'autre sans trop se fatiguer et ainsi goûter, en peu de temps, à ce que La Habana Vieja a de plus beau, mais aussi de plus touristique, à offrir. Chacune de ces places n'est en effet séparée de ses consœurs que par de faibles distances que l'on peut aisément franchir en empruntant de magnifiques petites rues bordées de charmantes maisons coloniales rénovées et transformées en restaurants, hôtels ou musées. Tout le long du parcours, de nombreuses terrasses ont été aménagées pour satisfaire les divers appétits des visiteurs et, de celles-ci, des musiciens font entendre des airs cubains, créant ainsi une ambiance délicieuse. De même, plusieurs petits musées sont installés dans les anciens palais et demeures que l'on éleva jadis près des centres commerciaux et politiques qu'étaient les *plazas*.

La Plaza de la Catedral ★ ★ ★

La Plaza de la Catedral se présente comme un bon point de départ pour commencer la visite de la vieille Havane. Dernière place à avoir été aménagée à l'intérieur des fortifications de La Havane, c'est un endroit charmant où l'architecture de la vieille ville

La restauration de la vieille Havane

Depuis 1993, l'Office de l'historien de la ville, sous la gouverne d'Eusebio Leal Spengler, cumule les responsabilités de la restauration et de la mise en valeur des édifices du centre historique de La Havane. Il a transformé le quartier en un véritable musée à ciel ouvert, et les chantiers sont encore nombreux. Les anciennes demeures ainsi que les palais coloniaux ont été reconvertis en musées, en magasins et en restaurants, ou ont suivi leur vocation première d'hôtellerie. La société **Habaguanex** *(www.habaguanexhotels.com)*, créée par l'Office de l'historien de la ville (Oficina del Historiador, également propriétaire de l'agence de voyages San Cristóbal), gère tous ces établissements, et les bénéfices sont réinvestis pour financer de nouvelles restaurations, de même qu'ils sont aussi censés alimenter un fond destiné au bien-être des habitants du quartier, par exemple pour la rénovation des appartements. En effet, il faut savoir que les bâtiments non utilisés à des fins touristiques ne reçoivent généralement qu'un rhabillage de façade, mais que les habitations ne profitent guère de ces réfections.

Des organismes indépendants et originaux, entre autres le Gabinete Arqueológico, assurent la qualité des travaux, tandis que l'indépendance de l'Office de l'historien de la ville garantit le développement économique du secteur. Cette nouvelle richesse patrimoniale et culturelle constitue certainement la meilleure promotion au développement touristique urbain.

Un effort particulier a été porté sur la rénovation des hôtels. D'une façon intelligente et méticuleuse, les travaux d'aménagement respectent l'histoire et l'architecture de chaque édifice, tout en offrant un maximum de confort. Le quartier offre maintenant les établissements les plus intéressants de la ville, intimes, luxueux et pleins de caractère. Afin de mettre en valeur différents aspects historiques et culturels de La Havane et de Cuba, plusieurs de ces hôtels sont développés autour d'un thème, tel le judaïsme à l'**Hotel Raquel** (voir p 128) ou encore la vie religieuse à l'**Hotel Los Frailes** (voir p 126).

explose de tous ses feux. La **Catedral de San Cristóbal de La Habana** ★ ★ ★ *(entrée libre; lun-sam 10h30 à 15h, dim 10h30 à 12h; Calle Empedrado n° 158, ☎7-861-7771)* possède sans doute l'une des plus belles façades baroques de toute l'Amérique latine. Commencée en 1748, l'église ne fut achevée et consacrée cathédrale qu'en 1789, lorsque La Havane fut hissée au rang d'évêché. Flanquée de deux tours asymétriques, elle domine totalement la grande place. L'intérieur, refait au cours du XIXe siècle, peut toutefois décevoir un peu les amoureux du baroque, mais l'ensemble opère tout de même un certain charme.

Face à la cathédrale, de l'autre côté de la Plaza de la Catedral, se dresse une maison coloniale où loge aujourd'hui le **Museo de Arte Colonial** ★ *(2 CUC; mar-dim 9h30 à 17h; ☎7-862-6440)*. Construite en 1720 pour le gouverneur de Cuba, Luis Chacón, cette maison est caractéristique des demeures de cette époque, avec une cour centrale entourée de galeries, d'arches et de toitures de bois sculpté. Fondé en 1969, le musée expose quelques pièces de mobilier et décoration de style colonial, et renferme aussi une salle consacrée aux moyens de transport d'époque.

La Havane - Attraits touristiques - La Habana Vieja

Entre les deux, à droite de la cathédrale, l'ancien **Palacio de los Marqueses de Aguas Claras**, construit en 1760, abrite maintenant le restaurant **El Patio** (voir p 139), dont la terrasse est probablement l'une des plus convoitées de La Habana Vieja. Il vaut la peine d'entrer et de jeter un coup d'œil sur le patio intérieur du restaurant, un des plus beaux de la ville.

Les anciennes maisons qui occupent le côté est de la Plaza de la Catedral sont les **palais du Marqués de Arcos** et du **Conde de Casa Lombillo**. Ce dernier, situé à l'angle de la Calle Empedrado, renferme aujourd'hui le musée de l'Éducation, tandis que l'Atelier municipal d'arts graphiques et une galerie d'art logent dans La Casa del Marqués de Arcos. Ces deux palais, avec leur arcade à colonnes doriques, sont typiques de l'architecture coloniale. Il vaut la peine d'y consacrer quelques minutes et admirer plusieurs détails baroques, comme les vitraux qui laissent filtrer la chaleur tout en éclairant l'intérieur ou les grandes portes qui donnent sur le balcon.

Les nombreux artisans qui étouffaient auparavant la place de la Cathédrale ont été relégués à la **Plaza de los Artesanos** *(mer-sam 10h à 18h)*, au nord de la Calle Tacón. Un peu à l'est, le magnifique **Seminario San Carlos**, terminé en 1774, est toujours utilisé comme séminaire; il ne peut malheureusement être visité, mais l'extérieur à lui seul vaut le détour.

Il est encore possible de pousser un peu vers le nord pour voir le **Palacio de la Artesanía ★** *(entrée libre; tlj 10h à 19h; Calle Cuba nº 64, entre Calle Cuarteles et Calle Pena Pobre,*

☎*7-866-8072)*. Ancien palais du comte Pedroso, l'un des hommes les plus riches et les plus influents de la colonie, cette résidence construite en 1780 abrita dans la deuxième moitié du XIXᵉ siècle le palais de justice de la ville. Sa cour intérieure est de toute beauté, et sa galerie double, la seule de ce genre à La Havane, est particulièrement agréable. Le Palacio de Artesanía recèle actuellement des boutiques d'artisanat et un resto-bar.

La Plaza de Armas ★ ★ ★

Pour aller de la Plaza de la Catedral à la Plaza de Armas, qui n'est qu'à quelques pas de là, on peut prendre la Calle Mercaderes, ou encore descendre le long de la Calle Tacón, cette charmante rue qui longe le Castillo de la Real Fuerza.

La Plaza de Armas est la plus vieille place de La Havane. La première messe sur le site de la nouvelle colonie aurait été célébrée ici en 1519. Cette magnifique place renferme un parc aux arbres fleuris sous lesquels on peut se cacher du soleil de midi au milieu des **bouquinistes** *(mar-sam 10h à 17h)* proposant quelques trésors cachés et de nombreux livres décrivant la Révolution sous tous ses angles. Centre politique de la colonie durant presque toute la période de domination espagnole, elle est entourée des plus belles constructions baroques de la vieille ville. Il est d'ailleurs intéressant de trouver au centre de la place, qui rappelle si fortement la mainmise espagnole sur la ville et le pays tout entier, une **statue de Carlos Manuel de Céspedes**, celui-là même qui lança la première guerre d'Indépendance en 1868 avec son *Grito de Yara*.

★ ATTRAITS TOURISTIQUES

LA HABANA VIEJA

- - - - - Rue piétonne

N

Canal de Entrada

Castillo de los Tres Reyes del Morro

Fortaleza San Carlos de la Cabaña

Castillo de San Salvador de la Punta

Av. de Maceo (Malecón)

San Lázaro

Genios

Calle Cárcel

Trocadero

Colón

Consulado

Industria

Crespo

Animas

Aguila

Amistad

Virtudes

Centro Habana

San Miguel
San Rafael

Paseo de Martí (Prado)

Agramonte (Zulueta)

Av. Monserrate

Av. de Bélgica (Monserrate)

Calle Berneza

Villegas

Aguacate

Compostela

Habana

Calle Aguiar

Av. de las Misiones

Peña Pobre   **7**

Refugio   Cuarteles

Chacón

Tejadillo

Empedrado

San Juan de Dios

O'Reilly

Obispo

Obrapía

Lamparilla

Amargura

Carlos M. de Céspedes (Av. del Puerto)

Calle Tacón

Cuba

2

4

6   **5**

3

8   **9**

10

11

Plaza de Armas   Narciso López

Baratillo

32   **31**

30

29   **27**

28   **26**

12

13

Justiz

San Ignacio

Mercaderes

25

Plaza de San Francisco

14

15

$

H

La Habana Vieja

Brasil (Teniente Rey)

24

Cuba

23

22

Plaza Vieja   **20**

16

Churruca

Oficios

San Pedro

Muralla

21

Sol   **19**

Santa Clara

17

18

Muelle Luz

Almistad

Industria

Paseo de Martí (Prado)

Máximo   Gómez   (Monte)

Av. S. Bolivar (Reina)

Dragones

Egido

Curazao

Sol

Luz

Porvenir

33

Luz

Casa Blanca Regla

34

Acosta

Jesús María

35

Acosta

Jesús María

Merced

Suárez

Factoria

Aponte (Someruelos)

Cárdenas

Cienfuegos

Economía

Gloria

Misión

Esperanza

Alcantarilla

Calle Arenal

Picota

36

37

C. Leonor Pérez

San Isidro

Diaria

Desamparados

Bahía de La Habana

0   250   500m

©ULYSSE

À l'origine, la place était utilisée pour les exercices militaires des soldats stationnés dans cet avant-poste du Nouveau Monde entre les murs de la plus vieille forteresse de la ville, le **Castillo de la Real Fuerza**. Édifiée en 1577 pour faire face à la menace des corsaires, la forteresse abrite maintenant le **Museo Nacional de la Real Fuerza** ★★ *(1 CUC; mar-sam 9h30 à 17h, dim 9h30 à 13h; Calle O'Reilly, entre Av. del Puerto et Calle Tacón, ☎7-861-6130)*. Le musée contient une importante collection de céramiques, entre autres de très belles pièces des renommés sculpteurs cubains Wifredo Lam (1902-1982) et René Porto Carrero (1912-1985). Deux salles accueillent des expositions d'art contemporain. Le château fort est très bien conservé. Sur le toit, une agréable terrasse offre un point de vue unique sur le Christ de La Havane, de l'autre côté de la baie, et sur la vieille Havane en général. Sur la tour nord-ouest du château, vous verrez *La Giraldilla*, symbole de la ville.

El Templete *(1 CUC; mar-dim 8h à 17h; angle Calle Baratillo et Calle O'Reilly)* est la première construction néoclassique de La Havane. Il rappelle la signature officielle de l'acte de fondation de la ville en 1519 par Panfilio de Narváez, alors sous les ordres du conquistador espagnol Diego Velázquez. On y commémore chaque année, le 16 novembre, la première messe célébrée

La Giraldilla

La Giraldilla, première statue de bronze coulée à La Havane, est un hommage à Inés de Bobadilla, femme d'Hernando de Soto, gouverneur de Cuba et victime d'un rêve mal assuré. En effet, Hernando de Soto, compagnon de Pizarro lors de la conquête du Pérou, s'était mis en tête que la Floride recelait des richesses qui surpassaient tout ce que les conquistadors avaient pu trouver jusque-là sur les nouvelles terres de la Couronne espagnole. Il investit à cette fin les quelque 100 000 ducats que lui avait rapportés le Pérou pour monter une expédition en Amérique du Nord. Sûr de son succès, il amena avec lui sa femme et tous ses biens. Le titre de gouverneur de Cuba devait lui permettre de se servir de l'île comme d'un tremplin pour ses expéditions en Floride, qui couvrait à cette époque toute la partie sud des actuels États-Unis.

À la fin du mois de mai de l'année 1539, de Soto partit pour la Floride avec neuf navires, 237 chevaux, 513 hommes et des provisions suffisantes pour toute une année. L'île de Cuba avait été complètement vidée de ses ressources pour compléter les préparatifs de l'expédition. Le conquistador laissait sa femme derrière lui avec la charge de gouverneur pour le temps qu'il lui faudrait pour faire main basse sur les richesses qu'il savait à portée de main. Or, de Soto ne trouva point ce qu'il cherchait, et les empires floridiens l'éludèrent. Il périt sur les berges du Mississippi, et son corps fut abandonné par les quelques survivants de l'expédition qui finirent par atteindre la colonie espagnole de Panuco, quelque trois ans après être débarqués sur les côtes de la péninsule.

La nouvelle de la mort de son mari n'atteignit Inés de Bobadilla qu'en octobre 1543. Jusque-là, la fidèle épouse avait refusé de croire en la mort de son époux et, du haut de la tour de la forteresse de la Real Fuerza, elle guetta durant trois années un signe de son retour. Devenue le symbole de la ville, la petite statue qui se trouve actuellement sur le Castillo est une copie de l'originale qui repose au musée de la ville.

à La Havane. À l'intérieur, une fresque du Français Jean-Baptiste Vermay témoigne de ce moment historique de la capitale cubaine.

Toujours sur la Plaza de Armas, le **Museo de la Ciudad** ★★★ *(4 CUC; mar-sam 9h à 18h, dim 9h30 à 17h; Calle Tacón, entre Calle Obispo et Calle O'Reilly,* ☎*7-861-5779)* est dédié à la ville de La Havane, et il constitue une étape incontournable pour quiconque visite la capitale cubaine. Le musée loge dans ce qui fut le Palacio de los Capitanes Generales. C'est à cet endroit que fut signé en 1898 le traité de Paris, qui cédait l'île de Cuba aux États-Unis. Pendant l'administration américaine (1898-1902), puis jusqu'en 1920, le palais fut le siège de la présidence cubaine. Jusqu'en 1958, il fit office d'hôtel de ville. L'architecture baroque de ce palais en fait l'un des plus importants de son genre à La Havane. La cour intérieure est dominée par une statue de Christophe Colomb en marbre d'Italie, datée de 1862 et élevée à l'ombre de deux palmiers royaux, emblème officiel de Cuba. De nombreuses collections d'art et d'objets coloniaux sont agréablement présentées dans ce musée d'une grande richesse historique et architecturale. Les spécialistes de ce musée organisent aussi des visites guidées de la vieille ville (voir p 94).

La Calle Oficios

Entre la Plaza de Armas et la Plaza de San Francisco, le long de la Calle Oficios, plusieurs maisons d'époque ont été retapées et transformées en musées ou en centres culturels.

Le **Depósito del Automóbil** *(1 CUC; mar-sam 9h30 à 17h, dim 9h30 à 13h; Calle Oficios, entre Calle Obispo et Calle Obrapía,* ☎*7-861-5062)* propose une collection de voitures anciennes. De la première voiture arrivée à La Havane, une Cadillac de 1905, à la Chevrolet ayant appartenu à Che Guevara, les amateurs d'histoire et de voitures y trouveront leur compte.

La **Casa del Arabe** *(mar-sam 9h30 à 17h, dim 9h à 13h; Calle Oficios nº 16, entre Calle Jústiz et Calle Obrapía,* ☎*7-861-5868)*, installée dans une maison construite en 1688 mais maintenue parfaitement dans son état d'origine, présente des expositions ethnologiques et culturelles sur le thème des cultures arabe et musulmane, de même qu'elle abrite un bon restaurant de spécialités moyen-orientales (voir p 138).

La Plaza de San Francisco ★★

La Plaza de San Francisco est la deuxième plus ancienne place de la ville. La proximité du port en a fait un centre commercial important dès le début de la colonie. Depuis les années 1980, on s'est affairé à lui redonner son lustre d'antan. De magnifiques édifices et résidences entourent la grande place, dont la **Fuente de los Leones**, cette fontaine installée en 1836, rehausse la grandeur. Sur les terrasses qui jouxtent la place résonne perpétuellement une musique cubaine qui donne aux lieux un charme profond.

Mais c'est l'**Iglesia y Convento de San Francisco de Asís** ★★ *(2 CUC; lun-ven 9h à 17h, sam 11h30 à 18h; entrée par Calle Oficios, entre Calle Amargura et Calle Brasil,* ☎*7-862-3467)* qui donne à la place toute sa grandeur. Tournée vers l'intérieur de la ville, la devanture de l'église peut être difficile à apprécier pleinement, mais elle demeure splendide. Terminée en 1739 avec l'érection du couvent qui la prolonge, l'église présente une image inégalable de l'austérité qui présidait à l'élaboration architecturale de ce baroque simple et sévère dont il y a peu d'exemples dans le monde. Sa crypte abritait jadis les sépultures des grandes familles. L'église se transforme certains soirs en salle de concerts (voir p 143), et l'acoustique y est extraordinaire. Les archéologues ont trouvé le secret de ce phénomène. De grandes amphores de résonance, en montre à droite du portique de l'église, étaient scellées à l'intérieur des immenses colonnes. La tour de 42 m s'élevant sur trois paliers fut longtemps la plus haute de la ville du temps de la colonie, et elle n'était dépassée de quelques mètres que par celle de Manaca Iznaga. Une fois sa restauration achevée, on pourra de nouveau monter jusqu'au sommet (1CUC) pour jouir d'une vue grandiose sur le port et la vieille ville. Un premier cloître abrite un musée d'art religieux. Vous y trouverez des statues en bois polychrome, du mobilier et des objets provenant des fouilles effectuées lors de la restauration de l'église. Au premier étage, demandez à voir la photo de Fidel avec le pape Jean-Paul II. Une des salles donne accès à la tribune de l'église et une autre à la terrasse offrant une superbe vue sur la place. Un deuxième cloître, tout au fond, présente trois volées d'arcades (une première en Amérique) et une fontaine au centre d'une cour paisible.

Du côté des quais, le **Museo del Ron Havana Club** *(7 CUC, visite guidée multilingue; lun-jeu 9h à 17h, ven-dim 9h à 16h; 122 Av. San Pedro, angle Sol, ☎7-862-3832, www.havanaclubfoundation.com)* permettra aux néophytes d'en savoir plus sur la fabrication de cet alcool national. Le clou de la visite consiste à déguster une gorgée de rhum, et à acheter quelques bouteilles. Le bar sur place, ainsi que la galerie d'exposition, valent le détour.

La toute nouvelle **Catedral Ortodoxa Nuestra Señora de Kazán** *(tlj 9h à 17h30; Av. San Pedro, angle Santa Clara)*, qui a ouvert ses portes

en novembre 2008, ne passe pas inaperçue dans le quartier avec ses murs blancs immaculés et ses dômes dorés. L'intérieur de ce lieu de culte est tout aussi sobre et élégant, seules les icônes vénérées par les Russes et autres orthodoxes de La Havane offrant une touche de couleur.

La Plaza Vieja ★★

De la Plaza de San Francisco à la Plaza Vieja, il n'y a que quelques pas à faire par la Calle Brasil (restaurée). La Plaza Vieja fut, dès le XVIᵉ siècle, un marché ouvert qui abrita pendant un certain temps le plus important marché d'esclaves de la ville. Dans la foulée, quelques riches marchands vinrent s'installer sur la place pour être près de leurs affaires. Les restaurateurs de

Alexander von Humboldt et La Havane

Le célèbre naturaliste et voyageur allemand Alexander von Humboldt a laissé un portrait saisissant bien que peu flatteur de cette ville qu'il connaissait bien. Voici ce qu'il en dit dans son *Essai Politique sur l'île de Cuba*, publié en 1826:

Les grands édifices de la Havane, la cathédrale, la Casa del Govierno, la maison du commandant de la marine, l'arsenal, le Correo ou hôtel des postes, la factorerie du tabac, sont moins remarquables par leur beauté que par la solidité de leur construction: la plupart des rues sont étroites, et le plus grand nombre ne sont point encore pavées. [...] À l'époque de mon séjour [l'auteur parle ici de son second séjour, au printemps de l'année 1804], *peu de villes de l'Amérique espagnole offroient, par le manque de bonne police, un aspect plus hideux. On marchoit dans la boue jusqu'au genou; la multitude de calèches ou volantes, qui sont l'attelage caractéristique de la Havane, les charrettes chargées de caisses de sucre, les porteurs qui coudoyoient les passans, rendoient fâcheuse et humiliante la position d'un piéton. L'odeur du tassajo ou de la viande mal séchée empestoit souvent les maisons et les rues tortueuses.*

Cela dit, il a quelques bons mots pour les deux belles promenades de la ville, l'Alameda (Almenada de Paula), entre l'hospice de Paula et le théâtre, et le *«passeo extra muros»* (Prado), entre le Castillo de la Punta et la Puerta de la Muralla, qui est *«d'une fraîcheur délicieuse»*.

La maison où il vécut lors de son premier passage est désormais transformée en musée en son honneur, la **Casa Alejandro de Humboldt** *(entrée libre; mar-sam 9h30 à 17h, dim 9h30 à 13h; Calle Oficios, angle Muralla, ☎7-863-9850)*, également dédiée à la recherche scientifique. Les quelques objets personnels qui y sont exposés n'attireront que les passionnés.

l'Oficina del Historiador de la Ciudad s'affairent depuis quelques années à redonner à la Plaza Vieja son aspect original. Avec en son centre une jolie fontaine en marbre blanc de Carrare, et tout autour de beaux palais restaurés ainsi que d'anciennes maisons aménagées en *solares*, la vieille place est devenue la plus accueillante des *plazas* de La Habana Vieja. À quand les bancs pour jouir de ce lieu paisible?

Magnifique demeure construite dans les années 1730, la **Casa del Conde de San Juan de Jaruco ★** *(Calle Muralla, angle Calle San Ignacio)* fut un des grands salons littéraires du XIXe siècle. Cette demeure accueille depuis 2003 l'**Hotel Beltrán de Santa Cruz** *(entrée par Calle San Ignacio n° 411; voir p 126)*, qui porte le nom du premier comte de San Juan de Jaruco. N'hésitez pas à la visiter: elle est magnifique.

Sur le côté est de la Plaza Vieja, observez les loggias et les fenêtres des façades originales; l'intérieur des édifices était en détérioration et a été reconstruit. La maison d'Esteban José Portier abrite la **Fototeca de Cuba ★** *(entrée libre; mar-sam 9h à 17h, dim 10h à 14h; ☎7-862-2530)*, qui propose des expositions temporaires de photographes internationaux.

Sur le toit de l'édifice s'élevant à l'angle nord-est de la place est installé un ingénieux système de lentilles qui permet d'observer la vieille ville sous un autre angle. La **Cámara Obscura ★** *(2 CUC; tlj 9h à 17h30; Calle Teniente Rey, angle Calle Mercaderes, ☎7-862-1801)* projette en effet en direct et en couleurs une image des édifices et le va-et-vient de la ville. La présentation est un peu courte, mais la vision est très bonne et les explications du guide satisfaisantes.

Un petit détour par la **Calle Brasil** vous fera découvrir la **Farmacia La Reunión ★★** *(entrée libre; tlj 9h à 17h; Calle Brasil, angle Compostela)*, certainement la plus belle des vieilles pharmacies de la ville. Le splendide plafond et les belles étagères en bois ouvragé regorgeant de pots et de récipients en porcelaine évoquent un siècle révolu. Une petite pièce est consacrée à un musée de la pharmacie, et une autre partie de l'établissement a gardé sa fonction initiale et se spécialise en produits de beauté et de médecine naturelle. Au bout de la Calle Brasil, on aperçoit le **Capitolio** (voir p 107).

La Calle Mercaderes

En empruntant la Calle Mercaderes retournez vers la Plaza de la Catedral puis rejoignez la **Calle Obispo** (voir p 104), qui se dirige vers le Parque Central et le Prado (voir p 106).

Gourmets et gourmands n'hésiteront pas à faire la queue pour entrer au **Museo del Chocolate** *(entrée libre; tlj 10h à 20h; Calle Mercaderes n° 255, ☎7-866-4431)*. Cuba fut l'une des premières colonies à cultiver le cacao. On y trouverait même encore des arbres de la lignée originale du Mexique dans les environs de Baracoa. Ici, à La Havane, on peut avoir un bref aperçu de cette autre époque dans le petit musée. Il s'agit en fait plus d'un café que d'un musée, mais les panneaux explicatifs et les quelques objets exposés vous donneront une idée des origines du précieux chocolat. Vous pourrez aussi, il va sans dire, le déguster, en boisson chaude ou froide, en bouchées ou en dessert.

Un peu plus loin, la **Casa Simón Bolívar** *(entrée libre; mar-sam 9h à 17h, dim 9h à 13h; Calle Mercaderes n° 156, ☎7-861-3988)*, affiche les couleurs du Venezuela. Il s'agit en effet d'un projet de restauration conjoint entre le pays d'origine du *Gran Libertador* et Cuba. On peut y voir l'exposition permanente révélant des pans de la vie de Bolívar, ainsi que des expositions temporaires d'artistes cubains. On y trouve aussi une bibliothèque. La grande maison coloniale vaut à elle seule la visite. De l'autre côté de la rue se dresse une statue de Bolívar, au centre d'un agréable petit parc portant aussi son nom.

En face du parc, annoncée par son auvent bardé de vitraux, la **Perfumería Habana 1791 ★** *(entrée libre; tlj 10h à 18h; Calle Mercaderes n° 156)* loge en effet dans une magnifique maison du XVIIIe siècle. Ici vous ne trouverez que des fragrances naturelles. La propriétaire fabrique ses parfums avec toute la patience nécessaire à l'extraction d'effluves naturels. On peut d'ailleurs l'observer travailler dans son laboratoire attenant à la petite boutique. Elle vous fera aussi essayer ses délicats parfums, à la fleur de tabac ou encore à l'oranger, que l'on peut se procurer dans de jolis flacons aux allures vieillottes.

La **Casa de África** *(entrée libre; mar-sam 9h30 à 17h, dim 9h à 13h; Calle Obrapía nº 157, entre Calle Mercaderes et Calle San Ignacio, ☎7-861-5798)* possède une importante collection d'objets liés aux différents cultes religieux afro-cubains et renferme des salles dédiées exclusivement à l'art contemporain africain.

Vous pouvez aussi en profiter pour visiter la résidence historique du capitaine espagnol Martín Calvo de la Puerta, la **Casa de la Obra Pía** *(entrée libre; mar-sam 9h à 17h30, dim 9h à 13h; Calle Obrapía nº 158, angle Calle Mercaderes, ☎7-861-3097)*. Vieille maison datant de 1648, agrandie et remodelée au XVIIIe siècle, elle conserve encore quelques peintures murales originales. On y expose des meubles du XIXe siècle, et l'une des salles du rez-de-chaussée est dévolue à la mémoire de l'écrivain cubain Alejo Carpentier.

Pour mieux apprécier la visite de la vieille ville, il est possible de contempler la magnifique **Maqueta del Centro Histórico** ★ *(1 CUC; tlj 9h à 18h; Calle Mercaderes nº 116, entre Calle Obispo et Calle Obrapía)*. Elle dévoile l'espace du centre historique de La Havane en un tout clair et intelligible. Les explications données par les guides sont des plus appropriées et aident grandement ceux qui veulent profiter au maximum de leur expérience havanaise.

La Calle Obispo

Emprunter cette rue piétonne animée est une agréable façon de rejoindre le **Parque Central** (voir p 107). On y trouve de nombreux commerces et établissements qui s'adressent principalement à la population locale, de même que de bonnes librairies, telle **La Moderna Poesia** (voir p 148).

Au coin des rues Mercaderes et Obispo, passez la porte de l'**Hotel Ambos Mundos** (voir p 128), qui ne se cache pas d'avoir accueilli le célèbre écrivain américain Ernest Hemingway dans les années 1930. Vous pourrez d'ailleurs visiter la chambre *(1 CUC)* qu'il préférait et où il débuta l'écriture de *Pour qui sonne le glas*, la 511, aujourd'hui transformée en musée.

La **Farmacia Taquechel** ★ *(entrée libre; tlj 9h à 19h; 155 Calle Obispo)*, à l'instar de la **Farmacia La Reunión** (voir p 103), a été parfaitement

restaurée telle qu'elle devait apparaître à la fin du XIXe siècle, époque de son ouverture. Elle accueille aujourd'hui un musée avec d'intéressants objets pharmaceutiques, mais le bâtiment à lui seul vaut le détour.

Le sud de La Habana Vieja ★

Ceux qui voudraient étendre leur expérience de La Habana Vieja, tout en quittant un peu la jungle touristique qu'est devenu le circuit des grandes places, n'auront qu'à descendre vers le sud. Non seulement retrouve-t-on dans les rues non rénovées de cette partie de la vieille ville nombre de sites importants, mais la vie cubaine y est plus exposée, plus authentique.

Dans les premières années de la colonie, l'aspect missionnaire et religieux de l'aventure fut considéré sérieusement, bien que La Havane n'ait pas particulièrement brillé par sa piété selon les dires de ceux qui y firent escale. Quoi qu'il en soit, après la construction des fortifications, ce sont des couvents et des églises qui marquèrent le plus clairement le paysage urbain de La Havane. Construits avec des matériaux durables et un soin particulier, ils demeurent l'un des plus importants testaments architecturaux de la ville. Or, si l'on peut dire que la Plaza de Armas concentra autour d'elle et de ses émules le pouvoir politique et commercial de la ville, c'est dans la partie sud de la ville *intra-muros* que se concentra le pouvoir religieux, pouvoir dont il ne faut pas minimiser la portée.

Il faut prendre note que toutes les églises peuvent être visitées du lundi au samedi de 9h à 17h et le dimanche de 10h à 13h.

Élevé entre 1638 et 1643 pour héberger les riches jeunes filles de la ville, le magnifique **Convento de Santa Clara** ★★ *(Calle Cuba, entre Calle Sol et Calle Luz, ☎7-862-9683)* était immensément riche et pouvait compter à la fin du XVIIIe siècle sur plus de 20 *haciendas* sucrières pour ses dépenses courantes. Son patio, le plus grand de l'île, est absolument splendide. En rénovation depuis 2009, on ne peut malheureusement pas, pour l'instant, visiter ce couvent, ni profiter de son agréable café et de sa pension.

Un autre couvent se trouve un peu à l'arrière du précédent. Le **Convento de Belén** ★ et son église couvrent tout le quadrilatère

Sur les traces d'Hemingway

Révolutionnaire dans l'âme, le célèbre écrivain et journaliste américain Ernest Hemingway n'était jamais en reste dans cette ville qu'il adopta pour passer ses vacances dès les années 1930, avant de s'y installer en 1939. Hemingway a laissé une trace indélébile sur son chemin, et aujourd'hui de nombreux bars, restaurants et hôtels de la capitale revendiquent son passage dans leur établissement. Pour suivre ses pas dans La Havane, vous irez sans doute à **La Bodeguita del Medio** (voir p 139) pour un *mojito*, ce cocktail à base de rhum, de jus de lime, de sucre et de feuilles de menthe écrasées pendant sa préparation.

Puis au **Floridita** (voir p 138), où vous prendrez un second apéro, cette fois un *daiquirí*, la spécialité de cette maison reconnue pour avoir inventé ce cocktail. Le *papa especial* est le daïquiri d'Hemingway, composé d'une double ration de rhum de trois ans, de citron et de glace concassée. Demandez le menu, car vous êtes à l'une des bonnes tables de la ville! La soirée terminée, vous pouvez marcher dans le cœur de la vieille Havane jusqu'à l'**Hotel Ambos Mundos** (voir p 128). Vous pourrez d'ailleurs visiter la chambre qu'il préférait, la 511, aujourd'hui transformée en musée.

En dehors de la ville, plusieurs attraits portent les traces d'Hemingway. La **Marina Hemingway** (voir p 118), juste à l'ouest de Miramar, organise tous les ans le célèbre concours de pêche au gros auquel il a maintes fois participé, dont une fois en compagnie de Fidel lui-même.

Au sud de la ville, son ancienne demeure, la **Finca la Vigía** (voir p 120), conservée presque intacte à la suite de sa mort, abrite aujourd'hui un musée en son honneur.

Enfin, rendez-vous à l'est de La Havane, dans la ville portuaire de **Cojimar** (voir p 123), où son célèbre bateau, *El Pilar*, était souvent amarré. Vous en profiterez pour manger à l'excellent restaurant de fruits de mer **La Terraza** (voir p 143), l'un des préférés d'Hemingway, où jusqu'à récemment on pouvait encore rencontrer Gregorio Fuentes, le héros du *Vieil Homme et la mer* et capitaine d'*El Pilar*.

---

entre les rues Compostela, Acosta, Picota et Luz. Érigé entre 1712 et 1718 pour la congrégation de Bethléem, il est une des plus importantes constructions baroques de la vieille ville. La devanture à elle seule vaut le déplacement, surtout pour l'église, à l'angle de la Calle Luz et de la Calle Compostela. Il faut aussi jeter un coup d'œil sur l'immense arche, l'**Arco de Belén**, construite en 1772 pour relier le couvent aux bâtiments de l'autre côté de la Calle Acosta, dans la Calle Compostella. D'immenses poutres de bois soutiennent cette œuvre unique à La Havane. Et pour ajouter au charme de la place, un marché des plus pittoresques se tient quotidiennement devant le couvent.

En revenant à la Calle Cuba, on peut admirer la superbe **Iglesia Espíritu Santo** ★★★ *(Calle Cuba, entre Calle Acosta et Calle Jesús María)*. Plus vieille église de La Havane, elle fut élevée en 1638 et conserve toutes les marques de son époque. Sa devanture sévère, ses immenses portes latérales, son délicieux plafond de bois, tout s'y révèle d'un charme parfait. Il est possible de descendre sous l'autel pour y voir les catacombes.

La Havane - **Attraits touristiques** - La Habana Vieja

Jusqu'en 1805, date à laquelle remonte le premier cimetière de la ville, les Espagnols étaient ainsi inhumés sous les autels des églises. Presque toutes les vieilles églises de la ville ont conservé les traces de ces hypogées.

De la Calle Leonor Pérez, mieux connue sous le nom de «Paula», il est possible de se diriger vers l'ouest pour se rendre à la **Casa Natal José Martí** ★ *(1 CUC; mar-sam 9h30 à 17h, dim 9h30 à 13h; Calle Leonor Pérez nº 314, entre Av. Egido et Calle Picota,* ☎*7-861-3778)*. C'est dans cette petite maison que naquit le héros national José Martí en 1853. Le petit musée que l'on y a installé retrace l'itinéraire de son exil de façon particulièrement

intéressante et montre bon nombre d'objets lui ayant appartenu.

Pour ceux que la chose intéresse, les deux plus beaux tronçons de la vieille muraille, qui ceignait la ville jusqu'en 1863, se dressent devant la gare ferroviaire. **La Muralla** ★, qui longeait autrefois le port et suivait ensuite à l'ouest les actuelles Avenida Egido, Avenida de Bélgica et Avenida Monserrate, enserrait la cité en un monde à part. La nuit, les portes de la muraille étaient fermées, coupant effectivement la vieille Havane de ses alentours, jeu que rappelle aujourd'hui la cérémonie du canon de la forteresse de la Cabaña qui a lieu à 21h tous les soirs (voir p 122). Quelques autres vestiges des murs ont survécu à la destruction, comme ce petit bout qui termine la Calle Brasil, mais c'est ici, au bout de l'Avenida Egido, qu'il faut venir pour apprécier la grandeur de l'entreprise. Leur vue donne une idée de l'aspect que revêtait cette ville aux XVIIe et XVIIIe siècles. Le dernier grand pan de La Muralla est d'ailleurs marqué par une grande plaque de bronze qui trace les limites de la vieille ville.

Le Parque Central et le Prado ★ ★ ★

▲ *p 128*   ⚲ *p 139*

Après la vieille ville, le secteur qui s'étire du Paseo de Martí, mieux connu sous le nom de Prado, au Parque Central, est celui qui regroupe le plus d'attraits. D'une autre époque, son histoire, et surtout son architecture, le différencient clairement d'avec La Havane baroque *intra-muros*. La Havane devient ici néoclassique, teintée d'Art nouveau et d'un soupçon d'Art déco. Elle est un tout aux accents d'une métropole stylisée et hautement civilisée.

Pour passer des grandes places de la vieille ville à ce secteur, le mieux est d'emprunter l'une ou l'autre des artères achalandées que sont la Calle Obispo et la Calle O'Reilly, ou encore la Calle Brasil. Ces rues mènent directement au Parque Central, cœur de la ville dès le milieu du XIXe siècle.

Les plus belles vues de La Havane

Rien de plus agréable que de profiter du paysage urbain et marin de La Havane en sirotant un verre, ou en dégustant de savoureux plats. Voici une sélection des meilleurs endroits en ville pour satisfaire ce plaisir:

L'**Hotel Santa Isabel** (voir p 128) sur la Plaza de Armas

L'**Hotel Ambos Mundos** (voir p 128) dans la vieille ville

L'**Hotel Inglaterra** (voir p 130), et l'**Hotel NH Parque Central** (voir p 130) au Parque Central

L'**Hotel Saratoga** (voir p 130) face au Capitolio

Le restaurant **Roof Garden** (voir p 140) de l'Hotel Sevilla le long du Prado

Le bar et restaurant **La Torre** (voir p 141) dans le Vedado

Le Parque Central ★★

Le Parque Central est devenu, après que la vieille ville eut brisé l'étau de ses murs qui l'enfermaient inconfortablement, le centre politique et économique de La Havane. L'endroit est particulièrement agréable avec ses grands arbres, sa vie urbaine et sa perspective sur quelques-uns des plus beaux édifices néocoloniaux de la ville. Malgré la circulation parfois dense de part et d'autre du parc, on ne s'y sent jamais à l'étroit. L'**Estatua de José Martí**, qui se dresse au milieu du parc, fut élevée en 1905 et serait la plus vieille statue de Martí à avoir été dévoilée dans toute l'île de Cuba.

De tous les bâtiments qui entourent le parc, le plus beau est probablement le **Palacio del Centro Gallego ★★**, qui abrite le **Gran Teatro de La Habana** *(2 CUC; tlj 9h à 16h; Paseo de Martí, entre Calle San Rafael et Calle San José,* ☎*7-861-3077)*. Témoin de la vivacité de la communauté espagnole au lendemain de l'expulsion de l'Espagne, le Centre galicien a ouvert ses portes en 1915 et est depuis l'un des phares culturels de la ville, surtout en ce qui concerne la danse, le Ballet national de Cuba y ayant élu domicile (voir p 144). Le style de l'édifice est assurément éclectique, mélangeant avec goût néoclassicisme, Art nouveau, Renaissance française et rococo. L'intérieur est tout aussi incroyable que l'extérieur.

Juste à côté du Centro Gallego, de l'autre côté de la Calle San Rafael, se trouve un autre fleuron de l'architecture néoclassique de La Havane, l'**Hotel Inglaterra** (voir p 130). Terminé en 1875, ce fut le premier hôtel de luxe de la ville. Cette fois, son intérieur chaud et coloré tranche franchement avec son extérieur rigoureux. Le style est ici évidemment andalou avec ses azulejos bleus qui donnent à l'ensemble un air tout à fait charmant. Le bar situé sur le toit offre une belle vue sur les alentours.

De l'autre côté du Parque Central, deux édifices magnifiques renvoient vers un néoclassicisme plus formel. La **Manzana de Gómez**, terminée en 1910, borde la Calle Agramonte entre la Calle Obispo et la Calle Neptuno (San Juan de Dios). Cette bâtisse abritait au cours des premières années du XXe siècle un vaste marché. Elle renferme encore de nombreux magasins, aucun n'étant malheureusement d'un grand intérêt. L'intérieur en est d'ailleurs décevant.

Juste à l'est, entre les rues San Juan de Dios et Empedrado, l'**Edificio Bacardí ★** est l'un des plus beaux exemples d'architecture Art déco à La Havane. Construit en 1930 pour la distillerie de rhum du même nom, l'immeuble abrite des bureaux, mais il est possible d'entrer pour en admirer l'intérieur. Un petit café se trouve sur la mezzanine, mais le *mirador* en haut de l'édifice est actuellement en réparation.

De l'autre côté de la Calle Obispo, toujours dans la Calle Agramonte, le **Palacio del Centro Asturiano ★** éclate de toute sa grandeur. Immense édifice néoclassique dont les quatre tourelles ornent le ciel, il fut inauguré en 1928. Il y a quelque temps, il logeait la Cour suprême du pays. Depuis sa restauration, il renferme la collection consacrée à l'art universel du **Museo Nacional de Bellas Artes** (voir p 111).

Au nord du Parque Central, le boom hôtelier des dernières années a fait apparaître trois hôtels: l'**Hotel NH Parque Central** (voir p 130), l'**Hotel Plaza** (voir p 130) et, à l'angle de la Calle Neptuno et du Prado, l'**Hotel Telégrafo** (voir p 130), plein d'histoire et de charme.

L'est du Parque Central s'ouvre encore sur un des édifices les plus massifs de la ville, le Capitolio (voir ci-dessous).

Le Capitolio et le Parque de la Fraternidad ★★

Inauguré en 1929 par le dictateur Gerardo Machado, le **Capitolio ★★★** *(3 CUC; tlj 9h à 18h; Paseo de Martí, entre Av. Dragones et Calle San Martín,* ☎*7-861-1519 ou 7-860-3411)* fut le siège du Sénat et de la Chambre des représentants jusqu'à la Révolution de 1959. Inspiré du capitole de Washington autant que de la basilique Saint-Pierre de Rome et des Invalides à Paris, l'édifice est remarquable par sa grandeur. Il n'y a qu'à en gravir les marches flanquées de ses deux grandes statues de bronze de l'artiste italien Zanelli pour se sentir envelopper par sa masse. Aujourd'hui, aux étages inférieurs et supérieurs, se trouvent des bureaux et des salles de conférences qu'utilise le ministère des Sciences et de la Technologie. Mais l'étage mitoyen est ouvert au public. Une visite guidée vaut certainement la peine, et un simple regard à l'intérieur vous en convaincra. L'immense statue de la République de 17 m, troisième statue intérieure de bronze en importance au monde, ne constitue qu'une de ses incomparables surprises.

LE PARQUE CENTRAL, LE PRADO ET LE CENTRO

Rue piétonne

N

CASA BLANCA

Bahía de La Habana

Casa Blanca

Regla

Fortaleza San Carlos de la Cabaña

Carretera de los Cocos

San Pedro

Muelle Luz

Baratillo

Oficios

Mercaderes

San Ignacio

Cuba

Castillo de los Tres Reyes del Morro

Canal de Entrada

Calle Tacón

O'Reilly
Obispo
Obrapía
Lamparilla
Amargura

Cuba

Muralla

Sol
Porvenir
Luz

Acosta
Jesús María
Merced

C. Leonor Pérez
San Isidro

Castillo de San Salvador de la Punta

Carlos M de Céspedes (Av. del Puerto)

Peña Pobre

Av. de las Misiones

Cuba
Calle Aguiar
Chacón
Tejadillo
Empedrado
Habana
Compostela
Aguacate
Villegas

San Juan de Dios

La Habana Vieja

Picota
Curazao
Egido

Brasil (Teniente Rey)

Calle Beneza

Av. de Bélgica (Monserrate)

12
13
14
15
4
3
5
10

Memorial Granma

Zulueta
Agramonte (Zulueta)

Paseo de Martí (Prado)

Economía
Cárdenas
Cienfuegos
Aponte (Someruelos)
Factoría
Suárez
Revillagigedo

Gloria
Misión
Águila

Esperanza

Calle Cárcel
Calle Genios

Av. de Maceo (Malecón)

San Lázaro
Cárcel

Consulado
Crespo
Industria
Amistad
Águila
Trocadero

Colón
Animas

Virtudes

2
6
7
9
8

San José
(San José)

San Miguel
San Rafael

Industria

Amistad

Barcelona
Dragones

Gómez (Monte)
Máximo Gómez (Monte)

Corrales
Gloria

Av. de Italia (Galiano)
San Nicolás
Manrique
Campanario
Perseverancia
Lealtad
Escobar
Gervasio

Centro Habana

17
16

Chachillo

San Rafael
San Miguel
San José
San Martín (San José)
Av. Zanja

Dragones
Salud

Av. S.Bolívar (Reina)
Enrique Barnet (Estrella)
Maloja
Sitios

Penalver
Condesa
Concepción de la Villa

Padre Varela (Belascoaín)

Lagunas
Animas
Virtudes
Concordia
Neptuno

San Carlos
Lucena
Márquez González

Márquez Olez

San Gregorio
Franco

Sitios
Penalver
Desagüe
Benjumeda
Santo Tomás

San Lázaro

18

Av. de Maceo (Malecón)

Jovellar
San Lázaro
Animas
Vapor

Oquendo
Soledad
Aramburu
Hospital
Espada
San Francisco

Caleta de San Lázaro

Humboldt
Calle 25
Calle 27
Calle O

Calzada de Infanta

Hamel

Valle

San Joaquín

Árbol Seco
Soledad
Franco

Av. Salvador (Allende)

Calzada de Infanta

19

Calle N
Calle M

0   0,5   1km

© ULYSSE

Le **Parque de la Fraternidad**, au bout du Prado, reçut son nom au lendemain de la Conférence panaméricaine qui se tint à La Havane en 1928. Un arbre fut alors planté en son centre en un mélange de terre provenant de tous les pays ayant envoyé des délégués à la conférence. L'arbre y est toujours, entouré d'une haute clôture noire. Le parc est quant à lui devenu un carrefour important pour les transports en commun de la ville, et tous les autobus semblent y converger. C'est un endroit intéressant bien qu'un peu bruyant.

Du côté ouest du Parque de la Fraternidad, dans la Calle Amistad, à l'angle de l'Avenida Simón Bolívar, un superbe édifice vaut le détour. Le **Palacio de Aldama ★** est considéré comme l'un des plus beaux exemples néoclassiques de la ville. Bâti entre 1840 et 1845, le palais fut la propriété de la famille Aldama jusqu'en 1870. En cette année, contre accusation de conspiration, il fut retiré à son propriétaire, Miguel Aldama, qui s'était réfugié aux États-Unis pour ramasser de l'argent afin d'entretenir les forces rebelles de l'Oriente. Dès lors, il remplit de nombreuses fonctions avant d'être transformé en édifice à bureaux. Aujourd'hui il loge le Département des monuments de la Direction du patrimoine culturel. Bien qu'il ne soit théoriquement pas permis de visiter le palais, un coup d'œil sur son extérieur massif et sur son entrée parée de deux immenses lanternes n'est pas sans effet.

De l'autre côté du Parque de la Fraternidad, la **Fuente de la India** demeure un des symboles durables de La Havane. De marbre blanc, et réalisée en 1831 par le sculpteur italien Giuseppe Gaggini, cette fontaine se tient un peu à l'écart, comme perdue au milieu du bruit et des odeurs d'essence.

À l'est de la fontaine de l'Inde se trouve le **Museo de los Orishas** *(10 CUC; tlj 9h à 17h; Paseo de Martí / Prado, entre Calle Máximo Gómez et Calle Dragones, ☎7-863-5953)*. Le prix d'entrée comprend une visite intéressante qui permet de mieux apprécier le phénomène religieux des Orishas (les dieux du panthéon yoruba) et leurs liens avec les religions afro-cubaines.

Juste derrière le Capitolio se dresse une des grandes fabriques de cigares de la ville, la **Real Fábrica de Tabacos Partagás** *(10 CUC; lun-ven 9h30 à 13h30, visite de 40 min; Calle Industria n° 520, entre Calle Dragones et Calle Barcelona)*, fondée en 1845. Cette fabrique est la plus intéressante à visiter à La Havane, et le magasin de cigares à l'entrée est l'un des plus achalandés. Vous devez passer par le bureau San Cristóbal de l'Hotel Saratoga *(Prado n° 603, angle Dragones)* pour vous procurer un billet d'entrée.

Le Prado ★★

Le Prado, ou **Paseo de Martí**, inauguré en 1772 sous le nom d'Alameda de Extramuros, est devenu au XIXe siècle la principale promenade de La Havane. De chaque côté de son allée centrale s'élevèrent alors des maisons bourgeoises qui reflétaient la nouvelle richesse apportée par la culture de la canne. Sous sa forme actuelle, qui remonte à 1928, elle reste un des endroits les plus agréables de la ville. De plus, si vous désirez faire connaissance avec les gens du quartier, asseyez-vous sur un des bancs de pierre à l'ombre des grands arbres.

Le Prado débouche au nord sur le célèbre Malecón, tout près du **Castillo de San Salvador de la Punta**, qui faisait partie du même système de défense que le **Castillo de los Tres**

La Havane - Attraits touristiques - Le Parque Central et le Prado

L'attaque du Palais présidentiel

Le 13 mars 1957 eut lieu l'un des événements marquants de la lutte révolutionnaire à Cuba. Ce jour-là, à 15h, un commando du Directorio Revolucionario dirigé par José Antonio Echeverría attaqua le Palais présidentiel. Le but de cette offensive était de mettre brutalement un terme aux jours du dictateur Fulgencio Batista. Contrairement au M-26-7 de Castro, qui soutenait que seule une guérilla de longue haleine pouvait mettre fin à la dictature, le Directorio voulait décapiter le régime en lui enlevant sa tête dirigeante.

Bien armé et bien organisé, le commando était divisé en trois groupes. Le premier devait attaquer le Palais présidentiel et se rendre, au premier étage, au bureau de Batista afin de l'éliminer; simultanément, un second groupe, commandé par Echeverría lui-même, devait occuper la station de radio CMQ et annoncer la mort de Batista, nouvelle qui, espérait-on, provoquerait un soulèvement populaire contre les forces de l'ordre; finalement, le troisième groupe devait prendre position sur les toits du Palacio de Arte, de l'hôtel Sevilla-Biltmore et de différents autres édifices des alentours du Palais pour prévenir ou ralentir toute arrivée de renfort.

Le plan était basé sur trois présomptions: d'abord que Batista serait bien dans le bureau exécutif au premier étage; deuxièmement, que la garde personnelle du dictateur serait prise par surprise et facilement soumise; et, troisièmement, que le centre de communication situé au rez-de-chaussée serait détruit dès les premières minutes de l'engagement. Dans les faits, il n'en fut pas ainsi. Les quelque 50 personnes qui participèrent à l'assaut perdirent l'avantage de la surprise dès le début de l'affrontement, alors que la résistance des soldats fut plus marquée que prévu. On n'arriva donc pas à empêcher que ne soit envoyé un message demandant du renfort, ce qui allait avoir des conséquences funestes pour les attaquants. Et, comble de malchance, Batista se trouvait au moment de l'offensive dans son petit bureau privé situé au second étage, près de ses quartiers résidentiels, et non pas là où l'on prévoyait le trouver. Incapable de mettre la main sur Batista, l'attaque du Palais tourna en déroute et se termina dans un véritable bain de sang. Echeverría y perdit la vie, tout comme une majorité des assaillants, durant ou après l'assaut, les soldats ne faisant pas de quartier.

La riposte de Batista à cet attentat fut sanglante, et elle laissa le mouvement révolutionnaire urbain du Directorio Revolucionario dans un état de désorganisation complet. Dès ce moment, il n'y eut plus rien ni personne pour disputer à Fidel Castro et à son M-26-7 la tête du mouvement révolutionnaire. Mais l'attaque, si elle n'atteignit pas son but premier, eut au moins le mérite de briser le mythe d'invulnérabilité qui entourait la personnalité de Batista. Il était clair pour tous que seule la chance l'avait cette fois sauvé d'une mort certaine. On dit qu'à partir de ce moment même les Santeros changèrent leurs fusils d'épaule, convaincu que les Orishas avaient décidé de ne plus se charger de la protection du dictateur.

Reyes del Morro (voir p 122) et la **Fortaleza San Carlos de la Cabaña** (voir p 122) de l'autre côté de la baie.

De l'autre côté de la Plaza 13 de Marzo (voir ci-dessous), à l'angle de l'Avenida de las Misiones, le **Museo Nacional de la Música** ★ *(2 CUC; lun-sam 10h à 17h, dim 10h à 14h; Calle Capdevila nº 1, entre Calle Habana et Calle Aguiar, ☎7-861-9846)* est certainement à voir. Aménagé dans une vieille maison remontant aussi au début du XXe siècle, il donne une excellente idée de l'évolution de la musique cubaine et des formations qui la rendirent célèbre. Une salle particulièrement intéressante, la salle Fernando Ortiz, du nom du célèbre anthropologue cubain, présente un grand nombre d'instruments à percussion afro-cubains ayant fait partie de sa collection privée.

Entre le Palacio Velasco et le Museo de la Música s'étend la **Plaza 13 de Marzo**, ainsi nommée en mémoire de l'attaque du *Directorio Revolucionario* sur le palais présidentiel le 13 mars 1957. Elle donne directement sur le **Palacio Presidencial** ★ ★ ★, une magnifique construction éclectique qui marie encore une fois néoclassicisme et Art nouveau. De son balcon s'adressèrent aux habitants de La Havane plusieurs personnalités politiques, telles que Grau San Martín et Fidel Castro. Construit entre 1913 et 1920, le palais abrite maintenant le **Museo de la Revolución** *(5 CUC; tlj 10h à 17h; Calle Refugio nº 1, entre Av. de las Misiones et Calle Zulueta, ☎7-862-4093)*, musée sans faille qui occupe les plus belles pièces de ce magnifique bâtiment. La visite en vaut définitivement la peine. Retraçant le long chemin parcouru par les éléments révolutionnaires de la société cubaine jusqu'au renversement définitif de Batista dans les premiers jours de 1959, le tout illustré de nombreuses coupures de journaux, de documents et de diverses pièces allant du couteau de poche anonyme au mulet empaillé du Che, le musée constitue un arrêt essentiel pour qui s'intéresse à l'histoire de Cuba. Rattaché au musée de la Révolution, le **Memorial Granma** exhibe le yacht *Granma* qui transporta Castro et ses 81 compagnons (dont Che Guevara) du Mexique à Cuba en 1956. Le bateau est placé à l'intérieur d'une étrange boîte de verre autour de laquelle, vaguement ordonnés, gisent d'autres symboles de la

Le baseball de rue

Les *Habaneros* sont reconnus pour leur ingéniosité. Ainsi, afin de profiter de leur sport préféré dans les rues étroites de la ville, ils ont développé une façon tout à fait originale de jouer au baseball. Le nombre de joueurs ne semble pas suivre de règles prédéterminées, mais ce qui est sûr c'est que la balle se frappe avec la main ouverte, qu'il n'y a que deux buts, délimités par chacun des côtés de la rue, et qu'il faut marcher entre ceux-ci pour ne pas être automatiquement disqualifié. Si vous vous promenez dans les rues du Centro les fins de semaine, vous aurez certainement l'occasion de voir une partie de baseball urbain.

guerre civile. On accède au mémorial par le Museo de la Revolución.

Le **Museo Nacional de Bellas Artes** comporte deux édifices. La collection consacrée à l'art universel est présentée au magnifique **Palacio del Centro Asturiano** ★ *(5 CUC pour un musée, 8 CUC pour les deux; mar-sam 10h à 18h; Calle San Rafael, entre Parque Central et Calle de Bélgica ou Calle Monterrate, ☎7-861-3858; voir aussi p 107)*. Vous y trouverez la plus grande collection de céramiques grecques et romaines d'Amérique latine. Une salle est consacrée à l'art de l'Égypte, tandis qu'une section retrace l'évolution de l'art européen depuis le XVIe jusqu'au XIXe siècle. On peut aussi visiter d'autres salles consacrées à l'art asiatique, à la peinture nord-américaine ou à l'art européen du XXe siècle.

La collection d'art cubain se trouve toujours dans l'ancien édifice (rénové) du **Museo Nacional de Bellas Artes** ★ ★ ★ *(mar-sam 10h à 18h, dim 10h à 14h; Calle Trocadero, entre Calle Zulueta et Calle Monteserrate, ☎7-863-9484)*. La salle coloniale expose des œuvres représentant principalement des paysages cubains du XIXe siècle, et des gravures de la même époque témoignent de la vie et de l'architecture de la capitale. On y trouve aussi des œuvres datant du XVIe siècle. Portez votre attention sur les gravures du XVIIIe siècle de José Nicolás de Escalera, considéré comme le premier peintre cubain, et surtout sur celles de Vicente Escobar. Ce dernier est le plus connu de son époque puisqu'il était le peintre officiel des capitaines généraux, et ses toiles représentent des personnalités de La Havane. La légende veut que Vicente Escobar ait été le protégé de Goya lors de son séjour en Espagne, quoique aucun document ne prouve cette amitié. La salle contemporaine cubaine est à ne pas manquer. Si la peinture depuis la *vanguardia* en 1920 jusqu'à 1970 vous intéresse, votre attention se portera naturellement sur les œuvres de Raúl Martínez. Suivant le style pop art inspiré d'Andy Warhol, Raúl Martínez a fouillé dans l'imaginaire populaire de la Révolution. La superbe peinture qui représente le Che et les principaux artisans et inspirateurs de la Révolution (Castro, Maceo, Martí, Cienfuegos) est l'un de ses chefs-d'œuvre.

Le Centro ★

▲ *p 131*   🏛 *p 140*   ➡ *p 144*   🏢 *p 147*

Pour plusieurs, le Centro n'est qu'un espace encombrant entre la vieille ville et le Vedado. Il s'agit pourtant de l'un des meilleurs endroits qui donne une idée de ce qu'est réellement la vie cubaine. Le cœur de La Havane y bat de son rythme propre, et l'expérience y est d'un tout autre ordre que celle de La Habana Vieja. Il peut donc être agréable de se promener dans ce quartier populaire et animé.

Le Centro se présente généralement comme étant limité à l'est par le Prado et le Capitolio, et à l'ouest par la Calzada de Infanta. Il n'est pas marqué par une architecture particulièrement intéressante. Autrefois centre commercial de la ville, le Centro compte certaines artères qui ont gardé les traces de leur passé mercantile. La **Calle San Rafael** était, sous la République, la rue du magasinage dans le Centro. Voie piétonnière, elle commence entre l'Hotel Inglaterra et le Gran Teatro, et va jusqu'à

la Calle Galiano. Il n'y a plus grand-chose à acheter, mais il est intéressant de voir ces devantures de magasins des années 1940 et 1950 avec leurs marques de commerce américaines et leurs néons d'un autre temps.

Entre la Calle Galiano, aussi appelée «Avenida de Italia», et la Calle San Nicolás se trouve le **Barrio Chino** *(Calle Cuchillo, entre Calle San Nicolás et Calle Rayo)*. Le quartier chinois de La Havane n'est plus que l'ombre de lui-même, la plupart des Chinois ayant quitté la ville au début des années 1960, mais l'endroit ne manque pas de charme. Maintenant simple rue bordée de restaurants et d'un petit marché, il était sous le régime de Batista un centre important de diffusion de films érotiques. Deux portes ont été construites pour signaler la présence chinoise dans le quartier. Celle nommée **Pórtico Chino**, qui enjambe la Calle Dragones à la hauteur de la Calle Amistad, est la plus imposante. Pesant plus de 30 000 kg et d'une hauteur de 13 m, c'est la plus grande porte chinoise de ce genre au monde. Par comparaison, celle qui marque l'entrée du Barrio Chino, dans la Calle Cuchillo à l'angle de Zanja, est minuscule.

Pour traverser le Centro et passer de la vieille ville au Vedado, il y a plusieurs possibilités. Une dizaine de rues traversent le Centro sur toute sa longueur, comme cette Calle Virtudes, ou rue de la Vertu, reconnue pour le nombre et la «qualité» de ses maisons closes dans les années 1950. Sinon il y a toujours moyen de longer le quartier central, soit par l'Avenida Simón Bolívar ou le Malecón.

Le **Malecón ★★**, de l'autre côté du Centro, constitue une façon beaucoup plus plaisante de passer de la vieille ville au Vedado. Longer la mer sur ce boulevard qui fait la fierté des Havanais peut s'avérer une expérience particulière. Non seulement la vue y est-elle sublime et les couchers de soleil envoûtants, mais l'air y est bon et la vie abondante. Construit au début du XXe siècle, le Malecón s'étend sur près de 12 km et va de la vieille ville au château de la Chorrera, à l'embouchure du Río Almendares. La partie la plus typique est celle qui mène du Prado au Parque Antonio Maceo, aux portes du Vedado. De belles maisons aux tons pastel font face à la mer, donnant au boulevard une douceur qu'il perd graduellement à mesure que l'on avance vers l'ouest.

Le **Parque Maceo**, malgré de récents travaux de rénovation, est trop bruyant et trop passant pour être reposant, mais le **Monumento a Antonio Maceo**, général mulâtre des guerres d'Indépendance, surnommé le «Titan de Bronze», est assez réussi. À l'extrémité ouest du parc s'élève le petit **Torreón San Lázaro**. Érigée au XVIIe siècle, cette tour servit de vigie à l'époque où les pirates arpentaient toujours la côte.

De là, il est possible de continuer par le Malecón pour arriver à La Rampa, artère principale du Vedado, ou d'emprunter la Calle San Lázaro, qui mène à l'entrée principale de l'université de La Havane. C'est par cette rue que, durant les années mouvementées de la République, les étudiants descendaient par milliers pour protester contre les différents régimes et leurs politiques. Si vous empruntez cette dernière voie, ne manquez pas de vous arrêter au **Callejón de Hamel ★**. Cette petite rue parallèle à la Calle San Lázaro, entre la Calle Hospital et la Calle Aramburu, est un véritable temple dédié à la culture afro-cubaine. Depuis 1990, l'artiste peintre Salvador Gonzáles Escalona s'est affairé à y peindre de vastes murales sur les maisons des alentours et à la décorer de sculptures d'un caractère presque animiste. On y a même édifié un petit sanctuaire de *santería*. Quelques galeries d'art intéressantes y ont pignon sur rue, dont celle de Salvador Gonzáles Escalona *(tlj 9h30 à 18h; 1054 Callejón de Hamel)*, et les dimanches, la rumba afro-cubaine s'y fait entendre de midi à 15h en un hymne à la présence africaine dans l'île.

Avant d'arriver à l'université de La Havane, vous verrez sur la Calzada de Infanta, à l'angle de la Calle Neptuno, à deux rues à l'est de San Lázaro, la magnifique **Iglesia de Nuestra Señora del Carmen ★**, difficile à manquer avec son immense colonne de 60 m sur laquelle repose une vierge de bronze de 7,5 m pesant plus de 9 tonnes. L'intérieur se révèle de toute beauté. Érigée en 1925, elle a incorporé à sa décoration intérieure, faite d'azulejos de couleur, 10 retables datant du XVIIIe siècle et rescapés de la vieille Iglesia de San Felipe de la vieille ville. L'effet obtenu est des plus réussis.

Le Vedado ★★

▲ *p 131*   ◑ *p 140*   ↝ *p 144*   ▣ *p 147*

Jusqu'à la seconde moitié du XIXe siècle, le Vedado n'était qu'une colline boisée entourée d'immenses haciendas. Ce n'est qu'à partir des années 1860 que l'on commença à aménager le tout en districts résidentiels. Mais c'est vraiment avec l'arrivée des Américains, au début du XXe siècle, qu'il s'est transformé en ce quartier chic dont on peut maintenant contempler les magnifiques demeures et dont les hôtels construits tout en hauteur rappellent les belles années du jeu et du tourisme américain.

L'artère principale du Vedado, la Calle 23, dont une partie a été baptisée **La Rampa**, va du Malecón au Cementerio Cristóbal Colón, et elle est coupée par deux avenues importantes, l'Avenida G (Avenida de los Presidentes) et le Paseo. Par la première, il est possible d'accéder à la Quinta de los Molinos, alors que la seconde s'avère une option agréable pour se rendre au cœur de la Plaza de la Revolución. La majorité des hôtels, restaurants et édifices à bureaux se regroupent entre la Calle 17 et la Calle 27 d'une part, et de la Calle J au Malecón d'autre part.

Point névralgique de La Rampa, le **Parque Coppelia** *(Calle 23, entre Calle L et Calle K)* accueille en son centre le célèbre glacier du même nom (voir p 140) dans un bâtiment circulaire assez étrange datant des années 1960. Les longues files d'attente qui se forment sur les côtés du parc donnent une bonne idée de la popularité de cette institution havanaise, mise à l'honneur dans plusieurs scènes du film *Fresa y Chocolate*.

Pour avoir une idée de la richesse qui s'affichait à La Havane dans les premières années du XXe siècle, il n'y a qu'à marcher un peu dans la Calle 17. Pour la plupart construites dans les années 1920, évocation de cette opulence qui suivit la flambée des prix du sucre durant et après la Première Guerre mondiale, peu de ces grandioses maisons que l'on y voit sont officiellement ouvertes au public. Il en existe tout de même quelques-unes dont le caractère public permet de légères incursions. C'est le cas, par exemple, de la **Casa del ICAP**, entre la Calle H et la Calle I, ou de

La Havane - **Attraits touristiques** - Le Vedado

la maison de l'**Unión Nacional de Escritores y Artistas de Cuba (Uneac)** (voir p 145), à l'angle de la Calle H.

Le **Museo Nacional de Artes Decorativas** ★ *(2 CUC; mar-sam 11h à 18h30, dim 9h à 13h; Calle 17 nº 502, angle Calle E, ☎7-830-9848)* est aménagé lui aussi dans une magnifique résidence du début du XXe siècle. La maison en elle-même vaut autant la visite que la collection d'objets décoratifs qui y sont exposés.

Le **Museo de la Danza** *(2 CUC; mar-sam 10h à 18h, dim 9h à 12h30; angle Calle Línea et Av. G, ☎7-831-2198)* offre aux visiteurs un aperçu de l'histoire de la danse à Cuba.

Le Malecón, de La Rampa au Río Almendares ★

Les vestiges de la prééminence américaine sur La Havane sont légion au Vedado. Il n'y a qu'à voir ses grands hôtels installés dans de hautes tours de part et d'autre de La Rampa pour comprendre que cette présence était plus que symbolique. L'**Hotel Habana Libre**, à l'angle de la Calle 23 et de la Calle L, anciennement le Habana Hilton, plus édifice de la ville, et encore plus le **Capri**, à l'angle de la Calle 21 et de la Calle N, centre de la mafia américaine à Cuba dont le grand casino occupait jadis le Salón Rojo à droite de l'entrée principale, sont des repères flamboyants de cette mainmise. Et, tout le long de cette partie du Malecón qui mène de La Rampa à la petite forteresse de la Chorrera, à l'entrée du Río Almendares, la présence américaine se fait toujours sentir.

Ainsi, si l'on suit le Malecón au bout de la Calle 17, à partir de l'**Hotel Nacional**, on arrive immédiatement au **Monumento a las Victimas del Maine**, inauguré en 1925. Les deux colonnes qui forment l'ossature du monument supportaient jadis un aigle dont on peut voir les ailes au Museo de la Ciudad. Deux plaques de bronze sont attachées de part et d'autre du monument: l'une donne les noms des 266 disparus lors de cette tragédie (voir p 22), alors que l'autre, ajoutée après la Révolution, dédie à nouveau le monument *«aux victimes du Maine qui ont été sacrifiées par la voracité de l'impérialisme voulant prendre le contrôle de l'île de Cuba»*.

Un peu plus loin, en allant vers l'ouest, on se retrouve devant l'**Oficina de Intereses de los Estados Unidos (Bureau des Intérêts Américains)** *(Calle Calzada, entre L et M)*, qui remplace l'ambassade disparue avec la fin des relations diplomatiques entre les deux pays. L'édifice de béton est bien gardé (n'essayez pas de prendre des photos ou de flâner aux alentours: la méfiance des Cubains atteint ici son paroxysme). Juste devant ce bâtiment, une grande place sert d'aire de rassemblement pour les grandes manifestations anti-impérialistes.

Plus loin encore, au bout de la Calle G, s'élève le **Monumento a Calixto García**. Le splendide monument est significatif à plusieurs égards de cette animosité qui sépare Cubains et Américains. Il rappelle en effet l'affront fait par les États-Unis au général cubain, qui, après avoir assisté le débarquement des troupes yankees à Santiago de Cuba (avec une certaine tiédeur il est vrai), se vit refuser l'entrée de la ville une fois celle-ci libérée. Une série de 32 plaques de bronze entoure le monument et raconte en images l'histoire de la participation du général cubain aux guerres d'Indépendance du XIXe siècle.

La **Casa de las Américas** ★ *(2 CUC; lun-ven 8h à 17h; Calle G, angle Calle 3, ☎7-838-2706, www.casadelasamericas.org)* fait la promotion des arts latino-américains, et c'est un des principaux centres de diffusion de la

LE VEDADO

Caleta de
San Lázaro

Détroit de Floride

Boca de
la Chorrera

Río Almendares

N

0   350   700m

© ULYSSE

Centro Habana

Marina
Marina
Aramburu
San Lázaro
Hamel
Concordia
Neptuno
San Miguel
San Rafael
San Martín
Vapor
Príncipe
Humboldt
Calzada de Infanta
Basarrate
Espada

Zanja
Oquendo
Soledad
Salud
Jesús Peregrino
Lucena
Estrella)
Sitios
Maloja
Enrique Barnet (Estrella)
Retiro
Calzada de Infanta

Av. de Maceo (Malecón)

Calle P
Calle O
Calle N
Calle M
Calle L
Calle K
Calle J
Calle I
Linea
Calle H
Calle G
(Avenida de los Presidentes)

Calle M
Calle L
Calle K
Calle J

Parque
Coppelia

Vedado

Malecón

Calle 3
Calle 5
Calle 7 (Calzada)
Calle 1
Calle 9 (Linea)
Calle 11

Malecón

Miramar

Calle C
Calle B
Calle A
Calle 0
Calle 2
Calle 4
Calle 6
Calle 8
Calle 10

Nº 3
Nº 5
Calle 7

Av. Rancho Boyeros

Castillo
del
Príncipe

Universidad
de La Habana

Av. Salvador Allende (Carlos III)

Av. de la Universidad
Ronda
Zapata

Ministerio
del Interior

Pozos Dulces
19 de Mayo
Lugareño
Almendares
Calzada de Ayestarán

Zapata
La Rampa
Calle 23
Calle 25
Calle F
Calle E
Calle D
Calle C
Calle B
Calle A
Paseo
Calle 2
Calle 4
Calle 6
Calle 8
Calle 10
Calle 12
Calle 14
Calle 16
Calle 18
Calle 20
Calle 22
Calle 24
Calle 26
Calle 28

La Milagrosa

Calle 23
Calle 25
Calle 27
Calle 29

Calle 37
Julia Borges
San Antonio Chiquito
Calle 26

Av. de Céspedes
Paseo
Aranguren
B
A
Calle 29
Calle 33
Calle 35
Calle 37
Calle 41
Calle 6
Calle 17
Calle 19
Entrée
du cimetière
Calle 10
Zapata

Calle 13
Calle 15
Calle 17
Calle 19
Calle 21
Calle 23
Calle 25
Calle 27
Calle 30
C. 2, C. 30
Calle A
Calle 32
Calle 20

Avenida 31
Calle 33
Calle 35
Calle 6
Calle 8
Calle 41
Calle 43
Calle 18
47A
Calle 22
47A

★ 7
★ 15
★ 6
★ 8
★ 5
★ 1
★ 14
★ 13
★ 16
★ 2
★ 4
★ 3
★ 9
★ 10
★ 18
★ 17
★ 18
★ 11
★ 19
★ 12

culture cubaine. Une grande collection de peintures, photos et sculptures, aussi bien classiques que contemporaines, sont exposées dans plusieurs galeries. Certaines des œuvres sont aussi à vendre, et l'on trouve aussi sur place une librairie.

Au bout du Paseo, autre rue magnifique bordée d'arbres et de quelques formidables demeures, l'**Hotel Habana Riviera** ★ constitue peut-être le plus beau monument de la présence américaine à Cuba. Fleuron de l'empire du jeu de Meyer Lansky, aucun endroit à La Havane ne retient mieux que cet hôtel l'atmosphère de cette fin des années 1950 où les gangsters faisaient la pluie et le beau temps. Le décor est demeuré fidèle à l'époque de sa conception, et il nous ramène directement à cette période trouble qui donna à la ville sa triste renommée.

De l'hôtel Habana Riviera, on peut continuer par le Malecón et aller jusqu'au Río Almendares, pour en terminer l'exploration sur une note plus coloniale avec la visite du **Castillo de Santa Dorotea de Luna de La Chorrera** ★. Poste de garde érigé en 1646 pour protéger les arrières de la ville, le château est niché dans la petite baie qui s'ouvre à l'entrée de la rivière. Voilà un endroit ravissant où il est possible de prendre un verre ou de s'offrir une collation (voir la **Mesón de la Chorrera**, p 141), dans ses murs ou sur la terrasse aménagée à sa base.

L'Universidad de La Habana et ses alentours ★

L'Universidad de La Habana a longtemps été le centre de l'opposition aux régimes dictatoriaux de la République. L'ambiance y est maintenant plus tranquille, mais certains signes de cette période explosive demeurent. Fermée les fins de semaine, l'université vaut une visite non seulement pour ses musées, mais aussi plus simplement pour son architecture néoclassique grandiose.

La meilleure façon d'atteindre l'université est de passer par la **Calle San Lázaro**, rue qu'empruntèrent régulièrement les étudiants lors de leurs grandes manifestations. Par celle-ci, on arrive devant l'escalier monumental de 163 marches, l'Escalita, au sommet duquel trône une immense statue de l'Alma Mater. La **Plaza Ignacio Agramonte**,

cœur du campus, s'étend derrière la gigantesque porte néoclassique aux quatre colonnes corinthiennes qui surplombe l'escalier. Cette partie de l'université, la plus vieille, remonte au début du XXᵉ siècle. La place s'entoure de quatre magnifiques édifices qu'occupent le rectorat, la faculté de droit, la faculté des sciences et la bibliothèque.

La Plaza Ignacio Agramonte abrite aussi deux musées dignes de mention. L'art précolombien est mis en valeur dans un des plus anciens musées cubains, le **Museo Antropológico Montané** *(1 CUC pour les deux musées; lun-ven 9h à 16h, fermé juil et août; Edificio Felipe Poey, Plaza Ignacio Agramonte,* ☎*7-879-3488).* On y découvre la collection la plus complète d'archéologie précolombienne à Cuba, dont une collection d'art taïno composée de sculptures de corail et de l'«Idole de Bayamo», la première pièce d'art autochtone, datée du VIIᵉ siècle. L'*Idole du Tabac*, une sculpture en bois avec des coquillages pour les yeux, est sans contredit la plus populaire des pièces de ce petit musée. À la même adresse, dans la cour, les amateurs d'histoire naturelle peuvent visiter le **Museo de Historia Natural Felipe Poey**, qui est tout de même le plus vieux musée de Cuba.

Tout près, un palais de style florentin abrite le **Museo Napoleónico** ★ *(3 CUC, visites guidées 5 CUC; mar-sam 9h à 17h, dim 9h à 12h; Calle San Miguel nᵒ 1159, angle Calle Ronda,* ☎*7-879-1460).* Considéré comme l'un des plus importants en son genre dans le monde, ce musée expose des objets ayant appartenu à Napoléon Bonaparte. Qu'est-ce que la plus grande collection américaine d'objets de Napoléon fait à La Havane? L'homme le plus riche de Cuba avant la Révolution, le multimillionnaire Julio Lobo, grand admirateur de Napoléon, acheta ces pièces en Europe et principalement en France. On y trouve une lampe que Napoléon a donnée en cadeau à Joséphine, plusieurs meubles, des porcelaines, des bronzes, des pistolets, des lunettes d'approche et d'autres objets utilisés par Napoléon. La somptueuse demeure du multimillionnaire vaut une visite en soi, et un arrêt au quatrième étage est de mise: vous y trouverez une immense et somptueuse bibliothèque contenant plus de 4 000 titres sur Napoléon. On ne peut malheureusement pas consulter ces livres, à moins d'avoir préalablement obtenu une permission spéciale.

Le **Museo Casa Abel Santamaría** ★ *(entrée libre; mar-ven 10h à 17h, sam-dim 10h à 15h; Calle 25 nº 174, appartement 601-603, entre Calle O et Calle Infanta, ☎7-835-0891)* fournit une autre marque de l'agitation qui entourait l'université dans les années qui précédèrent la Révolution. Le musée loge dans un petit appartement qui est devenu, après le coup d'État de 1952, une sorte de quartier général des forces révolutionnaires estudiantines. Abel Santamaría, ex-étudiant de l'université de La Havane et alors comptable pour la branche havanaise du fabricant d'automobiles Pontiac, se lia, à travers ses contacts avec les représentants étudiants, à un jeune avocat du nom de Fidel Castro, auquel il prêta ses deux petites pièces pour organiser la lutte armée. L'attaque de la caserne de Moncada y aurait été organisée, attaque qui coûta la vie au jeune Santamaría.

Derrière l'université se trouve un petit parc agréable où il fait bon se reposer un peu. La **Quinta de los Molinos** ★ *(1 CUC; mar-sam 9h à 17h, dim 9h à 13h; Av. Salvador Allende, angle Calle G)* abrite sur ses terres le **Museo Máximo Gómez** *(☎7-879-8850)*. Construite dans les années 1830 (le premier étage aurait été ajouté en 1848), la maison était alors située sur la face sud de la colline boisée que constituait encore le Vedado à cette époque. Elle fut la résidence d'été des capitaines généraux de la colonie qui fuyaient l'air torride de la vieille ville lors des lourdes journées de la saison chaude. Máximo Gómez n'y vécut que trois mois, au lendemain de la capitulation des forces espagnoles, alors que les États-Unis ne savaient que faire de ce général encombrant, mais son nom resta attaché à ces lieux.

La Plaza de la Revolución ★

La Plaza de la Revolución (autrefois appelée «Plaza Cívica») a été mise en chantier sous Batista. De grandes manifestations de masse y sont organisées périodiquement, les plus grandioses étant celles du 26 juillet, date de l'attaque de la caserne de Moncada. Autrement, elle a plutôt l'air d'un vaste stationnement désert.

La Plaza de la Revolución est dominée par l'énorme **Monumento a José Martí** ★ *(3 CUC musée, 5 CUC avec le mirador; lun-sam 9h30 à 17h30; ☎7-59-2351)*. Tour de quelque 140 m de haut qui sert d'appui à une large statue du héros national, le monument possède à sa base trois salles ouvertes au public dont deux sont dédiées à la vie et à l'œuvre du révolutionnaire, la troisième relatant l'histoire de la construction du Monumento et de la place qui l'accueille. Du haut de la tour, on a une vue splendide de La Havane.

La place est délimitée à l'est par la Bibliothèque nationale, le ministère de la Défense et le siège du *Granma*, le journal officiel du PCC cubain; au sud par les édifices austères du siège du comité central du PCC et du Conseil d'État; et du côté nord par l'édifice abritant le ministère de l'Intérieur, sur la façade duquel figure l'énorme portrait du Che.

Devant l'Estación de Ómnibus se dresse l'édifice peu accueillant du ministère des Communications, dans lequel loge le **Museo Postal Cubano** *(1 CUC; lun-ven 9h à 17h; Av.Independencia/Rancho Boyeros entre Av. Aranguren et Av. 19 de Mayo, ☎7-881-5551)*. Vous y découvrirez une importante collection de timbres anciens et l'histoire de la poste à Cuba.

Le Cementerio Cristóbal Colón ★★

Sans doute le plus beau cimetière de Cuba et l'un des plus célèbres d'Amérique latine, le **Cementerio Cristóbal Colón** *(1 CUC guide inclus; tlj 8h à 17h; Calle 12, angle Av. 23)* est immense et possède de nombreuses pierres tombales, de véritables œuvres d'art de créateurs renommés tels que Saavedra et Ramos Blanco. Aménagé en 1876, ce vaste cimetière contient plus de 800 000 sépultures! Une promenade à vélo ou à pied vous révélera toute sa magnificence. Ne soyez pas surpris de découvrir de petites poupées artisanales jonchant le sol près de certaines sépultures. C'est que de nombreuses personnes y pratiquent les rituels des religions afro-cubaines. Ces poupées et ces bouts d'étoffes colorées représentent des *trabajos*, soit des offrandes à des divinités pour que se réalisent les vœux des pratiquants.

Informez-vous de l'emplacement du tombeau de *La Milagrosa* (la miraculeuse). Cet endroit est très fréquenté par les catholiques qui viennent y déposer des offrandes et demander des faveurs. L'histoire raconte qu'une femme mourut enceinte et qu'on l'enterra alors que son fœtus était toujours vivant. La tombe fut apparemment ouverte, et l'on trouva l'enfant dans les bras de sa mère. On trouve aussi la tombe du célèbre écrivain Alejo Carpentier (à gauche en entrant).

À l'entrée du cimetière se trouvent quelques petits restaurants agréables et plusieurs cinémas, dont le célèbre **Cine Chaplin** (voir p 146). L'atmosphère y est intéressante et vaut bien quelques moments de votre visite.

Miramar ★

△ *p 134* ○ *p 142* ⤴ *p 145* ▯ *p 147*

Miramar se présente comme le quartier chic de La Havane. Plusieurs des plus belles maisons de style colonial de La Havane y ont été abandonnées par les Cubains qui désertèrent l'île à la suite de l'arrivée au pouvoir de Fidel Castro en 1959. Aujourd'hui, elles accueillent les personnalités les plus en vue du régime, des ambassades, des représentations commerciales étrangères et parmi les meilleurs restaurants de La Havane.

Miramar n'est certes pas ce qu'il y a de plus intéressant à voir dans la ville, mais il y a tout de même quelques belles résidences à admirer, spécialement sur l'Avenida 5. Plusieurs de ces résidences ont d'ailleurs été transformées en *tiendas*-restaurants.

L'**Acuario Nacional de Cuba** *(7 CUC; mar-dim 10h à 18h; Av. 3, angle Calle 62,* ☎*7-203-6401, www.acuarionacional.cu)* est vétuste et décevant. La plupart des installations sont fermées ou en rénovation. Spectacles aquatiques de dauphins et de phoques plusieurs fois par jour.

L'**Ambassade russe** mérite un coup d'œil. En fait, il serait difficile de ne pas l'apercevoir, car elle domine Miramar comme un immense château fort des temps modernes. Elle occupe tout un pâté de maisons délimité par la Calle 62 et la Calle 66, entre l'Avenida 3 et l'Avenida 5.

La **Maqueta de La Habana** ★ *(3 CUC; mar-sam 9h30 à 17h; 113 Calle 28, entre Av. 1 et 3,* ☎*7-202-7303)* donne une très bonne vue d'ensemble de la ville, à une échelle de 1/1000e. La précision de cette maquette est stupéfiante, avec de nombreux détails, des arbres, et des couleurs différentes qui permettent de bien repérer les différents quartiers historiques de la ville. Une bonne entrée en matière pour les nouveaux arrivants.

Le **Museo del Ministerio del Interior** ★ ★ *(2 CUC; mar-ven 9h à 17h, sam 9h à 16h; Av. 5, angle Calle 14,* ☎*7-202-1240)* retrace avec beaucoup de minutie toutes les attaques impérialistes (lire: celles des États-Unis) contre le régime révolutionnaire cubain. Toutes les explications sont en espagnol, mais les photos sont assez évocatrices pour permettre à tous de comprendre toutes les ruses, stratagèmes, tentatives d'assassinat et autres histoires d'espionnage utilisées par les Américains au cours des 50 dernières années pour mettre fin au régime communiste de Cuba.

Il y a à Miramar un très beau parc, le **Parque Emiliano Zapata**, ainsi nommé à la mémoire du célèbre révolutionnaire mexicain. Le parc se trouve à l'angle de l'Avenida 5 et de la Calle 26.

La présence de petits bateaux de pêche transforme les abords du **Río Almendares** en un endroit des plus pittoresques qui s'anime surtout autour du **Puente de Hierro**. La circulation automobile est interdite sur ce petit pont-levis d'acier, par lequel des milliers de cyclistes franchissent la rivière Almendares. Des vendeurs ambulants proposent des repas, des gâteaux et toutes sortes d'objets hétéroclites.

À l'ouest de La Havane

À l'ouest de Miramar s'étendent le quartier chic de Cubanacán, puis le petit village de Jaimanitas, collé à la mer et tout près duquel réside Fidel Castro, dans le lieu fortement gardé et nommé d'une façon toute militaire *punto cero*.

La **Marina Hemingway** (voir p 124), juste de l'autre côté du pont qui traverse la rivière Jaimanitas, est un port de plaisance qui connaît un grand développement touristique. On y trouve plusieurs boutiques, restaurants et hôtels. C'est un bon endroit

MIRAMAR

★ ATTRAITS TOURISTIQUES

1. BY   Acuario Nacional de Cuba
2. AZ   Ambassade russe
3. CY   Maqueta de La Habana
4. DY   Museo del Ministerio
         del Interior
5. CY   Parque Emiliano Zapata
6. EY   Puente de Hierro

© ULYSSE

0   250   500m

N

Détroit de Floride

Boca
de la Chorrera

Vedado

Kohly

Miramar

La Sierra

Río Almendares

Calle 20
Calle 11
Calzada 7
Linea
Calle 15
Calle 19
Calle 24
Calle 26
Calle 27
Calle 28
Calle 37
Norte
Calle 23
Calle 21
A
Av. del Río
C
Calle A
Calle 2
Calle 4
Calle 6
Calle 7
Calle 5-B
Calle 9
Calle 11
Calle 10
Calle 28
Calle 49C
Calle 28A
Calle 49
Calle 47
Calle 45
Calle 26
Calle 28
Calle 34
Calle 41
Calle 39
Calle 35
Calle 33
Avenida 31
Calle 14
Calle 16
Calle 18
Calle 20
Calle 22
Calle 24
Calle 26
Calle 28
Calle 30
Calle 22
Calle 26
Calle 30
Calle 34
Calle 36
Avenida 42
Calle 44
Avenida 9
Avenida 7
Avenida 5
Calle 40
Calle 34
Avenida 3
Avenida 1 (Primera)
Calle 23
Calle 19
Calle 17
Calle 15
Avenida 5A
Avenida 60
Calle 44
Calle 62
Calle 66
Calle 70
Calle 72
C. 74
Avenida 3
Avenida 5
Calle 11
Calle 9
Calle 7-A
Calle 64
Calle 6
Calle 8
Avenida 7
Avenida 7-A
Marina Hemingway

pour décrocher un tant soi peu du brouhaha de la ville et se promener le long des canaux qui s'étendent sur une quinzaine de kilomètres. On peut y louer des embarcations (voiliers, catamarans), y faire de la plongée sous-marine et profiter d'une de ses agréables terrasses. Au mois de juin chaque année, l'**Ernest Hemingway International Marlin Tournament**, un fameux concours de pêche au marlin lancé par le célèbre écrivain dans les années 1950, attire de nombreux pêcheurs du monde entier. Fidel Castro, à bord du bateau d'Hemingway, fut le vainqueur du tournoi en 1960, et ce fut la seule fois que ces deux hommes se rencontrèrent.

- -

Au sud de La Havane ★

🖐 p 142

Les inconditionnels d'Hemingway ne manqueront pas de visiter, à une quinzaine de kilomètres de La Havane *(comptez 15 CUC aller en taxi depuis le centre)*, la **Finca la Vigía**, la somptueuse demeure du Prix Nobel de littérature, construite en 1887, qui abrite aujourd'hui le **Museo Ernest Hemingway ★★** *(3 CUC, 5 CUC pour entrer avec un appareil photo; tlj 9h à 17h, fermé les jours de pluie; San Francisco de Paula, ☎7-91-0809).* Ses trésors de chasse, les nombreuses pièces rustiques meublées avec goût et une bibliothèque contenant plus de 9 000 titres, dont les originaux de quelques-uns de ses romans, constituent toujours l'essentiel de cette maison conservée presque intacte à la suite de sa mort aux États-Unis.

Hemingway a acheté cette immense villa en 1940 après l'avoir louée pendant quelques mois. On ne peut malheureusement pas pénétrer à l'intérieur de la maison. Cependant, les portes et les fenêtres sont grandes ouvertes, et c'est de l'extérieur qu'on peut jeter un coup d'œil sur son bar et sur plusieurs photos, et ainsi retracer le parcours de sa vie. On peut faire usage d'un guide lors de la visite. On y apprend ainsi nombre d'anecdotes sur sa quatrième femme, Mary Welch, qui partagea cette maison et fit construire une tour pour qu'Hemingway y écrive (ce qu'il ne fit jamais: sa machine à écrire sied sur une haute table au rez-de-chaussée, Hemingway devant écrire debout à cause d'une blessure à la jambe). Le couple prit soin de 57 chats (on peut voir leur cimetière sur les terrains de la maison), qu'il gardait à l'étage de la tour, auquel on peut accéder pour apprécier la vue panoramique sur les vallées de San Francisco de Paula et sur La Havane, qui se profilent au loin. À propos de la vue sur La Havane que lui offrait sa résidence, Ernest Hemingway écrivit ce qui suit dans le magazine *Holiday*: «*Les gens vous demandent pourquoi vous vivez à Cuba, et vous dites parce que cela vous plaît. Il est trop difficile d'expliquer l'aube dans les collines au-dessus de La Havane, où tous les matins sont frais et doux par les plus chaudes journées d'été.*» Tout près de la grande piscine, dans laquelle on ne peut se baigner, vous pourrez aussi voir *El Pilar*, son bateau de pêche rendu célèbre par les nombreuses chroniques de pêche d'Hemingway et bien sûr par le roman *Le Vieil Homme et la mer*. Entourée d'une flore tropicale abondante composée de 18 espèces, la résidence d'Hemingway est juchée sur une magnifique colline.

À 25 km de la ville, le **Parque Lenin** *(entrée libre; ven-dim 9h à 17h; angle Calle 100 et Cortina de la Presa, ☎7-44-2721)* se présente comme un gigantesque complexe de divertissements de 750 ha construit en 1972. Club hippique, parc d'attractions, complexe sportif, galeries d'art et aquarium, rien n'a été négligé pour animer cet endroit autrefois très fréquenté par la population locale. Le temps a dégradé ses installations, mais il fait toujours bon s'y promener.

Tout près, le **Jardín Botánico Nacional ★★** *(1 CUC; tlj 8h à 16h30; Carretera del Rosario, Km 3,5, ☎7-54-9170)* promet une excursion réussie pour les amants de la flore et des grands espaces. Couvrant 600 ha, les nombreux jardins sont reliés par 35 km de route et sont tellement étendus que vous préférerez utiliser votre voiture ou le service d'un petit train sur roues tiré par un tracteur *(4 CUC)*. Ils accueillent une importante collection de plantes tropicales et subtropicales représentatives des cinq continents. Le Jardin botanique est divisé en trois grandes sections: une réservée aux espèces végétales et aux différents sols cubains; une autre aux espèces tropicales et subtropicales de l'Amérique centrale, des Antilles, de l'Afrique, de l'Asie et de l'Océanie; enfin, des serres situées dans trois pavillons. Un authentique jardin japonais, devant lequel se trouve un bon restaurant végétarien, *El Bambú* (voir p 142),

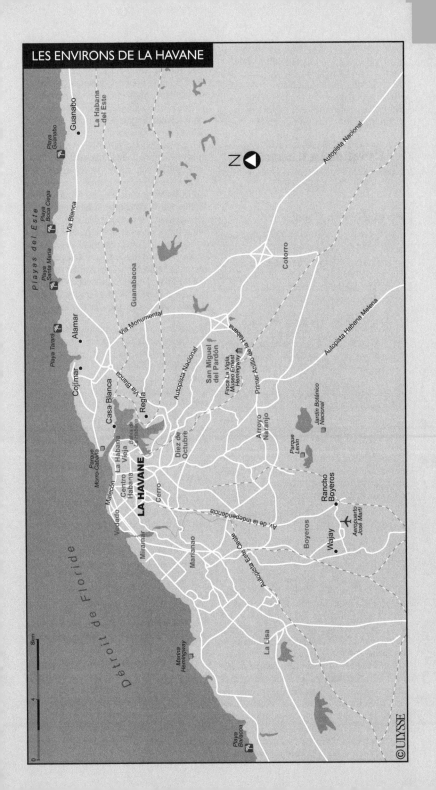

LES ENVIRONS DE LA HAVANE

Détroit de Floride

Playas del Este

Guanabo

La Habana del Este

Autopista Nacional

Playa Guanabo

Via Blanca

Playa Boca Ciega

Playa Santa Maria

Guanabacoa

Via Monumental

Cotorro

Alamar

Autopista Habana Melena

Playa Tarará

Cojimar

Via Blanca

Autopista Nacional

San Miguel del Padrón

Casa Blanca

Regla

Finca La Vigía, Museo Ernest Hemingway

Primer Anillo de la Habana

Jardin Botánico Nacional

Bahía de La Habana

Diez de Octubre

Arroyo Naranjo

Parque Morro-Cabaña

La Habana Vieja

Parque Lenin

Malecón

Centro Habana

LA HAVANE

Cerro

Rancho Boyeros

Vedado

Av. de la Independencia

Boyeros

Aeropuerto José Martí

Miramar

Marianao

Autopista Este Oeste

Wajay

Marina Hemingway

La Lisa

Playa Baracoa

0   4   8km

©ULYSSE

figure parmi les plus beaux avec ses chutes et ses fontaines. Le **Restaurante El Ranchón** (voir p 142) est, quant à lui, caché dans une forêt de pins. Le Jardin botanique accueille également dans son enceinte un important centre de recherche et le département de botanique de l'université de La Havane.

À l'est de La Havane ★★

△ p 134   ● p 143

Parque Morro-Cabaña ★★

Juste de l'autre côté du goulet qui donne accès à la baie et à son port, deux des plus imposantes constructions militaires de La Havane dominent le paysage. Il est difficile de ne pas s'émerveiller devant la grandeur de ces monuments.

Le **Castillo de los Tres Reyes del Morro ★★** *(5 CUC, 2 CUC de plus pour visiter le phare; tlj 10h à 19h; Av. Monumental Km 1, ☎7-863-7941)* fut érigé entre 1589 et 1630, en même temps que le Castillo de San Salvador de la Punta, dont il était le complément. Les deux forts devaient conjointement protéger l'entrée du port des pirates et de leurs attaques. C'est un splendide fortin compact et sévère qui abrite maintenant un musée maritime, lequel fait justement une bonne place à l'histoire de la piraterie. Le phare qui jette sur la mer et la ville ses longues colonnes de lumière fut construit en 1845, et il n'a cessé de fonctionner depuis.

Lorsque, le 30 juillet 1762, le Castillo del Morro tomba aux mains des Anglais, le sort de la ville en fut jeté. En effet, du moment où celui-ci fut perdu, rien n'empêcha plus l'armée anglaise de monter sur la crête de roche qui domine La Havane au sud du Morro et, de là, de bombarder allègrement l'intérieur des murs de la ville. C'est précisément pour éviter qu'un tel désastre ne se reproduise que fut érigée, entre 1763 et 1774, la **Fortaleza San Carlos de la Cabaña ★★★** *(5 CUC, 6 CUC après 18h pour assister à la cérémonie du coup de canon; tlj 10h à 22h)*. La Fortaleza est un endroit extrêmement agréable où l'on peut se promener tranquillement des heures durant. Des murs de ce qui fut l'une des principales citadelles du Nouveau Monde, on a une vue saisissante des alentours, tant du côté de La Havane que du côté de Cojimar, à

l'ouest, d'où arrivèrent les Anglais lors de la campagne qui mena à la prise de la ville.

Baraquement pour les quelques milliers de soldats stationnés en ces lieux pendant la période coloniale, la forteresse servit de prison durant les guerres d'Indépendance du XIXe siècle et sous les dictatures de Machado et de Batista. De nombreux révolutionnaires y perdirent la vie dans des conditions atroces. Che Guevara y installa ses quartiers généraux à la suite de la prise du fort par les «barbus» le 2 janvier 1959, et un petit musée, le **Museo de la Comandancia del Che ★**, relate cet épisode. Le musée renferme de nombreux documents et moult photos sur cette période et sur l'expérience cubaine du Che. La forteresse abrite aussi un **Museo de Fortificaciones y Armas**, réparti dans plusieurs salles, qui en relate l'histoire de la construction et qui présente une collection impressionnante d'armes, toutes époques confondues.

Tous les soirs, à 21h, se tient à la Fortaleza San Carlos de la Cabaña une étrange cérémonie. Des hauteurs qui dominent la ville, des fantassins habillés des couleurs de l'Espagne y tirent en effet un coup de canon. Ce geste rappelle l'acte solennel qui annonçait jadis l'ouverture et la fermeture des portes de la ville. À l'origine, il y avait deux coups de canon, l'un le matin et l'autre le soir, mais les Américains les ont remplacés par un seul coup dès leur prise de possession de la ville, histoire de bien marquer le changement de régime.

Pour visiter les deux forts, il faut bien sûr traverser le tunnel qui passe sous le goulet. Pour ce faire, on doit prendre soit un taxi ou, si l'on préfère, un des nombreux autobus qui s'arrêtent devant la statue de Máximo Gómez, tout près du Castillo de la Punta. En débarquant au premier arrêt de l'autre côté du tunnel, il ne reste qu'une petite marche à faire pour arriver à l'un ou l'autre des deux forts. Les autobus touristiques de **Habana Bus Tour** (voir p 92) desservent aussi cette destination en route vers les **Playas del Este** (voir p 124).

Casa Blanca

Une escapade dans les deux petites villes de l'autre côté de la baie de La Havane, Casa Blanca et Regla (voir ci-dessous), débute par une pittoresque traversée en *lancha (0,10 pesos; tlj 5h à 24h, départs toutes les 10 min vers chaque destination)* depuis le

Muelle Luz dans la vieille ville, à l'extrémité est de la Calle Santa Clara.

La gare du **Tren Eléctrico Hershey** ★ (voir p 92 et 174) se trouve juste à gauche du débarcadère du ferry. Construit en 1920 par le magnat du chocolat du même nom, il servait à l'époque à relier la capitale à ses usines sucrières. Aujourd'hui, ce train traverse champs et campagne en s'arrêtant dans de nombreux villages et finit sa course à Matanzas (voir p 180). Il est couramment utilisé par les paysans locaux et s'avère une expérience unique pour découvrir des endroits en dehors des sentiers battus.

Bien visible depuis la vieille ville, la statue du **Cristo de La Habana** *(1 CUC, gratuit sur présentation du billet d'entrée du Morro ou de la Cabaña)* se dresse sur la colline surplombant Casa Blanca. Inaugurée en 1958, cette statue d'une hauteur de 20 m est installée sur un belvédère offrant une vue panoramique sur La Havane. Pour s'y rendre depuis le débarcadère, il faut continuer tout droit et traverser la petite place du village, puis emprunter l'escalier qui serpente sur la colline. Il est possible de relier cette excursion avec une visite du **Parque Morro-Cabaña** (voir p 122).

Regla

Cette autre petite ville paisible a un riche passé industriel. Son économie fut longtemps portée par les chantiers navals encore en activité, et les nombreux pêcheurs qui y habitaient. Le grand nombre d'esclaves qui s'y installèrent a développé ici une très forte culture liée à la *santería*.

Le **Santuario de Nuestra Señora de Regla** *(entrée libre; tlj 7h30 à 17h30; Calle Santuario, entre Máximo Gómez et Litoral)* se trouve juste en face du débarcadère. Cette église honore la Vierge de Regla, sainte patronne de La Havane. Cette Vierge noire est aussi vénérée dans le culte de la *santería* sous le nom de Yemayá, déesse de la maternité universelle, maîtresse de la mer et protectrice des marins et pêcheurs. De nombreuses femmes toutes vêtues de blanc viennent prier ici et vendent à la sortie de l'église divers objets reliés à leur culte.

Le **Museo Municipal de Regla** ★ *(2 CUC; mar et jeu-sam 9h à 18h, mer 13h à 20h; 158 Calle Martí, entre Facciolo et La Piedra, ☎7-97-6989)* raconte l'histoire de la ville, mais se spécialise surtout dans les diverses religions afro-cubaines. De nombreuses explications (en espagnol) permettent d'en savoir plus sur la religion Yoruba, la *santería*, la société secrète Abakuá, la Regla Conga et les nombreuses divinités qui les composent. Deux autres salles du musée, dédiées à la *santería*, se trouvent à côté de l'église (gratuit, mêmes horaires que le musée).

Cojimar ★

Vous ne pouvez suivre les traces d'Hemingway sans faire un arrêt dans la ville portuaire de Cojimar, où le célèbre écrivain tenait amarré plus souvent qu'autrement *El Pilar*. Cojimar est située dans la région des Playas del Este, à une quinzaine de kilomètres de La Havane. Vous pouvez vous y rendre facilement en voiture en passant par le tunnel sous la baie de La Havane, d'où vous suivrez les indications tout de suite après le stade des Jeux panaméricains, que vous verrez sur votre gauche. Cojimar mérite donc un arrêt, ne serait-ce que pour une promenade le long de ses rues tortueuses. De belles petites maisons se succèdent le long de la côte. Un monument à la mémoire d'Hemingway a été élevé par les pêcheurs du village sur le Malecón en face d'une tourelle fortifiée. Suivez cette route jusqu'à l'excellent restaurant de fruits de mer **La Terraza** (voir p 143), l'un des préférés d'Hemingway. De nombreuses photos rappelant son passage décorent les murs rafraîchis de l'établissement. Quelques-unes d'entre elles montrent Hemingway remettant à Fidel Castro le premier prix du Ernest Hemingway International Marlin Tournament. La Terraza, contrairement à d'autres établissements de La Havane qui rappellent le passage d'Hemingway, offrait encore il y a peu de temps un témoignage vivant de son hôte américain. Gregorio Fuentes, le héros du *Vieil Homme et la mer* et capitaine d'*El Pilar*, faisait partie des meubles de Las Terrazas. À midi et à l'heure du dîner, depuis des années, malgré ses 98 ans, il pouvait raconter quelques anecdotes sur le passé d'Ernest Hemingway; et il ne manquait pas, au passage, de contester le blocus américain. Gregorio habitait une modeste demeure au n° 209 de la Calle Pesuela, entre la Calle Buena Vista et la Calle Carmen. Il disait d'Hemingway: *«Il était un grand écrivain et moi un simple capitaine. L'histoire du* Vieil Homme et la mer, *c'est vraiment arrivé.»*

Les Playas del Este ★

D'excellentes plages se trouvent seulement à une quinzaine de kilomètres de La Havane. La plus invitante est sans contredit celle de **Santa María ★ ★**; recouverte de sable blanc, elle n'a rien à envier aux plages de Varadero, bien qu'elle soit un peu moins propre. Santa María se présente comme un village essentiellement touristique, et vous y trouverez de nombreux hôtels. Les plages de **Boca Ciega ★**, le village voisin un peu plus à l'est, se révèlent aussi très belles et peu fréquentées par la gent touristique. Boca Ciega constitue un charmant village de petites maisons de vacanciers de La Havane. Toujours vers l'est suit le village de **Guanabo ★**, qui n'offre certes pas les plages les plus accueillantes, mais on y trouve le plus grand choix d'activités sur front de mer. Si vous logez à La Havane, ces plages méritent une excursion d'un jour. Grâce à la proximité des lieux, vous pouvez aussi prévoir des sorties d'une demi-journée.

Les routes qui relient ces plages sont excellentes et, somme toute, assez bien indiquées. La route la plus simple est celle qui passe par le tunnel de la baie de La Havane que vous empruntez au départ de la vieille Havane. Cette route passe devant le stade des Jeux panaméricains, et vous serez en moins de 20 min sur les plages de sable blanc de Santa María! Plusieurs **autobus** se rendent aussi jusqu'aux Playas del Este (voir p 92).

Vous pouvez aussi choisir d'explorer une route moins fréquentée et plus pittoresque puisqu'elle longe de nombreux villages et des champs hersés: vous devez suivre l'Avenida Máximo Gómez jusqu'à la Vía Blanca. Pour ceux dont le séjour se limite à une semaine, c'est l'occasion idéale de s'aventurer à l'intérieur du pays! Le détour ajoute entre une demi-heure et une heure au parcours jusqu'aux Playas del Este en raison de la circulation automobile sur cette petite route de campagne.

🦌 Activités de plein air

■ Baignade

Les chaudes journées de La Havane en motiveront plus d'un à chercher à se rafraîchir. Il n'existe pas de véritable plage en ville et pour profiter de la mer des caraïbes, il faut se rendre jusqu'aux **Playas del Este** (voir plus haut).

Par contre, tous les grands hôtels internationaux disposent d'une ou plusieurs piscines, ouvertes au public moyennant un droit d'entrée allant de 5 à 15 CUC/personne. Dans la pratique, il est souvent possible de s'installer au bord de la piscine en se faisant passer pour un client de l'hôtel. On retiendra entre autres les piscines des hôtels suivants dans la vieille ville: **Hotel Sevilla** *(55 Calle Trocadero)*, **Hotel NH Parque Central** *(Calle Neptuno entre Prado et Zulueta)*; dans le Vedado: **Habana Riviera** *(Calle Paseo, angle Malecón)*, **Hotel Meliá Cohiba** *(Calle Paseo, angle Calle 1)*, **Hotel Nacional de Cuba** *(Calle O, angle Calle 21)*; et à Miramar: **Hotel Meliá Habana** *(Av. 3, entre Calle 76 et Calle 80)*, et la piscine de la **Marina Hemingway** (voir ci-dessous).

■ Croisières

Marina Hemingway
Calle 248, angle Av. 5, Santa Fe
☎ 7-204-5088
www.nauticamarlin.com

Plusieurs types de croisières, le long de la côte ou vers le large, avec possibilité de plongée-tuba ou de pêche, sont offertes au départ de la Marina Hemingway. Ces excursions peuvent être réservées en ville dans les agences de voyages habituelles.

■ Pêche

En plus de participer au fameux tournoi de pêche au gros Ernest Hemingway, vous pourrez vous embarquer pour la haute mer à la Marina Hemingway (voir ci-dessus) et vous mesurer aux marlins et autres barracuda de la région. Divers forfaits sont disponibles *(à partir de 280 CUC/4h, pour un bateau d'une capacité de quatre personnes; tout le matériel est fourni)*; n'oubliez pas votre passeport.

■ Plongée sous-marine

Le centre international de plongée sous marine **La Aguja** *(Marina Hemingway; ☎ 7-204-1150, www.nauticamarlin.com)*, tout comme le centre de plongée **Tarará** *(Marina Tarará, Vía Blanca, Km 19, La Habana del Este, ☎ 7-796-0242, www.nauticamarlin.com)*, offrent des sorties de plongées sur des barrières de corail et dans divers épaves *(à partir de 40 CUC/plongée, équipement fourni)*. Des cours sont proposés pour ceux n'ayant pas de certification internationale.

125

La Havane – Hébergement – La Habana Vieja

♠ Hébergement

Pour se loger à La Havane, on a le choix entre l'hôtel et la *casa particular*. En général, les hôtels pour touristes étrangers sont de très bonne qualité et offrent toutes les commodités désirées. En fonction de l'endroit où l'on veut demeurer, qu'il s'agisse de la vieille ville, du Centro, du Vedado ou de Miramar, on trouvera des hôtels avec plus ou moins de charme, mais presque toujours avec un même confort. La plupart de ces hôtels ont leur propre restaurant, offrent un service d'accès Internet, disposent d'un bureau de services touristiques et de location de voitures, et les plus grands d'un bureau de change. Particularité des *casas particulares* de La Havane: elles proposent le petit déjeuner, mais généralement pas les autres repas.

La Habana Vieja

La vieille ville manifeste un véritable essor hôtelier. De plus en plus, on mise sur des demeures coloniales historiques pour compléter l'infrastructure hôtelière. Chacune de ces demeures mériterait de figurer dans la section «Attraits touristiques». Toutes sont charmantes et toutes arborent un luxe qui dépasse souvent ce que l'on en attend, et tout cela en plein cœur d'une des villes coloniales les mieux préservées au monde. Vous pouvez consulter le site Internet de l'entreprise étatique **Habaguanex** *(www.habaguanexhotels. com)*, chargée de l'administration de ces demeures transformées en hôtels et

restaurants. Les clients des hôtels Habaguanex profitent de certains avantages pécuniaires, comme l'entrée gratuite dans plusieurs musées ainsi qu'un rabais de 10% sur la facture des restaurants et des boutiques que possède la chaîne. Ces restaurants, cafétérias et boutiques sont situés dans la vieille Havane, qui comprend les quartiers du Parque Central et du Prado. Les *casas particulares*, quant à elles, bien que proches des attraits de ce secteur, sont localisées en dehors du périmètre rénové de la vieille ville, et le contraste est saisissant. Cependant, la sécurité n'est pas problématique. Dans tous les cas, les réservations sont vivement recommandées.

Casa de Eugenio y Fabio
$$ ≡
Calle San Ignacio n° 656, entre Jesús María et Merced
☎ (7) 862-9877
fabio.quintana@infomed.sld.cu
Ce vaste et splendide appartement colonial, bourré d'antiquités et de bibelots, abrite deux chambres tout aussi belles et confortables. La terrasse sur le toit, le calme et l'accueil impeccable compensent largement la localisation un peu au sud de la vieille ville.

Casa de Migdalia Caraballe Martín
$$ bc/pb ≡ @
Calle Santa Clara n° 164, 1er étage, entre Cuba et San Ignacio
☎ (7) 861-7352
casamigdalia@yahoo.es
À deux pas de la Plaza Vieja, Migdalia accueille chaleureusement ses convives dans son agréable appartement colonial. Vous aurez le choix entre de grandes chambres donnant sur la rue (dont une avec

une terrasse), mais se partageant une salle de bain, et une chambre plus petite et moins aérée mais avec sa propre salle d'eau. Accès Internet disponible. Migdalia peut communiquer en anglais.

Chez nous
$$ bc/pb ≡ 🔒
Calle Brasil n° 115, entre Calle Cuba et Calle San Ignacio
☎ (7) 862-6287
cheznous@ceniai.inf.cu
Dans un bel appartement de la vieille ville, très proche de la Plaza Vieja, cette *casa particular* se révèle des plus chaleureuses, son nom laissant présager un accueil sympathique. Le propriétaire parle le français et reçoit surtout des gens de l'Hexagone. Les trois chambres dont il dispose sont confortables et se fondent à merveille dans le reste de la maison au style on ne peut plus cubain. Plafonds hauts, grand salon à l'avant, balcon à chaque fenêtre, patio intérieur, sans parler de la décoration… Une terrasse sur le toit, garnie d'une balançoire et de chaises longues, permet d'échapper un instant au brouhaha de la ville. Repas disponibles.

El Mesón de la Flota
$$$ ☕ ≡ 🔒 🍴
Calle Mercaderes n° 257
☎ (7) 863-3838
Au-dessus du restaurant **El Mesón de la Flota** (voir p 138), on loue cinq chambres au décor tout maritime. Elles arborent d'ailleurs chacune le nom d'un navire espagnol. On a un peu l'impression de se retrouver au cœur d'une auberge du début de la colonie, alors que les voiliers de la flotte royale et leurs équipages

faisaient halte à La Havane pour reprendre des forces. Mais soyez prévenu, de même que ce devait l'être à l'époque, l'endroit se révèle bruyant le soir venu, alors que des spectacles de flamenco animent le restaurant jusqu'à 23h. Si le bruit ne vous incommode pas ou que vous désirez prendre part à la fête, les chambres propres et confortables de cette auberge pourraient bien vous convenir, d'autant plus que chacune dispose d'un balcon privé.

Hotel Beltrán de Santa Cruz
$$$ ☎≡♨≡ P

Calle San Ignacio n° 411, entre Muralla et Sol

☎ (7) 860-8300

Paré d'une façade discrète donnant sur une rue étroite tout près de la Plaza Vieja, l'Hotel Beltrán de Santa Cruz propose une dizaine de chambres confortables. Empreint d'une atmosphère intimiste, cet établissement, érigé au XVIIIe siècle, se démarque par son service amical et professionnel. Tous les balcons et fenêtres ornant les chambres offrent une vue sur la cour arrière, agréablement aménagée.

Hotel El Comendador
$$$$ ☎≡♨❄🔒

Calle Obrapía n° 55

☎867-1037

Placé sous la même administration que son voisin qu'est l'**Hostal Valencia** (*Calle de los Oficios n° 53*), l'Hotel El Comendador donne un bel exemple de la façon intelligente dont on développe la vieille ville tout en respectant son histoire et son architecture. Bien que communicants, les deux hôtels sont traités comme deux entités distinctes afin de préserver le caractère historique de chacun, mais la réception se trouve à l'Hostal Valencia. Les 14 chambres du Comendador se révèlent assez luxueuses et s'articulent autour d'un patio qui confère à l'établissement son caractère colonial. Certaines chambres sont petites et munies d'un plafond bas, sauf celles du dernier étage qui se révèlent aussi plus spacieuses. Fait intéressant, les soubassements de l'hôtel ont fait l'objet de fouilles archéologiques importantes. On aurait trouvé sous ses fondations des vestiges du début de la colonie de San Cristóbal de La Habana. Même s'il a un peu moins de charme,

l'Hostal Valencia s'avère tout aussi respectable, et un peu moins onéreux.

Hotel Florida
$$$$ ☎≡♨🔒

Calle Obispo n° 252, angle Calle Cuba

☎ (7) 862-4127

L'Hotel Florida est aménagé dans une magnifique demeure coloniale des années 1830. Transformée en hôtel en 1875, sous dénomination actuelle, cette habitation fut métamorphosée en *casa de vivienda* (*solar*) après la Révolution, puis, après une brève période durant laquelle elle fut utilisée comme centre d'information touristique, elle revint à sa vocation hôtelière en 1999. Sur trois étages, l'hôtel offre 25 chambres sobres mais agréables, réparties autour d'un magnifique patio. Il s'agit d'un endroit splendide au charme indéniable.

Hotel Los Frailes
$$$$ ☎≡♨

Calle Teniente Rey n° 8, entre Calle Oficios et Calle Mercaderes

☎ (7) 862-9383

Dans une ambiance de monastère qui n'a pourtant rien d'austère, l'Hotel Los Frailes reçoit sa clientèle

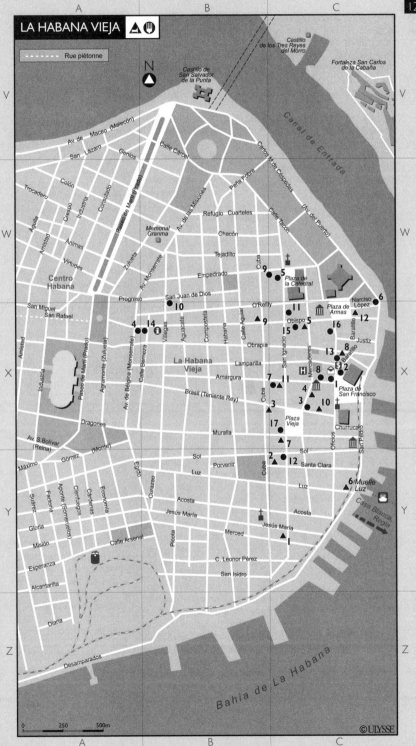

LA HABANA VIEJA

avec beaucoup d'empressement. Ceux qui vous accueillent ainsi, ne vous surprenez pas, sont d'ailleurs vêtus de la typique toge de moine! Les 22 chambres sont garnies de meubles en bois foncé et habillées de tons neutres. Elles sont en outre quelque peu sombres. Bref, comme dans un vrai monastère! Mais rassurez-vous, l'effet, loin d'être rébarbatif, demeure agréable et paisible.

Hotel Ambos Mundos
$$$$$ ☕ ≡ ♨ 🔒
Calle Obispo n° 153, angle Calle Mercaderes
☎ (7) 860-9530

Rendu célèbre par Hemingway, qui y demeura dans les années 1930, au moment d'un certain essor artistique et intellectuel dans ce coin de la ville, l'Ambos Mundos est un hôtel luxueux à quelques pas des nombreux bistros où l'écrivain allait s'enivrer. Vous pouvez visiter sa chambre (n° 511), demeurée intacte. Le panorama des vieux quartiers depuis les derniers étages est fabuleux. L'ambiance «début du XX° siècle» est encore palpable au-delà de l'ombre d'Hemingway, en raison du vieil ascenseur et du hall tout en bois, au milieu duquel résonne le piano à queue tout aussi âgé. Le bar sur le toit est paisible, et il offre une belle vue sur les rues de la vieille ville.

Hotel Armadores de Santander
$$$$$ ☕ ≡ ♨ ◎
Calle Luz n° 4, angle San Pedro
☎ (7) 862-8000

L'Hotel Armadores de Santander est installé dans un édifice construit sur l'emplacement du premier théâtre de La Havane, emporté par un ouragan. Sa façade affiche d'ailleurs, en plus

des armoiries de la ville espagnole de Santander, les masques grimaçants du théâtre (comédie et tragédie). Elle donne malheureusement sur une partie de la vieille ville un peu moins agréable, le port. La vue sur le port qu'offrent les chambres est impressionnante, surtout celles disposant d'une agréable terrasse sur le toit. Toutes les chambres, ainsi que les aires communes, ont été rénovées en respectant le cachet du bâtiment et en préservant le plus possible d'éléments originaux tels que plancher, plafond, escalier, etc. On voit un peu partout sur les murs des photos d'époque pour en témoigner. À côté du hall, un bar maritime offre une ambiance tout à fait appropriée.

Hotel Raquel
$$$$$ ☕ ≡ 🔒 ♨ 🛏)))
Calle Amargura n° 103, angle Calle San Ignacio
☎ (7) 860-8280

L'Hotel Raquel, ouvert depuis 2003, est l'un des derniers-nés des hôtels de la vieille ville. Il affiche un luxe baroque impressionnant, et sa thématique juive se dévoile aussi bien dans sa décoration que dans le menu de son restaurant, le Jardín del Edén (voir p 139). Ses 25 chambres décorées avec goût se répartissent sur trois étages ouverts au centre pour laisser entrer le soleil depuis le toit muni d'un puits de lumière garni de vitraux. L'effet est superbe. Le troisième étage s'ouvre en outre sur une terrasse panoramique où s'élève une chambrette coiffée d'un dôme, que vous repérerez aisément depuis les rues de la vieille ville, et à l'intérieur de laquelle on peut s'installer pour se

détendre. Les chambres des autres étages n'offrent pas la même vue, mais demeurent très agréables.

Hotel Santa Isabel
$$$$$ ≡ ♨ ◎ 🔒 @
Calle Baratillo n° 9, angle Obispo
☎ (7) 860-8201

La douce brise de la Bahía de La Habana caresse le Santa Isabel, situé à deux pas de la baie. L'immeuble colonial vous donnera à coup sûr l'impression de vous retrouver à une époque lointaine. Il fait face à l'agréable Plaza de Armas, où les bouquinistes proposent leur littérature révolutionnaire. D'énormes portes, hautes et massives, permettent le passage entre les différentes pièces. Elles vous feront pénétrer dans le Cuba colonial et dans des chambres au confort sans tache. D'ailleurs, c'est ici que le pape a élu domicile lors de sa célèbre visite de janvier 1998, à deux pas de la cathédrale! Depuis le restaurant sur le toit, la vue sur le port et la vieille ville est splendide.

Le Parque Central et le Prado

Les hôtels qui bordent le Prado et le Parque Central sont en général plus grands et plus modernes que ceux de la vieille ville. Leur style est définitivement néoclassique, et l'atmosphère y est plus enjouée, plus dansante. On a l'impression, en y logeant, d'être un de ces voyageurs de la fin du XIX° siècle qui découvraient avec bonheur cette ville policée et différente. Le secteur hôtelier se développe tout aussi rapidement ici que dans la vieille ville colo-

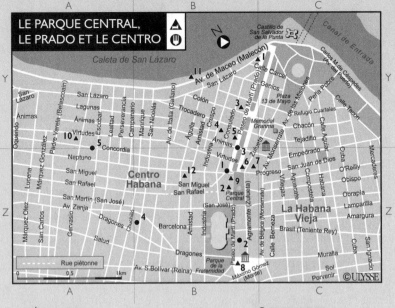

LE PARQUE CENTRAL, LE PRADO ET LE CENTRO

▲ HÉBERGEMENT

Le Parque Central et le Prado

1.	BY	Casa de Evora Rodríguez
2.	BZ	Hotel Inglaterra
3.	BY	Hotel Islazul Caribbean
4.	BY	Hotel Lido
5.	BY	Hotel Mercure Sevilla
6.	BZ	Hotel NH Parque Central
7.	BZ	Hotel Plaza
8.	BZ	Hotel Saratoga
9.	BZ	Hotel Telégrafo

Le Centro

10.	AY	Casa Colonial Cary y Nilo
11.	BY	Hotel Deauville
12.	BZ	La Casa de Esther

● RESTAURANTS

Le Prado

1.	BZ	A Prado y Neptuno
2.	BZ	Los Nardos
3.	BY	Roof Garden

Le Centro

4.	BZ	Barrio Chino (Luna de Oro et Tien Tan)
5.	AZ	La Guarida

niale, mais la grandeur des projets rend le processus plus long et plus coûteux. La restauration de l'Hotel Telégrafo et, plus récemment, de l'Hotel Saratoga est un bel exemple de cette tendance.

Casa de Evora Rodríguez
$$ ≡

Paseo del Prado nº 20, entre San Lázaro et Cárcel, 9e étage
☎ (7) 861-7932
evorahabana@yahoo.com

Cette *casa particular* est assez unique: l'appartement d'Evora occupe tout le dernier étage de cet immeuble moderne, avec terrasses et vues panoramiques à couper le souffle. Les deux chambres sont grandes, confortables et lumineuses. Evora parle parfaitement l'anglais (elle a vécu au Canada), et d'autres chambres sont à louer dans le même immeuble, mais sans avoir ni le charme ni la vue de celle-ci. Réservations recommandées.

Hotel Lido
$$-$$$ ☕ ♨ ⊰ ≡

Calle Consulado nº 210
☎ (7) 867-1102

L'Hotel Lido, pourvu d'une terrasse agréable ouverte jusqu'à 22h, est fréquenté par des voyageurs autonomes plus intéressés par un bon tarif que par un environnement luxueux. Le service s'avère amical. Ceux qui aiment dormir la fenêtre ouverte y trouveront leur compte, puisque presque toutes les chambres sont attenantes à des balcons ne donnant pas sur une rue bruyante.

Hotel Islazul Caribbean
$$$ ☕ ≡ ♨

Paseo de Martí (Prado) nº 164
☎ (7) 860-8241
www.islazul.cu

La principale qualité de cet établissement à prix raisonnable est sans conteste sa localisation: il fait face au Prado et se trouve à distance de marche des plus intéressants attraits de la capitale et près de plusieurs restaurants bon marché. De plus, toutes les chambres sont climatisées. Ambiance sympathique.

Hotel Inglaterra
$$$$ ☕ ≡ ⚇
Paseo de Martí (Prado) n° 416
☎ (7) 860-8597
www.gran-caribe.com

Situé en face du Parque Central et tout près du Capitolio, l'Hotel Inglaterra demeure très populaire auprès des voyageurs de tous genres. Autrefois, il se targuait d'être le point de rendez-vous des intellectuels et des artistes de la capitale. Cet hôtel datant de 1875 a un caractère particulier, une sorte de légère désuétude qui ne manque pas cependant de rappeler le faste du début du XXᵉ siècle. Considéré comme le plus vieil hôtel à Cuba, l'Hotel Inglaterra a été cité autant pour son architecture que pour son importance historique et déclaré monument national. Sa façade néoclassique est majestueuse, et elle s'harmonise parfaitement au décor intérieur. Vous apprécierez sûrement l'ambiance détendue et relâchée du resto-bar, à l'entrée. Le bar situé sur le toit offre un point de vue comptant parmi les meilleurs de la ville. Les chambres, sobres, sont très belles et garnies de meubles anciens. Sachez que les chambres avec balcon donnent sur le Parque Central, une zone bruyante où la circulation automobile est plutôt dense.

Hotel Plaza
$$$$ ☕ ≡ ⚇ ❋
Calle Ignacio Agramonte n° 267, angle Calle Neptuno
☎ (7) 860-8583 à 89
www.hotelplazacuba.com

Près du Parque Central, l'Hotel Plaza possède un charme unique. Son entrée aux plafonds élevés et ses fontaines procurent de l'ambiance aux lieux. Les chambres sont propres, et elles sont toutes climatisées, mais certaines s'avèrent beaucoup plus petites que d'autres, et l'ameublement n'est pas à la hauteur du reste de l'établissement.

Hotel Telégrafo
$$$$ ☕ ≡ ⚇ @
Paseo de Martí (Prado) n° 408, angle Calle Neptuno
☎ (7) 861-1010
www.habaguanexhotels.com

Édifice centenaire récemment rénové, l'Hotel Telégrafo présente un décor éclectique mariant à la fois l'art Déco et l'art cubain moderne à un design contemporain très tendance. L'impressionnant resto-bar de la cour intérieure, qui arbore les arches en briques de la construction originale, s'avère un bon exemple de la fusion des styles des diverses époques auxquelles a vécu cet établissement. Pourvues de hauts plafonds, les quelque 60 chambres de l'hôtel offrent une vue sur le Parque Central ou sur la cour intérieure.

Hotel Mercure Sevilla
$$$$ ☕ ≡ ≋ ⚇ ⫴ ⚓
Calle Trocadero n° 55, entre Prado et Zulueta
☎ (7) 860-8560
www.accorhotels.com

Le hall de l'Hotel Sevilla arbore une architecture et une décoration qui vous plongeront immanquablement en Andalousie. Entièrement rénové en 2003, ce très bel hôtel du début du XXᵉ siècle, de style andalou, offre une atmosphère à mi-chemin entre l'élégance confortable et un certain laisser-aller. Situé entre le Paseo del Prado et le Museo de la Revolución, l'Hotel Sevilla n'est qu'à quelques pas de la vieille Havane. Cependant, la nuit venue, les rues qui mènent aux abords de l'hôtel sont plutôt sombres et isolées. Les chambres sont garnies de mobilier et décoration dans les mêmes tons que l'établissement. Au neuvième étage se trouve un des meilleurs et des plus beaux restaurants de la capitale, le **Roof Garden** (voir p 140). Bref, si vous en avez les moyens, vous succomberez sans doute aux charmes du Sevilla.

Hotel NH Parque Central
$$$$$ ☕ ≡ ⚇ ≋ ♿ P @ ⚓
Calle Neptuno, entre Paseo Martí (Prado) et Calle Zulueta
☎ (7) 860-6627 à 29
www.nh-hotels.com

L'Hotel NH Parque Central est l'un des derniers-nés du secteur central de la capitale. Il n'a pas le même charme ancien que bien d'autres établissements en ville, mais il propose un luxe impeccable. Non seulement offre-t-il des chambres au confort irréprochable, une piscine sur le toit et une salle de conférences, mais il est aussi admirablement bien situé entre le parc, le Capitolio et La Habana Vieja. On trouve tous les services qu'un tel établissement se doit d'offrir, dont un distributeur automatique de billets, un bureau d'affaires avec accès Internet et de nombreux bars et restaurants.

Hotel Saratoga
$$$$$ ≡ ⚇ 🛏 @ ≋
Paseo de Martí (Prado) n° 603, angle Dragones
☎ (7) 868-1000
www.hotel-saratoga.com

Dès son ouverture en 2005, l'Hotel Saratoga s'est tout

de suite positionné comme l'un des plus luxueux établissements de la capitale. Construit en respectant l'architecture de l'ancien Hotel Saratoga, qui à son époque attirait ministres et autres personnalités, cet hôtel cinq étoiles conjugue parfaitement luxe moderne et charme antique. La moitié des chambres donnent sur la rue, avec une vue imprenable sur le Capitolio, qui se trouve juste en face, et l'autre moitié sur le patio intérieur. Elles n'ont malheureusement pas conservé leurs hauts plafonds, chaque étage ayant été divisé en deux, rentabilité oblige. La piscine sur le toit, avec son restaurant attenant, ne devrait pas vous laisser insensible. Service impeccable.

Le Centro

Ce quartier n'est pas le plus accueillant, et nombreux sont ceux qui trouveront ses rues mal éclairées et ses immeubles vétustes, voire en ruine, peu engageants. Cependant, on trouve de bonnes *casas particulares* dans le Centro, à des prix sensiblement moins élevés que dans le reste de la ville, avec l'avantage d'être situées à mi-chemin entre La Habana Vieja et le Vedado, dans un secteur populaire et vivant.

La Casa de Esther
$$ ♭⁄♭♭ ⤸

Calle Aguila n° 367, entre Neptuno et San Miguel

☎ (7) 862-0401

esthercv2551@cubarte.cult.cu

Cette belle maison coloniale colorée abrite une des plus intéressantes *casas par-*

ticulares de la ville. Esther, actrice et metteure en scène de théâtre, a su décorer son intérieur avec goût et originalité. Les deux chambres sont confortables et la terrasse invitante. Accueil irréprochable. Les réservations sont nécessaires.

Casa Colonial Cary y Nilo
$$ ≡

Gervasio no 216, entre Concordia et Virtudes

☎ (7) 862-7109

Bien située dans le Centro, tout près du *paladar* **La Guarida** (voir p 140), cette *casa particular* propose deux chambres simples mais spacieuses et ne manquant de rien. Accueil sympathique et tranquillité assurée.

Hotel Deauville
$$$ ≡ ♨))) ≋

Calle Galiano, angle Malecón

☎ (7) 866-8812

www.gran-caribe.com

L'Hotel Horizontes Deauville, central, a l'avantage d'être établi sur le Malecón et près de la vieille Havane. L'hôtel s'avérant un peu bruyant, il est préférable de louer une chambre aux étages supérieurs de l'établissement, et tournée vers la mer. Les chambres sont propres mais sont assez classiques. La piscine et le bar sur le toit offrent une belle vue sur la ville et la baie.

Le Vedado

Le Vedado offre des chambres dans des tours modernes. Le charme colonial y est évidemment absent, mais pour ceux qui ne veulent pas être trop dépaysés et qui préfèrent être près du quartier des affaires, ce n'est pas une mauvaise idée d'y loger. Les

casas particulares abondent dans ce quartier, et c'est ici que vous pourrez trouver le plus facilement à vous loger si vous n'avez pas pris soin de réserver. Dans ce cas, n'hésitez pas à vous présenter aux adresses que nous avons sélectionnées; les propriétaires pourront toujours vous diriger vers d'autres *casas* s'ils n'ont pas eux même de chambres libres.

Casa de Eduardo Negrín González
$$ ≡ ❀

Calle 25 no 359, entre Calle L et Calle K,

appartement B

☎ (7) 832-0956

www.casaparticular.cu.tc

Dans un immeuble moderne et à deux pas du Parque Coppelia, cette casa particular propose une grande chambre propre, accueillante et confortable, avec au choix deux lits simples ou un grand lit. L'accueil est des plus cordiaux, et Eduardo se débrouille en français.

Casa de Virginia Morales Menocal
$$ ≡ ❀ ☙

Calle 5 no 304, entre Calle C et Calle D

☎ (7) 832-3249

vmoralesmenocal@yahoo.es

Face à un joli parc, cette *casa particular* ne propose qu'une chambre, mais qui ressemble plus à un petit appartement. Située au fond du jardin et offrant ainsi une totale intimité, elle est équipée d'une petite cuisine et s'avère parfaite pour les personnes séjournant pendant quelque temps à La Havane. Tranquillité assurée, mais réservations nécessaires.

Hospedaje Gisela Ibarra y Daniel Riviero
$$ bc/bp ≡ ⚬ ✻ 🔒
Calle F n° 104 (altos), entre Av. 5 et Calle Calzada
☎ (7) 832-3238
latinhouse@enet.cu

Située dans l'ombre de l'Hotel Presidente, cette *casa particular* propose deux chambres dans une belle résidence de style Art déco. Le petit déjeuner *(5 CUC)* est servi dans une salle à manger ayant un cachet tout à fait cubain. Une grande chambre possède sa propre salle de bain, tandis qu'une autre a sa propre petite terrasse. Les propriétaires, des universitaires à la retraite, accueillent leurs clients comme d'anciens amis retrouvés. La terrasse sur le toit offre une vue intéressante sur les alentours. Si ces chambres sont louées, Gisela vous en suggéra d'autres situées dans le quartier.

Hotel Universitario
$$ ≡ ⊌ ✻
Calle 17, entre Calle M et Calle L, en face de la station-service
☎ (7) 833-2373

Le discret Hotel Universitario (l'enseigne avec uniquement les lettres *HU* n'est pas très visible) est très accueillant et parfait pour ceux qui cherchent un hôtel économique bien situé dans ce quartier. Le confort est sommaire, mais le rapport qualité/prix est somme toute appréciable. Les 22 chambres se remplissent vite, alors les réservations sont conseillées.

Hotel St. John's
$$$ ☕ ≡ ⊌ ≋
Calle O n° 206, entre Calle 23 et Calle 25
☎ (7) 833-3740
www.gran-caribe.com

L'Hotel St. John's, au cœur du centre commercial du Vedado, près de La Rampa, offre un excellent rapport qualité/prix. L'accueil est agréable, l'ambiance détendue et les chambres bien entretenues. De nombreux Latino-Américains de passage y logent. Préférez les chambres à partir du 7ᵉ étage pour avoir une meilleure vue. Au dernier étage, le **Pico Blanco** (voir p 144) est un bon endroit pour écouter de la musique.

Hotel Presidente
$$$$ ☕ ≡ ⊌ ≋ ⅄
Calle Calzada n° 110, angle Av. G
☎ (7) 838-1801
www.hotelesc.es

Magnifique édifice néoclassique construit en 1928, l'Hotel Presidente a un charme certain, et son emplacement est parfait, à deux pas du Malecón. Les chambres ne sont pas très grandes, mais agréables et meublées avec goût. L'endroit est tranquille et vaut définitivement la peine d'être mentionné.

Hotel Victoria
$$$$ ☕ ≡ ≋ ✻ ⊌ @
Calle 19, angle Calle M
☎ (7) 833-3510
www.hotelvictoriacuba.com

L'Hotel Victoria se veut le plus chic des hôtels quatre étoiles de La Havane, car il est destiné aux gens d'affaires en visite dans la capitale. On y offre un service personnalisé et une ambiance de château, le Victoria alliant luxe et tradition dans un cadre bien agréable. L'hôtel demeure de petite taille et bénéficie d'une jolie piscine.

Hotel Meliá Cohiba
$$$$$ ☕ ≡ ≋ ✻ ⊌
Calle Paseo, angle Calle 1
☎ (7) 833-3636
www.solmelia.com

L'Hotel Meliá Cohiba se révèle être l'hôtel cinq étoiles le plus moderne de Cuba. Symbole du développement phénoménal de l'industrie touristique, il n'a pas de charme typiquement cubain, mais le confort est au rendez-vous, et les nombreux services proposés sur place en font un endroit de choix pour les voyageurs d'affaires. Une navette gratuite rejoint la vieille ville plusieurs fois par jour.

Hotel Nacional de Cuba
$$$$$ ☕ ≡ ≋ ✻ ⊌ ≫
Calle O, angle Calle 21
☎ (7) 836-3564
www.hotelnacionaldecuba.com

L'Hotel Nacional de Cuba se veut sans contredit le plus bel hôtel de La Havane, particulièrement charmant malgré sa taille imposante. Ses cinq étoiles sont amplement méritées. Le mobilier des chambres se révèle ultramoderne. L'entrée de ce château érigé en 1930, les grands jardins et la magnifique piscine vous auront vite fait oublier que vous êtes en plein cœur de la ville. Les chambres avec vue sur la mer s'avèrent particulièrement prisées. Ceux qui recherchent une bonne table pour agrémenter leur voyage seront comblés par le buffet. L'ambiance est particulièrement intéressante: journalistes, cinéastes et gens d'affaires se côtoient dans les jardins et le hall. L'Hotel Nacional est d'ailleurs le siège du prestigieux Festival international de cinéma latino-américain de La Havane tous les mois de décembre.

Hotel Tryp Habana Libre
$$$$$ ☕ ≡ ≋ ✻ ⊌
Calle L, angle Calle 23
☎ (7) 834-6100
www.solmelia.com

L'Hotel Habana Libre se définit comme un immense établissement aux allures

133

LE VEDADO

▲ HÉBERGEMENT

1. CY Casa de Eduardo Negrín González
2. BX Casa de Virginia Morales Menocal
3. BX Hospedaje Gisela Ibarra y Daniel Riviero
4. BX Hotel Meliá Cohiba
5. DX Hotel Nacional de Cuba
6. BX Hotel Presidente
7. DY Hotel St. John's
8. CY Hotel Tryp Habana Libre
9. CX Hotel Universitario
10. CX Hotel Victoria

● RESTAURANTS

1. BZ Cinecitta
2. CY Coppelia
3. CX El Conejito
4. CY El Gringo Viejo
5. CX Fabio
6. CX La Casona de 17
7. CX La Torre
8. AY Mesón de la Chorrera
9. BY Unión Francesa de Cuba

© ULYSSE

d'usine. Cependant, l'ambiance dans cet ancien Hilton est incomparable. Cet hotel représente le centre névralgique de La Rampa, et une foule de petits commerces l'entourent.

Miramar

Cette région connaît un rapide développement hôtelier depuis quelques années. On y construit des complexes qui s'étirent chaque fois plus loin le long de la côte vers l'ouest. Les hôtels de Miramar sont ordinairement plus tranquilles que ceux du Vedado et de la vieille Havane. Il faut par contre prévoir argent et temps pour se rendre aux endroits les plus intéressants de la ville. Il n'y a guère de *casas particulares* dans ce quartier.

Casa de Dr. José Mario Parapar de la Riestra
$$ ≡
912 Calle 70, entre Av. 9 et Av. 11
☎ (7) 203-7269
jparapar@infomed.sld.cu
Cette grande maison pleine d'antiquités abrite une chambre tout équipée. L'ambiance est calme et le propriétaire plein de petites attentions. Convient très bien pour un long séjour.

Hostal Icemar
$$-$$$ ≡ ♨
Calle 16 nº104, entre Av. 1 et Av. 3
☎ (7) 203-3221
Un peu à l'écart de la zone hôtelière, l'atmosphère de l'Hostal Icemar s'avère nettement moins guindée que celle des énormes complexes de Miramar. L'établissement étant principalement réservé aux étudiants étrangers, on loue des chambres aux touristes s'il reste de la place. Les chambres sont à la fois simples et confortables. Une terrasse dans la cour intérieure est adjacente à une petite cafétéria. Une bonne adresse qui, de plus, se trouve à proximité de la mer.

Hotel Mirazul
$$$ ≡ ❄ ♨
Av. 5 nº3603, entre Calle 36 et Calle 40
☎ (7) 204-0088
Agréable et chaleureux, ce petit hôtel propose huit grandes chambres. L'ambiance cadre bien avec la maison bourgeoise construite à la fin des années 1940 dans laquelle il est installé. N'imaginez même pas vous y présenter sans réservation.

Aparthotel Montehabana
$$$-$$$$ ≡ ♨ ♨ P
Calle 70, entre Av. 5 et Av. 7
☎ (7) 206-9595
www.gaviota-grupo.com
Le Montehabana s'avère une très bonne option pour les longs séjours. Chambre, studio et appartement avec une chambre séparée sont disponibles. Les studios et les appartements ont une cuisine tout équipée. Simples, pratiques et agréables avec leurs tons bleus, ces logements profitent aussi des nombreux services à disposition: épicerie, laverie, bar, ainsi que les équipements sportifs et la piscine de l'Hotel Occidental Miramar situé juste à côté.

Hotel Occidental Miramar
$$$$ ≡ ❄ ♨ ♨ @
Av. 5, entre Calle 72 et Calle 76
☎ (7) 204-3584
www.occidental-hoteles.com
L'Hotel Occidental Miramar est un autre de ces complexes hôteliers extra-chics qui ont poussé dans le quartier de Miramar. Il s'agit d'un hôtel moderne et charmant dont le style néo-Renaissance, avec ses fresques murales flottantes, surprend agréablement. Les chambres, tout confort, sont peintes de tons bleus et jaunes reposants. Malheureusement, les vues depuis l'hôtel s'avèrent plutôt déplaisantes: on a l'impression d'être au milieu d'un vaste terrain vague à travers lequel quelques bribes de construction font sentir leurs vains efforts. Navette gratuite pour rejoindre la vieille ville.

Meliá Habana
$$$$$ ≡ ♨ ♨♨ ≋ ⛾ ⚓
Av. 3, entre Calle 76 et Calle 80
☎ (7) 204-8500
www.melia-habana.com
Le Meliá Habana est le nec plus ultra du luxe avec tous les avantages imaginables. Difficile de se représenter des chambres au confort plus élaboré. L'hôtel donne sur la mer, mais la plage (comme dans toute la région de Miramar d'ailleurs) n'est pas aménagée. Par contre, les piscines sont ici des plus agréables grâce à leur taille imposante et aux nombreuses promenades qui les encerclent. De plus, un autobus gratuit fait la navette entre l'hôtel et la vieille ville.

À l'est de La Havane

Les Playas del Este

Les grands hôtels de tourisme international se trouvent à Santa María del Mar, sans conteste la plus belle plage de ce secteur, mais aussi la plus développée et la plus touristique. Pour

135

MIRAMAR ▲🍽

Vedado

Miramar

Kohly

La Sierra

Détroit de Floride

Boca de la Chorrera

Río Almendares

Av. del Río

0   250   500m

N

© ULYSSE

▲ HÉBERGEMENT

1.	AZ	Aparthotel Montehabana
2.	AZ	Casa de Dr. José Mario Parapar de la Riestra
3.	DX	Hostal Icemar
4.	CY	Hotel Mirazul
5.	AZ	Hotel Occidental Miramar
6.	AZ	Meliá Habana

● RESTAURANTS

1.	DX	Don Cangrejo
2.	CY	Dos Gardenias / Gambinas / Shangai
3.	CY	El Aljibe
4.	DY	El Tocororo
5.	DX	La Esperanza
6.	CX	Vistamar

Calle 20, Calle 24, Calle 26, Calle 19, Calle 15, Calle 28, Calle 21, Calle 23, Calle 27, Calle 29, Calle 37, Norte, Calle 49C, Calle 49, Calle 47, Calle 45, Calle 28A, Calle 26, Calle 28, Calle 34, Calzada 7, Línea, Calle 11, Calle A, Calle 2, Calle 4, Calle 6, Calle 10, Calle 5-B, Calle 9, Calle 11, Calle 14, Calle 16, Calle 18, Calle 20, Calle 22, Calle 24, Calle 26, Calle 28, Calle 30, Calle 34, Calle 40, Avenida 1 (Primera), Avenida 3, Avenida 5, Avenida 7, Avenida 9, Calle 22, Calle 26, Calle 30, Calle 34, Calle 36, Calle 42, Calle 44, Calle 23, Calle 19, Calle 17, Calle 15, Calle 11, Calle 9, Avenida 31, Calle 39, Calle 35, Calle 33, Calle 31, Calle 44, Avenida 60, Calle 62, Calle 64, Calle 66, Calle 70, Calle 72, C. 74, Avenida 5A, Avenida 7, Avenida 7-A, Avenida 3, Avenida 5, Monte Hemingway

Les Playas del Este

Map labels:

Calle 488
Calle 484
Calle 482
Calle 480
Calle 478
Calle 476
Playa Guanabo
Guanabo
Avenida Québec
Avenida México
Avenida La Habana Boul
Calle 472
Avenida 9
Avenida 11
Calle 470
Avenida 13
Avenida 15
Calle 466
Calle 462
Justz Calzada
Calle 454
Avenida 5
Calle 450
Calle 446
Av. de las Américas
Ar. Rosemberg Boul. 1
Ar. Rosemberg Boul. 3
Calle 442
Avenida 1
Calle 438
Avenida 6
Avenida 3
Avenida 4
Via Blanca
Alturas de Marbella
Détroit de Floride
Playa Boca Ciega
Avenida de las Terrazas
Boca Ciega
Laguna de Itabo
Río Itabo
Via Blanca
Avenida 1
Calle 22
Calle 21
Calle 14
Calle 13
Calle 12
Calle 11
Santa María del Mar
Playa Santa María
Calle 10
Avenida del Sur
Calle 9
Calle C20
Calle C19
Calle C18
Calle C17
Calle C14
Calle 12
Avenida de las Banderas
Playa El Megano
El Megano
Cojímar
Calle 11
Calle 10
Calle 9

0   0,5   1 km

© ULYSSE

HÉBERGEMENT

1.	BY	Aparthotel Atlántico
2.	EY	Casa de Nancy Pujol
3.	AY	Villa Los Pinos

RESTAURANTS

| 1. | EY | El Brocal |
| 2. | BY | Mi Cayito |

---

un peu plus d'authenticité et des tarifs moins élevés, rendez-vous à Guanabo, qui offre des *casas particulares* et une ambiance plus locale.

Casa de Nancy Pujol
$$ ≡ ❄ ➋ P
Calle 1 n° 50019, entre 500 et 504
Guanabo
☎ (7) 796-3062

C'est une maison complète et indépendante que Nancy propose. Donnant directement sur la mer, avec tous les équipements nécessaires pour passer de bonnes vacances, elle peut accueillir deux à quatre personnes voyageant ensemble. Si vous ne voulez pas cuisiner, Nancy peut s'en charger pendant que vous profitez du grand jardin.

Aparthotel Atlántico
$$$ ≡ ➋ ❄ ≈ 🍽
Av. de las Terrazas, entre Calle 11 et Calle 12
Santa María del Mar
☎ (7) 97-1494
www.islazul.cu

L'Aparthotel Atlántico représente un bon choix à Santa María. Les chambres sont garnies d'un mobilier simple et offrent toutes un balcon et un réfrigérateur, et certaines disposent d'une cuisine et d'une salle à manger. Idéal pour les familles, les petits appartements peuvent accueillir jusqu'à quatre personnes. La plage se trouve à 100 m.

Villa Los Pinos
$$$$$ ≡ ❄ ➋ ≋
Av. de las Terrazas n° 21
Santa María del Mar
☎ (7) 97-1361
www.hotelesc.es

Si vous voyagez en groupe ou en famille (maximum de quatre personnes), vous pouvez louer une maison à la Villa Los Pinos, à l'entrée de Santa María. Vous y trouverez des maisons entièrement rénovées comprenant deux chambres à coucher et situées près de la mer dans un cadre tranquille.

Restaurants

À La Havane, se nourrir n'est pas un problème, et vous aurez le choix entre des restaurants et des *paladares*.

Les restaurants destinés à la clientèle touristique servent en général une nourriture de qualité, alors que dans les restaurants cubains, où l'on paie en *moneda nacional*, on n'est sûr que d'une chose: des prix ridiculement bas.

Les *paladares*, quant à eux, sont des petits restaurants familiaux qui possèdent un permis pour servir une douzaine de personnes. L'ambiance y est ordinairement agréable et la nourriture excellente, bien qu'assez chère si l'on pense qu'un repas coûte entre 10 CUC et 15 CUC.

Notez que, en plus des endroits mentionnés dans les pages qui suivent, presque tous les hôtels abritent un ou plusieurs restaurants.

La Habana Vieja

Voir carte p 127

La vieille ville regorge de bons restaurants. Depuis quelques années, leur nombre a considérablement augmenté pour répondre à la demande toujours croissante des touristes, et de ces nouveaux établissements

certains sont d'une classe tout à fait respectable. Consultez le site Internet *www.habaguanexhotels.com* pour avoir un aperçu des restaurants sous administration étatique.

Jardín del Oriente
$
8h à 22h
Calle Amargura nº 12
☎ (7) 860-6686
Derrière le célèbre **Café del Oriente** (voir p 138) se trouve son pendant plus abordable. Installé dans un jardin où trônent verdure, fontaine et tables munies de parasols, le Jardín del Oriente offre une ambiance détendue et un petit havre de fraîcheur. Son menu comporte un plat du jour, en plus de nombreuses spécialités cubaines et internationales, tous élaborés par le chef du Café del Oriente, plus chic. Excellent rapport qualité/prix.

Panadería San José
$
Calle Obispo nº 161
Un petit comptoir où l'on vend du pain et de bonnes pâtisseries. À l'étage se trouve aussi un café.

Café Taberna
$-$$
11h à 24h
Calle Mercaderes, angle Calle Brasil (Calle Teniente Rey)
☎ (7) 861-1637
Lieu de rencontre des amateurs de *son* et de boléro, le Café Taberna est aménagé dans une vaste salle aérée où la musique du Buena Vista Social Club flotte en permanence. Aussi connu sous le nom de Café Beny Moré, le restaurant offre un menu intéressant et une atmosphère véritablement havanaise. Les plats de poulet et de porc s'avèrent

copieux et les laits fouettés, rafraîchissants.

La Julia
$-$$
12h à 24h
Calle O'Reilly nº 506, entre Calle Bernaza et Calle Villegas
☎ (7) 862-7438
Malgré l'achalandage de la Calle O'Reilly, l'ambiance du *paladar* de Julia et sa famille s'avère chaleureuse, le service empressé et courtois, et les portions abondantes. On y sert surtout de délicieux plats créoles. Essayez les *moros y cristianos*, des haricots noirs et du riz blanc servis avec du poulet ou du porc rôti.

La Moneda Cubana
$-$$
12h30 à 22h
Calle San Ignacio nº 77
☎ (7) 867-3852
Ce minuscule *paladar* de trois tables sert une bonne et copieuse cuisine créole. Le décor, assez original est composé de billets de banques, comme son nom l'indique. Les *mojitos* sont excellents et l'accueil sympathique.

La Piña de Plata
$-$$
12h à 23h
Calle Obispo, angle Calle Berneza
☎ (7) 867-1300
Situé juste à l'arrière du **Floridita** (voir p 138), ce restaurant italien abordable offre des portions généreuses, et la nourriture s'y révèle délicieuse. Un bon endroit pour la pizza et les pâtes.

Taberna de la Muralla
$-$$
Plaza Vieja, Calle Muralla, angle Calle San Ignacio
☎ (7) 866-4453
Une microbrasserie en plein cœur de La Havane, ce n'est pas pour déplaire aux ama-

teurs de bière! Elle fait en outre face à la Plaza Vieja, dans une grande et jolie salle décorée de meubles en bois foncé et cachant un joli patio. On s'attable aussi à l'extérieur, sous les arcades ou directement sur la place. Pour ajouter au plaisir de l'endroit et de la bière fraîche, des grillades sont préparées en plein air et présentées de façon originale. Il vous sera difficile d'y résister! Aussi, des hamburgers, malheureusement pas préparés sur le gril, s'avèrent tout de même délicieux et à des prix défiant toute concurrence.

Café el Mercurio
$$
7h à 24h
Edificio Lonja del Comercio, Plaza San Francisco
☎ (7) 860-6188
Au rez-de chaussée du magnifique édifice de la Lonja del Comercio, le Café el Mercurio présente un sympathique décor de brasserie chic avec ses banquettes. Des tables en fer forgé sont aussi installées sur la Plaza San Francisco et permettent de manger ou de prendre un café (excellent café au lait) en profitant de l'animation de la place. Au menu: entre autres une délicieuse *ropa vieja*, des soupes, des sandwichs, le tout admirablement bien présenté. Un pianiste ajoute parfois une chouette ambiance.

La Mulata del Sabor
$$
Calle Sol nº 153, entre Calle Cuba et Calle San Ignacio
☎ (7) 867-5984
Petit *paladar* agréable, La Mulata del Sabor propose un menu typiquement créole. Vous le dégusterez dans une ambiance maison

tout intime. Le local abrite trois tables tout au plus, placées devant un grand aquarium derrière lequel on s'affaire aux fourneaux. Typique en effet!

Restaurante Al Medina
$$
12h à 24h
Calle Oficios nº 12, entre Calle Obispo et Calle Obrapía
☎ (7) 867-1041
À l'ouest de la Plaza de Armas, empruntez la Calle Oficios. À côté de la Casa del Arabe, qui présente des expositions ethnologiques et culturelles, se cache le Restaurante Al Medina. Construite en 1688 et maintenue parfaitement dans son état d'origine, cette maison arbore une architecture mozarabe. Le restaurant principal est situé dans l'agréable patio ombragé par des palmiers et des plants de vigne, et l'on y sert diverses spécialités du Moyen-Orient, dont du couscous et des kebabs. Sur la mezzanine, le menu, plus simple et plus économique, affiche des spécialités cubaines. À l'entrée du bâtiment, se trouvent aussi une épicerie de produits arabes et un café servant des plats légers. C'est un endroit idéal pour échapper aux rigueurs de la chaleur tropicale et au brouhaha de la ville.

El Mesón de la Flota
$$-$$$
Calle Mercaderes nº 257
☎ (7) 863-3838
El Mesón de la Flota se présente comme une taverne espagnole d'une autre époque. Le décor est rustique, avec son mobilier en bois lourd et son bar. On y sert des tapas et des grillades. Le soir, l'établissement s'anime au rythme

du flamenco: une scène, au centre du restaurant, accueille alors musiciens et danseurs qui savent charmer les convives avec leurs talents.

La Paella
$$-$$$
12h à 22h
Hostal Valencia, Calle Oficios nº 53
☎ (7) 867-1037
Comme son nom l'indique, le restaurant de l'Hostal Valencia se veut on ne peut plus espagnol. Aux murs, affiches et assiettes décoratives donnent le ton. Tables en bois, chaises en osier et plancher de céramique poursuivent sur la même note. Bref, toute la décoration rappelle le pays de la paella, qu'on sert ici apprêtée de façon classique ou à la cubaine.

Café del Oriente
$$$
12h à 24h
Calle Oficios, angle Calle Amargura
☎ (7) 860-6686
Situé juste devant la Plaza de San Francisco, ce magnifique restaurant offre un décor d'un goût parfait. On y sert une cuisine internationale dont un délicieux steak tartare et de nombreux fruits de mer, dans un cadre à couper le souffle. À l'étage, le plafond de verre vaut à lui seul une visite. La carte des vins est certainement l'une des plus complètes de La Havane. Service sans faute.

El Floridita
$$$
12h à 24h
angle Calle Obispo et Calle Monserrate
☎ (7) 867-1300
Sans nul doute le plus célèbre restaurant de La Havane, le Floridita vous

promet une aventure historique unique mais très onéreuse. Ce restaurant, de loin le préféré d'Hemingway, fait honneur aux fruits de mer. L'histoire du Floridita remonte à plus de 180 ans, et on le considère comme le berceau du daïquiri. Demandez le *papa especial*, avec double ration de rhum, comme le commandait l'illustre écrivain, mais n'oubliez pas de demander les prix auparavant.

El Patio
$$$
☎ (7) 867-1034

L'ancien **Palacio de los Marqueses de Aguas Claras** (voir p 98), sur la Plaza de la Catedral, abrite le restaurant El Patio, toujours fort animé et convivial. Sa cour à ciel ouvert vous plongera irrémédiablement dans une ambiance coloniale, avec sa jolie fontaine et les nombreuses plantes tropicales qui y poussent. La cuisine de cet établissement est de qualité, surtout pour le menu créole, mais les prix sont en conséquence. Pour profiter de l'endroit, vous pouvez jeter votre dévolu sur le menu de cafétéria de la terrasse. Sinon, la terrasse demeure un excellent endroit de la vieille ville pour prendre un apéro l'après-midi, tant et aussi longtemps que la présence de nombreux touristes ne vous gêne pas.

El Templete
$$$
12h à 24h
Av. del Puerto, angle Narciso López
☎ (7) 866-8807

La localisation de ce restaurant n'est pas des plus agréables, car il donne sur une avenue passante et bruyante, ce qui nuit

grandement à l'attraction de sa terrasse. Cela dit, le détour en vaut la peine. Le décor marin vous met tout de suite dans l'ambiance: poissons et fruits de mer sont les spécialités de la maison, et il n'y a guère d'autres endroits en ville où ils sont préparés et présentés d'aussi belle façon. Le menu des desserts vaut lui aussi qu'on s'y attarde. Service efficace mais un peu froid.

Jardín del Edén
$$$
Hotel Raquel
Calle Amargura, angle San Ignacio
☎ (7) 860-8280

Unique à La Havane voire à Cuba, le Jardín del Edén poursuit la thématique de l'Hotel Raquel, avec sa cuisine d'inspiration juive. Salades, goulash et autres spécialités sont préparés en suivant les rigoureux critères religieux, mais sans que la saveur soit mise de côté. Le résultat est surprenant et original. Le splendide hall de l'**Hotel Raquel** (voir p 128), où ce restaurant est installé, vaut à lui seul le détour.

La Bodeguita del Medio
$$$
Calle Empedrado n° 207, entre Calle San Ignacio et Calle Cuba
☎ (7) 867-1374

Véritable institution de La Havane, La Bodeguita del Medio vaut une visite en soi. Typique à souhait, l'endroit est généralement bondé de touristes à l'intérieur et de Cubains à l'extérieur. La petite rue dans laquelle il se trouve est le rendez-vous des *jineteros*, et l'on vous abordera sans doute pour un dollar, un stylo ou l'achat d'une boîte de (faux) havanes. L'ambiance est particulièrement

à la fête dans ce restaurant. Les murs sont couverts de graffitis, de signatures, de poèmes et de pensées manuscrites créées par des citoyens du monde au cours des ans, mais également par des personnages aussi célèbres qu'Ernest Hemingway et Fidel Castro. Hemingway avait l'habitude de prendre ici un *mojito*; il est donc de mise, pour suivre la tradition, de goûter à ce cocktail à base de rhum, de sucre, de lime et de feuilles de menthe. On y sert aussi une cuisine créole typique, mais la grande fréquentation des lieux a réduit quelque peu la qualité des repas. Cependant, vous en repartirez rarement déçu; c'est donc un établissement à ne pas manquer. N'hésitez pas à vous frayer un chemin dans la foule qui se masse habituellement devant ce restaurant, ne serait-ce que pour aller prendre un *mojito* au bar.

Le Prado

Voir carte p 129

Los Nardos
$$
12h à 24h
Prado n° 563, entre Dragones et Brasil (Teniente Rey)
☎ (7) 863-2985
(pas de réservations)

On fait la queue sur le trottoir avant de s'attabler dans ce restaurant géré par la Sociedad Juventud Asturiana, une association mi-privée, mi-publique, qui comme son nom l'indique a des liens étroits avec l'Espagne. La grande salle fermée, pleine de boiseries et avec un mur entier recouvert de bouteilles de vin, ne désemplit pas. Ce sont bien sûr les spécialités espagnoles et asturiennes qui forment le menu, comme le gazpacho, la paella ou encore les langoustes à la catalane. Les portions sont énormes, les prix nettement inférieurs à la qualité des mets, et le service extrêmement sympathique. Avec de tels atouts, il est évident que la notoriété du restaurant Los Nardos a fait le tour de la ville.

A Prado y Neptuno
$$
Paseo del Prado, angle Calle Neptuno
☎ (7) 860-9636
Le restaurant italien A Prado y Neptuno sert une cuisine honnête dans une ambiance tamisée aux accents un peu asiatiques. Les tables et abat-jours bas incitent en effet aux conversations intimes. Les pâtes et pizzas de toutes sortes sauront ajouter à l'inspiration. Vous pourrez même les agrémenter de poivre en grains fraîchement moulus. Le vin maison est toutefois à éviter: mieux vaut lui préférer une bouteille qui se marie mieux, de toute façon, aux longues discussions…

Roof Garden
$$-$$$
petit déjeuner 7h à 10h, dîner 19h à 23h
Hotel Sevilla
Calle Trocadero n° 55, angle Prado
☎ (7) 860-8560
Percé de fenêtres immenses offrant une vue panoramique imprenable sur le Centro et le Capitolio, l'élégant et réputé restaurant de l'Hotel Sevilla propose une cuisine française et internationale. Mais le décor vous ferait presque oublier de

regarder par la fenêtre (et même dans votre assiette): les *azulejos* et le splendide plafond, dans le plus pur style andalou, sont tout simplement fantastiques. Pour profiter de cet endroit sans se ruiner, le buffet du petit déjeuner est une excellente option. Le soir venu, l'ambiance est plus formelle et le menu, même s'il se révèle inventif, n'est pas toujours à la hauteur des prix pratiqués.

Le Centro

Voir carte p 129

Le **Barrio Chino** (quartier chinois) de La Havane, situé derrière le Capitole, n'est plus ce qu'il était. La partie aménagée du vieux quartier se trouve le long de la Calle Cuchillo, cette petite rue piétonne longue d'une cinquantaine de mètres. Surnommée le *Boulevar del Barrio Chino*, la Calle Cuchillo est bordée de nombreux restaurants, chacun avec sa terrasse. Vous serez sollicité par les serveurs qui vous prieront d'entrer dans le «meilleur» restaurant chinois en ville. Les menus sont tous plus ou moins semblables et les prix modiques. Les heures d'ouverture sont de 11h à 24h. Dignes de mention sont le **Luna de Oro**, pour le service, et le **Tien Tan**, un peu plus cher, pour les plats aigres-doux, qui est le plus réputé de la rue.

La Guarida
$$$
12h à 16h et 19h à 24h
Calle Concordia n° 418, entre Calle Gervasio et Calle Escobar
☎ (7) 863-7351 ou 866-9047
www.laguarida.com
La renommée de ce *paladar* n'est plus à faire. C'est ici

qu'au début des années 1990 les scènes intérieures du film cubain *Fresa y Chocolate* furent tournées. Les propriétaires, un couple d'artistes, ont conservé certaines reliques de ce film culte, et le décor du restaurant est charmant et original. Il faut savoir que l'endroit est difficile à trouver et, tant les bâtiments environnants que celui du restaurant sont délabrés, excepté l'intérieur du restaurant lui-même. On y sert une excellente cuisine qui sort de l'ordinaire. Malgré les prix élevés, l'établissement vaut le détour. Réservations fortement recommandées.

Le Vedado

Voir carte p 133

Cinecitta
$
12h à 22h
La Rampa, angle Calle 12
Restaurant familial, le Cinecitta propose des mets italiens à la cubaine. Les spaghettis sont plus que corrects. Il faut souvent attendre un peu avant d'avoir une table, mais l'effort en vaut la peine. Bon endroit pour s'offrir une collation en sortant du Cine Chaplin.

Coppelia
$
mar-dim 10h30 à 22h (pesos), tlj 24h/24 (CUC)
Parque Coppelia, Calle 23 entre Calle L et Calle K
Fer de lance de cette institution à Cuba, l'étrange bâtiment circulaire du glacier Coppelia occupe une grande partie de la place du même nom. Les longues files d'attente qui se forment sur les côtés du parc

convergent vers les diverses sections du glacier où l'on paie en pesos. Si vous ne voulez pas patienter, allez à la petite terrasse où les touristes paient en CUC, mais cette section offre beaucoup moins d'atmosphère que le reste de l'établissement. Les parfums changent au gré des jours.

El Conejito
$-$$
12h à 23h
Calle M, angle Calle 17
☎ (7) 832-4671

Parmi les restaurants traditionnels du Vedado, El Conejito se présente comme une reproduction d'un pub anglais du XVIe siècle. On y sert, comme son nom l'indique en espagnol, des plats à base de lapin.

Mesón de la Chorrera
$-$$
12h à 24h
Calle Calzada nº 1252, angle Calle 20
☎ (7) 838-3846

La Mesón de la Chorrera sert une nourriture créole dans une ambiance difficile à surclasser. Le restaurant est installé au premier étage du Castillo de la Chorrera, ouvrage défensif érigé au XVIIe siècle pour garder l'entrée de la petite baie dans laquelle se jette le Río Almendares. Dans la salle à manger, on a gardé les canons qui pointent toujours leurs bouches menaçantes à travers les meurtrières. À l'extérieur, au pied du fort, une plaisante petite terrasse a été aménagée. Le menu se compose de plats simples et de tapas.

Unión Francesa de Cuba
$-$$
Calle 17, angle Calle 6
☎ (7) 832-4493

Malgré son nom, vous ne trouverez pas à l'Unión Francesa de plats français, mais vous aurez le choix entre trois restaurants distincts: le rez-de-chaussée renferme un restaurant chic et cher offrant des mets créoles; le premier étage prépare des pâtes et pizzas à des prix imbattables; et la terrasse sur le toit propose d'excellentes grillades. Cette dernière option est la plus attirante: avec son décor exotique et fleuri, cette *parrillada* dispose d'une belle variété de viandes et poissons cuits à la perfection. Service agréable.

El Gringo Viejo
$$
lun-sam 12h à 23h
Calle 21 nº 454, entre Calle E et Calle F
☎ (7) 831-1946

Ce *paladar* a pignon sur rue depuis de nombreuses années. On entre, après s'être présenté à l'intercom, dans une salle emmurée, dotée d'une décoration kitsch et d'air conditionnée un peu trop froid, qui ressemble plus à un restaurant qu'à une salle à manger familiale, mais de très bonnes surprises nous attendent au menu. Le choix de viandes et de poissons sort de l'ordinaire, avec des accompagnements de légumes cuits ou en purée, qui font changement de l'éternel riz et *frijoles*. Le résultat est tout simplement excellent. Et si vous n'avez pas encore goûté la *ropa vieja*, c'est le moment: elle est ici savoureuse. Réservations conseillées.

Fabio
$$
12h à 24h
Calle 17, angle Calle J
☎ (7) 836-3230

Le restaurant italien Fabio a ouvert ses portes en 2005. Il s'agit en fait d'un concept double. Au rez-de-chaussée, une pizzeria offre une ambiance décontractée, alors qu'à l'étage le décor se fait plus luxueux pour les dîners plus chics. Le menu est cependant similaire aux deux endroits et propose une bonne cuisine typiquement italienne, depuis les cannellonis jusqu'au tiramisu, en passant par une bonne sélection de pizzas à croûte mince.

La Casona de 17
$$-$$$
12h à 24h
Calle 17 nº 60, entre Calle M et Calle N
☎ (7) 838-3136

Aménagé dans une splendide demeure construite en 1921 et qui aurait, au dire du directeur de l'établissement, appartenu au parrain de Fidel, le restaurant sert des spécialités cubaines à base de viandes et de poissons. Il y a à l'étage une belle terrasse d'où l'on peut regarder les gens passer tout en dégustant un plat exquis. Des barbecues sont servis dans le patio. De nombreux groupes touristiques envahissent les lieux aux heures des repas, et des musiciens les accompagnent.

La Torre
$$-$$$
12h à 23h
Calle 17 nº 155, angle Calle M
☎ (7) 838-3089

La vue panoramique qu'offre le restaurant La Torre est stupéfiante. Situé au 33e étage de la tour FOCSA, l'établissement vaut le détour pour son point de vue et pour les bons plats de viande qui y sont apprêtés, tels le steak tartare et le chateaubriand. La carte des vins est impressionnante. Le bar, au même étage et juste à côté du restaurant, permet de profiter de la même vue sans se ruiner.

Miramar

Voir carte p 135

Vistamar
$
12h à 24h
Av. 1, entre Calle 22 et Calle 24
☎ (7) 203-8328
Paladar intéressant, le Vistamar offre une magnifique vue sur la mer. L'endroit est chaleureux et la nourriture délicieuse. Idéal pour ceux qui recherchent une ambiance familiale pour leur repas.

Dos Gardenias / Gambinas / Shangai
$$
12h à 24h
Av. 7, angle Calle 26
☎ (7) 204-2353
Tout près d'El Aljibe (voir ci-dessous) se trouve une grande maison des années 1940 qui regroupe sous son toit ces trois restaurants. Le premier sert une nourriture créole dans un beau patio; le deuxième est un restaurant italien à saveur napolitaine avec ses nappes à carreaux rouges et blancs; et le troisième, on s'en doute, propose un menu chinois. Les trois sont très bien et semblent fréquentés par les touristes de passage.

El Aljibe
$$
tlj 12h à 24h
Calle 7, entre Av. 24 et Av. 26
☎ (7) 204-7231
El Aljibe propose un excellent menu *criollo*. Les touristes et la haute société cubaine se retrouvent ici sous des toits de chaume pour déguster des spécialités à base de poulet. Le service est irréprochable, et la qualité des mets ne laissera personne indifférent.

Don Cangrejo
$$-$$$
tlj 12h à 24h
Av. 1, entre Calle 16 et Calle 18
☎ (7) 204-3837
Donnant directement sur la mer, le Don Cangrejo est un très bon restaurant de fruits de mer et, comme son nom l'indique en espagnol, la spécialité de la maison est le crabe. La vue qu'il offre sur l'horizon mérite qu'on s'attable à l'étage. La cave à vins est adéquate et, pour le prix, il serait difficile de trouver mieux. Les clients peuvent se baigner dans la piscine.

La Esperanza
$$-$$$
lun-sam 19h à 23h
Calle 16 nº 105, entre Av. 1 et Av. 3
☎ (7) 202-4361
La Esperanza fait partie de ces *paladares* très chics qui ont su gagner une grande popularité grâce à leur cuisine innovante, originale et parfaite. Parmi les spécialités maison, on retient le poulet au cari et miel, ou encore les *platanos* (bananes plantains) fourrés au thon et au fromage fondu! Un alléchant programme. On s'installe dehors dans une petite cour, ou dans la

splendide salle à manger, meublée d'antiquités et garnie de nombreux objets et tableaux. Service professionnel, et réservations fortement conseillées.

El Tocororo
$$$
12h à 24h
Av. 3, angle Calle 18
☎ (7) 204-2209
El Tocororo est un restaurant original à tous points de vue. Portant le nom de l'oiseau national cubain, l'établissement présente un décor extravagant qui mélange ambiance tropicale, graffitis et faux *tocororos*. Le menu est tout aussi original, et l'attention portée à la cuisine est exceptionnelle. Fruits de mer et viandes grillées sont ici à l'honneur. Cependant, l'endroit n'est pas à la portée de toutes les bourses et, de ce fait, l'essentiel de sa clientèle cubaine se recrute parmi l'élite.

Au sud de La Havane

Devant les chutes du jardin japonais du **Jardín Botánico Nacional** (voir p 120) se trouve **El Bambú** *($$)*. La cuisine végétarienne règne en maître sur son agréable terrasse qui promet un peu de fraîcheur par temps chaud. Cependant, la qualité de la table est plutôt inégale compte tenu des prix. Vous opterez peut-être pour le **Restaurante El Ranchón** *($$)*, où l'on sert un buffet créole dans une belle maison rustique semblable à ces constructions qui servent au séchage des feuilles de tabac, et qui se voient coiffées d'un toit de feuilles de palmier. Ce restaurant se trouve dans une forêt de pins, une caractéristique de la flore cubaine, mais une essence rare dans les Caraïbes.

À l'est
de La Havane

Cojimar

La Terraza
$$$
Calle Real n° 161, entre Calle Río et Calle Montaña
☎ (7) 766-5150
Le village portuaire de Cojimar possède un excellent restaurant de fruits de mer: La Terraza, l'un des préférés d'Hemingway et de son capitaine Gregorio Fuentes, héros du *Vieil Homme et la mer*, qui le fréquentait les midis. En ce qui concerne les fruits de mer, la paella préparée au four et servie dans son jus mérite d'être mentionnée.

Les Playas del Este

Voir carte p 136

El Brocal
$
12h à 23h
Av. 5, angle Calle 500
Guanabo
☎ (7) 96-2892
Construite dans les années 1930, la maison en bois où est installé le restaurant El Brocal ressemble aux demeures que l'on retrouve partout dans les Caraïbes. Après une restauration soignée, elle fut déclarée patrimoine historique de la ville. Un choix de plats mexicains y est offert à prix abordables. Service en salle ou sur la véranda spécialement aménagée. Beaucoup de monde en saison.

Mi Cayito
$$
Laguna del Itabo
Santa María del Mar
☎ (7) 97-1339
Fruits de mer, y compris les langoustes, sont au menu de ce sympathique restaurant en plein air.

♪ Sorties

La Havane est la capitale culturelle de l'île de Cuba et a tout ce qu'il faut pour satisfaire la curiosité de tous. Son urbanité et sa situation d'exception dans le monde latino-américain en font un endroit de choix pour tout ce qui touche à la culture. Les choses bougent rapidement à La Havane. Pour savoir ce qui se passe en ville, vous pouvez consulter le journal *Cartelera* (ou le site *www.guiahabana.com/cartelera.asp*), cet hebdomadaire offert gratuitement dans la plupart des grands hôtels, ou encore syntoniser Radio Taino 89,1 pour ses revues culturelles. Vous aurez ainsi toute l'information nécessaire.

Enfin, il faut savoir que la plupart des établissements de la vieille ville ferment à minuit, et que pour sortir jusqu'aux petites heures du matin, mieux vaut se diriger vers le Vedado.

■ Activités culturelles

La Casa de las Américas
lun-ven 8h à 17h
Calle G, angle Calle 3, Vedado
☎ (7) 838-2706
www.casadelasamericas.org
La Casa de las Américas présente régulièrement des expositions d'artistes latino-américains et organise des colloques sur des sujets touchant à la culture cubaine et latino-américaine. C'est un des centres de diffusion de la culture cubaine les plus importants de la ville, et tout le monde y est le bienvenu.

L'Alliance Française
Av. de los Presidentes n° 405, entre Calle 17 et Calle 19
☎ (7) 833-3370 ou 833-2234
Cette institution présente des films, des concerts et des conférences sur différents sujets ne touchant généralement que de loin à la culture de La Havane, mais il s'agit d'un endroit agréable pour lire un journal de langue française et converser avec des Cubains apprenant le français.

■ Arts de la scène

La Habana Vieja

Iglesia y Convento de San Francisco de Asís
10 CUC
Calle Oficios, entre Calle Amargura et Calle Brasil
☎ (7) 862-3467
Tous les samedis à 18h, et d'autres jours de la semaine à l'occasion, l'église se transforme en salle de concerts de musique religieuse ou de chambre, ou encore pour accueillir des orchestres à cordes. Vous pourrez aussi voir l'exposition permanente présentant les objets trouvés lors des fouilles effectuées sous l'église. Rendez-vous sur place pour connaître la programmation et acheter vos billets à l'avance car ces concerts affichent souvent complet.

La Havane   -   Sorties

Gran Teatro de La Habana
20 CUC
Paseo de Martí, entre Calle
San Rafael et Calle San José
☎ (7) 861-3077
Ne manquez pas l'occasion
d'aller voir un spectacle
dans ce splendide théâtre.
Du jeudi au dimanche soirs,
des spectacles d'opéra ou
de danse y sont présentés.
Le Ballet national de Cuba
est souvent en vedette ici.
Horaire et programmation
sur place.

■ Bars et boîtes de nuit

La Habana Vieja

La vieille ville et le secteur
du Parque Central sont les
meilleurs endroits où se
rendre pour entendre de
la musique cubaine. Par-
tout sur les terrasses, dans
les cafés, les hôtels et les
restaurants, des groupes
de musiciens partagent
leur amour des rythmes
de l'île. Il n'y a qu'à suivre
la musique et laisser ses
oreilles décider de l'établissement où s'arrêter.

Taberna de la Muralla
Plaza Vieja
La **Taberna de la Muralla** (voir
p 137) est une vraie microbrasserie située en plein
cœur de la vieille ville. On
peut voir les énormes cuves
où est brassé le précieux
liquide. La bière est servie
en blonde ou brune dans
des chopes.

Café Paris
Calle San Ignacio n° 202, angle
Calle Obispo
Au Café Paris, l'ambiance
est à la fête tous les soirs.
Des groupes de musiciens
envahissent le petit local de
leur musique invitant à la
danse même si l'endroit s'y
prête mal, et l'établissement
ne désemplit pas.

La Bodeguita del Medio
Calle Empedrado n° 207
Même si vous n'allez pas
y manger, n'oubliez pas
d'aller prendre un *mojito*
à **La Bodeguita del Medio**
(voir p 139)! Il s'agit d'un
classique instauré par
Hemingway lui-même. Le
devant du restaurant, qui
fait plus figure de petit bar
de quartier, est d'ailleurs
généralement bondé.

Café O'Reilly
Calle O'Reilly n° 203, entre Cuba et
San Ignacio
S'asseoir à sa minuscule
terrasse surplombant la
rue, un verre à la main, en
regardant les passants s'af-
férer, fait partie des petits
plaisirs de La Havane.

Le Centro

Casa de la Música de Centro Habana
matinées jeu-dim 17h à 21h:
à partir de 5 CUC
mar-dim 22h à 4h30: à partir
de 20 CUC
Av, de Italia (Galiano), entre
Neptuno et Concordia
☎ (7) 860-8296
http://promociones.egrem.co.cu/
C'est tout simplement
l'endroit par excellence à
La Havane pour voir les
meilleurs groupes de salsa
du moment. Le site Internet
ci-dessus donne tous les
horaires, et si par chance
la formation musicale Los
Van Van est à l'affiche, il ne
faut la manquer sous aucun
prétexte.

Callejón de Hamel
entre Calle Hospital et Calle
Aramburu
Cette petite rue entièrement
peinte (voir p 113) est un
véritable temple dédié à la
culture afro-cubaine. Les
dimanches, la rumba afro-
cubaine s'y fait entendre
de midi à 15h. Dons appréciés.

Le Vedado

Hotel Nacional de Cuba
Calle O, angle Calle 21
Les grands jardins de
l'Hotel Nacional font partie
des endroits les plus agréables en ville pour déguster
un cocktail en après-midi
ou en début de soirée.
La splendeur du bâti-
ment historique, les belles
pelouses et la vue de la
mer sont compris dans le
prix. Au même endroit, le
Salón 1930 'Compay Segundo'
(25 CUC; mer et sam, 20h30)
accueille les survivants
du fameux groupe Buena
Vista Social Club dans un
cadre luxueux. Mieux vaut
réserver à l'avance ses
places pour profiter de ce
concert mémorable.

Pico Blanco
5 CUC mar-jeu,
10 CUC ven-dim
mar-dim 21h à 3h
Hotel St. John's
Calle O n° 206, entre Calle 23 et
Calle 25
☎ (7) 833-3740
Fièrement perché au
dernier étage de l'Hotel
St. John's et offrant du coup
une belle vue sur la ville, le
Pico Blanco s'anime surtout
les fins de semaine. Boléro
en début de soirée, puis
discothèque avec salsa et
reggaetón jusqu'aux petites
heures du matin.

Café Cantante Mi Habana
matinée lun-jeu 17h à 21 h:
5 CUC
tlj à partir de 23h: **5 CUC à**
15 CUC
Teatro Nacional de Cuba
angle Paseo et Calle 39
☎ (7) 879-0710
L'une des adresses les plus
chaudes de la capitale pour
voir et écouter les meilleurs
groupes du moment ou à
venir, dans tous les styles:
rock, salsa, musique élec-
tronique... Programma-
tion sur place et sur le site

Internet *http://promociones.egrem.co.cu/*. À la même adresse mais dans une salle séparée, le **Delirio Habanero** *(10 CUC; tlj 23h à 6h)* est une petite salle intime où des groupes de musiques cubaines viennent jouer. *Son* et *trova* sont souvent à l'affiche, et la vue de la Plaza de la Revolución vaut aussi le déplacement.

La Zorra y el Cuervo
10 CUC (dont 5 CUC de consommations)
tlj 22h à 2h
Calle 23 nº 155, entre Av. N et Av. O
☎ (7) 832-2402
La Zorra y el Cuervo présente chaque soir des musiciens de jazz réputés et de nouveaux talents. Descendez simplement le petit escalier qui fait office d'entrée, et vous tomberez immédiatement dans l'univers intime du jazz latino-américain. Bien que les spectacles débutent généralement à 21h, il faut patienter deux bonnes heures avant que l'ambiance ne commence réellement à échauffer les esprits.

Jazz Café
au moins 10 CUC de consommations
tlj 21h à 3h
Av. 1, angle Paseo
Établissement agréable et aéré, le Jazz Café est situé à l'étage de la Galería de Paseo, ce centre commercial établi à quelques pas de l'Hotel Meliá Cohiba. Les groupes qui s'y produisent sont excellents, et l'ambiance se veut décontractée. Les concerts ne commencent jamais avant 23h. Sans aucun doute l'une des meilleures adresses en ville en ce qui concerne le jazz.

Unión Nacional de Escritores y Artistas de Cuba (Uneac)
5 CUC
lun-ven 17 à 21h, sam 21h à 1h
Calle 17, angle Calle H
☎ (7) 832-4571 ou 832-4551
www.uneac.org.cu
L'Unión Nacional de Escritores y Artistas de Cuba (Uneac) est un excellent endroit pour écouter de la musique, avec généralement de la rumba le mercredi, et du boléro le samedi. Mais même les autres jours, le bar, dans un jardin à l'ombre de grands arbres, s'avère des plus agréables. Profitez-en aussi pour visiter cette très belle demeure.

La Fuente
409 Calle 13, angle Calle F
☎ (7) 322-2514
Si vous cherchez un bar de quartier, sans musique et sans touristes, rendez-vous à La Fuente. Très agréable, en plein air, avec une grande fontaine en son centre, d'où son nom, et entouré d'arbres, ce sympathique bar sert aussi quelques plats légers. Les prix aussi sont locaux.

Miramar

Si vous avez l'âme romantique, vous serez ravi de vous retrouver au **Dos Gardenias** *(5 CUC; tlj à partir de 22h30; Av. 7, angle Calle 26, ☎7-204-2353)*, où l'on présente des chanteurs de boléro, cette musique langoureuse qui enflamma le cœur des Latino-Américains pendant les années 1940 et 1950. Le Dos Gardenias verse dans le kitsch et, entre deux chansons romantiques, vous ne pourrez sans doute vous empêcher d'esquisser un sourire ou deux. L'établissement dispose d'une petite salle plutôt intime,

El Salón del Bolero, idéale pour les romantiques. Amours perdus et reconquis, jalousies et passions cachées: *toda la noche cabe en un bolero* (toute la nuit tient dans un boléro). À partir de minuit, la *descarga* commence, chanteurs et musiciens se joignant au groupe invité.

Tropicana
à partir de 50 CUC
angle Calle 72 et Av. 45
☎ (7) 267-1717
Dans le quartier de Marianao, le Tropicana propose sans conteste le plus spectaculaire et le plus renommé des spectacles de cabaret de toute l'île de Cuba. Malgré un prix d'entrée prohibitif, vous ne serez pas en reste avec le spectacle chaud et haut en couleur qu'on y présente. Sur une scène à ciel ouvert, les meilleurs danseurs vous entraîneront dans un tourbillon de plumes et d'exotisme. Vous obtiendrez de meilleurs tarifs en passant par une agence.

Casa de la Música de Miramar
matinée mar-dim 16h à 20h: 5 CUC
tlj 22h à 3h: à partir de 10 CUC
Calle 20, angle Calle 35
☎ (7) 244-0447
Grande et belle, cette maison de la musique est un peu plus intime que son homologue du Centro, avec par contre des groupes de *son* et de *salsa* du même calibre qui s'y produisent.

■ Cinéma

Les Cubains sont friands de cinéma. Où que l'on aille à La Havane, on trouve des salles de cinéma. En général, on y présente des films cubains ou espagnols, ou des films hollywoodiens sans grand contenu.

La Havane - Sorties

Cine Chaplin
Calle 23 nº 1155, entre Calle 11 et
Calle 12
☎ (7) 831-1101

Cinémathèque de La
Havane, le Cine Chaplin est
un bon endroit pour ceux
qui seraient en manque de
bon cinéma. De nouveaux
films sont présentés tous les
jours, et le programme du
mois est affiché sur place.
C'est entre autres autour de
ce cinéma que se déroule
le Festival international de
cinéma latino-américain
de La Havane, au mois de
décembre.

■ Fêtes et festivals

Le **Festival Internacional del
Nuevo Cine Latinoamericano**
(*www.habanafilmfestival.com*)
est, depuis sa mise sur pied
en 1979, un lieu d'échanges
et de rencontres privilégié
pour les cinéastes et les
cinéphiles. Articulé autour
de la cinémathèque de La
Havane, le Cine Chaplin,
il présente durant 10 jours
en décembre de nouvelles
productions tout en faisant
place à certaines rétros-
pectives. Toute l'Amérique
latine s'y expose et s'y
retrouve.

Le **Festival international de
jazz de La Havane** (*www.
festivaljazzplaza.icm.cu*) se
tient au mois de février.
Toutes les salles de la ville
sont alors remplies pour
entendre ce que le jazz
cubain a de mieux à offrir.
Depuis plusieurs années,
des artistes étrangers ont
pris l'habitude de venir
s'y produire, ce qui ajoute
beaucoup à l'effervescence
de la ville. Les prix d'entrée
sont relativement élevés, et
le festival s'adresse certainement à une élite, mais il
s'agit là d'un rendez-vous à
ne pas manquer pour les

amoureux de la musique
cubaine et du jazz en
général.

La Havane a aussi son
carnaval. Il se tient pendant les mois de juillet et
d'août, mais aussi parfois
en février et en mars. Il se
déroule autour du Prado et
le long du Malecón. Aban-
donné durant les années
de la «période spéciale», il
a souvent été annulé par la
suite. Mais lorsqu'il a lieu,
son élément le plus inté-
ressant est la procession
des *comparsas*, les ensembles dansants traditionnels,
accompagnés de musique
percussive qui s'inspire des
rythmes africains.

La **Bienal Habana** (*www.
bienaldelahabana.cult.cu*)
expose des œuvres d'art
contemporaines d'artistes
internationaux dans de
nombreux musées, gale-
ries d'art et autres espaces
intérieurs et extérieurs de
la ville pendant un mois.
La prochaine édition aura
lieu en 2011.

■ Sports

Le baseball est sans aucun
doute le sport le plus suivi
à Cuba, et La Havane ne
fait pas exception. La ville
a deux équipes qui s'affron-
tent régulièrement, mais ce
sont les rencontres entre
La Havane et Santiago de
Cuba qui attirent les foules.
Les matchs ont lieu à l'**Estadio Latinoamericano** (*302
Calle Pedro Pérez, Cerro*, ☎7-
870-6526), un immense
stade qui a une capacité
de 60 000 places. Afin de
savoir quand ont lieu les
matchs, informez-vous à
n'importe quel Havanais
(peu d'entre eux l'igno-
reront) ou visitez le site
Internet *www.beisbolcubano.
cubasi.cu*.

 Achats

Quoi acheter? N'hésitez
en aucun moment à jeter
votre dévolu sur les cigares
de marque dans les bouti-
ques spécialisées. Pour la
moitié du prix qu'ils sont
ailleurs dans le monde,
les cigares sont un achat
sûr. Dans la rue, on vous
offrira des cigares sur le
marché noir. Dans 80% des
cas, ces cigares ne sont pas
authentiques et parfois non
fumables! Pour la différence
de prix, un arrêt dans une
boutique spécialisée vous
assure d'acheter des cigares
de qualité conservés dans
des conditions idéales.

■ Artisanat

L'artisanat local est parfois intéressant; on trouve
notamment de belles sculptures en bois ou des pots en
céramique.

Dans la vieille ville, vous
verrez surtout de petites
boutiques spécialisées. Par
exemple, les 25 femmes
de la boutique **Casa de las Borda-
doras y Tejeadoras de Belén** (*llj
10h à 17h; angle Calle Mercaderes et Calle Obrapía*) confec-
tionnent des vêtements à la
main. Vous y trouverez des
tricots, des couvertures, des
châles brodés, des robes
pour enfants ainsi que les
traditionnelles *guayaberas*.

La plus grande concen-
tration d'étals se trouve
sur la **Plaza de los Artesanos**
(*mer-sam 10h à 18h*), située
dans la Calle Tacón en face
du Parque Céspedes. Pour
l'artisanat, les prix sont
généralement un peu plus
élevés que dans les mar-
chés locaux. Cependant, si
vous avez peu de temps,
c'est un excellent endroit

pour acheter des pièces de qualité.

Tout près, le **Palacio de la Artesanía** *(tlj 10h à 19h; Calle Cuba nº 64, entre Calle Cuarteles et Calle Pena Pobre, ☎7-866-8072)* dispose d'une section complète dédiée à la musique (cassettes et disques compacts) et aux nombreux instruments typiques de la musique cubaine. On y trouve aussi des échoppes remplies de bricoles et de vêtements pour les touristes.

■ Boutiques exclusives

Pour les vêtements, La Havane (et Cuba en général) n'est pas le meilleur endroit si vous avez l'intention de refaire votre garde-robe... Cependant, quelques boutiques exclusives bordent l'allée centrale de l'**Hotel Sevilla** *(Calle Trocadero nº 55)*, près du Paseo del Prado, dans la vieille ville.

El Quitrín *(Calle Obispo entre San Ignacio et Mercaderes)* se présente comme un atelier de confection de dentelles à la main. Aussi l'endroit vaut-il une visite en soi pour le pittoresque de ses employées ainsi que pour la perfection et l'originalité de leur travail.

Dans le quartier de Miramar, **La Maison** *(Calle 16, angle Av. 7, Miramar, ☎7-204-1543)* se spécialise dans la mode. Vous y trouverez sans doute la meilleure sélection de sacs, d'accessoires et de vêtements exclusifs de couturiers cubains. On y présente aussi des défilés de mode. La **Marina Hemingway** abrite aussi quelques boutiques d'intérêt pour des vêtements d'été.

■ Centres commerciaux

Il faut savoir que, dans la majorité des grands magasins, il faut laisser tout sac, même les sacs à main, au *guardabolsa* à l'entrée. Il vaut mieux récupérer ses cartes, passeport ou autres objets de valeur avant de remettre son sac au préposé. À la sortie, tous les produits que vous avez en main seront vérifiés avec votre facture. Aussi, il est habituel de laisser un pourboire au préposé du stationnement. Les cartes de crédit sont acceptées dans les plus grands centres, mais mieux vaut se munir de devises surtout si l'on veut négocier.

Dans la vieille ville, **Harry Brothers** *(angle Calle O'Reilly et Calle Monserrate)* s'avère le plus ancien grand magasin du quartier. Vous y trouverez aliments, meubles et accessoires de cuisine. Dans le Centro, **La Época** *(angle Av. de Italia et Calle Neptuna)* de la chaîne TRD et le **Complejo Comercial Plaza Carlos III** *(angle Av. S. Allende et Calle Retiro)* proposent à peu de chose près tout ce qui est nécessaire au quotidien. Le Vedado regorge de centres commerciaux. Vous y trouverez les **Galerías Cohiba** à l'angle de l'Avenida Paseo et de la Calle 1, et la **Galería de Tiendas Internacionales** dans l'hôtel Habana Libre.

■ Chocolats

Pourquoi ne pas rapporter de délicieuses petites bouchées fabriquées avec du cacao local? Vous en trouverez au **Museo del Chocolate** *(Calle Mercaderes nº 255; voir p 103)*.

■ Cigares

La Casa Partagás *(Calle Industria nº 520, derrière le Capitolio)* propose une excellente sélection de cigares, et vous pouvez visiter l'usine (voir p 109). La plupart des grands hôtels de La Havane comportent une Casa del Habano.

■ Galeries d'art

L'exportation du patrimoine culturel cubain est strictement contrôlé. Ainsi, pour tout achat, vérifiez bien que le timbre d'exportation est apposé sur l'œuvre. Dans le cas contraire, ou si vous achetez directement une œuvre d'un artiste, vous devrez obtenir un certificat d'exportation du **Fondo de Bienes Culturales** *(lun-ven 8h30 à 12h; 1009 Calle 17, entre Calle 10 et Calle 12, Vedado, ☎7-833-9658)*, à défaut de quoi l'œuvre pourrait être saisie à la frontière.

Galería La Casona
lun-ven 10h à 16h, sam 9h à 14h
Calle Muralla nº 107, angle Calle San Ignacio
☎(7) 861-8544
Cette galerie est installée dans une importante maison coloniale et fait la promotion et la vente d'œuvres cubaines, entre autres des sculptures, des céramiques et des peintures.

Galería Forma
Calle Obispo nº 255, entre Calle Cuba et Calle Aguiar, La Habana Vieja
☎(7) 862-0123
On y trouve de petites sculptures signées par des artistes cubains réputés, en plus des tableaux réalisés par d'importants artistes.

La Havane - Achats

■ Livres

Dans la Calle Obispo se succèdent trois librairies. La plus grande, **La Moderna Poesia** *(Calle Obispo n° 527)*, possède une bonne collection de romans, d'essais et de livres pratiques dont certains en langues étrangères. On y trouve aussi des disques, des affiches et des cartes postales.

Les **bouquinistes** *(mar-sam 10h à 17h)* de la Plaza de Armas proposent autant de livres sur Cuba et la Révolution que de nombreux romans d'auteurs cubains et hispanophones. En cherchant bien, on peut y trouver aussi des romans en langues étrangères et quelques trésors cachés.

L'**Instituto Cubano del Libro** *(lun-sam 10h à 18h; Calle O'Reilly n° 4, angle Oficios)* loge dans un splendide palace et renferme trois librairies avec un bon choix de livres neufs et de revues. On y fait aussi des lancements de livres tous les samedis à 11h.

■ Marchés libres paysans

Parmi les réformes économiques des dernières années, l'une d'entre elles favorisa l'ouverture de marchés libres paysans à travers le pays. Appelés *mercados agropecuarios* ou plus simplement *agros*, ces marchés sont nombreux à La Havane, et tout s'y transige en monnaie nationale (on trouve généralement un bureau de change Cadeca à proximité de chaque marché). Le choix est parfois limité, mais c'est cependant les meilleurs endroits pour se procurer des fruits et des légumes à des prix dérisoires. Ces marchés méritent d'être visités, question de plonger dans le quotidien des Havanais, hors des zones touristiques, et ils sont ouverts de 7h à 18h du lundi au samedi, et de 7h à 14h le dimanche.

Dans le **Vedado**, des Mercados Libres Campesinos sont situés à l'angle des rues 17 et G, ainsi qu'à l'angle des rues 19 et B. De nombreux autres marchés beaucoup plus petits et pas toujours bien fournis se trouvent dans tous les quartiers: demandez autour de vous. Rendez-vous au grand marché de **Cuatro Caminos** *(Calle Máximo Gómez, entre Arroyo et Matadero, au sud du Centro)* pour plus de couleur et d'animation.

■ Parfums

Perfumería Habana 1791
Calle Mercaderes n° 156
Vous pourrez difficilement résister aux parfums naturels de la **Perfumería Habana 1791** (voir p 103), lesquels constituent des cadeaux charmants, pour vous ou pour les autres! Que vous choisissiez la fleur du tabac, celle de l'oranger ou encore la lavande, on vous scellera votre fiole avec de la cire d'abeille pour en faciliter le transport. Assurez-vous tout de même de la conserver avec vous pendant le voyage: les fuites demeurent possibles. On vend aussi dans la boutique d'autres petits objets à rapporter.

■ Rhum

Le **Museo del Ron Havana Club** *(lun-jeu 9h à 17h, ven-dim 9h à 16h; 122 Av. San Pedro, angle Sol,* ☎*7-862-3832, www.havanaclubfoundation.com)* dispose d'une boutique bien fournie aux côtés du musée et du bar.

Viñales
et la province
de Pinar del Río

La côte nord

Valle de Viñales

Sierra del Rosario

Pinar del Río

À l'ouest de Pinar del Río

LA PROVINCE DE PINAR DEL RÍO

©ULYSSE

M ecque de l'écotourisme sur l'île, la province de Pinar del Río a longtemps été la laissée-pour-compte du développement économique de Cuba. Sculptée par la chaîne montagneuse de Guaniguanico, cette province cache dans ses nombreux replis de véritables merveilles de la nature, avec en prime quelques excellentes plages. À 2h de route de La Havane, voici la province la plus occidentale du pays, le rendez-vous des promeneurs et des amants de la nature.

Cette région qui possède des terres agricoles faisant partie des meilleures du pays eut longtemps pour seule richesse ses plantations de tabac. La province a connu un développement agro-industriel important pendant la Révolution. Aujourd'hui, l'industrie touristique est en plein essor, malgré les dégâts provoqués par le fréquent passage des ouragans.

Dissimulées dans des paysages extraordinaires, les huttes de séchage du tabac constituent en quelque sorte les symboles de la province. Une grande partie de la paysannerie cultive encore le tabac selon la méthode traditionnelle; si les serres ultramodernes côtoient cependant de plus en plus les huttes à toit de feuilles de palmier, les tracteurs se font rares et les bœufs sont légion sur ces terres rouges.

La vallée de Viñales, inscrite sur la Liste du patrimoine mondial de l'UNESCO depuis 1999, avec ses *mogotes* et son charmant village, constitue l'attraction principale de la province. Les marcheurs apprécieront particulièrement cet endroit. Mais il ne faut pas oublier que l'archipel de Los Colorados, sur la côte nord, abrite de splendides plages, et qu'à l'extrême ouest de l'île, la péninsule de Guanahacabibes est l'un des endroits les plus isolés et tranquilles de Cuba, avec des plages et des fonds marins exceptionnels.

Accès et déplacements

■ En voiture

La province de Pinar del Río est reliée à La Havane par l'autoroute nationale. Les routes de la région sont particulièrement bonnes, et la voiture demeure le meilleur moyen de transport pour visiter cette province.

La plupart des hôtels de **Viñales** proposent un service de location de voitures. La compagnie **Cubanacán** *(www. cubanacan. cu)* possède un comptoir à l'Hotel Los Jazmines, à l'Hotel La Ermita et au Rancho San Vicente. Le bureau de la compagnie **Havanautos** *(☎48-79-6330; 6 Calle Salvador Cisneros)* se trouve en face de la station-service Servi Cupet.

À **Pinar del Río**, la compagnie **Cubacar** *(Hotel Pinar del Río, Av. Martí, entre Calle Isabel Rubio et Calle Gerardo Medina; ☎48-77-8278; Hotel Vueltabajo, 103 Calle Martí, angle Rafael Morales, ☎48-75-9381, www.transtur.cu)* fait la location de voitures. Les réservations

sont conseillées, car le parc automobile est limité.

À moins d'utiliser les services de liaison proposés par les agences d'autocars de Viñales et de La Havane (voir ci-dessous), il est fortement conseillé de louer un véhicule pour explorer la région **à l'ouest de Pinar del Río**.

■ En autocar

Sierra del Rosario

Les autocars Víazul effectuant la liaison La Havane–Viñales (voir ci-dessous) s'arrêtent à l'aller comme au retour à **Las Terrazas**. Pour **Soroa**, demandez au chauffeur qu'il vous dépose à Candelaria.

Valle de Viñales

À **Viñales**, la gare d'autocars se trouve juste devant le Parque Central, dans la Calle Salvador Cisneros.Pour vos déplacements dans la vallée, vous pouvez utiliser le **Viñales Bus Tour** *(5 CUC; tlj 9h à 19h, départs environ toutes les heures)*, qui passe par les principaux hôtels et attraits.

La compagnie **Víazul** dessert La Havane via Pinar del Río *(12 CUC; 2 départs/jour; durée: 3h)*. Les agences **Cubanacan** et **Havanatur** proposent des tours organisés au départ de La Havane *(14 CUC; 1 départ/jour le matin; durée: 4h)*, avec guide et visite d'une fabrique de cigares; cette option a l'avantage de passer par les grands hôtels pour venir vous chercher, et peut s'avérer très pratique si vous n'avez pas pris soin de réserver votre place dans l'autocar de Víazul.

Cubanacan offre un service direct à destination de Varadero *(22 CUC; 1 départ tous les deux jours; durée: 5h)*, ainsi que vers Trinidad *(40 CUC; mer-lun 1 départ/jour; durée: 8h)* via Cienfuegos *(35 CUC; durée: 7h)*.

Pinar del Río

L'**Estación de Ómnibus** *(Calle Delicia, angle Calle Colón)* de Pinar del Río est non seulement le rendez-vous des voyageurs par autocar, mais aussi des taxis particuliers pour des excursions dans le Valle de Viñales ou ailleurs en province.

Víazul *(☎48-75-2572, www.viazul.cu)* assure le transport vers La Havane *(11 CUC; 3 départs/jour; durée: 2h)* et Viñales *(6 CUC; 2 départs/jour; durée: 45 min)*.

À l'ouest de Pinar del Río

Pour vous rendre à **María la Gorda**, des liaisons en minibus sont offertes depuis **Viñales** par **Havanatur** et **Cubanacan** *(18 CUC aller; 1 départ/matin; durée 3h)* et depuis **La Havane** par toutes les agences *(entre 40 et 60 CUC aller; 1 départ/matin; durée 5h)*. Depuis María la Gorda, le transfert vers **Cabo de San Antonio** est facturé 19 CUC aller, par personne. Les réservations sont nécessaires.

■ En train

Pinar del Río

Estación de Trenes
angle Calle Ferrocarril et Calle Comandante Pinares
☎(48) 75-5878
Bien qu'en règle générale un train par jour assure la liaison entre Pinar del Río et La Havane, ce moyen de transport s'avère beaucoup plus lent (6h) et moins fiable que l'autocar.

■ En scooter et à vélo

Valle de Viñales

Le restaurant **Casa Don Tomás** (voir p 168) loue des scooters *(23 CUC/jour, essence non incluse)* et des vélos *(6 CUC/jour)*. Vous pouvez aussi demander aux propriétaires de votre *casa particular* s'ils peuvent vous fournir un vélo.

■ En taxi

Pinar del Río

Les bureaux de **Cubataxi** *(☎82-75-8080)* se trouvent à l'Estación de Ómnibus. On trouve aussi des taxis devant les hôtels.

Valle de Viñales

Cubataxi *(☎48-79-3195, même bureau que Víazul)* offre un service de taxi officiel aussi bien pour les environs de Viñales que pour toute autre destination dans la région. Renseignez-vous sur les possibilités de partager un taxi avec d'autres voyageurs pour les destinations régionales.

Renseignements utiles

■ Bureaux de change

Viñales

À Viñales, le bureau de change **Cadeca** et les banques principales se trouvent dans la Calle Cisneros. Les hôtels ont aussi des bureaux de change, mais ils ne sont pas toujours à même de changer de gros montants.

Pinar del Río

La **Cadeca** se trouve dans la Calle Gerardo Medina, à l'angle de la Calle Isidro de Armas. L'**Hotel Pinar del Río** *(Av. Martí, entre Calle Isabel Rubio et Calle Gerardo Medina)* dispose aussi d'un bureau de change.

■ Communications

Viñales

Le bureau **Telepunto ETECSA** *(tlj 8h30 à 16h; 3 Calle Fernández)* et les hôtels disposent d'ordinateurs avec connexion à Internet.

Pinar del Río

Le bureau **Telepunto ETECSA** *(tlj 8h30 à 19h30; Calle Gerardo Medina, angle Juan G. Gómez)* offre plusieurs ordinateurs connectés à Internet.

■ Renseignements touristiques

Viñales

Cubanacan *(63 Calle Cisneros)* et **Havanatur** *(65 Calle Cisneros)* proposent de nombreuses excursions dans la vallée et la région, entre autres vers María la Gorda, Cayo Levisa et Cayo Jutias, et elles offrent aussi des services de réservation d'hôtel dans tout le pays. On trouve aussi des bureaux de ces compagnies dans les hôtels.

Le **Centro del Visitante del Parque Nacional de Viñales** *(lun-ven 8h à 17h; route de Pinar del Río, à côté de l'Hotel Los Jazmines)* et le **Museo Municipal de Viñales Adela Azcuy** (voir p 155) proposent des randonnées avec guide dans le **Parque Nacional de Viñales** (voir p 155).

Pinar del Río

Cubanacan *(☎48-75-8494, www.cubanacan. cu)* et **Havanatur** *(www.havanatur.cu)* se trouvent côte à côte au coin des rues Martí et Colón, et pourront vous renseigner et effectuer des réservations pour des excursions dans les environs.

Attraits touristiques

Sierra del Rosario ★ ★

▲ *p 163* ❶ *p 167*

La Sierra del Rosario abrite une flore tout à fait spectaculaire, en partie à cause des pluies abondantes qui caractérisent ce microclimat. Il n'est pas surprenant de voir des arbres de près de 30 m de hauteur peupler ce qui fut la première réserve de la biosphère à être créée par l'UNESCO à Cuba en 1984. On y trouve aussi plus de 70 espèces d'oiseaux, ce qui en fait derechef un excellent endroit pour l'observation de la faune ailée.

Las Terrazas ★

À une soixantaine de kilomètres à l'ouest de La Havane, le complexe touristique de **Las Terrazas** *(4 CUC; tlj 8h à 20h; accès au Km 51 de l'autoroute nationale, ☎48-57-8700, www. lasterrazas.cu)* se présente comme une communauté relativement moderne et des plus originales où l'architecture bétonnée à la soviétique fait un pied de nez assez spectaculaire aux conditions montagneuses du terrain. Située devant un petit lac, Las Terrazas a été fondée en 1971 dans une région qui fut classée réserve de la biosphère en 1984 par l'UNESCO. Cette réserve s'étend sur 26 686 ha où six millions d'arbres ont été plantés lors d'un long processus de reforestation.

Parmi les attraits les plus intéressants de Las Terrazas, les **anciennes plantations de café**, qui couvrent une bonne partie de la réserve, font bonne figure. En effet, au tournant du XIXᵉ siècle, au lendemain de la révolte des esclaves d'Haïti, plusieurs Français sont venus s'installer dans la région, amenant avec eux leurs esclaves restés fidèles. En quelques années, ils établirent des dizaines de caféières qui prospérèrent rapidement dans cette zone propice à la culture du café. Nombre de ces plantations sont maintenant en ruine, mais quelques-unes demeurent en très bon état. Une de celles-ci, la **Cafetal Buenavista** (voir p 168), a même été complètement reconstruite et sert maintenant de restaurant-musée.

Les sites de la plupart des vestiges de la présence française peuvent être rejoints par la route, et il est possible de faire le tour des plus importantes ruines en une journée. On peut aussi emprunter l'un des nombreux sentiers pédestres (voir p 154), aménagés pour le plaisir des marcheurs, afin d'accéder aux plantations les plus éloignées, ou encore participer aux nombreuses excursions thématiques proposées *(à partir de 19 CUC)*, dont des parcours d'aventure dans les arbres *(25 CUC)*.

À l'intérieur des limites du parc, on trouve de nombreux restaurants et plusieurs lieux où l'on peut se baigner et se débarrasser paisiblement de la poussière de la journée. À l'entrée de la réserve, vous pourrez vous procurer une carte *($)* qui vous donnera toute l'information sur les nombreux sites ouverts au public.

Soroa ★★

À une quinzaine de kilomètres à l'ouest de Las Terrazas, Soroa est accessible soit par l'autoroute nationale, soit par une route de campagne à partir de Las Terrazas. La seconde option offre de loin les plus beaux paysages, puisque cette route sinueuse traverse la Réserve de la biosphère Sierra del Rosario. Soroa est une petite station balnéaire adossée à la montagne.

L'**Orquideario Soroa** ★★ *(3 CUC; tlj 8h30 à 16h30; Carretera Soroa, Km 8)* s'impose comme un jardin botanique abritant plus de 700 espèces d'orchidées et environ 11 000 plantes ornementales. L'endroit, juché à flanc de montagne à 206 m au-dessus du niveau de la mer, était autrefois le domaine d'un riche avocat espagnol des îles Canaries, Tomás Camacho. Il fit l'aménagement de ce jardin botanique en mémoire de sa fille, morte à la naissance, en l'étendant sur 3,5 ha, aujourd'hui propriété de l'université de Pinar del Río.

Au sommet de la montagne, le **Castillo de las Nubes** offre une vue sublime sur toute la région. Construit au début des années 1940, il appartenait à un certain Don Pedro, riche propriétaire de la région d'Artemisa. Ruinée par la Révolution de 1959, la famille dut se résoudre à vendre la maison au gouvernement cubain.

Juste de l'autre côté de la route principale, tout près de l'embranchement vers l'*orquidario*, on peut se baigner au pied de la chute impressionnante (22 m) qu'est **El Salto** ★ *(2 CUC; 8h à 17h30; à 5 min de marche)*, et juste à côté, des bains médicinaux et des massages sont proposés. Depuis le stationnement de la chute, vous pouvez aussi emprunter un sentier qui grimpe jusqu'au *mirador* ★ *(entrée libre)*. Les 2 km de marche (moins d'une heure) et les 158 marches à monter vous mèneront à quelque 360 m d'altitude, d'où vous jouirez d'une vue splendide sur toute la région, jusqu'à la mer.

Entre Soroa et Viñales ★★

Que ce soit en voiture ou en vélo, ne manquez pas l'occasion de parcourir l'une des plus magnifiques et des plus extraordinaires routes de l'île. La route qui mène de Soroa à Viñales passe par la Sierra del Rosario et se révèle d'une beauté incroyable. Elle

se faufile tout près du plus haut pic de la cordillère, le **Pan de Guajaibón** (698 m). La terre rouge, les caféiers, les *bohíos* au fond des vallées, les chevaux et les attelages de bœufs sur la route exercent un charme parfait. Le paysage est particulièrement beau jusqu'au village de Niceta Pérez, et la route chevauche littéralement la crête des montagnes. Un peu avant d'arriver à La Palma, le chemin devient très difficile mais passable. Il est bon de se renseigner sur son état avant le départ de Soroa ou de Viñales. Cette route n'est pas indiquée, et il vous faudra sûrement demander votre direction à quelques reprises avant d'arriver à bon port. Elle commence un peu au nord de Soroa, presque à mi-chemin de la bifurcation qui mène à Las Terrazas, et aboutit à La Palma, à moins de 30 km de Viñales. Calculez environ 3h pour aller de Soroa à Viñales.

Ceux qui s'intéressent à l'histoire contemporaine voudront visiter **Las Cuevas de Las Portales** ★ *(1 CUC)*. C'est dans cette grotte que Che Guevara installa son quartier général lors de la crise des missiles d'octobre 1962. Durant 45 jours, il s'y retrancha, attendant l'attaque imminente des États-Unis, et l'on peut voir de nombreux indices de son passage. L'endroit est superbe avec sa rivière glissant à travers les galeries souterraines, ses nombreux oiseaux et sa végétation luxuriante. Il est malheureusement un peu difficile de s'y rendre. Depuis La Palma, descendez vers San Andrés. Juste avant d'arriver à San Andrés, il faut emprunter à gauche un étroit chemin et faire 8 km. Une petite route sur la gauche conduit alors directement à la grotte, environ 1 km plus loin.

Encore plus au sud, on trouve la station de **San Diego de los Baños**, qui dispose d'un établissement thermal.

❧ Activités de plein air

■ Randonnée pédestre

Dans la Sierra del Rosario, la réserve de **Las Terrazas** propose plusieurs sentiers pédestres; malheureusement, la plupart ne s'effectuent qu'avec un guide *(à partir de 19 CUC)*. Ils sont de longueur variable, allant de 3 km à 16 km, et le niveau de difficulté va de facile à ardu. Mais, dans tous les cas, les paysages sont magnifiques, la flore et la faune abondantes, et l'on tombe parfois sur les ruines de vieilles plantations de café.

- -

Valle de Viñales ★ ★ ★

▲ *p 163*   🍴 *p 168*   🛏 *p 169*

Inscrite sur la Liste du patrimoine mondial de l'UNESCO depuis 1999 et protégée par le **Parque Nacional de Viñales**, la vallée de Viñales possède la formation géologique la plus ancienne de Cuba. On y trouve ainsi de nombreux fossiles datant de la période jurassique ainsi que des coquillages pétrifiés. Fait unique, les palmiers-lièges, dont le nom scientifique est *Mycrocyca calocoma*, constituent de véritables fossiles vivants. Ce qui attirera par-dessus tout votre attention, ce sont les *mogotes*, ces montagnes de calcaire qui ont jailli abruptement de cette vallée qui s'étend sur près de 25 km. On raconte que le célèbre poète espagnol García Lorca aurait dit que *«à l'aube, les* mogotes *sont comme des éléphants à la queue leu leu»*. La présence de ces montagnes s'explique par la présence d'un plateau il y a environ 160 millions d'années, dont la partie supérieure se serait effondrée, et les *mogotes* en étaient les piliers. Les habitants du village de Viñales, eux, l'expliquent simplement en disant qu'il s'agit d'un caprice de la nature. Chaque *mogote* a des caractéristiques qui lui sont propres, et leurs différentes couleurs auraient été composées par les coquillages fossilisés qu'ils abritent. C'est évidemment à pied (voir p 156) qu'on découvre le mieux cette vallée.

Viñales

Le petit village de Viñales est une charmante communauté de quelque 27 000 habitants. La Calle Salvador Cisneros constitue la seule rue principale qui traverse Viñales et son petit Parque Martí. En y observant la suite d'anciennes maisons modestes datant de l'époque coloniale et du début du XXe siècle, on a l'impression que le temps y est demeuré suspendu, laissant la ville comme elle l'a toujours été depuis l'arrivée de ses premiers colons téméraires. D'ailleurs, l'histoire est assez floue sur les fondateurs de Viñales. La légende raconte que ce furent deux frères espagnols du nom de Viñas qui s'installèrent ici au temps de la colonie,

dans les années 1680, bien que la ville ne fût fondée légalement qu'en 1879. C'est que le village de Viñales n'était pas relié par voie terrestre avec la ville de Pinar del Río; il était plutôt relié au nord, au petit port de La Esperanza, dans l'archipel de Los Colorados. Des cultivateurs de tabac et de *malanga*, une sorte de pomme de terre typique de la région, habitaient Viñales, un petit village méconnu jusqu'aux années 1930. C'est à cette époque qu'une compagnie de photographie américaine organise une expédition dans le Valle de Viñales à la suite d'une exposition d'un peintre havanais à New York. Parmi les tableaux du peintre **Domingo Ramos**, une murale d'une dizaine de mètres retient particulièrement l'attention: on y voit le Valle de Viñales. Cependant, des «experts» new-yorkais affirment que de tels paysages ne peuvent exister et qu'ils naissent de l'imagination du peintre. C'est à partir de ce moment que l'intérêt et la curiosité s'emparent du monde entier. Les photographies, quant à elles, ne mentiront pas.

Une promenade dans la Calle Salvador Cisneros, à travers le village de Viñales, vous mènera jusqu'au **Parque Martí**, une charmante petite place publique coloniale autour de laquelle toute la vie du village semble tourner. Donnant sur la place et logeant dans une petite maison à deux colonnes, la **Galería de Arte** *(mer-lun 8h à 19h)* présente régulièrement des expositions de peinture contemporaine cubaine. Le **Museo Municipal de Viñales Adela Azcuy** *(1 CUC; mar-sam 8h à 22h, dim 8h à 16h; 115 Calle Salvador Cisneros, ☎48-79-3395)*, quant à lui, expose une petite collection sur l'histoire du village et propose des excursions dans la vallée (voir p 158).

Deux ou trois rues à l'ouest de la Calle Salvador Cisneros, vous pourrez dire au revoir à l'asphalte et bienvenue à un petit chemin de terre qui conduit directement aux montagnes spectaculaires du Valle de Viñales! Pour réaliser cette petite escapade, il vous suffit d'emprunter la Calle Adela Azcuy sur votre gauche. Un chemin mène d'ailleurs jusqu'au Mural de la Prehistoria (voir plus loin).

Au nord de Viñales

La route quitte Viñales vers le nord et aboutit aux principaux lieux d'attraction

156

touristique traditionnels de la région. Malheureusement, plusieurs des sites mentionnés plus bas étant très fréquentés par les cars et les groupes, la beauté des lieux a quelque peu été entachée par l'industrie touristique en pleine expansion. Sur votre chemin, vous pouvez éviter la **Cueva de José Miguel**, une petite grotte qui a été transformée en bar et en discothèque. Cependant, le tout n'est pas dénué d'intérêt si vous vous y arrêtez pour vous rafraîchir quelques minutes. Plus spectaculaire, la **Cueva del Indio** *(5 CUC; 9h à 17h)* est formée d'un réseau de galeries souterraines naturelles de 4 km. On y fait une visite d'une quinzaine de minutes sur une rivière souterraine, **El Abra del Ancón**, à bord d'une chaloupe motorisée naviguant sur une distance d'environ 700 m. Depuis 1920, plusieurs fouilles archéologiques ont dévoilé des sculptures datant de 3 000 à 4 000 ans. On dit aussi que ces grottes servirent de refuge aux Guanahatabeys après la conquête du territoire par les Espagnols.

À l'ouest de Viñales

Peut-être la plus belle route de toute la région, la route qui va de Viñales à Minas de Matahambre traverse des paysages singuliers. Elle passe par le *mogote* Dos Hermanas, sur les flancs duquel une murale représente l'évolution de l'homme. Intitulée le **Mural de la Prehistoria** *(1 CUC)*, cette fresque aux couleurs criardes impressionne par ses dimensions plus grandes que nature. Peinte par un élève du célèbre muraliste mexicain Diego Rivera, le Cubain Leovigildo González, l'œuvre fut commandée par Fidel Castro. Cet endroit est l'arrêt obligé de nombreux cars touristiques pendant la haute saison, dont les groupes viennent se nourrir au restaurant touristique (et cher) attenant à la murale. Si vous voulez profiter pleinement de la tranquillité des lieux, il est conseillé d'y arriver tôt le matin, ou de la regarder de loin.

Devant la murale s'étend le **Campismo Dos Hermanas**, dans lequel une salle a été aménagée en un petit **musée** *(1 CUC; tlj 9h à 17h; ☎48-79-3223)*. Vous y verrez un exemplaire d'une revue qui reproduit l'œuvre (représentant les *mogotes*) du peintre cubain Domingo Ramos exposée à New York au XIXᵉ siècle, lequel fut pris pour un usurpateur (voir p 155), ainsi que d'autres revues relatant l'histoire de la réalisation

de la murale. Vous y trouverez aussi des reproductions de pièces archéologiques expliquant l'évolution géomorphologique de la région.

Si vous décidez de continuer par cette route, vous traverserez de magnifiques vallées parsemées de fermes. Au bout du chemin, en tournant à droite, vous déboucherez sur la ville minière de **Minas de Matahambre**. Les mines de cuivre qui ont donné leur nom à la ville sont fermées, mais l'endroit a gardé un caractère surréaliste qui charme. Les constructions y sont disposées maladroitement sur les collines en pain de sucre qui emplissent entièrement le paysage.

🎋 Activités de plein air

■ Équitation

Des balades à cheval dans les vallées sont proposées par les hôtels **La Ermita** et **Los Jazmines** *(5 CUC/h; voir p 164)*.

■ Escalade

La vallée de Viñales et ses *mogotes* regorgent de falaises qui attirent de plus en plus d'amateurs et de professionnels de l'escalade. Il n'existe aucune compagnie officielle proposant des cours et des guides, mais renseignez-vous sur place auprès des propriétaires des *casas particulares*, qui pourront vous mettre en contact avec des grimpeurs locaux. Ces derniers pourront vous accompagner et vous fournir du matériel (sauf les chaussons) contre une donation (le matériel d'escalade est apprécié). Vous trouverez sur le site Internet *www.cubaclimbing.com* de nombreux détails et contacts.

■ Randonnée pédestre

Le **Valle de Viñales** se trouve dans la Sierra de los Organos, et toute cette région s'impose comme un véritable paradis pour les amateurs de randonnée pédestre. On peut organiser de nombreuses excursions dans une des vallées que compte cette chaîne de montagnes. Mis à part la vallée de Viñales, de loin la plus connue, on retrouve pas moins de six autres vallées qui peuvent faire l'objet d'excursions: Valle del Silencio, Valle del Ruiseñor, Valle de San Vicente, Valle Quemado, Valle de Ancón et Valle de Dos Hermanas. Officiellement, toute

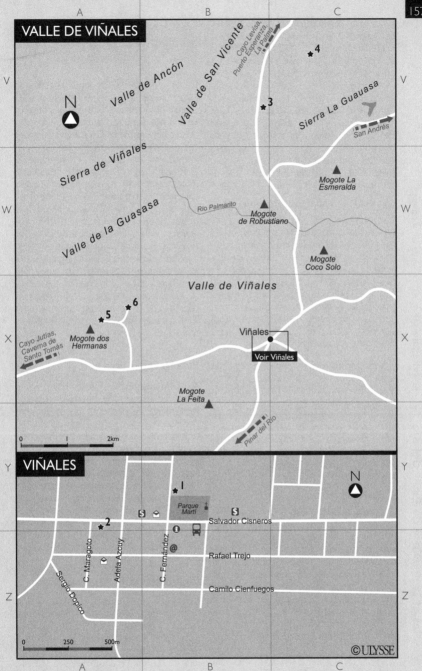

VALLE DE VIÑALES

Valle de Ancón

Valle de San Vicente

Cayo Levisa,
Puerto Esperanza,
La Palma

N

★ 4

★ 3

Sierra La Guauasa

San Andrés

Sierra de Viñales

Valle de la Guasasa

Río Palmarito

▲ Mogote
de Robustiano

▲ Mogote La
Esmeralda

▲ Mogote
Coco Solo

Valle de Viñales

Cayo Jutías,
Caverna de
Santo Tomás

★ 5   ★ 6

▲ Mogote dos
Hermanas

Viñales

Voir Viñales

▲ Mogote
La Feita

Pinar del Río

0   1   2km

VIÑALES

N

Parque
Martí

★ 1

$ ⬦ $

Salvador Cisneros

★ 2

C. Maragoto

Adela Azcuy

C. Fernández

Sergio Dopico

⬦

i 🚌

@

Rafael Trejo

Camilo Cienfuegos

0   250   500m

©ULYSSE

★ ATTRAITS TOURISTIQUES

1. BY Galería de Arte
2. AY Museo Municipal de Viñales Adela Azcuy
3. BV Cueva de José Miguel

4. CV Cueva del Indio
5. AX Mural de la Prehistoria
6. AX Campismo Dos Hermanas

randonnée à l'intérieur du **Parque Nacional de Viñales** doit être accompagnée d'un guide accrédité (à partir de 8 CUC/pers.; réservation un jour à l'avance, certains guides parlent l'anglais ou le français). Ces excursions en petit groupe sont proposées par les hôtels **La Ermita** et **Los Jazmines**, ainsi que par le **Museo Municipal de Viñales Adela Azcuy** (voir p 155) et le **Centro del Visitante del Parque Nacional de Viñales** (voir p 153). Vous rencontrerez aussi de nombreux habitants qui se feront un plaisir de vous accompagner, pour un tarif sensiblement meilleur que les excursions officielles.

Une des plus intéressantes randonnées proposées est celle qui vous mènera jusqu'à la communauté de **Los Acuaticos**, juchée sur la Sierra de los Infiernos. Cette communauté isolée voue un culte à l'eau. Le sentier pour s'y rendre traverse les terres des paysans sur une distance d'environ 6 km. Des huttes pour le séchage du tabac peuvent aussi être visitées en route sur ce parcours qui nécessite quelques montées de difficulté moyenne. Comptez 5h ou 6h pour cette randonnée.

Néanmoins, si vous n'envisagez que de vous balader dans les vallées, à travers plantations et séchoirs à tabac, ou en direction de la Mural de la Prehistoria, n'hésitez pas à vous lancer seul à l'aventure sur les sentiers de terre. En plus des paysages fantastiques, vous rencontrez de nombreux paysans dans leurs champs qui vous indiqueront le chemin.

■ *Spéléologie*

La **Caverna de Santo Tomás** se définit comme la plus grande grotte d'Amérique latine. Avec ses 45 km de galeries souterraines superposées, elle attire des spéléologues du monde entier. Elle se trouve dans le Valle de Quemado, et il est possible d'organiser des excursions d'un ou plusieurs jours sous la terre dans ce qui promet d'être une aventure extraordinaire. Pour cela, il faut vous assurer d'être équipé convenablement pour affronter les conditions difficiles de la vie sous terre. Ne songez pas à vous y rendre sans guide! Des excursions sont organisées par les hôtels **La Ermita** et **Los Jazmines**, ainsi que par l'agence **Cubanacan** *(10 CUC; tlj 9h à 15h30; durée: 1h30; voir p 153)* à Viñales.

La côte nord

▲ *p 166*   ● *p 168*

Facilement accessible depuis Viñales, la côte nord de la province de Pinar del Río permet de profiter de belles plages propres et peu développées, situées dans les îles de l'**Archipiélago de los Colorados** (également connu sous le nom d'Archipiélago de Santa Isabel), ou de profiter de la tranquillité du charmant village de pêcheurs qu'est Puerto Esperanza. Depuis Viñales, les agences **Cubanacan** et **Havanatur** (voir p 153) proposent des excursions à la journée vers ces destinations *(à partir de 22 CUC)*. En plus des sites décrits ci-dessous, il est possible, en empruntant des routes secondaires, de rejoindre plusieurs plages aux qualités inégales, pour les plus audacieux. Elles sont pour la plupart bien indiquées et, à défaut de sable blanc, on est certain d'être au plus près de la vie cubaine. En été, surtout les fins de semaine, ces endroits sont très populaires.

Puerto Esperanza ★★

À 30 km au nord de Viñales se trouve le charmant hameau de Puerto Esperanza. Petit village de pêcheurs très agréable, il permet de quitter un peu les cohortes de touristes de Viñales. L'endroit séduit complètement par son côté désinvolte. Il est possible de se baigner au long quai aménagé devant le parc situé au bout de la rue principale. Près du quai, laissez-vous tenter par des jus de fruits frais pour quelques *centavos*. Plusieurs *casas particulares* proposent des repas plus consistants, ainsi que des chambres pour ceux qui tomberont sous le charme.

Cayo Jutías ★★

Cayo Jutías est une petite île sise à une vingtaine de kilomètres de la ville de Santa Lucía et à environ 70 km de Viñales. Pour s'y rendre, il faut prendre à droite une route à 11 km à l'ouest de Santa Lucía et filer sur 9 km en empruntant une jetée de près de 5 km reliant l'île à la terre ferme. Notez que l'accès à l'île n'est possible que de 7h à 18h, et qu'il faut verser 5 CUC de droit de passage. Vous y attendent 3 km de sable fin donnant sur une mer bleu azur, dans une île presque vierge. Il n'y a aucun hôtel, et un seul restaurant est apte à servir les visiteurs. Il est toutefois permis de camper sur le *cayo*, moyennant des frais supplémentaires, mais n'oubliez pas votre lotion anti-moustique.

Cayo Levisa ★

Cayo Levisa est un peu plus haut de gamme. La plage y est moins longue qu'à Cayo Jutías, mais plus large. Pour se rendre dans l'île, il faut prendre un traversier *(15 CUC aller-retour; départ à 10h, retour à 17h, jusqu'à trois traversées/jour en haute saison)* à Palma Rubia. Vous avez la possibilité de passer la nuit dans l'île, à l'**Hotel Cayo Levisa** (voir p 166), qui propose aussi diverses activités, entre autres des sorties de plongée sous-marine jusqu'aux récifs de corail qui jouxtent l'île et des excursions en mer jusqu'au Cayo Paraíso, îlot désert et splendide.

Activités de plein air

■ Plongée sous-marine

L'**Hotel Cayo Levisa** (voir p 166) loue de l'équipement de plongée, et une barque mène les plongeurs aux plus beaux sites le long de la barrière de corail. Les prix s'ajustent en fonction du nombre d'immersions.

Tant à **Cayo Levisa** qu'à **Cayo Jutías**, les adeptes de la plongée-tuba trouveront des sites sous-marins enchanteurs et facilement accessibles. Location d'équipement sur place.

- -

Pinar del Río

▲ *p 166*   🍴 *p 168*   ✈ *p 169*

Fondée en 1774, la ville de Pinar del Río portait le nom de «Nueva Filipina» en l'honneur de Felipe Fondes Viela, le capitaine général d'alors. Capitale de la province du même nom, cette ville reçut nombre de qualificatifs pour le moins dénigreurs en raison de son sous-développement marqué. Il est commun aussi d'entendre des blagues de la bouche des Havanais à l'égard des habitants de la région. On y retrouve, en vérité, une population des plus accueillantes et toujours prête à rendre

service. Si Pinar del Río (190 000 hab.) n'est certes pas la ville la plus intéressante de Cuba, elle abrite néanmoins quelques sites notables à visiter, qui ne devraient pas vous retenir plus que quelques heures.

Le **Museo de Ciencias Naturales** *(entrée libre; lun-sam 9h à 17h, dim 9h à 13h; Av. Martí nº 202, angle Calle Comandante Pinares, ☎48-77-9483)* loge dans une ancienne demeure familiale construite au début du XXᵉ siècle. Autrefois le Palacio Guasch, cet édifice présente une architecture plutôt extravagante, sans contredit la plus originale de la ville. L'histoire raconte que son propriétaire s'est ruiné pour construire ce «palace». Le musée, dédié aux sciences naturelles, n'a guère d'intérêt; dans le patio du musée, une reproduction d'un tyrannosaure impressionnera toutefois les plus jeunes.

Toujours sur l'Avenida Martí, le **Teatro Milanes** *(☎48-75-3871)* mérite que l'on y jette un coup d'œil. Construit en 1880, ce théâtre qui peut accueillir plus de 520 spectateurs est entièrement de bois. Tout près du théâtre, le **Museo Provincial** *(1 CUC; mar-sam 8h à 22h, dim 9h à 13h; Av. Martí nº 58, entre Calle Isabel Rubió et Calle Colón, ☎48-75-4300)* retrace l'histoire de la province de Pinar del Río depuis la présence des Autochtones jusqu'à la Révolution de 1959. Ce musée mérite une courte visite, ne serait-ce que pour apprécier son architecture coloniale et quelques objets du passé de la province dont une ancienne voiture de pompiers.

La **Fábrica de Guayabita del Pinar Ceferino Fernández** *(2 CUC; lun-ven 8h à 11h30; Calle Isabel Rubio nº 189, entre Calle Ceferino Fernández et Calle R. Rodríguez)* est un établissement où l'on prépare la *guayabita*, un alcool typique de la région.

Situé à l'extrémité ouest de l'Avenida Martí, donc à l'opposé de l'Hotel Pinar del Río, le **Parque de la Independencia** ★ est entouré de plusieurs maisons à façade néoclassique. Dans la partie supérieure du parc, les lettrés ne voudront pas manquer le **Centro de Producción y de Desarollo de la Literatura** (centre de développement et de production de la littérature) *(entrée libre; tlj 9h à 12h et 13h à 16h; angle Calle Antonio Maceo et Av. Martí)*. Derrière une superbe façade néoclassique aux murs jaunâtres, les salons et bureaux de ce centre sont le point de rendez-vous des écrivains de la ville qui s'y réunissent pour prendre un café tout en discutant. Cette maison appartenait jadis à une prolifique famille d'artistes de Pinar del Río. Poètes et musiciens de la famille Loynaz jouissent d'une réputation locale, et Dulce María Loynaz reçut une reconnaissance internationale pour son œuvre littéraire, l'Espagne lui décernant le prix Cervantes, considéré comme le Nobel du monde hispanique.

En quittant le Parque de la Independencia, descendez l'avenue Maceo vers l'est en direction du centre-ville. Au premier coin de rue, vous trouverez sans peine la **Fábrica de Tabacos Francisco Donatién ★** *(5 CUC; lun-ven 9h à 16h, sam 9h à 12h; Calle Antonio Maceo n° 157, près de la Calle Antonia Tarafa, ☎48-77-3069)*. Cette imposante maison coloniale aux teintes de bleu construite en 1868 servit de prison jusqu'à la Révolution de 1959. On raconte qu'elle servit aussi pour mettre en quarantaine des centaines de malades lors d'une importante épidémie de choléra qui dévasta une partie de la ville à l'époque coloniale. Depuis 1961, la maison a changé d'affectation, et elle est aujourd'hui une fabrique de cigares. Sachant que la principale ressource agricole de la province de Pinar del Río est le tabac, on comprendra l'importance de cette fabrique. On peut y voir à l'œuvre les artisans du tabac à toutes les étapes de la production d'un cigare et admirer la remarquable agilité manuelle des travailleurs. Une visite de l'établissement promet un festin pour les sens: l'odeur typique de la feuille de tabac se mêle à celle des cigares allumés des artisans; un arc-en-ciel de couleurs mates de feuilles de tabac et de visages contraste avec l'éclatant bleu des murs; et que vous soyez fumeur ou non, pourquoi ne pas profiter de cette visite pour fumer un cigare exclusif à la fabrique, tremper sa pointe dans une petite tasse de café ou

PINAR DEL RÍO

★ ATTRAITS TOURISTIQUES

1.	CZ	Museo de Ciencias Naturales
2.	BZ	Teatro Milanés
3.	BZ	Museo Provincial
4.	BZ	Fábrica de Guayabita del Pinar Ceferino Fernández

5.	AY	Parque de la Independencia
6.	AY	Centro de Producción y de Desarollo de la Literatura
7.	AY	Fábrica de Tabacos Francisco Donatién
8.	AZ	Catedral de San Rosendo

de cognac, et laisser la fumée danser sur votre palais?

Toujours dans la Calle Antonio Maceo, à l'angle de la Calle Gerardo Medina, la **Catedral de San Rosendo** vaut le coup d'œil. Construite en 1783, elle présente une étrange façade néoclassique qui surprend par son originalité.

🦅 Activités de plein air

■ Équitation

L'équitation constitue un excellent moyen pour partir à la découverte des nombreuses terres agricoles qui entourent Aguas Claras. L'établissement **Aguas Claras** (voir p 167) organise des excursions et des circuits agrotouristiques à cheval à travers la campagne environnante et ses points d'intérêt.

À l'ouest de Pinar del Río ★ ★

△ *p 167*

À l'ouest de la ville de Pinar del Río, d'intéressantes excursions s'offrent au visiteur. La Carretera Central traverse une région ravissante, glissant par les vallons où la terre rouge illumine le paysage. On est ici en plein cœur de la plus importante zone de culture de tabac du pays. La petite ville de **San Juan y Martínez** est le centre de la production de cette plante à larges feuilles d'origine américaine. À mesure que vous avancez vers l'ouest, la Sierra del Rosario s'étend tranquillement jusqu'à ce que, près de Guane, les montagnes donnent l'effet d'une étrange apparition au milieu d'un paysage de plus en plus plat.

Un peu avant d'arriver dans la ville d'**Isabel Rubio**, il y a bien quelques plages situées sur les pourtours de l'**Ensenada de Cortés**, mais ne vous imaginez pas y retrouver le sable blanc et les eaux claires du nord de l'île. **Playa Bailén** demeure tout de même passable, et elle n'est qu'à quelques kilomètres de la Carratera Central. Vous trouverez un restaurant sur les lieux.

La péninsule de Guanahacabibes ★ ★

Depuis **La Fé**, une route cahoteuse permet de rejoindre la péninsule de Guanahacabibes, l'extrémité occidentale de l'île. Grâce à son statut de Réserve de la biosphère de l'UNESCO, on trouve encore dans cette région, avec plaisir, des plages désertes et une nature à l'état sauvage.

Une des particularités du **Parque Nacional Guanahacabibes ★ ★** *(le bureau du parc se trouve à La Bajada, à l'intersection des routes pour María la Gorda et Cabo de San Antonio; ☎48-75-0366)* est de couvrir, sur près de 40 000 ha, le territoire terrestre et maritime de la région. Du côté terrestre, forêt et mangrove abritent de nombreuses espèces de mammifères, reptiles, et oiseaux, alors que du côté maritime, ce sont de magnifiques récifs coralliens, avec des tombants pouvant atteindre 300 m, qui attirent les plongeurs évoluant au milieu des poissons tropicaux. Les nombreuses criques et plages de sable blanc sont aussi les lieux de ponte pour les tortues marines. Si l'entrée du parc est gratuite, toutes les excursions terrestres doivent être accompagnées d'un guide *(à partir de 6 CUC/pers.)*. Les réservations se font aux hôtels de María la Gorda et de Cabo de San Antonio (voir p 167), ou directement auprès du bureau du parc. Les centres de plongée de María la Gorda et de Cabo de San Antonio proposent des plongées (voir p 162) à la découverte des riches fonds marins.

La station balnéaire de **María la Gorda ★** est un endroit particulièrement prisé des amateurs de plongée sous-marine. On ne trouve sur place qu'un hôtel (voir p 167) et l'un des centres de plongée les plus courus de Cuba (voir p 162). La plage de sable blanc attenante à l'hôtel s'avère agréable, mais vous avez tout intérêt à prendre un véhicule pour explorer les petites criques de la région.

Si le site de María la Gorda n'est pas encore assez isolé et tranquille à vos yeux, dirigez-vous vers le **Cabo de San Antonio**. Située à l'ouest de María la Gorda, à l'extrémité ouest de l'île de Cuba, et entourée de la végétation luxuriante du Parque Nacional Guanahacabibes, cette petite station balnéaire prend des airs de «bout du monde».

À 3 km au nord du phare de Roncali, le **Villa Cabo de San Antonio** (voir p 167) est le seul lieu d'hébergement de l'endroit. Depuis votre chambre, vous n'aurez que 20 m à faire pour profiter de la splendide **Playa Las Tumbas ★ ★**, qui, avec ses kilomètres de sable blanc et ses cocotiers, se positionne aisément parmi les plus belles plages de Cuba. La tranquillité est ici absolue, et les conditions de baignade sont parfaites. Tout comme à María la Gorda, on y profite des excursions dans le parc national et d'un **centre de plongée** (voir plus loin). Seul inconvénient: n'oubliez pas votre anti-moustique.

Mantua ★

Montua, une petite ville de 28 000 habitants, est un endroit charmant, et son importance dans l'histoire de Cuba ne doit pas être sous-estimée. On oublie souvent que, durant la deuxième guerre d'Indépendance contre l'Espagne, de 1895 à 1898, la province de Pinar del Río fut le théâtre de rudes combats dont l'enjeu était des plus significatifs aux yeux des Cubains. En effet, l'occupation de la province extrême-occidentale de l'île devait montrer que la révolte contre les forces espagnoles s'étendait à toute la colonie, et non seulement à sa partie orientale comme l'Espagne aimait à le croire. Le général mulâtre Maceo occupa donc la province durant de longs mois, au grand dam des forces espagnoles qui avaient tenté de bloquer son passage en remettant en service la fameuse *trocha* (voir p 254) de Morón à Júcaro. Longtemps les forces coloniales concentrèrent leurs forces sans succès dans cette province, dans le but de se débarrasser du général dont les exploits soulevaient les ardeurs du peuple cubain. Or, la poussée de Maceo, que l'on baptisa «invasion de l'Occident», s'arrêta à Mantua dans les premiers jours de janvier 1896, et la ville garda précieusement les traces du passage du «Titan de Bronze».

Dès l'entrée de la ville, un monument commémore l'événement. Une statue de Maceo, tout près de laquelle se trouve une immense carte montrant la route de l'invasion et les lieux des principaux combats qui eurent lieu autour de Mantua, à l'automne de l'année 1896, accueille le voyageur à son arrivée. Le **Museo Municipal** *(1 CUC; lun-ven 8h à 12h et 13h à 17h; Calle José Martí nº 183)* relate les différentes étapes du passage de l'armée de libération en ces lieux. Les gens qui travaillent au musée seront plus qu'heureux de vous parler de l'événement et de vous diriger dans la ville. Vous serez ainsi certain de voir les endroits d'importance, comme la magnifique maison coloniale où Maceo se reposa durant les trois jours pendant lesquels il occupa Mantua.

✳ *Activités de plein air*

■ *Plongée sous-marine*

La péninsule de Guanahacabibes s'affiche comme l'un des meilleurs endroits pour la plongée à Cuba. Le centre international de plongée de **María la Gorda** dispose de 50 sites de plongée sous-marine. Les fonds marins sont riches en faune (barracudas, raies, langoustes), en coraux rouges et noirs ainsi qu'en éponges. C'est le lieu préféré des plongeurs, aussi bien pour la variété des sorties proposées que par la proximité et la qualité des installations mises à leur disposition. Le centre international de plongée du **Cabo de San Antonio** propose lui aussi plusieurs sorties en mer tout aussi intéressantes, mais le centre se trouve à 3 km de l'hôtel et le nombre de sites de plongée n'est pas comparable à ceux proposés aux environs de María la Gorda. Les conditions et les prix sont identiques aux deux endroits *(35 CUC/plongée ou 135 CUC/5 plongées)*, et vous pourrez louer tout l'équipement nécessaire sur place. Débutants et plongeurs expérimentés sont les bienvenus. Réservations et information directement auprès des hôtels (voir p 167).

Les amateurs de plongée-tuba seront aussi servis dans cette région. Certaines criques aux eaux cristallines permettent d'admirer la faune et la flore marines à quelques mètres de la plage. Renseignez-vous sur place pour connaître les meilleurs sites. Location d'équipement dans les hôtels.

⛰ Hébergement

Sierra del Rosario

Las Terrazas

Campamento del San Juan
$$ 🐾 bc ♨
☎ (48) 57-8700
www.lasterrazas.cu

Las Terrazas dispose, en plus d'un hôtel (voir ci-dessous), de quelques locations économiques pour ceux qui voudraient jouir plus longtemps de son site enchanteur. Au bord des cascades du Río San Juan, cinq huttes au toit de paille ont été construites. Elles offrent un confort sommaire, mais dans un environnement agréable à deux pas de la rivière où l'on peut se baigner. Chaque hutte compte en fait une seule pièce montée sur pilotis et munie de deux matelas à même le sol, recouverts de draps, ainsi que de deux fenêtres. On grimpe par une échelle pour y accéder par une trappe qui se barre. La moustiquaire est fournie, mais l'anti-moustique demeure de rigueur. Un restaurant et un casse-croûte se trouvent à proximité, de même qu'un terrain de camping *($)*.

Hotel Moka
$$$$ 🐾 ≡ ≋ ♨
Autopista Km 51
☎ (48) 57-8600
www.lasterrazas.cu

Le plus bel établissement de la région de la Sierra del Rosario est caché dans les montagnes derrière les bâtiments extravagants de la communauté de Las Terrazas. L'Hotel Moka a été construit en 1994, et y loger est une expérience inoubliable. L'établissement se fond parfaitement dans le cadre naturel qui l'entoure. La toiture est traversée par des arbres, et l'hôtel se révèle complètement submergé par la flore de l'endroit. On se sent en parfaite harmonie avec la nature. Même si le restaurant et les bars sont très agréables, rien ne surpasse le confort et l'exotisme des chambres voûtées de briques, et décorées de meubles en bois et de nombreuses poteries. Une terrasse donne directement sur une forêt, et vous n'aurez jamais couché si près de la nature dans un si grand confort. Point culminant, la salle de bain, romantique au possible: la grande baignoire est située à la base d'une énorme fenêtre s'ouvrant directement sur la forêt, et vous aurez l'impression de vous baigner dans un ruisseau... L'Hotel Moka est idéal pour une lune de miel, et pour tous ceux qui ont l'âme romantique. Réservations vivement conseillées.

Soroa

Los Sauces
$$ ≡ ❄
Carretera Soroa, à 3 km de Candelaria
☎ (01) 5-228-9372 (cellulaire)

On trouve une dizaine de *casas particulares* à Soroa, mais le beau jardin et l'accueil de Jorge Luis et Ana Lidia n'ont pas leur pareil dans la région. Les deux agréables chambres sont pourvues d'une terrasse, et les repas sont succulents.

Villa Soroa
$$$ 🐾 ≡ ≋ ♨ ❄ ☕ ♿
Carretera de Soroa, Km 8
☎ (48) 52-3556 ou 52-3534
www.hotelescubanacan.com

La Villa Soroa est constituée de *cabañas*, de petits bungalows sympathiques dans un cadre charmant au cœur des montagnes. Malheureusement, des animations en plein air jusqu'à 23h gâchent quelque peu la tranquillité des lieux les fins de semaine. Vous pouvez aussi louer des maisons *($$$)* de trois ou quatre chambres avec cuisine et piscine privée. Ces maisons sont un peu à l'écart de la Villa Soroa, sur la Carretera del Castillo de las Nubes, mais les réservations s'effectuent par le biais de la Villa Soroa.

Valle de Viñales

Viñales

Ce ne sont pas les *casas particulares* qui manquent à Viñales. Elles proposent toutes le petit déjeuner *(4 CUC)* et le dîner *(8 CUC)*, ce qui est bienvenu compte tenu du faible nombre de restaurants comparé à la multitude de touristes.

Campismo Dos Hermanas
$ ≡ ≋ ♨
route de Moncada
☎ (48) 79-3223

Une option économique à Viñales est le Campismo Dos Hermanas. Il s'agit d'un lieu d'hébergement constitué de petites cabanes érigées dans un bel environnement naturel, au pied du *mogote* Dos Hermanas et à deux pas du Mural de la Prehistoria. La plupart des cabanes sont réservées aux Cubains, mais les touristes étrangers en disposent d'une dizaine à très bon prix. Elles offrent un confort sommaire, mais se révèlent propres et tranquilles. Une piscine et une aire de jeux pour les enfants se trouvent sur le site, et le restaurant, El Jurasico, sert une cuisine simple mais très acceptable. Des visites guidées de la région, à pied ou à cheval, sont aussi proposées sur place.

Doña Inesita

$$ ≡

40 Calle Salvador Cisneros
☎ (48) 79-60-12

Cette belle demeure de deux étages abrite deux chambres propres et agréables avec chacune une grande salle de bain. Tout l'étage est réservé à la clientèle, ce qui permet de profiter d'une certaine indépendance, d'un salon commun et d'une terrasse offrant une belle vue sur les montagnes. Pour plus de calme, demandez la chambre côté jardin. D'ailleurs, ce dernier est rempli de fleurs et de légumes, ce qui est de bon augure pour les repas que vous pouvez prendre sur place.

Villa Cristal

$$ ≡ 🔒 ❄ P

99 Calle Rafael Trejo
☎ (01) 5-270-1284 (cellulaire)
villacristal@yahoo.es

Francisco et son épouse Any sont, en plus d'être de merveilleux hôtes, une mine d'information sur la région. Ils pourront d'ailleurs vous organiser des excursions et vous assister pour réserver hôtels ou moyens de transport pour la suite de votre voyage. La chambre indépendante qu'ils proposent comprend deux lits et peut accueillir jusqu'à deux adultes avec un enfant de moins de 16 ans. On peut aussi communiquer en anglais et se faire comprendre en français. Excellente cuisine.

Villa Haydee Chiroles

$$ ≡

139 Calle Rafael Trejo
☎ (48) 69-52-00 ou
(01) 5-254-8921 (cellulaire)
aylencintado@gmail.com

Cette *casa particular* se trouve dans un endroit tranquille, à deux pas du musée municipal et du restaurant Don Tomás. La très sympathique Haydee propose deux chambres indépendantes donnant sur le jardin rempli de fruits et légumes, utilisés bien sûr pour vous concocter de délicieux repas. Ceux qui ont quelques difficultés avec l'espagnol pourront communiquer aussi en anglais et un peu en français avec la fille de Haydee.

Rancho San Vicente

$$$ ☕ ≡ ≋ ♨

Carretera Puerto Esperanza, Km 8, Valle San Vicente
☎ (48) 79-6201 ou 79-6411 (réservations)
www.hotelescubanacan.com

À environ 5 km au nord de Viñales, le Rancho San Vicente n'a pas le charme de ses homologues de la région, car la vue n'y est pas aussi impressionnante, mais il se trouve près de grottes où les poumons peuvent respirer à plein, et il se révèle être une option plus calme que les hôtels La Ermita et Los Jazmines. On loge dans de confortables bungalows, et des bains médicinaux et minéraux sont proposés à la clientèle.

Hotel La Ermita

$$$$ ☕ ≡ ≋ ♨ ≈

Carretera La Ermita, Km 1
☎ (48) 79-6071 ou 79-6411 (réservations)
www.hotelescubanacan.com

L'Hotel La Ermita se trouve à une vingtaine de minutes de marche du village de Viñales. Paisible et isolé,

cet établissement s'avère idéal pour se reposer et jouir de merveilleux paysages. Toutes les chambres disposent d'un balcon et sont décorées simplement de meubles en bois, créant une atmosphère rustique tout à fait appropriée. La piscine et la grande terrasse surplombant la vallée de Viñales offrent un point de vue à couper le souffle sur la vallée de Viñales. Réservations sur place pour des excursions à cheval, des randonnées pédestres dans la vallée ou l'exploration des grottes.

Hotel Los Jazmines

$$$$ ☕ ≡ ♨ ≈

Carretera a Viñales, Km 25
☎ (48) 79-6205 ou 79-6411 (réservations)
www.hotelescubanacan.com

Sur la route de Pinar del Río, à 3 km de Viñales, l'Hotel Los Jazmines est situé à flanc de montagne. Construit en 1964, il présente une architecture inspirée du style colonial. Vitraux, bois précieux et jardins: rien n'a été mis de côté pour créer une ambiance mêlant le luxe et le pittoresque. Le point de vue sur le Valle de Viñales se révèle spectaculaire depuis les terrasses et le *mirador* de l'hôtel. La piscine, située aussi à flanc de montagne, constitue un véritable régal pour les sens. Des excursions dans le Valle de Viñales sont organisées au bureau touristique de l'hôtel. Cet établissement est plus fréquenté et offre moins de tranquillité que La Ermita puisque, pendant le jour, de nombreux cars font une halte au *mirador* de l'hôtel.

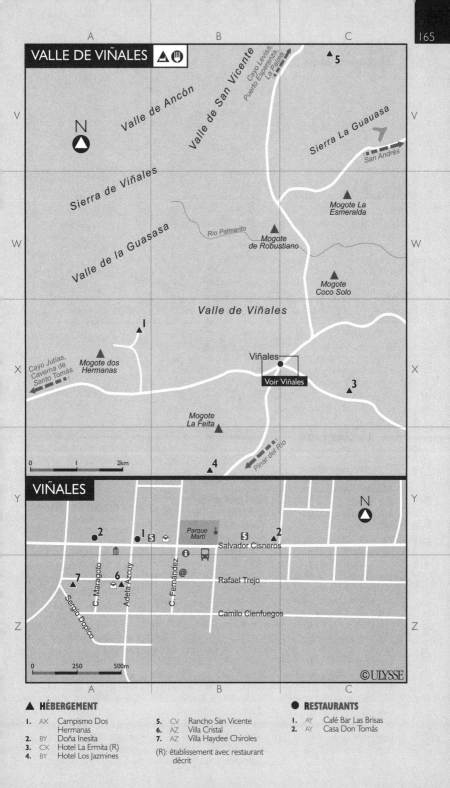

VALLE DE VIÑALES

V — Valle de Ancón
Valle de San Vicente
Cayo Levisa, Puerto Esperanza, La Palma
▲ 5
Sierra La Guauasa
San Andrés

Sierra de Viñales

W — Valle de la Guasasa
Río Palmarito
Mogote de Robustiano ▲
Mogote La Esmeralda ▲

Mogote Coco Solo ▲

X — Valle de Viñales
Cayo Jutías, Caverna de Santo Tomás
Mogote dos Hermanas ▲ I
Viñales ●
Voir Viñales
▲ 3

Mogote La Feita ▲
▲ 4
Pinar del Río

0   I   2km

VIÑALES

Y — N

Parque Martí
Salvador Cisneros
● 2 (C. Maragoto)
● I
▲ 7
6
Adela Azcuy
C. Fernández
Rafael Trejo
Sergio Dopico
Camilo Cienfuegos

Z —

0   250   500m

©ULYSSE

▲ HÉBERGEMENT

1. AX   Campismo Dos Hermanas
2. BY   Doña Inesita
3. CX   Hotel La Ermita (R)
4. BY   Hotel Los Jazmines
5. CV   Rancho San Vicente
6. AZ   Villa Cristal
7. AZ   Villa Haydee Chiroles

(R): établissement avec restaurant décrit

● RESTAURANTS

1. AY   Café Bar Las Brisas
2. AY   Casa Don Tomás

PINAR DEL RÍO

© ULYSSE

▲ HÉBERGEMENT

1.	CY	Aguas Claras
2.	AY	Hotel Vueltabajo
3.	BY	Una Casa Colonial

● RESTAURANTS

1.	BY	Café Pinar
2.	BY	Coppelia
3.	CZ	Paladar El Mesón
4.	CY	Rumayor

La côte nord

Puerto Esperanza

Villa Dora González Fuente
$
Pellayo Cuervo nº 5
☎ (48) 79-3872
Parmi les quelques *casas particulares* de Puerto Esperanza, celle-ci est connue des voyageurs depuis de longues années (vous n'aurez qu'à jeter un coup d'œil sur les graffitis aux murs). Dora propose deux chambres propres et lumineuses, et les repas sont servis dans le joli patio ombragé, où souvent des délices de la mer au menu. Pour vous rendre directement à cette adresse, descendez vers la mer par la rue principale, prenez la dernière rue à droite, puis

la deuxième à gauche. Accueil chaleureux.

Cayo Levisa

Hotel Cayo Levisa
$$$-$$$$ transport jusqu'à l'île inclus ❦ ≡ ♨
☎ (48) 75-6501
www.hotelescubanacan.com
L'Hotel Cayo Levisa propose une trentaine de *cabañas* propres et bien aménagées. Il est possible de louer sur place tout le matériel pour faire de la plongée. Pour aller jusqu'à l'hôtel, il faut prendre le traversier à Palma Rubia, situé à quelque 60 km de Viñales. Sur la terre ferme, il y a un petit restaurant et un stationnement pour les voitures. L'endroit est calme, sauf lors de l'arrivée des groupes organisés. Des forfaits demi-pension

et pension complète sont proposés, mais dans tous les cas n'oubliez pas de réserver.

Pinar del Río

Nous vous conseillons d'opter pour la tranquillité de Viñales plutôt que pour la pollution et le bruit de la ville de Pinar del Río. Néanmoins, on trouve ici quelques bonnes adresses.

Una Casa Colonial
$$ ✳ ≡ P
67 Calle Gerardo Medina, entre Isidoro de Armas et Adela Azcuy
☎ (48) 75-3173
Une fois passé la porte de cette belle maison coloniale, toute bleue et arborant de fières colonnes, on oublie vite les bruits de la rue. Le grand jardin fleuri

saura vite vous séduire, avec son bain à remous et ses tables où il fait bon manger, ou tout simplement se reposer. De plus, les deux grandes chambres sont confortables et l'accueil est chaleureux. Méfiez-vous des *jineteros* qui vous mèneront à d'autres *casas* portant un nom similaire.

Aguas Claras
$$-$$$ ≡ ♨ ≋
Carretera a Viñales, Km 7,5
☎ (48) 77-8427
www.cubamarviajes.cu

À moins de 8 km de Pinar del Río sur la route vers Viñales, les 50 superbes *cabañas* d'Aguas Claras offrent le confort et un environnement naturel exceptionnel. Construits sur les terrains d'un riche médecin de la région qui légua toutes ses terres aux jeunesses communistes, les bungalows surplombent la piscine. Le restaurant de l'établissement se révèle particulièrement charmant, et les repas sont excellents. Le personnel est des plus amicaux, un peu comme s'il partageait la tranquillité de l'endroit. Une maison typique, située à côté du ranch, peut aussi être louée. Qui dit «ranch» dit «chevaux», alors il vous est possible d'en louer à l'heure.

Hotel Vueltabajo
$$$ ☎≡ ❆ ♨ ⌂
103 Calle Martí, angle Rafael Morales
☎ (48) 75-9381
www.islazul.cu

Situé en plein centre-ville, ce bel immeuble colonial, immanquable avec ses grandes colonnes et sa façade peinte en rose et rouge, fut totalement rénové en 2006. Les meubles des chambres ne les rendent

pas aussi charmantes que le reste de l'établissement, mais elles sont spacieuses, propres et confortables. Préférez par contre celles qui ne donnent pas sur la rue si vous êtes sensible au bruit. Très bon rapport qualité/prix.

À l'ouest de Pinar del Río

La péninsule de Guanahacabibes

Cet endroit reculé ne dispose que de deux établissements hôteliers; tous deux étant très prisés, les réservations sont donc nécessaires. Des forfaits avantageux en demi-pension et en pension complète sont proposés. Un conseil: emportez quelques provisions pour pique-niquer car les quelques produits qu'on trouve sur place sont chers.

Villa Cabo de San Antonio
$$$ ☎≡ ♨ ❆
Playa Las Tumbas
☎ (48) 75-7655
www.gaviota-grupo.com

Vous ne trouverez guère d'endroit plus isolé et tranquille que cet établissement situé en bordure de la splendide plage de Las Tumbas. Les chambres sont réparties dans de charmants bungalows en bois. Vastes et modernes, elles offrent tout le confort, avec une terrasse en prime. Si les plongeurs doivent faire 3 km jusqu'au centre de plongée, les kilomètres de plage déserte, eux, se trouvent à deux pas des chambres. Le service est professionnel et, de plus, les plats de fruits de mer et de poisson du restaurant

sont savoureux. Un coin de paradis avec comme seul inconvénient les insectes qui se réveillent à la nuit tombée.

Villa María la Gorda
$$$ ☎≡ ♨
María la Gorda
☎ (48) 77-8131
www.gaviota-grupo.com

Dans ce petit complexe touristique, vous aurez le choix de loger dans des bungalows ou dans des chambres plus classiques, mais avec vue sur la mer. Les chambres sont correctes et bien aménagées, mais de toute façon, ce sont plutôt les fonds marins des alentours qui attirent les plongeurs, qui forment d'ailleurs la majorité de la clientèle. Outre le centre international de plongée, on trouve sur place une petite épicerie, un bar, deux restaurants, un service de location de voitures et un bureau de change. La plage devant l'hôtel est agréable, mais pas comparable à celle de Las Tumbas. Une adresse conseillée pour les plongeurs.

Sierra del Rosario

Las Terrazas

El Romero
$-$$
9h à 22h
Edificio 5

Dans un des édifices de Las Terrazas à l'architecture bétonnée à la soviétique, au pied de l'hôtel Moka, se cache un petit bijou de restaurant. El Romero s'affiche comme un restaurant «écologique» par son souci de la nourriture qui y est servie et de l'environnement qui l'entoure. Il s'agit d'un restaurant presque entièrement végétarien où tous les produits sont apprêtés de façon à leur soutirer le meilleur goût et les meilleurs bénéfices pour la santé. Certains sont cultivés sur place en respectant l'environnement. Le résultat est surprenant et délicieux! Depuis les jus de fruits et les infusions d'herbes jusqu'à la mousse au chocolat, en passant par les entrées d'hoummos et de tahini et les plats principaux proposés en trois portions différentes pour tous les appétits, vous vous régalerez. Autant que vos yeux... puisque la présentation des assiettes est soignée. L'établissement est en outre très coquet et comporte un mur entier vitré avec vue sur la rivière, et même un petit balcon assez grand pour une table. Idéal...

Cafetal Buenavista
$$
11h30 à 15h
Située à 240 m d'altitude, cette caféière a été complètement restaurée au début des années 1990, pour le plus grand plaisir des yeux. Un restaurant se trouve dans la maison principale. Le repas de midi y est servi dans une ambiance inimitable. Vous pourrez vous offrir ici un repas complet et délicieux.

Soroa

El Salto
$
12h à 16h
El Salto est un restaurant installé près de la chute du même nom. Il se trouve au bas de la montagne sur laquelle s'étend l'Orqui-

deario Soroa, juste de l'autre côté de la route principale. Le déjeuner présente une cuisine simple et convenable. Le poulet y reçoit tous les honneurs.

Valle de Viñales

Voir carte p 165

Viñales

Si vous logez dans une *casa particular*, n'hésitez pas à y dîner car c'est là que vous trouverez le meilleur rapport qualité/prix. On trouve aussi des restaurants adaptés aux groupes organisés près des lieux touristiques comme la Cueva de José Miguel ou le Mural de la Prehistoria.

Café Bar Las Brisas
$
12h à 22h30
Calle Salvador Cisneros nº 100
Tant un bar qu'un restaurant, Las Brisas propose des plats simples mais réussis. La carte n'est pas révolutionnaire (on y trouve le choix habituel de poulet, riz et salade), mais le service est sympathique et les prix sont avantageux.

Hotel La Ermita
$$
Carretera La Ermita, Km 1
☎ (48) 79-6071
Le restaurant de l'**Hotel La Ermita** (voir p 164), à une vingtaine de minutes de marche du village de Viñales, propose une succulente cuisine créole, avec des viandes grillées comme spécialité, dans un cadre enchanteur avec vue sur les *mogotes*. Prendre son petit déjeuner sur la terrasse du restaurant permet de s'offrir un superbe panorama du Valle de Viñales.

Casa Don Tomás
$$-$$$
10h à 22h
Calle Salvador Cisneros nº 140
☎ (48) 79-6300
À la suite des ouragans de 2008, il fut nécessaire de rénover cette vieille demeure. Pendant ce temps, des tentes ont été installées de l'autre côté de la rue pour accueillir les clients, mais les tables devraient réintégrer la Casa Don Tomás courant 2009. Considéré comme le meilleur restaurant du village, il sert une excellente cuisine créole. Pour varier un peu, goûtez la spécialité maison: une paëlla cubaine. Le service aux tables est attentionné et courtois.

La côte nord

Cayo Jutías

Cayo Jutías
$-$$
Ce restaurant cadre bien avec le milieu ambiant. Poissons et fruits de mer sont servis dans une aire ouverte sur la mer. Un service de bar complète bien le menu.

Pinar del Río

Voir carte p 166

À Pinar del Río, on peut se rafraîchir avec une crème glacée servie chez le traditionnel **Coppelia** *(mar-dim 10h à 24h; Calle Gerardo Medina)*.

Paladar El Mesón
$
lun-sam 12h à 22h
205 Calle Martí (face au Museo de Ciencias Naturales)
☎ (48) 75-2867
Les quelques tables de cet accueillant *paladar* sont souvent occupées. Même si le

service est un peu froid, les spécialités de porc, servies avec du manioc et quelques autres options qui changent des éternels haricots et riz, sont tout à fait délicieuses.

Café Pinar
$$

Av. Gerardo Medina, entre Calle Adela Azcuy et Calle Isidro de Armas

☎ (48) 77-8199

On s'installe aux tables en plein air du Café Pinar autant pour boire un verre que pour manger un plat simple de poulet ou de pâtes. Le service est sympathique, et des groupes de musique s'y produisent les mercredis, jeudis et samedis.

Rumayor
$$

tlj 12h à 22h

Carretera a Viñales, Km 1

☎ (48) 76-3007

À l'intersection avec la route qui quitte la ville de Pinar del Río en direction de la région de Viñales, le Rumayor propose une bonne table dans un décor très spécial. L'architecture de l'établissement reproduit celle des Autochtones de la région, de façon moderne et tout en grandeur. Le midi, de nombreux groupes s'y arrêtent, mais cela ne devrait pas vous empêcher de déguster la spécialité de la maison: le poulet fumé (*pollo ahumado*). Spectacle de cabaret le soir (voir plus loin).

Sorties

■ Activités culturelles

Viñales

Centro Cultural Polo Montañez
droit d'entrée

10h à 1h

Parque José Martí

☎ (48) 79-6164

Des groupes de musique cubaine en tout genre se succèdent tous les soirs, sur la scène en plein air de ce centre culturel, à partir de 22h; le droit d'entrée varie en fonction de la popularité des musiciens. Le reste de la journée, le grand patio extérieur est des plus agréables pour boire un verre et manger une bouchée.

■ Bars et boîtes de nuit

Pinar del Río

La Casa del Habano
lun-sam 9h à 17h

162 Calle Antonio Maceo (face à la Fábrica de Tabacos Francisco Donatién)

☎ (48) 77-2244

On peut prendre un verre ou un café dans le mignon patio de ce magasin de cigares et de rhums.

Rumayor
12h à 2h

Carretera a Viñales, Km 1

☎ (48) 76-3007

Le Rumayor abrite le plus grand complexe nocturne de la région. Restaurants et bars entourent une scène extérieure immense dissimulée sous une végétation tropicale abondante. C'est un excellent endroit le soir pour voir un spectacle ou un concert, bien que l'établissement soit moins fréquenté depuis la crise économique.

LA PROVINCE DE MATANZAS

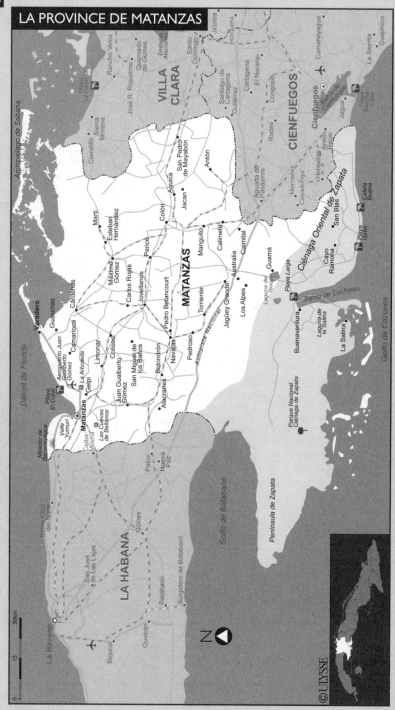

Varadero et la province de Matanzas

Autour de Matanzas

Varadero

Matanzas

Cárdenas

Península de Zapata

San Miguel de los Baños

Située sur la péninsule d'Hicacos, dans la province de Matanzas, Varadero, célèbre dans le monde entier pour ses plages de sable blanc s'étendant sur quelque 20 km, constitue à juste titre le principal attrait touristique de la région. Cette station balnéaire fait en sorte qu'elle n'a rien à voir avec le reste du pays. Ici vous avez plus de chance de rencontrer un Espagnol ou un Canadien qu'un Cubain. Les quelques habitants que vous croiserez seront sans doute les employés des hôtels et des restaurants. La grande majorité des touristes qui se rendent à Varadero le font dans le cadre d'un forfait d'une semaine ou deux, et rares sont ceux qui quittent leur environnement sans souci pour partir à la découverte de Cuba. Pourtant le Cuba réel ne se trouvant qu'à quelques kilomètres de Varadero, nous vous encourageons à partir à sa découverte.

À 42 km à l'ouest de Varadero, Matanzas, capitale de la province du même nom, est surnommée l'«Athènes de Cuba». Un inexorable déclin économique a eu raison de la ville, qui fut, au XIXe siècle, l'une des plus importantes du pays. Appelée depuis la «ville endormie», elle recèle des bâtiments coloniaux et néoclassiques qui trônent toujours devant la large baie de San Juan. Une excursion d'une demi-journée à une journée vous permettra d'en découvrir les attraits.

À une quinzaine de kilomètres au sud de Varadero, Cárdenas se présente comme une ville typique née de la production sucrière au XIXe siècle; de nombreux colons français ayant fui l'indépendance haïtienne s'y sont alors réfugiés. Sorte de tampon entre la modernité de Varadero et le passé colonial du pays, Cárdenas, ville oubliée, n'a pas connu la gloire qui lui était promise. Aujourd'hui, vous y découvrirez plusieurs demeures néoclassiques, l'un des plus surprenants musées du pays et des centaines de cyclistes zigzaguant sur ses avenues typiques. Dans l'ensemble, la visite de Cárdenas vous permettra d'avoir un avant-goût de ce à quoi ressemble l'intérieur du pays. Tous ceux qui la visitent pour une demi-journée retournent à Varadero heureux de leur découverte.

En partant de Varadero pour explorer le sud de la province, vous ne voudrez pas manquer de découvrir, chemin faisant, le charme d'une station thermale du tournant du XXe siècle pratiquement abandonnée: le village de San Miguel de los Baños.

La nature de Cuba prend un cours inusité à la Ciénaga de Zapata: d'immenses marécages longeant la côte Caraïbe sont le berceau d'une faune et d'une flore riches et diversifiées qui feront le bonheur des amants de la nature. L'ensemble de la péninsule possède une extraordinaire variété d'animaux et d'oiseaux exotiques, y compris les crocodiles.

Après le dépaysement naturel, l'histoire partage la vedette avec les plages et les fonds marins spectaculaires de Playa Larga et de Playa Girón. Ces deux hameaux côtiers se trouvent sur la baie des Cochons, rendue célèbre dans le monde à la suite de l'invasion de forces paramilitaires américaines en 1961, et se révèlent être une paisible base pour explorer la péninsule de Zapata, sur terre ou sous la mer.

Accès et déplacements

■ En avion

Varadero

L'**Aeropuerto Juan Gualberto Gómez** (☎45-61-3016), situé à 20 km au sud-ouest de Varadero, répond bien aux besoins des voyageurs et du trafic aérien que connaît la plus populaire destination touristique du pays. N'oubliez pas la taxe de départ de 25 CUC qui doit être payée en argent comptant.

La majorité des touristes atterrissant à Varadero profitent d'un service de transport par autocar inclus dans leur forfait. Si ce n'est pas le cas pour vous, vous devrez soit prendre un taxi (comptez environ 30 CUC pour vous rendre dans le centre-ville) ou, selon votre heure d'arrivée, attendre le prochain bus Víazul en provenance de La Havane qui s'arrête à l'aéroport, mais cette option dépend du nombre de places disponibles. En dernier ressort, vous pouvez tenter l'auto-stop sur la route principale que de nombreux touristes en voiture de location (plaques d'immatriculation rouges) empruntent.

Lignes aériennes

De nombreuses compagnies de charter canadiennes et européennes offrent des vols directs vers l'aéroport de Varadero, telles **Sunwing** *(www.sunwing.ca)* et **Air Transat** *(www.airtransat.ca)*.

Cubana de Aviación *(Av. 1, entre Calle 54 et Calle 55, ☎45-61-1823, www.cubana.cu)* propose des vols directs vers Varadero au départ de Montréal et de Toronto.

Si vous formez un groupe de 10 à 12 personnes, il peut être avantageux de louer un avion complet par l'intermédiaire d'Aerotaxi pour vos déplacements nationaux. Renseignements et réservations auprès de toutes les agences de voyages locales.

■ En voiture

Varadero

Les routes conduisant à Varadero sont généralement bien indiquées et en bon état. La Vía Blanca s'avère particulièrement belle et a fait l'objet d'une rénovation majeure tout le long des 144 km qui séparent Varadero de La Havane.

Vous n'aurez guère de difficulté pour louer une voiture à Varadero: la très grande majorité des hôtels disposent de comptoirs de location, tout comme à l'aéroport où plusieurs agences de location proposent leurs services, notamment **Cubacar** et **Havanautos** *(www.transtur.cu)*.

Matanzas

Matanzas est traversée par la Vía Blanca, la principale autoroute touristique du pays, et se trouve à 102 km de La Havane et à 42 km de Varadero.

Península de Zapata

De La Havane, vous devez emprunter l'Autopista Nacional vers l'ouest et vous diriger vers le sud à la sortie de la Central Australia, située au Km 140 de l'autoroute. De Varadero, le trajet le plus rapide passe par Cárdenas, Jovellanos, Colón et Jagüey Grande, région où se faufilent de jolies routes de campagne. Cependant, la signalisation routière fait défaut.

À **Playa Girón**, vous pourrez louer une voiture aux bureaux de **Transtur** *(☎45-9-4126)*, situés juste à côté de l'**Hotel Playa Girón** (voir p 195).

■ En autocar

Varadero

L'**Estación de Ómnibus Nacionales** *(Calle 36, angle Autopista, ☎45-61-2626)* se trouve sur la côte sud de Varadero. **Víazul** *(☎45-61-4186, www.viazul.cu)* propose des correspondances aller-retour sur **La Havane** *(10 CUC; 2 à 4 départs/jour; durée: 3h; arrêt à Matanzas)*, **Trinidad** *(20 CUC; 1 départ/jour; durée: 7h; arrêt à Cienfuegos)* et **Santiago de Cuba** *(49 CUC; 1 départ/jour; durée: 16h; arrêts à Cárdenas, Colón, Santa Clara, Sancti Spíritus, Camagüey, Holguín et Bayamo)*.

Les réservations sont fortement conseillées, surtout pour les liaisons avec La Havane. Dans tous les cas, présentez-vous au moins 1h avant le départ.

Matanzas

Les autocars de Víazul (voir ci-dessus) s'arrêtent à la station de bus *(angle Calle 171 et Calle 272, quartier de Pueblo Nuevo)* sur la route entre **La Havane** *(7 CUC; 2 à 4 départs/jour; durée: 2h)* et **Varadero** *(6 CUC; 2 à 4 départs/jour; durée: 50 min)*. Les trajets de Varadero à Trinidad passent également par Matanzas (voir ci-dessus).

Península de Zapata

Les autocars de Víazul (voir ci-dessus) qui effectuent le trajet de La Havane à Trinidad passent une fois par jour (le matin) par Playa Larga et Playa Girón *(13 CUC; durée: 3h)*. La liaison de l'après-midi ne s'arrête qu'à l'*entronque* de Jagüey, où vous pourrez prendre un taxi privé jusqu'à destination *(comptez 10 CUC jusqu'à Playa Larga)*.

Depuis La Havane et Varadero, les agences de voyages officielles (Cubatur et Havanatur) proposent des excursions vers la Ciénaga de Zapata. L'aller-retour s'effectue généralement dans la même journée.

■ En train

Matanzas

La gare de Matanzas se trouve complètement au sud, dans la Calle 181, dans le quartier du Miret. Le train La Havane–Santiago de Cuba passe deux ou trois fois par jour à Matanzas.

Moins rapide, mais beaucoup plus pittoresque, le **Tren Eléctrico Hershey** *(2,80 CUC; 3 à 5 liaisons dans chaque sens/jour; durée: 3h; voir aussi p 92 et 185)*, le seul train électrique de l'île, assure des liaisons entre **La Havane** *(départ à Casa Blanca, de l'autre côté de la baie, à deux pas du débarcadère du ferry, voir p 123;* ☎ *7-862-4888)* et **Matanzas** *(la gare Hershey se trouve dans le quartier de Versalles, Calle 67,* ☎ *45-24-7254)*. Construit en 1920 par le magnat du chocolat du même nom, il servait à l'époque à relier la capitale à ses usines sucrières. Aujourd'hui, ce train traverse champs et campagne en s'arrêtant dans de nombreux villages. Il est couramment utilisé par les paysans locaux et s'avère une expérience unique pour découvrir des endroits en dehors des sentiers battus. Il est fortement conseillé de téléphoner à l'avance pour connaître les horaires du jour.

■ En autobus touristique

Varadero

Le bus du **Varadero Beach Tour** *(5 CUC/pers. pour une journée complète; tlj 9h à 19h, toutes les 30 min)*, cette copie des bus londoniens rouges à impériale, mais dont l'étage est ouvert au soleil et à la brise marine, circule le long de l'Autopista Sur et de l'Avenida 1 dans le centre-ville. Il dessert les principaux hôtels et attraits. Vous pouvez y monter et en descendre à votre gré.

■ En taxi

Varadero

De nombreux **taxis** sillonnent les rues de Varadero ou sont garés devant les hôtels. Ils disposent tous de compteurs. Plus rares mais plus économiques, les *cocotaxis* se trouvent à proximité du centre-ville. Par contre, du fait des contrôles et du péage, il est difficile de trouver des *taxis particulares* à Varadero. Si vous comptez utiliser les services d'un chauffeur privé, vous aurez plus de chances au départ de Matanzas.

■ En scooter et à vélo

Varadero

Populaire et pratique, le scooter est idéal pour partir à la découverte de Varadero et ses environs. Si votre hôtel n'en propose pas, rendez-vous chez **Motoclub** *(24 CUC/24h; tlj 9h à 18h; Av. 1, angle Calle 38,* ☎ *45-61-3714)*, qui loue aussi des vélos *(15 CUC/24h)*.

■ En calèche

Varadero

Les calèches de Varadero sont à des années-lumière des typiques voitures utilisées partout à Cuba: les prix demandés *(10 CUC/pers/h)* sont proportionnels à la vocation touristique internationale de ces calèches.

Renseignements utiles

■ Banques et bureaux de change

Varadero

À noter: l'euro est accepté dans la plupart des hôtels de Varadero, et ces derniers ont presque tous un bureau de change.

Banco Financiero Internacional
tlj 9h à 19h
Av. 1, angle Calle 32
☎ (45) 66-7002

Matanzas

Cadeca
Calle 85, entre Calle 280 et Calle 282

■ Communications

Varadero

La plupart des hôtels de Varadero offrent le service Internet. Les cartes d'accès à Internet achetées dans un **Telepunto ETECSA** *(deux adresses: Calle 30, angle Av. 1, et au centre commercial Plaza América)*, peuvent aussi être utilisées dans plusieurs complexes touristiques de Varadero.

Pour poster une lettre de Varadero: **Agencia Postal Principal** *(lun-sam 8h à 18h; Av. Playa, entre Calle 39 et Calle 40)*.

Matanzas

Le **Telepunto ETECSA** se trouve à l'angle de la Calle 83 et de la Calle 282.

■ Renseignements touristiques

Varadero

Les comptoirs d'information touristique des principaux hôtels de Varadero proposent de nombreuses excursions et, à ce titre, agissent davantage comme des agences de voyages. Vous y trouverez tous les renseignements sur les activités culturelles (expositions, concerts, etc.) et les excursions en mer; vous pourrez aussi réserver ici votre place à l'un des restaurants de Varadero.

Pour un tour de ville ou une visite guidée ailleurs au pays, rendez-vous chez **Cubatur** *(Calle 1, angle Calle 33, ☎45-66-7217, www. cubatur.cu)* ou **Cubanacan** *(Calle 24, angle Playa, ☎45-66 7061, www.cubanacan.cu)*.

Matanzas

Le bureau **Infotur** est situé à l'angle de la Calle 83 et de la Calle 290.

■ Sécurité

Varadero

Attention à vos effets personnels sur les plages de Varadero. Pour éviter des surprises désagréables, laissez vos objets de valeur dans un coffret de sûreté à l'hôtel.

Comme ailleurs au pays, méfiez-vous des Cubains qui vous accostent avec trop d'enthousiasme.

En cas de vol, rendez-vous à l'**Estación de Policía** *(angle Calle 39 et Av. 1, ☎45-82-0116)*. Au besoin, les Canadiens pourront aussi contacter le **consulat du Canada** *(Calle 13, entre Av. 1 et Camino del Mar, ☎45-61-2078)*.

■ Soins de santé

Varadero

Presque tous les grands hôtels offrent un service d'infirmerie, voire de consultation médicale.

Policlínico Internacional
tlj 24 heures sur 24
angle Av. 1 et Calle 61
☎(45) 66-7710
Le Policlínico Internacional propose un service d'urgence et une attention médicale soignée et efficace en consultation externe. On trouve aussi sur place une pharmacie bien fournie.

Attraits touristiques

Varadero ★★

▲ p 191   ⊕ p 195   ➷ p 199   🛏 p 200

La ville de Varadero (20 000 hab.) se présente comme une longue et mince langue de terre qui s'enfonce dans la mer. Fer de lance de l'industrie touristique cubaine, Varadero a vu son paysage urbain profondément changer depuis l'effondrement de l'URSS en 1990, envahi par de nombreux complexes touristiques accueillant plus de 500 000 fidèles vacanciers par an. Ses **plages** ★★★ sont superbes, et certains prétendent, à juste titre, qu'elles sont les plus belles du pays. Elles constituent sans contredit l'attrait principal de la région. Les eaux calmes et cristallines prennent une infinité de teintes, allant du vert turquoise au bleu foncé. Idéale pour la baignade et les sports nautiques, la mer est chaude à longueur d'année, la température ambiante moyenne de Varadero étant de 25°C. Cependant, la région comporte aussi une histoire et quelques attraits dignes de mention.

Les maisons de bois

Au cours des premières décennies du XXe siècle, les constructions en bois de Varadero ont atteint une unité et une beauté incomparables au pays. La grande majorité de celles que l'on peut découvrir encore aujourd'hui sont inspirées d'un style architectural américain. Elles sont caractérisées par des galeries de bois et des toitures qui permettent à l'eau de s'écouler vers l'extérieur. L'influence des modes de construction cubains est aussi présente dans les maisons de Varadero, lesquelles évoquent à leur manière une longue tradition architecturale qui s'est maintenue au cours des siècles. Déjà, du XVIe siècle au XVIIIe siècle, le bois était utilisé dans la construction des portes, des fenêtres et des galeries.

L'abondance du bois, qui couvrait à l'époque le pays tout entier, favorisa l'utilisation de ce matériau. C'est pourtant au XIXe siècle qu'une nette augmentation de la construction de maisons de bois se fit sentir, Cuba devenant le plus important marché pour l'industrie du bois de la Louisiane à cette époque. On y importa aussi la façon de faire américaine: le "Ballon Frame", qui marqua les débuts de l'industrialisation dans ce secteur. Puis le développement de l'industrie sucrière au pays favorisa la coupe massive des forêts et l'utilisation de bois cubain, ainsi qu'un retour à des modes de construction plus typiques. Aujourd'hui, l'héritage architectural des maisons de bois de Varadero témoigne à la fois de l'influence américaine ainsi que de l'esprit et du talent des artisans de la région.

Avant l'arrivée des Espagnols, les Siboneys vivaient dans la Península de Hicacos, où se trouve aujourd'hui Varadero. Chasseurs et cueilleurs, ces Autochtones utilisaient les coquillages, les pierres et le bois pour faire des outils. Ils faisaient partie des nations Cubanacán et Yucayo, des cultures très proches l'une de l'autre. En 1555, le nom d'Hicacos figure déjà sur les cartes géographiques espagnoles. Puis, en 1587, commence l'exploitation des mines de sel à **Las Salinas** (voir p 180), que l'on peut visiter encore aujourd'hui. La péninsule est alors habitée par quelques esclaves qui travaillent dans cette saline. Il faut attendre 1872 pour voir arriver les premiers propriétaires terriens qui feront l'élevage du bétail. Alors un quartier de Cárdenas, Varadero accueille ses premiers vacanciers venus de La Havane. Sur une voie navigable bordée de marécages peu hospitaliers, le transport depuis Cárdenas jusqu'à Varadero est alors assuré par des voiliers puis par des bateaux à vapeur. Les historiens de Cárdenas sont fiers de dire que c'est à Varadero que s'est pratiquée pour la première fois la baignade de mer avec des costumes légers.

La musique et les activités culturelles ont depuis longtemps animé le séjour des vacanciers, une tradition qui ne démord pas encore aujourd'hui.

Riche industriel américain d'origine française, Pierre Samuel Du Pont de Nemours acheta, en 1929, 512 ha à Varadero, laissant une trace indélébile de son passage. Il y construisit, en 1928 et 1929, pour la coquette somme d'un million de dollars, son superbe palais, la **Mansión Xanadu** ★★★ (aussi appelée la Casa Du Pont), qui est aujourd'hui un véritable symbole de Varadero. Cette majestueuse résidence de style colonial espagnol, avec des balcons et des fenêtres de bois sculpté, évoque un palais d'Andalousie. Elle a été érigée à l'endroit le plus élevé de la côte nord de Varadero, sur la butte de San Bernardino. On y a reçu bien des vedettes d'Hollywood au cours des années 1950: Cary Grant, Esther Williams et Ava Gardner ont tous fréquenté Varadero, alors qu'il s'agissait d'un paradis méconnu avec de longues plages vierges. Golf, pêche en haute mer, régates: Du Pont faisait vibrer la péninsule tout entière. Il

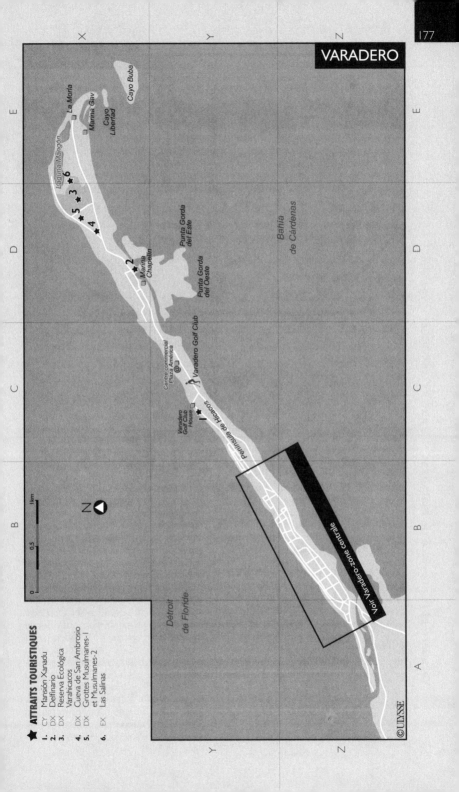

VARADERO

ATTRAITS TOURISTIQUES

★

	CY	Mansión Xanadú
1.	DX	Delfinario
2.	DX	Reserva Ecológica
3.	DX	Varahicacos
4.	DX	Cueva de San Ambrosio
5.	DX	Grottes Musulmanes-1
		et Musulmanes-2
6.	EX	Las Salinas

Détroit de Floride

Laguna Mangon

La Morla

Marina Gav

Cayo Buba

Cayo Libertad

Bahía de Cárdenas

Punta Gorda del Este

Punta Gorda del Oeste

Marina Chapelin

Centre commercial Plaza América

Varadero Golf Club

Varadero Golf Club House

Péninsule de Hicacos

Voir Varadero-zone centrale

N

0   0,5   1km

©ULYSSE

VARADERO zone centrale

Détroit de Floride

Península de Hicacos

Avenida de la Playa

Parque de las Octo Mil Taquillas

Camino del Mar

Avenida 1 (Primera)

Avenida 2 (Segunda)

Avenida 3 (Tercera)

Autopista Sur

Kawama

Av.1 (Primera)

Laguna de Paso Malo

Vía Blanca

Autopista Sur

Isla del Sur

Avenida Central

★ ATTRAITS TOURISTIQUES

1. DZ Iglesia Católica de Santa Elvira
2. DY Museo Municipal
3. DZ Parque Josone

revendit en plusieurs lots une bonne partie de ses terrains à de riches propriétaires américains, et fit de nombreux dons pour la construction d'une église et pour le maintien d'une école paroissiale. Du Pont décéda à l'âge de 85 ans, six ans avant la Révolution. Aujourd'hui, un hôtel (voir p 193), le restaurant **Las Américas** (voir p 198) et un bar (voir p 199) sont aménagés dans cette propriété. N'hésitez pas à y entrer pour jeter un coup d'œil.

Il y a peu de points d'intérêt culturels et historiques à Varadero. Cependant, faire une marche le long de l'Avenida 1 constitue la meilleure façon de visiter la ville, tôt le matin, en fin d'après-midi ou par une journée nuageuse, question d'échapper aux «rigueurs» du soleil. Au retour, vous pouvez emprunter l'Avenida Playa, qui borde la mer sur la côte nord de Varadero.

L'**Iglesia Católica de Santa Elvira** *(Av. 1 n° 4604, angle Calle 47)* se présente comme une belle et simple petite église dont l'intérieur arbore des plafonds de *caoba* (acajou). Elle est construite avec des pierres sablonneuses, malléables au point où l'on peut y planter sans peine un clou. Cette église a une histoire plutôt rocambolesque. Une première chapelle fut construite à cet endroit en 1880, mais elle fut détruite huit ans plus tard par un cyclone. La malchance frappa de nouveau cette chapelle reconstruite puis détruite par le feu en 1916. Un ivrogne s'y était endormi, cigarette au bec... Jamais deux sans trois: un cyclone la détruisit encore une fois en 1933. La riche famille Du Pont, qui subventionnait déjà l'école paroissiale (qui fut d'ailleurs la première à offrir des cours gratuits à Cuba), décida d'aider à la construction d'un nouveau lieu de culte à condition que la population locale donne un peso pour chaque dollar offert par la famille Du Pont. Varadero était alors un village de pêcheurs, et le curé refusa l'entente pour ne pas mettre ce lourd fardeau sur les épaules de la population pauvre de Varadero. Il fallut l'intervention de la femme d'un député local, Encarnación Sánchez, qui déboursa la somme nécessaire pour que soit érigé le nouveau sanctuaire en 1938.

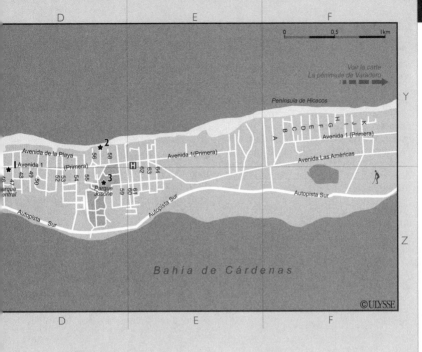

Le **Museo Municipal** *(1 CUC; tlj 10h à 19h; angle Calle 57 et front de mer, ☎45-61-3189)* loge dans une des plus belles maisons en bois de Varadero. Construite en 1921, celle-ci affiche fièrement ses galeries et ses fenêtres de bois entièrement restaurées. Le musée présente une exposition sur la courte histoire de Varadero.

Au nord du musée, sur l'Avenida 1, le **Parque Josone** ★★★ *(angle Calle 56 et Av. 1)* constitue un agréable espace vert, avec de petits étangs, des plantes et des arbres tropicaux, lesquels forment un écran réconfortant au chaud soleil de midi. Vous y trouverez un peu de répit et, assis sur un banc public, vous profiterez de l'occasion pour observer les oiseaux, les canards et les flamants qui y déambulent. La présence de quelques restaurants, d'une piste de quilles, d'un minigolf et de vendeurs d'artisanat attire de nombreux touristes, sans pour autant trop déranger la tranquillité des lieux.

En vous dirigeant vers le nord de la péninsule, vous verrez sur votre gauche le **Delfinario** *(15 CUC; mar-dim 9h à 17h; Autopista Sur, Km 12, ☎45-66-8031)*. Dans ce grand bassin aménagé à même les lagunes qui marquent le littoral, des dauphins font montre de leur incroyable adresse lors des deux spectacles quotidiens. L'endroit est charmant, et l'aménagement des lieux respecte le milieu ambiant. Ceux qui le souhaitent peuvent même nager un peu avec ces surprenants mammifères marins *(environ 90 CUC, réservations conseillées)*.

Un peu plus loin, la **Reserva Ecológica Varahicacos** ★★ *(3 CUC pour emprunter chacun des sentiers; tlj 9h à 16h)*, facilement accessible en scooter ou en bus, offre une agréable opportunité de sortir des sentiers battus. Sur la pointe nord-est de Varadero, entre la Casa Du Pont (7 km vers l'est) et La Morla (4 km vers l'ouest), ce parc protégé cache 14 sites archéologiques. La **Cueva de San Ambrosio** ★★ *(4 CUC; tlj 9h à 16h)* est une grotte où l'on peut apprécier une cinquantaine de gravures rupestres datant de l'époque précolombienne. Ces grottes furent découvertes en 1961 par deux archéologues cubains, Rivero de la Calle et Orlando Pariente, lesquels mirent au jour ce qui avait été apparem-

Varadero et la province de Matanzas - **Attraits touristiques** - Varadero

ment caché à l'œil humain pendant plus de cinq siècles. Mais des dessins superposés d'inspiration africaine tendent à laisser croire que ces grottes servirent à des fins rituelles aux esclaves noirs de la région. Les archéologues découvrirent aussi les restes du *Megalognus rodens*, un mammifère de l'ère jurassique, dans les **grottes Musulmanes-1** et **Musulmanes-2**, situées dans la même région. On y fit aussi la découverte de restes d'aborigènes (probablement des Siboneys) sur une terrasse intérieure entre les deux grottes. Il s'agirait d'un ancien site funéraire et cérémoniel.

Vous pourrez aussi voir à **Las Salinas** ★ une ancienne saline abandonnée. Cette mine était autrefois la principale ressource économique de la péninsule. En chemin, vous ne manquerez pas d'apercevoir *El Patriarca* sur le bord de la route. Les études au carbone démontrent que ce cactus s'élançait déjà vers le ciel quand Christophe Colomb accosta pour la première fois en Amérique!

⚜ Activités de plein air

■ Croisières

À la **Marina Gaviota** *(à l'extrémité est de l'Autopista Sur,* ☎ *45-66-7755, www.gaviota-grupo. com)* et à la **Marina Chapelín** *(Autopista Sur, Km 12,5,* ☎ *45-66-8060, www.nauticamarlin. com),* vous pourrez embarquer sur des catamarans pour une journée en mer *(environ 99 CUC, réservations dans les agences des hôtels ou sur place).* Ces excursions incluent généralement le déjeuner de poissons et fruits de mer, ainsi que quelques heures sur les plages de l'île de Cayo Blanco.

■ Golf

Le **Varadero Golf Club** *(70 CUC/18 trous, 50 CUC voiture électrique obligatoire, 50 CUC location de matériel; Mansión Xanadu, Carretera Las Américas, Km 8,5,* ☎ *45-66-8482, www.varaderogolfclub.com)* fut le premier 18 trous de l'île. Ce parcours, entre mer et complexes hôteliers, est considéré comme l'un des meilleurs de Cuba.

■ Motomarine

La **Marina Chapelín** *(Autopista Sur, Km 12,5,* ☎ *45-66-8060, www.nauticamarlin.com)* propose des excursions en motomarine *(à partir de 45 CUC; tlj 9h à 16h, départs aux heures).* Vous pourrez conduire un de ces engins et suivre un guide qui vous amènera, à partir du canal de la Marina Chapelin, jusqu'à la pointe de la péninsule sur laquelle se dresse Varadero. L'excursion dure 2h et inclut le transfert depuis votre hôtel et la location d'un casier et d'un sac étanche pour vos effets personnels.

■ Pêche en haute mer

Toutes les marinas de Varadero proposent des forfaits identiques pour la pêche en haute mer: comptez 300 CUC par bateau pour quatre personnes pendant une demi-journée, matériel compris.

■ Plongée sous-marine

Il existe près de 30 sites de plongée sous-marine autour de Varadero, sans compter les excursions régulièrement offertes à la baie des Cochons, du côté des Caraïbes. De nombreux sites sont aussi praticables en plongée-tuba.

Barracuda *(Calle 59, angle Playa,* ☎ *45-61-3481 ou 45-66-7072, www.nauticamarlin.com)* est une bonne agence et école de plongée. De nombreuses plongées pour tous les goûts sont proposées *(50 CUC/1 plongée, 258 CUC/10 plongées),* ainsi que des cours et des sorties en plongée-tuba *(30 CUC).* L'équipement fourni est de bonne qualité, et une chambre de décompression se trouve sur place.

■ Surf cerf-volant

Renseignez-vous auprès de **Barracuda** *(Calle 59, angle Playa,* ☎ *45-61-3481 ou 45-66-7072, www.nauticamarlin.com)* pour prendre des cours de surf cerf-volant *(kitesurf)* et louer tout le matériel nécessaire.

- -

Matanzas ★

Matanzas signifie «tueries» en français, et l'origine de ce nom espagnol demeure vague. Une légende raconte qu'en 1609 un groupe d'Espagnols demanda aux Yucayos, des Autochtones qui vivaient dans la région, de les aider à traverser la baie. Une fois rendus vulnérables sur les

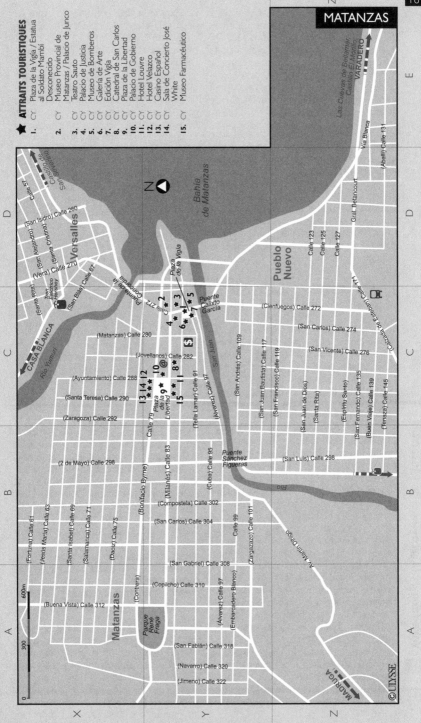

181

MATANZAS

©ULYSSE

canots, les Espagnols auraient été jetés à la mer, et tous se seraient noyés, sauf une femme, qui survécut pour raconter le massacre des siens. Cependant, l'explication la plus plausible provient des historiens de la ville de Matanzas. Ils prétendent que le général espagnol Panfilio Narváez aurait ordonné le massacre des indigènes de la région.

En 1629, la baie de San Juan fut le théâtre d'une bataille navale qui fait encore parler d'elle aujourd'hui. Le pirate hollandais Pieter Heyn, connu sous le nom de «jambe de bois», attaqua quatre galions espagnols chargés d'or et d'argent. Il réussit à en piller deux, mais les deux autres coulèrent dans les profondeurs de la baie. Plusieurs chercheurs de trésors sillonnent toujours le fond de la baie à la recherche de ces galions.

Fondée en 1693 par une trentaine de familles en provenance des îles Canaries, Matanzas fut connue sous le nom d'Atenas de Cuba alors qu'elle bénéficiait d'une importante activité littéraire pendant la deuxième moitié du XIXᵉ siècle. Les arts et les lettres étaient alors à leur apogée, tandis que la prospérité économique était florissante. L'importation massive d'esclaves africains et un boom dans la production sucrière donnèrent des moments de gloire à la province de Matanzas, qui produisait alors 55% du sucre du pays. Mais les guerres indépendantistes provoquèrent rapidement la chute de Matanzas, tout comme celle de Cárdenas, bastions du pouvoir espagnol. Les nationalistes décidèrent de sacrifier le centre économique du pays en pratiquant une stratégie élaborée par le général Máximo Gómez en 1898, qui consistait simplement à mettre le feu aux champs de canne à sucre.Après la destruction de l'ensemble de la production sucrière, celle qui fut l'Atenas de Cuba devint la *ciudad dormida* (la ville endormie). Mais l'écho des années fastes de Matanzas résonne toujours dans ses rues s'enfonçant vers les collines qui l'entourent, et autour des rivières Yumurí et San Juan qui la traversent. D'ailleurs, Matanzas (145 000 hab.) porte aussi le nom de «ville des ponts», et vous en franchirez sans doute de nombreux. Enfin, n'oublions pas que Matanzas, ville de musique, est le berceau du *danzón*, considéré comme la danse nationale de Cuba.

La **Plaza de la Vigía** constitue le point de départ de votre visite de Matanzas. C'est ici que fut fondée la ville en 1693, et une plaque du côté du Río San Juan rappelle l'événement. On y trouve les plus importantes institutions culturelles de Matanzas, quelques-unes des plus vieilles demeures de la ville et sans doute la plus belle caserne de pompiers du pays. Au centre, un monument a été érigé pour le *mambí* inconnu, l'**Estatua al Soldato Mambí Desconecido**, œuvre du sculpteur italien Carlo Nicoli, un hommage à tous les indépendantistes anonymes qui ont péri dans les guerres d'Indépendance au XIXᵉ siècle. Malheureusement, cette place n'est pas conçue pour les piétons, et elle est prise d'assaut par les voitures. Généralement bruyante, elle n'offre que quelques bancs épars.

Pénétrez dans l'enceinte du **Museo Provincial de Matanzas** ★★ *(2 CUC; mar-sam 9h à 17h, dim 9h30 à 14h; Calle Milanés, angle Calle Magdalena, ☎45-24-3195)* pour découvrir ses collections d'objets historiques et le palais qui l'abrite, le Palacio de Junco. Érigée en 1840 sur la Plaza de la Vigia, cette grande demeure coloniale est l'un des plus anciens bâtiments de Matanzas. Elle fit longtemps office de remise à camions de pompiers tirés par des chevaux tels que l'on peut encore en admirer aujourd'hui. Une superbe façade d'un bleu éclatant et un joli patio colonial sont les points saillants de la maison. Fondé en 1959, ce musée se définit comme le premier à avoir vu le jour sous la Révolution; il occupait les sous-sols du Teatro Sauto jusqu'à ce qu'il soit installé sur son emplacement actuel en 1980. L'exposition permanente du musée raconte l'histoire de Matanzas, depuis la période précolombienne jusqu'aux premières années de la Révolution de 1959. Vous pourrez y voir entre autres quelques sculptures, des meubles coloniaux et la *barreta*, le bâton qui permit à Justo Wong de découvrir **Las Cuevas de Bellamar** (voir p 184). Le musée possède aussi une importante collection d'objets de l'époque esclavagiste.

Toujours sur la Plaza de la Vigía, le **Teatro Sauto ★** fait l'orgueil des habitants de la ville. Il témoigne de la prospérité économique et culturelle de Matanzas au XXᵉ siècle. Il fut construit en 1863 et est aujourd'hui classé monument national. En 1898, le théâtre Esteban, du nom de son mécène, fut rebaptisé Sauto en l'honneur

José Jacinto Milanes

José Jacinto Milanes est considéré comme le plus important poète cubain du XIXe siècle. Né à Matanzas, le 16 août 1814, et issu d'une famille sans ressource, cet autodidacte se distingua rapidement, tant à Cuba qu'à l'étranger, par la force des images que suggérait le ton empreint de mélancolie et de compassion de son œuvre. Il composa de nombreux poèmes et quelques pièces de théâtre, dont l'une, intitulée *El Conde Alarcus*, fut jouée en 1838 à La Havane. La fougue créatrice qui l'habitait mina rapidement sa santé physique et mentale et, à partir de 1843, il sombra de plus en plus profondément dans un état dépressif qui l'étouffa progressivement et le mena, en 1863, à sa mort.

du pharmacien Ambrocio de la Concepción Sauto, rendu célèbre pour le médicament qu'il avait concocté et qui guérit la reine Isabelle II d'une maladie cutanée. À l'extérieur, on observe quelques sculptures néoclassiques en marbre blanc de Carrara, tandis qu'à l'intérieur les fresques d'inspiration Renaissance évoquent les vieux théâtres italiens. La scène du théâtre Sauto a accueilli plusieurs célébrités, entre autres l'actrice Sarah Bernhardt. On l'utilise aussi pour des combats de boxe et des championnats d'échecs internationaux.

En face du théâtre se dresse le **Palacio de Justicia**, installé dans l'ancien office de la douane construit en 1826.

Le **Museo de Bomberos** ★ *(entrée libre; mar-ven 10h à 16h; Calle Magdalena n° 1, ☎45-24-2363)* a été aménagé dans une incomparable caserne de pompiers construite en 1900. Y sont exposés de nombreux engins qui furent utilisés, au cours des années, pour combattre les incendies, la plupart de fabrication russe ou américaine. La plus vieille de ces machines remonte à 1866.

De l'autre côté de la Plaza de la Vigía, face au Museo de Bomberos, se trouve la **Galería de Arte** *(entrée libre; mar-sam 9h à 17h, dim 9h à 13h; Calle Magdalena n° 3)*, qui démontre que l'art n'est pas chose morte à Matanzas. Diverses expositions mettent en valeur les œuvres des artistes de la ville.

Juste à côté, ne manquez pas l'atelier d'**Edición Vigía** ★★ *(entrée libre; lun-ven 8h30 à 16h; Calle Magdalena n° 1, ☎45-24-4845)*. Cette maison d'édition artisanale produit

de fabuleux livres uniques. Entièrement faits à la main, ils sont peints, décorés de toutes formes et matières, en relation avec le thème de chaque œuvre. Recueils de poésie, contes, livres pour enfants sont créés ici, et même en plusieurs langues. Une visite vous permettra d'observer le travail des artisans, et aussi de trouver un cadeau original.

En empruntant la Calle 83 vers l'est jusqu'à la Calle 282, vous verrez la **Catedral de San Carlos**, dont la construction fut achevée en 1840. Cette cathédrale, érigée sur les ruines d'une chapelle dévastée par un cyclone en 1740, est malheureusement mal entretenue. À l'intérieur, c'est la désolation: des pans entiers de murs et du plafond se sont effondrés, et la peinture manque un peu partout. Dans ces conditions, on ne peut réellement apprécier cette construction à sa juste valeur.

Sur le côté de la cathédrale est érigée une statue du célèbre poète cubain du XIXe siècle José Jacinto Milanes (voir l'encadré à son sujet).

La **Plaza de la Libertad** ★★, anciennement la Plaza de Armas, constitue le véritable cœur de la ville. Le **Palacio de Gobierno**, construit en 1853, l'**Hotel Louvre** et l'**Hotel Velazco**, deux prestigieux vestiges de la période faste de Matanzas, le **Casino Español**, qui abrite la bibliothèque provinciale Gener y Del-Monte, et la **Sala de Concierto José White**, siège de l'orchestre symphonique de Matanzas, la deuxième en importance au pays, sont tous situés autour de cette imposante place.

La Plaza de la Libertad abrite aussi le surprenant **Museo Farmacéutico** ★ ★ *(3 CUC; lun-sam 10h à 17h, dim 10h à 14h; Calle Milanés n° 495, entre Calle Santa Teresa et Calle Ayuntamiento, ☎45-24-3179)*. Fondée en 1882, cette ancienne pharmacie française ayant appartenu à Ernest Triolet et à Juan Fermín de Figueroa a été préservée dans son état original. Fermée en 1964 pour en faire un musée, elle renferme des vases en porcelaine importés de France et 55 livres de recettes contenant près d'un million et demi de formules à base de plantes médicinales. Le laboratoire est aussi d'époque, et ses appareils et instruments sont entre autres de bronze, de cuivre et de verre.

Au nord de la ville, l'**Ermita de Monserrat** *(à l'extrémité nord de la Calle 306; le bus n° 12 s'y rend depuis le Parque de la Libertad)*, cette belle église datant de 1872 et rénovée en 2009, se trouve sur un *mirador* ★ ★ offrant une vue panoramique sur la ville et la baie, d'un côté, et la vallée de Yumurí, de l'autre.

Pour ceux qui s'intéressent aux vieilles fortifications, le **Castillo de San Severino** ★ peut être agréable à contempler. Il représente l'un des derniers vestiges de la période de la fondation de la ville. Son architecture rappelle celle des vieux forts de La Havane. Le Castillo est inclus dans un programme de l'UNESCO baptisé «La route des Esclaves» et abrite désormais un musée *(2 CUC; tlj 9h à 17h; Av. del Muelle, ☎45-28-3259)* à la mémoire des esclaves qui expose leur mode de vie et leur culture. Le Castillo de San Severino est situé dans la Zona Industrial de Matanzas, un peu à l'écart du centre de la ville. Pour s'y rendre, il convient de prendre la route de La Havane et de tourner dans la première entrée à droite en suivant les indications vers la zone industrielle.

- -

Autour de Matanzas ★

Plusieurs endroits autour de Matanzas méritent une visite. Si vous montez vers le nord, vers Varadero par la Carretera Vía Blanca, vous passerez tout près du **Castillo El Morillo** ★ *(1 CUC; mar-dim 9h à 17h; ☎45-28-6675)*. Construit en 1720 par les forces espagnoles dans le but de protéger la ville du côté de la mer, ce fortin se dresse sur un petit éperon rocheux qui offre un superbe panorama sur la baie de

Matanzas. Le Castillo abrite maintenant un petit musée à la mémoire d'Antonio Guiteras Holmes (1906-1935), ce jeune révolutionnaire abattu ici par les forces de Batista alors qu'il attendait le bateau qui devait le conduire au Mexique, hors des griffes du gouvernement fantoche qu'il combattait ouvertement. L'exposition est intéressante, et elle présente entre autres une copie du programme de l'organisation subversive Joven Cuba, à laquelle était rattaché le jeune Guiteras Holmes, ainsi que le testament politique de ce dernier. Une salle, à l'étage, renferme une importante collection d'objets rappelant que, longtemps avant l'arrivée des Espagnols, vivaient sur ces terres plusieurs peuplades autochtones. Pour aller au Castillo El Morillo, il faut prendre une petite route à gauche environ 1 km après l'université de Matanzas, soit juste avant d'arriver au monumental pont Antonio Guiteras Holmes, le deuxième du pays par son envergure. Le chemin est bien indiqué et facile d'accès.

Par les chaudes journées, une excursion au **Río Canímar** ★ *(3 CUC; Vía Blanca, Km 106, ☎45-28-1259)* peut s'avérer des plus rafraîchissantes. Vous pouvez remonter la rivière sur 11 km en bateau *(30 CUC repas et boissons compris; tlj départ 12h30, retour 16h30)* depuis le Puente Canímar jusqu'au site de **La Arboleda**, où vous pourrez vous baigner, louer des embarcations et parcourir de beaux sentiers. Une autre solution est de vous rendre directement au site de La Arboleda, en voiture ou en taxi, ce qui vous laissera plus de temps sur place.

À 5 km au sud-est de Matanzas se cachent les grottes souterraines dénommées **Las Cuevas de Bellamar** ★ ★ *(5 CUC, photos 5 CUC; tlj 9h à 17h; Finca la Alcancía, ☎45-25-3538; le bus n° 12 s'y rend depuis le Parque de la Libertad)*, surprenantes et faciles d'accès. Le tunnel de 520 m s'enfonce dans une suite de galeries où se sont formées pendant près de 26 millions d'années des stalagmites et des stalactites. Cette formation géologique se compose d'un calcaire blanc et jaunâtre, riche en fossiles marins. Les galeries souterraines furent découvertes inopinément en 1861 par un esclave chinois, Justo Wong, sur le domaine du riche Don Manuel Santos Pargas. Alors qu'il déplaçait une pierre, il échappa son bâton dans un trou, puis dut aller le chercher. Il ne s'attendait sûrement pas à faire la découverte de sa vie et ainsi passer humblement à l'histoire. Dès l'année suivante, les grottes furent accessibles aux visiteurs. En 1940, la chocolaterie américaine Hershey construisit une maison entourée de palmiers, qui sied actuellement au-dessus de l'entrée des grottes.

À une vingtaine de kilomètres à l'ouest de Matanzas, la Vía Blanca franchit le plus haut pont du pays. Avec ses 110 m de hauteur, le Puente de Bacunayagua surplombe le magnifique **Valle Yumurí ★**. Cette vallée mythique, survolée quotidiennement par des oiseaux de proie qui se laissent porter par les vents, tire son nom d'une légende voulant que les Syboneys y habitant se lançaient du haut des montagnes pour échapper à l'esclavage. Le mot *yumurí* aurait son origine dans les mots espagnols *yo morir*, qui signifient «moi mourir». Le **Mirador de Bacunayagua** *(entrée libre; tlj 8h30 à 18h; Vía Blanca, Km 18, Puente de Bacunayagua)* a été aménagé sur le côté ouest du pont, d'où vous pourrez bien voir la vallée et la rivière Bacunayagua. On y trouve une cafétéria et quelques boutiques de souvenirs. Ceux qui voudraient visiter plus en profondeur cette vallée pourront emprunter le **Tren Eléctrico Hershey** (voir p 174) et descendre au gré des arrêts.

🦅 Activités de plein air

■ Baignade et plongée sous-marine

Les plages proches de Matanzas n'ont rien d'exceptionnel et ne sont en rien comparables à celles de Varadero. Cependant, en route vers Varadero, à la hauteur de l'aéroport, en prenant la vieille route côtière, vous trouverez **Playa El Coral**, une belle plage avec des cocotiers et une barrière de corail qui en fait l'un des meilleurs endroits pour pratiquer la plongée-tuba dans les environs.

Cárdenas ★

À seulement 15 km au sud de Varadero, Cárdenas (153 000 hab.) se présente comme une ville que tous ceux qui séjournent à Varadero devraient visiter. Son architecture néoclassique est typique (mais les édifices sont malheureusement laissés à l'abandon), et son histoire est fascinante. Découvrir ses rues remplies de cyclistes et de piétons vous donnera un excellent

avant-goût de ce qu'est Cuba en dehors des lieux touristiques. Varadero fut autrefois un quartier tardif de la prospère Cárdenas. Qui aurait cru que cette longue plage allait un jour supplanter Cárdenas et devenir l'un des moteurs économiques du pays?

Avant même la fondation de Cárdenas, l'indépendance d'Haïti provoqua l'exode de nombreux Français, et des douzaines de familles vinrent s'installer ici à la fin du XVIIIᵉ siècle. Leur contribution fut importante pour la région, puisqu'ils apportèrent avec eux une technologie plus avancée pour la production sucrière. De plus, ils furent les premiers à cultiver le café dans la région. Cárdenas constitue une ville relativement jeune pour Cuba. Fondée en 1828 par un regroupement de Nord-Américains, de Français et d'Anglais, elle prend, dès ses débuts, un visage cosmopolite. Ces familles bâtiront la ville sur un bout de terre marécageuse, érigeant en quelque sorte une «Hollande en Amérique». À peine 12 ans après sa fondation, en 1840, voilà que Cárdenas devient la deuxième ville du pays desservie par le chemin de fer. Cette ville qui ne disposait pas d'un bon port pour l'exportation de son sucre se dote ainsi d'un moyen de transport révolutionnaire pour l'époque. Le 9 septembre 1889, Cárdenas est la première ville du pays à se doter de l'éclairage électrique. Puis, c'est le déclin, lent et soutenu, avec l'avènement des guerres d'Indépendance qui feront fuir les familles riches. Les ports de Matanzas et de La Havane prospèrent davantage que celui de Cárdenas, et la deuxième guerre d'Indépendance, entre 1895 et 1898, provoque la plus grande crise économique que la ville ait connue: les plantations sont incendiées par les nationalistes et le chemin de fer est détruit. Cárdenas ne s'en remettra jamais. En 1974, Varadero cesse d'être un quartier de Cárdenas et devient une ville à part entière. Malheureusement, les profits du tourisme n'arriveront pas jusqu'à Cárdenas, mettant en danger son héritage architectural. Chapitre intéressant dans l'histoire de la municipalité, le 16 juin 1962, y eut lieu une grande manifestation qui fit alors beaucoup de bruit. Mécontentes des conditions de vie au lendemain de la Révolution, les ménagères de Cárdenas parcoururent la ville en frappant sur des pots et des chaudrons, ameutant ainsi la population. La police dut intervenir pour mettre un terme à cette manifestation tapageuse.

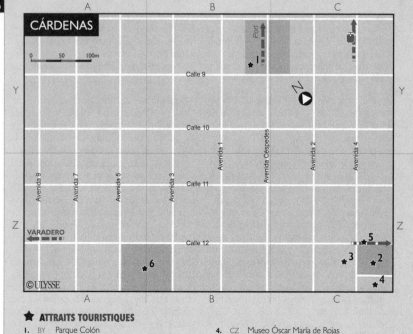

CÁRDENAS

0 50 100m

Port

Calle 9

Calle 10

Avenida 1
Avenida Céspedes
Avenida 2
Avenida 4

Avenida 9
Avenida 7
Avenida 5
Avenida 3

Calle 11

VARADERO

Calle 12

©ULYSSE

★ **ATTRAITS TOURISTIQUES**

1.	BY	Parque Colón
2.	CZ	Parque José Antonio Echeverría
3.	CZ	Museo Casa Natal de José Antonio Echeverría
4.	CZ	Museo Óscar María de Rojas
5.	CZ	Museo a la Batalla de Ideas
6.	AZ	Parque Malakoff

L'artère principale de Cárdenas est l'Avenida Céspedes, qui traverse le quartier historique jusqu'au port. Le **Parque Colón** ★, entre la Calle 8 et la Calle 9, est l'endroit où fut fondée la ville et où se dresse le premier monument en Amérique consacré à Christophe Colomb. Ici, toutes les constructions évoquent le style néoclassique. L'Hotel Dominica, situé au sud du parc, en est un bel exemple, classé monument historique. Les forces de Narciso López auraient occupé l'hôtel après avoir hissé, en 1850, la première version du drapeau cubain, la fameuse *bandera* dont le dessin était inspiré du drapeau de l'État américain du Texas. La Calle Princesa, qui s'appelait autrefois la Calle de los Franceses (la rue des Français), mérite certainement que vous vous y aventuriez.

Dans la Calle 12, entre l'Avenida 4 et l'Avenida 6, le **Parque José Antonio Echeverría** ★ rend hommage à José Antonio Echeverría (1932-1957), ce jeune homme qui, à la tête du Directorio Revolucionario, mena l'attaque contre le Palais présidentiel en 1957. Une statue à son effigie, ainsi

qu'un large monolithe de pierre marqué de son testament politique, témoignent de l'importance accordée au rôle que joua Echeverría dans la lutte contre le régime dictatorial de Batista.

Bordant le parc, le **Museo Casa Natal de José Antonio Echeverría** ★ *(1 CUC; mar-sam 10h à 17h, dim 9h à 12h; Av. 4 nº 560, angle Calle 12, ☎45-52-4145)* occupe la maison familiale de José Antonio Echeverría. Il s'agit d'une immense maison construite en 1703 et arborant des plafonds d'une hauteur vertigineuse et des escaliers en colimaçon tout à fait hallucinants. Le musée présente une exposition qui relate les différentes étapes de la longue lutte qui mena Cuba vers l'indépendance et vers la révolution socialiste. On insiste évidemment sur les luttes estudiantines, et plus particulièrement sur la trajectoire du jeune homme en l'honneur duquel fut aménagé ce musée.

L'entrée du **Museo Óscar María de Rojas** ★★ *(5 CUC; mar-sam 10h à 18h, dim 9h à 12h; Calle 13, entre Av. 4 et Av. 6, ☎45-52-2417)* se trouve aussi du côté du Parque

José Antonio Echeverría. Installé dans le vieil hôtel de ville de Cárdenas, dont la construction remonte à 1862, il est un des musées les plus diversifiés du pays et présente une exposition extraordinaire de pièces archéologiques et d'autres objets reliés aux sciences naturelles, entre autres une très belle collection de coquillages et d'escargots, d'armes et de monnaies. Aussi, on y retrace l'histoire de la ville par des documents écrits et photographiques. Un carrosse funèbre en bois du XIXᵉ siècle constitue la pièce maîtresse du musée. Vous y découvrirez de plus deux œuvres plutôt étranges; une, en particulier, ne peut être manquée: la tête momifiée et réduite d'un Autochtone de l'Équateur ne mesurant que quelques centimètres. L'autre, pour sa part, à l'image d'une pièce montée, met en scène deux puces habillées en nouveaux mariés. Il faut utiliser une loupe pour les voir! Fondé en 1900, ce musée partage, avec le Museo Bacardí de Santiago de Cuba, la palme du plus ancien musée au pays.

Également situé tout près du Parque José Antonio Echeverría, le **Museo a la Batalla de Ideas** *(2 CUC; mar-dim 9h à 17h; angle Av. 6 et Calle 12, ☎45-52-3990)* a ouvert ses portes en 2003 dans l'ancienne caserne de pompiers de Matanzas. «Musée des luttes idéologiques», il met en avant les idées politiques de la Révolution contre l'impérialisme américain. Une partie importante du musée est consacrée à l'affaire Elián González, du nom d'un jeune garçon originaire de Cárdenas. On se souvient qu'au tournant de l'an 2000 un lamentable «feuilleton» démontrait la vieille haine qu'entretiennent les anti-castristes de Miami à l'égard du gouvernement cubain dirigé par Fidel Castro. L'affaire Elián González, dont la mère s'était noyée en tentant de gagner les États-Unis sur une embarcation de fortune, a fait le tour du monde. Pendant sept mois, les deux parties se sont disputé la garde du gamin de six ans. Finalement, conformément à la loi, Elián fut rendu à son père venu le chercher à New York. Ils habitent Cárdenas.

Heureusement, des travaux de rénovation sont en cours à quelques endroits de Cárdenas. Le plus bel exemple est la reconstruction du superbe marché couvert du **Parque Malakoff** *(entre Calle 12 et Calle 13, et entre Av. 3 et Av. 5)*. Ce marché agricole est surmonté d'un magnifique dôme métallique qui fut importé des États-Unis en 1859.

Cárdenas mérite que l'on s'y promène un peu. De cette façon, il vous sera possible de découvrir quelques petits bijoux, comme l'**Estación de Trenes**, au bout de l'Avenida 8 et à l'angle de la Calle 4, cette gare ferroviaire construite en 1875. La peinture bleue en rehausse l'aspect «théâtre d'opéra».

Finalement, au bout de l'Avenida Céspedes, du côté de la baie, se dresse le monument qui célèbre la première levée du drapeau cubain. Il est dominé par un long mât au bout duquel flotte le drapeau de l'État.

San Miguel de los Baños ★

Accessible du petit village de Coliseo, sur la Carretera Central et au sud de Cárdenas, San Miguel de los Baños se présente comme un ancien centre de thalassothérapie disposant d'eaux sulfureuses; il se cache dans une zone montagneuse contrastant avec le plat généralisé de la région agricole qui l'entoure. À votre arrivée, après avoir franchi les 7 km de la petite route, vous verrez sur votre gauche le principal bâtiment de cet établissement thermal: un grand palais où de riches Cubains venaient se reposer et se soigner selon la tradition européenne en vogue à partir de la deuxième moitié du XIXᵉ siècle. Le déclin du palais commença quelques années après la Révolution de 1959, et l'on raconte que Che Guevara vint loger dans une de ses tours pour soigner son asthme chronique. Aujourd'hui, ce palais est à l'abandon, et les bains ne fonctionnent plus, mais cela ne fait qu'ajouter au charme du village, véritable oasis de paix complètement méconnue. Tout autour, de petites rues s'éloignent dans les montagnes, l'une menant à l'église du village, l'autre à une piscine accessible seulement pendant les mois d'été.

Devant le palais abandonné, l'Hotel San Miguel, à l'architecture néoclassique, vous entraînera irrémédiablement dans une autre époque, celle d'une Amérique prospère au tournant du XXᵉ siècle.

D'ici, vous pouvez entreprendre des excursions dans les montagnes, particulièrement à la Loma Jacán, où un sentier conduit jusqu'à une ancienne croix de chemin en bois.

Península de Zapata ★ ★

▲ *p 195* ◑ *p 199*

Ciénaga de Zapata ★ ★

Marécages, marécages et encore des marécages! La Ciénaga de Zapata, paradis de la chasse et de la pêche, est aussi le rendez-vous des biologistes, des ornithologues et des chasseurs d'images.

Toute cette région était autrefois l'une des plus pauvres et des plus isolées du pays. D'ailleurs, aucune route ne s'y rendait avant la Révolution, et ses habitants ne disposaient ni d'eau courante ni d'électricité. Cependant, le conflit de la baie des Cochons (voir p 29), en 1961, allait transformer les conditions de vie des habitants. À cause de son isolement et de la difficulté d'y accéder par terre, la région fut choisie pour le débarquement des forces paramilitaires composées d'Américains et de Cubains en exil afin de renverser le régime de Fidel Castro. L'objectif des contre-révolutionnaires et de la CIA était d'installer un gouvernement provisoire pendant quelques jours et ensuite demander l'aide militaire des troupes américaines.

Les quartiers généraux de Fidel Castro furent installés dans la centrale de production sucrière Australia, sur la route qui conduit à la Ciénaga de Zapata et à Playa Girón. La **Central Australia** *(1 CUC; mar-sam 8h à 17h, dim 8h à 12h)* est ouverte au public, et l'on peut y visiter un musée rappelant le passage de Fidel Castro et des troupes des forces armées révolutionnaires.

Pour prévenir une autre attaque dans la région, et aussi pour améliorer le sort de ses habitants, une excellente route fut construite, et le développement économique et touristique suivit. En bordure de cette route qui conduit à Playa Girón, vous remarquerez de simples monuments érigés en hommage aux jeunes miliciens qui périrent à la guerre.

Le **Parque Nacional Ciénaga de Zapata ★ ★**, d'une superficie de 300 km², a été reconnu par l'UNESCO comme réserve de la biosphère. Pour la petite histoire, les premières infrastructures de ce parc national furent érigées en 1961 à la suite de la recommandation de la plus intime amie de Fidel Castro, Celia Sánchez.

À l'entrée, **La Boca** se présente comme un complexe touristique accueillant de nombreux cars en provenance de La Havane et de Varadero. Restaurants, bars et autres installations ont été mis en place pour recevoir les touristes.

Une des attractions principales de l'endroit est le **Criadero de Cocodrilos** *(5 CUC; tlj 9h à 17h)*. Ce sont des centaines de crocodiles qui sont élevés ici à des fins commerciales, pour leur viande ainsi que pour leur peau, qui sera transformée en sacoches, ceintures et souliers sans pour autant que soit menacée l'espèce. Observer ces bêtes mesurant entre 4 m et 7 m a quelque chose d'envoûtant et de préoccupant... Et pour y goûter, rendez-vous aux restaurants du complexe de La Boca, juste à côté.

La Boca est aussi le point de départ des embarcations qui franchissent les marécages par un long canal de 8 km jusqu'à la Laguna del Tesoro et Guamá. Deux types d'embarcations sont mises à votre disposition: un traversier *(12 CUC aller-retour; durée: 30 min)* qui fait la navette entre La Boca et Guamá à heures fixes, et des canots rapides à moteur *(12 CUC aller-retour; durée: 15 min)* qui, sans l'ombre d'un doute, sont bien plus excitants que le précédent, et qui partent à l'heure que vous désirez.

Pour se rendre à Guamá, les bateaux franchissent d'abord un long canal étroit jusqu'à la **Laguna del Tesoro ★**. D'une superficie d'environ 8 km², cette lagune est très riche en poissons et constitue un centre de pêche très couru. Outre la truite et la carpe, la lagune abrite une espèce unique: le *manguari*. Ce poisson a presque toutes les caractéristiques normales d'un poisson, sauf qu'il a une tête semblable à celle d'un crocodile. La lagune tire son nom d'une légende qui raconte que Guamá, autrefois chef des Taïnos, fuyant les attaques des Espagnols, s'y serait réfugié avec son peuple. Provenant des provinces orientales, lui et son peuple auraient emporté avec eux l'or, l'argent et les bijoux de leurs villages d'origine. À l'arrivée des Espagnols sur les lieux, les Taïnos jetèrent leurs trésors dans la lagune afin qu'ils ne tombent pas dans les mains de leurs ennemis.

Sur la rive opposée de la Laguna del Tesoro, le village reconstitué de **Guamá** ★ est une sorte de reproduction moderne de ce qu'aurait pu être un village taïno dans la région. Construit sur une série de petites îles marécageuses, ce complexe touristique et hôtelier n'a bien sûr rien à voir avec un village autochtone, si ce n'est une certaine inspiration architecturale des lieux et l'utilisation de multiples canaux reliant les cabanes les unes aux autres. La vue de ces cabanes rustiques se découpant sur l'horizon se révèle toutefois intéressante. Construites selon la méthode traditionnelle et coiffées de toits en feuilles de palmier, les unes servent de chambres et les autres, bien plus grandes, de restaurant et de discothèque. Pour profiter au maximum de Guamá, il est indispensable d'y passer au moins une nuit. Quand les bateaux transportant les cars bondés de touristes partent en début d'après-midi, la nature semble reprendre ses droits. Une promenade le long des nombreux sentiers aménagés est de mise, franchissant de nombreux ponts de bois étroits qui surplombent admirablement les marécages. Aussi, pourquoi ne pas louer un canot et naviguer doucement sur les eaux tranquilles des canaux, tout en passant sous les ponts, pour finalement accoster au quai devant votre hutte? Le canot est d'ailleurs toujours le moyen de transport le plus utilisé par les travailleurs de Guamá, et c'est le meilleur moyen de joindre l'utile à l'agréable. Pendant votre balade en canot, vous aurez droit au silence et à l'enchantement du crépuscule, ou encore à la musicalité du chant des oiseaux dès le lever du jour. Les premières heures de la journée sont d'ailleurs les meilleures pour être témoin du réveil de la nature.

Guamá est aussi l'hôte du seul musée en plein air de Cuba. L'**Aldea Taína** expose, sur un petit îlot, 25 sculptures représentant des Taïnos exécutant différentes tâches. Ces pièces sont l'œuvre de la sculpteure cubaine Rita Longa (1912-2000). En vous promenant sur les terrains du musée à ciel ouvert, vous découvrirez de huttes traditionnelles qui cachent en leur intérieur quelques-unes des sculptures.

On accède à la réserve protégée du parc national depuis Playa Larga. Pour vous rendre aux différents sites d'observation

des oiseaux, vous devez obligatoirement avoir votre propre véhicule et être accompagné d'un guide officiel *(12 CUC/pers.)*. Rendez-vous au bureau du **Parque Nacional de la Ciénaga de Zapata** (☎ *45-98-7249; ouvert le matin; le bureau se trouve à l'entrée du village, sur la gauche avant d'arriver au carrefour où trône le vieux voilier)*. Des petits chemins de terre cahoteux (plus facilement accessible en véhicule tout-terrain) aboutissent aux sites protégés, dont celui de la **Laguna de la Salina** ★ ★, l'un des endroits les plus extraordinaires de la région. Cette lagune est l'hôte de centaines de flamants roses, de perroquets, de colibris, etc. Pour profiter au mieux de cet endroit qui n'offre aucun service aux visiteurs, il est préférable d'arriver très tôt le matin et d'apporter de l'eau et des denrées pour une journée. Le site de **Santo Tomás** ★, à 30 km à l'ouest de Playa Larga, abrite lui aussi de nombreuses espèces d'oiseaux, dont certaines sont propres à la péninsule.

La baie des Cochons ★

Situé sur la baie des Cochons (**Bahía de Cochinos**), le petit village de **Playa Larga** n'a guère d'attrait en lui-même, si ce n'est de la présence de ses longues plages sablonneuses, mais il compte quelques bonnes options de logement (voir p 195) et se révèle être une bonne base pour explorer le Parque Nacional de la Ciénaga de Zapata (voir ci-dessus). L'endroit est on ne peut plus calme, et vous pourrez aussi profiter des possibilités de plongée sous-marine (voir p 190) offertes par l'Hotel Playa Larga.

À mi-chemin entre Playa Larga et Playa Girón, la **Cueva de los Peces** est une grotte immergée et profonde d'environ 70 m, qui est remplie de poissons multicolores, avec aussi des tortues de mer qui font parfois une apparition. Cet endroit particulièrement prisé des plongeurs est aussi un bel endroit pour s'adonner à la plongée-tuba.

Playa Girón serait un petit village côtier sans importance, n'eût été des événements historiques qui s'y déroulèrent en 1961. C'est ici que fut repoussée l'attaque des mercenaires américains et cubains en exil par les forces de Fidel Castro. D'ailleurs, une grande affiche de propagande à l'entrée de Playa Girón rappelle aux visiteurs qu'ici

Varadero et la province de Matanzas - Attraits touristiques - Péninsule de Zapata «*l'impérialisme américain a perdu sa première guerre en Amérique latine*», et sur la route principale qui longe la plage, on peut voir quelques petites maisons touchées par des obus, maintenues ainsi pour rappeler les événements.

Le **Museo Girón** *(2 CUC; tlj 9h à 17h; à côté de l'Hotel Playa Girón,* ☎ *45-98-4122)* présente une exposition permanente sur cette guerre à partir de photos d'époque et de pièces d'artillerie. Ce musée plutôt simple offre néanmoins l'avantage d'expliquer le conflit du point de vue cubain. Si vous ne lisez pas l'espagnol, vous devrez songer sérieusement à faire usage d'un guide pour la visite.

La plage située devant l'hôtel ne s'avère pas très agréable à cause du Malecón de Playa Girón. Cette longue digue de béton bouchant le paysage n'a rien de très charmant, mais elle a l'avantage de réduire les courants et les vagues dans la petite baie de Girón. Mais rassurez-vous, la grande plage qui se trouve juste à côté est tout aussi sablonneuse. Mais l'attrait fondamental de Playa Girón réside dans ses fonds marins spectaculaires qui attirent des plongeurs des quatre coins du monde (voir plus loin).

À 8 km à l'est de Playa Girón, sur la route bordant la mer, se trouve la **Caleta Buena** *(15 CUC, boissons et repas compris; tlj 10h à 17h)*, une petite baie isolée et un excellent site pour faire de la plongée-tuba sans avoir à prendre de bateau. Au bord de l'eau, on peut voir une multitude de poissons tropicaux multicolores. Apportez votre masque de plongée ou louez-en un sur place puisque tout l'équipement nécessaire est disponible à la Caleta Buena. S'y trouve une petite cafétéria où vous pourrez acheter de l'eau et des boissons gazeuses. Pendant la haute saison touristique, une navette quitte l'Hotel Playa Girón tous les matins à 10h pour se rendre à la Caleta Buena. Vous pouvez aussi louer un scooter ou une bicyclette. Chemin faisant, vous pourrez vous arrêter sur quelques petites plages généralement désertes.

🪶 Activités de plein air

■ Observation des oiseaux

Laguna de la Salina et **Santo Tomás** (voir p 189).

■ Pêche

Les marécages de la Ciénaga de Zapata sont réputés pour la qualité de la pêche à la truite, à la carpe et au *manguari*, ce poisson ayant une tête semblable à celle du crocodile. Il est préférable de passer la nuit à la **Villa Guamá** (voir p 195) ou d'organiser à Playa Larga une excursion d'une journée (guide obligatoire) à la **Laguna de la Salina**.

■ Plongée sous-marine

Playa Girón, reconnue pour ses fonds marins, attire des plongeurs venus des quatre coins du globe. On y trouve plusieurs types de coraux et d'éponges. Le centre de plongée de l'**Hotel Playa Girón** (voir p 195) propose des sorties en mer pour 25 CUC (équipement compris) si vous êtes détenteur d'un certificat de plongeur, ainsi que des plongées nocturnes et dans des grottes. Aussi, Playa Girón est l'un des seuls endroits à Cuba où des cours de plongée d'une semaine permettent d'obtenir une certification internationale.

L'**Hotel Playa Larga** (voir p 195) dispose aussi d'un centre de plongée qui offre le même type de services que celui de Playa Girón.

La **Caleta Buena** et la **Cueva de los Peces** sont deux endroits parfaits pour pratiquer la plongée-tuba. Location d'équipement sur place.

En «tout compris» à Varadero

La plupart des touristes qui se rendent à Varadero sont hébergés dans les nombreux grands complexes hôteliers qui offrent des forfaits «tout compris». Il est fortement conseillé de réserver ces chambres par l'intermédiaire d'une agence de voyages avant de partir, afin de profiter de tarifs bien plus avantageux que ceux proposés sur place. De plus, certains de ces grands hôtels n'offrent pas de chambres aux visiteurs qui n'ont pas de réservation. Pour plus d'information sur les «tout compris», voir l'encadré p 67. Voici une brève sélection d'établissements susceptibles d'être proposés par les voyagistes.

Le hall du **Barceló Solymar** *($$$$$ tout compris)* impressionne par ses murs de verdure, et ses chambres se dressent autour d'une piscine tout en courbes. On y propose des services de massage, un sauna et une salle d'entraînement pour vous refaire une santé.

Réservé aux adultes, le **Paradisus Princessa del Mar** *($$$$$ tout compris)* est un bel établissement au luxe tranquille, entre autres doté d'un spa.

Avec son cachet européen et ses nombreuses aires de détente et de jeux, l'**Iberostar Varadero** *($$$$$ tout compris)* sourit aux familles. L'établissement est très apprécié des vacanciers pour ses chambres spacieuses, son service courtois et ses activités variées.

▲ Hébergement

Varadero

Voir carte p 196-197

La sélection d'établissements ci-dessous s'adresse aux voyageurs indépendants qui veulent profiter des plages de Varadero. Ces derniers pourront trouver à se loger dans des établissements souvent moins luxueux, mais aussi moins chers que les complexes hôteliers typiques de Varadero. La plupart de ces hôtels se trouvent dans la partie ouest de la ville, et il est ici aussi recommandé de réserver à l'avance. À noter que les *casas particulares* sont interdites à Varadero.

Hotel Ledo
$$-$$$ ☎ ≡ ⊍ ❄
Av. de la Playa, angle Calle 43
☎ (45) 61-3206
Les petites chambres du Ledo sont un peu sombres et vieillottes, mais propres. L'attrait principal de l'établissement demeure ses tarifs, et la plage située à deux pas.

Aparthotel Mar del Sur
$$$ tout compris
≡ ⊍ ≈ ❤ ⊕
Avenida 3, angle Calle 30
☎ (45) 61-2246
www.islazul.cu
Ce complexe propose non seulement des chambres, mais aussi des appartements de une ou deux chambres, tout équipés, qui s'avèrent parfaits pour les familles et les longs séjours. Malgré sa taille (366 chambres) et son

éloignement de la plage, l'endroit est assez charmant. On trouve de nombreux services sur place. Les forfaits «tout compris» sont plus avantageux si vous réservez par l'intermédiaire d'une agence cubaine, mais les personnes qui n'ont pas de réservation sont aussi les bienvenues.

Aparthotel Varazul et Hotel Acuazul
$$$ ☎ ≡ ⊍ ≈ 🔒 ❄ ⊕
Av. 1, angle Calle 13
☎ (45) 66-7132
www.islazul.cu
L'Aparthotel Varazul et l'Hotel Acuazul sont deux établissements voisins qui dépendent d'une seule et même gérance. Le Varazul comprend des appartements d'une chambre, conçus spécialement pour

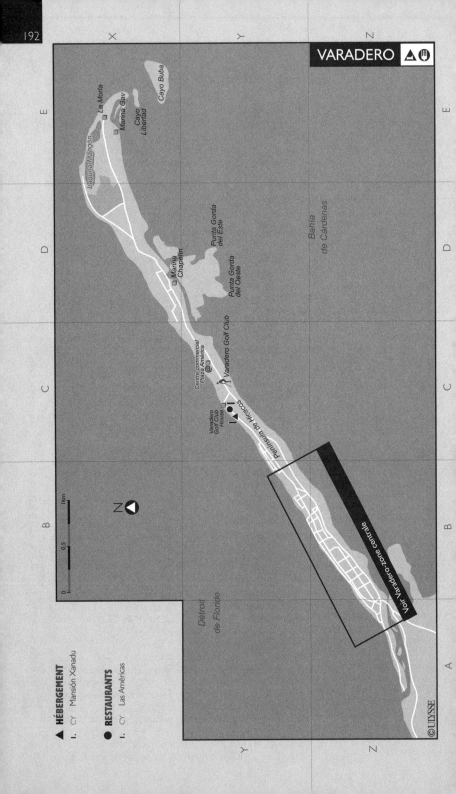

VARADERO

HÉBERGEMENT

1. CY Mansión Xanadu

RESTAURANTS

1. CY Las Américas

Détroit
de Floride

Laguna Mangón

La Moña

Marina Gav

Cayo Buba

Cayo
Libertad

Marina
Chapelín

Punta Gorda
del Este

Punta Gorda
del Oeste

Centre commercial
Plaza América

Varadero Golf Club

Varadero
Golf Club
House

Péninsule de Hicacos

Bahía
de Cárdenas

Voir Varadero zone centrale

N

0   0,5   1km

© ULYSSE

les longs séjours, et l'on y profite de tous les services et activités sportives proposés à l'Acuazul. Ce dernier possède des chambres spacieuses et très confortables, toutes pourvues d'un grand balcon avec vue sur la mer. De plus, le personnel est chaleureux.

Hotel Dos Mares
$$$ ♒ ≡ ♨ 🔒 @
Calle 53, angle Av. 1
☎ (45) 61-2702
www.islazul.cu
Pour son prix, l'Hotel Dos Mares est un bon choix. Petit, accueillant et sympathique, il se trouve au cœur de Varadero, dans une ancienne maison à toit de tuiles d'inspiration méditerranéenne. La plage est toute proche, et l'on trouve un service Internet dans l'hôtel.

Hotel Pullman
$$$ ♒ ≡ ♨
Av. 1, entre Calle 49 et Calle 50
☎ (45) 61-2702
www.islazul.cu
L'Hotel Pullman, l'un des lieux d'hébergement les moins chers à Varadero, est aussi l'un de ceux qui offre le plus de caractère. Il se trouve au milieu du secteur ancien de Varadero et est entouré de vieilles maisons typiques en bois. L'architecture est inspirée du style château du XIXe siècle. Les chambres et le restaurant sont sombres cependant.

Hotel Herradura
$$$ ♒ ≡ ♨ 🔒
Av. de la Playa, entre Calle 35 et Calle 36
☎ (45) 61-3703
www.islazul.cu
L'Hotel Herradura se démarque des autres établissements hôteliers grâce à son excellent emplacement devant la plage. Les chambres sont simples,

propres et assez spacieuses. Celles qui donnent sur la plage disposent en plus d'un balcon. Le restaurant à l'extérieur est agréable. Des forfaits «tout compris» sont aussi proposés.

Villa La Mar
$$$ ♒ ≡ ♒ ➔ 🔒 ♨
Av. 3, angle Calle 29
☎ (45) 61-3910
www.islazul.cu
Situé dans le centre-ville, proche de la station de bus et à quelques centaines de mètres à pied de la plage, cet établissement n'est certes ni le plus luxueux ni le plus charmant de Varadero, mais il offre bien d'autres avantages. Les chambres sont simples et propres, et certaines disposent d'un balcon, mais on loue aussi des appartements avec cuisinette, très utiles pour les familles ou pour les longs séjours. De plus, l'accueil est sympathique, et vous serez ici immergé dans une ambiance tout à fait cubaine. Enfin, des forfaits «tout compris» très avantageux sont aussi offerts.

Mansión Xanadu
$$$$ ♒ ≡ 🔒 ❄ ♨
Carretera Las Américas, Km 8,5
☎ (45) 66-8482
www.varaderogolfclub.com
Cette ancienne demeure a gardé tout son charme historique (voir p 176) et abrite désormais six chambres, meublées d'antiquités et avec salle de bain en marbre comme à la grande époque de cette maison. Les chambres qui donnent sur la mer sont bien sûr les plus agréables et aussi les plus courtisées. Cette adresse de prestige conviendra tout particulièrement aux golfeurs, car ils profitent d'un accès gratuit et illimité au **Varadero Golf Club** (voir p 180).

Matanzas

Casa Marilyn
$$ ≡ P
15102 Linea Secunda, entre Callejón de Desamparados et Santa Isabel, Calzada San Luis, quartier de Pueblo Nuevo
☎ (01) 5-278-0415
À mi-chemin entre la station de bus et le centre historique, cette *casa particular* se trouve dans un quartier populaire. Mais l'accueil, la qualité des repas et la connaissance de la région de la part de vos hôtes compensent largement cette localisation qui n'est pas la plus pratique. Cette maison moderne compte deux chambres avec chacune leur balcon. Marilyn parle l'anglais.

Hostal Azul
$$
29012 Calle 83, entre Calle 290 et Calle 292
☎ (45) 24-2449
hostalazul.cu@gmail.com
Cette grande maison coloniale se trouve à deux pas de la Plaza de la Libertad et offre deux grandes chambres qui donnent sur un patio intérieur agréablement aménagé. Ambiance familiale et bons repas. Une autre *casa particular* appartenant à la même famille se trouve juste à côté.

Hotel Canimao
$$ ≡ ♒ ♨
Vía Blanca, Km 5,5
☎ (45) 26-1014
www.islazul.cu
Situé à 5 km à l'est de Matanzas, l'Hotel Canimao s'impose comme le plus moderne des établissements de Matanzas. L'établissement offre un environnement tranquille du fait qu'il est isolé du reste de la ville. Chambres des plus confortables. Aussi, vous y profiterez d'un bon accueil. Une

MATANZAS ▲⑪

© ULYSSE

Bahía de Matanzas

N

Versalles

CASA BLANCA

Pueblo Nuevo

Las Cuevas de Bellamar
Castillo El Morillo
VARADERO

▲ 3

Via Blanca

Gral. Betancourt

(Abelli) Calle 131

Calle 123
Calle 125
Calle 127

Calzada de Estaban (Tirry) Calle 111

(San Isidro) Calle 260

(Vera) Calle 270

(Santa Cristina)

(San Alejandro)

(Santa Rita)

Calle 57

Castillo de
San Severino

Tren Eléctrico Hershey

(San Blás) Calle 67

Río Yumurí

Calle 219

Puente de la Concordia

Plaza de la Vigía

Puente Calixto García

(Matanzas) Calle 280

(Jovellanos) Calle 282

(Ayuntamiento) Calle 288

Plaza de la Libertad

(Santa Teresa) Calle 290

(Zaragoza) Calle 292

(Tello Lamar) Calle 91

(Alvarez) Calle 97

San Juan

(Cienfuegos) Calle 272

(San Carlos) Calle 274

(San Vicente) Calle 276

(San Andrés) Calle 109

(San Juan Bautista) Calle 117

(San Francisco) Calle 119

(San Juan de Dios)

(Santa Rita)

(Espíritu Santo)

(San Fernando) Calle 135

(Buen Viaje) Calle 139

(Tenaza) Calle 145

▲ 2

Calle 79

(2 de Mayo) Calle 298

(Bonifacio Byrne)

(Millanés) Calle 83

(Cuba) Calle 95

Puente Sánchez Figueras

(Compostela) Calle 302

(San Carlos) Calle 304

Calle 99

(Zargazazo) Calle 101

(San Luis) Calle 298

Río

MADRUGA

Av. Martín Dihigo

(Fortuna) Calle 61

(Jesús María) Calle 63

(Santa Isabel) Calle 69

(Salamanca) Calle 71

(Dúozz) Calle 75

(Contrera)

(Copilcho) Calle 310

(San Gabriel) Calle 308

(Buena Vista) Calle 312

Parque René Fraga

Matanzas

(Alvarez) Calle 97

(Embarcadero Blanco)

(San Fabián) Calle 318

(Navarro) Calle 320

(Jimeno) Calle 322

0   300   600m

▲ HÉBERGEMENT

1. BZ   Casa Marilyn
2. CY   Hostal Azul
3. EZ   Hotel Canimao

● RESTAURANTS

1. CY   Café Atenas

bonne adresse pour ceux qui disposent d'une voiture de location. Le cabaret **Tropicana** (voir p 200) se trouve juste à côté.

Péninsula de Zapata

Guamá

Villa Guamá
$$-$$$ ≡ ♨ ≈
Laguna del Tesoro
☎ (45) 91-5551
www.hotelescubanacan.com
La Villa Guamá compte 44 huttes à toit de feuilles de palmier distribuées sur une vingtaine d'îlots. On accède à sa hutte par canot (chaque hutte possède un quai privé) ou en franchissant à pied l'une des nombreuses passerelles de bois. Les chambres s'avèrent plutôt obscures, mais sont somme toute agréables et bien entretenues. En faisant abstraction de l'état des canalisations (apportez quelques bouteilles d'eau) et du bruit de la discothèque, cet endroit s'avère original pour une nuit. N'oubliez pas votre lotion anti-moustique et ne manquez pas le lever du soleil: c'est le meilleur moment de la journée. Le traversier pour se rendre à la Laguna del Tesoro n'est pas inclus dans le prix.

Playa Larga

Hospedaje El Caribeño
$$ ≡ ♨
Barrio Caletón
☎ (45) 98-7359
fidelsfcaribe@yahoo.es
La *casa* de Fidel est la toute dernière sur le Caletón, et elle se démarque des quelques autres *casas* qui donnent directement sur la plage par son aspect

moderne et confortable. Des deux chambres, préférez celle à l'étage qui offre une bien meilleure vue. Vous pourrez déguster sur place de délicieuses spécialités locales, et profiter du jardin et de la terrasse donnant sur la plage. Tranquillité assurée et très bon accueil. Les réservations sont conseillées.

Hotel Playa Larga
$$$ ☏ ≡ ≈ ♨ ⚔ ✾
☎ (45) 98-7294
www.hotelescubanacan.com
Les spacieux bungalows disséminés sur le terrain de l'Hotel Playa Larga offrent tout le confort sans être luxueux. Ceux qui sont situés près de la plage sont bien sûr plus agréables que ceux qui se trouvent à proximité de la route. Mais le principal attrait de cet établissement étant son accès direct à la plage, il est fort à parier que vous ne vous éterniserez pas dans votre chambre. On profite des animations, des excursions et du centre de plongée dans un environnement qui s'avère plus agréable que son homologue de Playa Girón.

Playa Girón

Quelques *casas particulares* sont disséminées le long de la route principale dans le morne village de Playa Girón. Ne vous attendez à rien d'extraordinaire.

Hotel Playa Girón
$$$ tout compris ≡ ≈ ♨ ⚔ ✾
☎ (45) 98-4110
www.hotelescubanacan.com
Dans le même style que celui de Playa Larga, l'Hotel Playa Girón dispose d'une série de bungalows avec accès direct à la plage. Mais le Malecón situé face à l'hôtel, et les nom-

breux bungalows laissés à l'abandon après le passage des cyclones en 2008, n'en font pas un endroit très charmant. Grâce à son centre de plongée sous-marine (voir p 190), cet établissement conviendra surtout aux adeptes de ce sport.

Restaurants

Varadero

La piètre qualité des repas servis dans les restaurants et les hôtels de Varadero fut longtemps la principale critique adressée par le tourisme international. Heureusement, les autorités concernées ont su pallier cette faiblesse en embauchant des chefs canadiens et européens pour former une nouvelle génération de chefs cubains. Bien entendu, l'objectif des restaurateurs est d'apprêter les mets aux goûts des étrangers. Cependant, n'oublions pas que le plaisir de voyager passe aussi par la découverte d'une cuisine différente de la nôtre, alors n'hésitez pas à sortir pour aller manger à l'extérieur des complexes touristiques. À noter que les *paladares*, ces restaurants installés dans les maisons de particuliers, sont interdits à Varadero.

El Rapido
$
Av. 1, angle Calle 47
Ceux qui voudraient goûter à la «cuisine» de LA chaîne de restauration rapide cubaine pourront se rendre chez El Rapido. Hot-dogs, hamburgers et pizzas font le délice de la population locale, sans oublier les coupes de crème glacée.

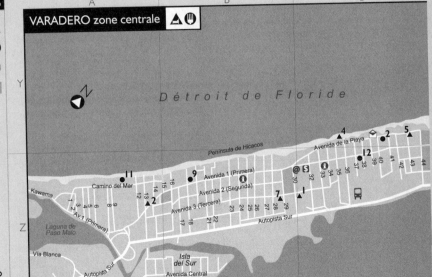

VARADERO zone centrale ▲🍽

Détroit de Floride

Péninsula de Hicacos

Avenida de la Playa

Avenida 1 (Primera)

Avenida 2 (Segunda)

Avenida 3 (Tercera)

Autopista Sur

Camino del Mar

Kawama

Av. 1 (Primera)

Laguna de
Paso Malo

Vía Blanca

Autopista Sur

Isla
del Sur

Avenida Central

▲ HÉBERGEMENT

1.	CZ	Aparthotel Mar del Sur
2.	AZ	Aparthotel Varazul
		et Hotel Acuazul
3.	DZ	Hotel Dos Mares
4.	CY	Hotel Herradura
5.	CY	Hotel Ledo
6.	DZ	Hotel Pullman
7.	BZ	Villa La Mar

Restaurante La Vicaría
$
12h à 22h
angle Av. 1 et Calle 38
☎ (45) 61-4721

À la fois sympathique, central et chaleureux avec son mobilier de bois et ses immenses parasols en paille, le Restaurante La Vicaría propose un menu *criollo* composé de poulet, de porc et de poisson. Cet établissement est fréquenté par les touristes et les Cubains eux-mêmes, qui profitent ici des bas prix. Donnant sur la rue, l'endroit est toutefois assez bruyant.

El Bodegón Criollo
$-$$
12h à 23h
Av. Playa, angle Calle 40
☎ (45) 66-7784

Version édulcorée de la célèbre **Bodeguita del Medio** (voir p 139) de La Havane, El Bodegón Criollo saura plaire à ceux qui ne connaissent pas l'ambiance du restaurant original havanais. Les murs arborent de nombreux graffitis, mais bien sûr ne cherchez pas ceux d'Hemingway ou de Fidel... La cuisine créole est ici à l'honneur, avec les plats de porc, accompagnés de riz ou d'*arroz morro* (riz et haricots) et de manioc. On n'y trouve pas la meilleure cuisine du genre, mais les prix sont

assez abordables et l'ambiance décontractée.

La Barbacoa
$$
12h à 23h
angle Av. 1 et Calle 64
☎ (45) 66-7795

La Barbacoa sert des plats cubains typiques, de savoureuses grillades croustillantes, des fruits de mer et des langoustes. C'est une véritable petite oasis cubaine parmi les restaurants plus chics. Le décor est moins éclatant que chez ses concurrents, mais demeure de bon goût. De plus, cet établissement a l'avantage d'être ouvert tard en soirée.

● RESTAURANTS

|---|---|---|
1.	DY	Antiguedades
2.	CY	El Bodegón Criollo
3.	DZ	El Dante
4.	DY	El Rapido
5.	DZ	El Retiro
6.	EY	La Barbacoa
7.	DZ	La Campana
8.	DY	La Fondue
9.	BZ	Lai-Lai
10.	FZ	Mesón del Quijote
11.	AZ	Mi Casita
12.	CZ	Restaurante La Vicaría

Lai-Lai
$$

angle Av. 1 et Calle 18
☎ (45) 66-7793

Ce restaurant chinois n'est pas le plus économique, mais le raffinement de la présentation des plats et la qualité constante de la cuisine compensent les prix plus élevés pratiqués ici. Les rouleaux de printemps sont particulièrement délicieux et étonnamment peu gras.

Mesón del Quijote
$$

Carretera Las Américas
☎ (45) 66-7796

Le Mesón del Quijote se dresse à côté d'une tour (en fait un réservoir à eau de la ville) et d'une sculpture en fer représentant le célèbre personnage de Cervantes. Vous ne pourrez donc pas le manquer! On y sert, il va sans dire, une cuisine espagnole où les fruits de mer et la paella sont à l'honneur, que vous dégusterez dans une ambiance chaleureuse. Encore que vous puissiez vous installer sur la terrasse qui a vue sur la mer et sur la statue équestre du Don.

Mi Casita
$$

11h à 23h
Bulevar Camino del Mar, entre Calle 11 et Calle 12
☎ (45) 61-3787

Petit restaurant à décoration intime, charmante et presque familiale, Mi Casita est un choix tout indiqué pour ceux qui logent à l'ouest de Varadero, dans le quartier de Kawama. On y sert amicalement des plats de fruits de mer ainsi que des viandes apprêtées à la cubaine.

Antiguedades
$$$

12 à 23h
Parque Josone
☎ (45) 66-7329

Sans contredit le plus typique restaurant du Parque Josone, Antiguedades propose l'une des meilleures cuisines internationales de la péninsule. Le décor rappelle le faste de la bourgeoisie cubaine du XXe siècle. Viandes, poissons et fruits de mer sont grillés. Le service s'avère impeccable et courtois.

El Dante
$$$
12h à 23h
Parque Josone
☎ (45) 66-7738

Les amants de la «véritable» cuisine italienne de qualité se donnent rendez-vous au restaurant El Dante du Parque Josone. On y propose une bonne variété de plats d'Italie dans une ambiance détendue et quasi familiale grâce au décor charmant, presque méditerranéen de l'établissement, avec sa belle terrasse donnant sur le bassin du parc.

El Retiro
$$$
12h à 23h
Parque Josone
☎ (45) 66-7316

Située en face du Lago de la Paz, l'ancienne résidence de José Fermín y Onelia a été transformée en restaurant. L'édifice néoclassique a gardé son aspect: les meubles et les photos d'époque qui en ornent l'intérieur attestent le luxe des grandes propriétés d'antan. Pour cette raison, El Retiro est considéré comme le *Restaurante Historia del Parque* (le restaurant historique du parc). Comptant parmi les meilleurs restaurants de cuisine internationale de Varadero, El Retiro profite du décor enchanteur du parc, et les nombreuses pièces ont été reconverties en salons privés pouvant accueillir de 10 à 30 personnes. Le service est irréprochable, et la qualité des mets ne laissera personne indifférent.

La Campana
$$$
Parque Josone
☎ (45) 66-7224

Vous trouverez la plus succulente cuisine créole de Varadero chez La Campana. Ce restaurant du Parque Josone a créé une ambiance coloniale confortable et appropriée au menu qu'on y propose. Ici le porc est à l'honneur et est apprêté selon différents modes de cuisson. Essayez le porc grillé sur la *parrillada*.

La Fondue
$$$
12h à 23h
angle Av. 1 et Calle 61
☎ (45) 66-7747

Malgré ses prix élevés, la cuisine franco-suisse de La Fondue saura plaire aux fines bouches. La belle sélection des fromages proposés dans ce restaurant contraste avec le peu de variété offert ailleurs. De plus, afin d'accompagner les diverses fondues, les meilleurs vins sont disponibles. Ambiance chic et raffinée.

Las Américas
$$$
12h à 23h
Mansión Xanadu
Carretera Las Américas, Km 8,5
☎ (45) 66-7750

Le plus cher des restaurants de Varadero ne propose malheureusement pas la meilleure gastronomie de la ville malgré son service de cinq couverts où l'on retrouve langoustes, poissons et autres produits de mer, et sa bonne cave à vins, l'une des meilleures de la région. Vous ne serez toutefois pas déçu de payer l'addition si vous vous laissez charmer par l'atmosphère de cette superbe

demeure de la riche famille Du Pont (voir p 176), que ce soit dans la majestueuse salle à manger ou sur la terrasse surplombant la mer turquoise. Tenue correcte exigée. Pour profiter de la même ambiance sans vous ruiner, rendez-vous au bar (voir p 199).

Matanzas

Voir carte p 194

La scène culinaire de Matanzas est assez pauvre. Si vous restez dans une *casa particular*, ce sera votre meilleur choix pour dîner. Il existe aussi plusieurs comptoirs de restauration rapide autour du Parque de la Libertad.

Café Atenas
$
8h à 24h
Plaza de la Vigía
☎ (45) 25-3493

Sur l'animée Plaza de la Vigía se trouve le Café Atenas, un restaurant baptisé d'après le surnom de la ville: l'Athènes de Cuba. Plutôt qu'une cuisine grecque, le menu affiche de la pizza, des plats de pâtes et du poulet frit. Au petit déjeuner, les omelettes sont conseillées. La terrasse donne sur la place; ce n'est donc pas l'endroit le plus calme.

Cárdenas

Café Espriu
$
8h à 24h
Calle 12, entre Av. 4 et Av. 6

Devant le Parque José Antonio Echeverría, dans la Calle 12, ce petit restaurant s'anime spécialement pour les touristes de passage à Cárdenas. La nourriture,

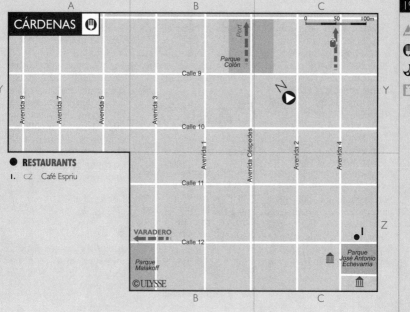

RESTAURANTS

1. CZ Café Espriu

le service et l'ambiance y sont nettement supérieurs aux gargotes de la ville. Il abrite aussi un bar où l'on peut boire un verre jusque tard dans la nuit.

Península de Zapata

On ne trouve guère de restaurants dans cette région en dehors de ceux des hôtels, des *casas particulares* et des centres touristiques.

Playa Larga

À Playa Larga, le petit restaurant *($; tlj 12h à 22h)* qui jouxte le centre de plongée, avec ses quelques tables donnant sur l'eau, offre de bonnes options à bas prix et n'est pas envahi par les groupes.

♪ Sorties

■ Bars et boîtes de nuit

Varadero

Varadero s'impose certainement comme l'un des meilleurs endroits au pays pour fréquenter les boîtes de nuit. Offrant une très grande variété de styles musicaux et d'ambiances, tous ces établissements ont en commun d'être destinés aux touristes.

Jardines Mediterráneos
50 CUC
tlj 21h à 3h
angle Avenida 1 et Calle 54
☎ (45) 61-2460

En termes de cabaret, ce sont les Jardines Mediterráneos qui remportent la palme avec une mise en scène haute en couleur qui ne rivalise qu'avec ce qu'on présente à La Havane. Ici vous retrouverez toute la magie des spectacles de cabaret à large déploiement typiquement cubains.

La Cueva del Pirata
lun-sam 20h à 2h45
Autopista Sur, Km 11
☎ (45) 66-7751

La Cueva del Pirata constitue également un bon endroit pour voir des spectacles de groupes cubains à la mode. La musique latino-américaine règne dans cet établissement qui présente aussi à l'occasion des spectacles de cabaret.

Casa Blanca Bar
Mansión Xanadu
Carretera Las Américas, Km 8,5
☎ (45) 66-7750

Dans un tout autre registre, décidément plus reposant, la Mansión Xanadu dispose d'un bar sur le *mirador*, au dernier étage. Boiseries, piano à queue et vue superbe de la mer procurent à cet établissement un charme incomparable. On y propose un cinq à sept animé par une formation musicale qui rivalise en popularité avec le petit buffet offert par la maison et le magnifique coucher de soleil.

La Bamba
Hotel Tuxpán
☎ (45) 66-7560
LA discothèque de la péninsule se nomme La Bamba, et elle attire une foule assez jeune, et ses dimensions sont assez déconcertantes: il semble qu'elle ait été construite pour pouvoir accueillir tout un troupeau!

La Rumba
Carretera Las Américas, à côté de la Mansión Xanadu
☎ (45) 66-8210
La Rumba est la seconde discothèque à la mode en ville.

Casa de la Música
10 CUC
Av. Playa, entre Calle 42 et Calle 43
☎ (45) 61-2440
Du mardi au dimanche soir, à partir de 23h30, des concerts de musique cubaine sont donnés ici. Il faut arriver avant le début pour être certain d'avoir une place.

Matanzas

Tropicana
35 CUC
mer-dim 21h30
Vía Blanca, Km 5,5
☎ (45) 26-5380
Comme son homologue de La Havane, le Tropicana

de Matanzas propose un spectacle de cabaret époustouflant, sur une scène en plein air. Tous les hôtels de Varadero vendent des forfaits «transport et repas».

🛍 Achats

Varadero

Plusieurs vendeurs d'artisanat et autres souvenirs se sont installés un peu partout dans la ville de Varadero, en plein air ou dans des boutiques. Vous n'aurez aucun mal à dénicher ici un petit quelque chose pour vos proches.

Taller y Galería de Cerámica Artística
tlj 9h à 19h
angle Av. 1 et Calle 59
☎ (45) 66-8260 ou 66-7554
Le Taller y Galería de Cerámica Artística présente une exposition de sculptures et de céramiques d'artistes cubains reconnus. Il s'agit de la plus importante galerie d'art contemporain de Varadero. La boutique attenante met en vente plusieurs pièces de qualité.

Librería Hanoi
angle Av. 1 et Calle 44
La petite Librería Hanoi dispose d'une honnête sélection de livres en espagnol et de quelques titres en langues étrangères, mais n'espérez pas trouver ici le roman de vos vacances.

Casa del Habano
9h à 21h
angle Av. 1 et Calle 63
☎ (45) 66-7843
Les aficionados des cigares se donnent rendez-vous à la Casa del Habano, qui se fait un devoir de conserver les cigares de toutes marques dans les meilleures conditions d'entreposage. On trouve aussi sur place du rhum, un petit bar et un salon pour fumeurs.

Casa del Ron
tlj 9h à 21h
angle Av. 1 et Calle 44
☎ (45) 66-8393
Toutes les variétés de rhum du pays sont ici représentées, et il y a même un bar pour goûter.

Plaza América
Autopista Sur, à côté du Meliá Varadero
Si vous avez oublié votre crème solaire ou votre maillot de bain, ce grand centre commercial vous dépannera certainement.

Matanzas

Edición Vigía
lun-ven 8h30 à 16h
Calle Magdelena n° 1
☎ (45) 24-4845
Pour des cadeaux des plus originaux, optez pour les livres uniques de cette maison d'édition artisanale (voir p 183).

Isla de la Juventud et Cayo Largo

Isla de la Juventud

Cayo Largo

ISLA DE LA JUVENTUD ET CAYO LARGO

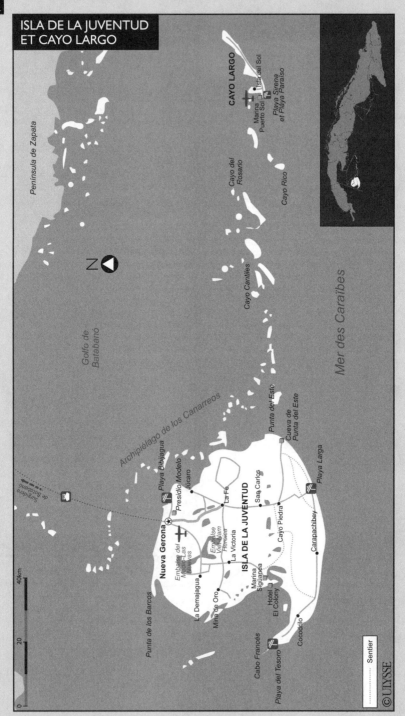

Peninsula de Zapata

CAYO LARGO

Isla del Sol

Marina Puerto Sol

Playa Sirena et Playa Paraiso

Golfo de Batabanó

Cayo del Rosario

Cayo Rico

Archipiélago de los Canarreos

Cayo Cantiles

Mer des Caraïbes

Punta de los Barcos

Surfing de Batabanó

Playa Bibijagua

Presidio Modelo

Júcaro

Punta del Este

Cueva de Punta del Este

La Fé

Nueva Gerona

Embalse del Médio Las Nuevas

Embalse Vietnam Heroica

San Carlos

Playa Larga

La Demajagua

Mina de Oro

La Victoria

ISLA DE LA JUVENTUD

Cayo Piedra

Marina Siguanea

Hotel El Colony

Carapachibey

Cabo Francés

Cocodrilo

Playa del Tesoro

40km   20   0

Sentier

© ULYSSE

Plus grande île du pays, après celle de Cuba, l'Isla de la Juventud (île de la Jeunesse) a une superficie de 2 200 km² et compte une population d'environ 90 000 habitants. Au cours des siècles, elle servit de refuge aux pirates et de prison aux détenus cubains, et finalement on lui donna pour vocation de recevoir la jeunesse du monde communiste. Elle offre de très belles plages isolées et des fonds marins spectaculaires. Plus économique que Cayo Largo, elle abrite une population jeune de cœur et sympathique. L'Isla de la Juventud mérite une visite de trois à six jours, le temps de découvrir ses attraits naturels et sa capitale, Nueva Gerona.

Malgré la construction récente de plusieurs hôtels et l'affluence massive de touristes, Cayo Largo se définit comme un véritable paradis naturel. Oasis dans la mer, île de l'archipel de Los Canarreos, Cayo Largo bénéficie de plages de carte postale qui font le bonheur de ceux qui passent des vacances au bord de la mer. On n'y vient pas pour découvrir la culture cubaine, mais si vous aimez vous prélasser sur les plages, vous pourrez y faire un agréable séjour. La visite de Cayo Largo ne prend qu'une journée, et il faut une journée supplémentaire pour découvrir les îlots environnants.

Accès et déplacements

■ Formalités d'entrée

En arrivant à l'Isla de la Juventud ou à Cayo Largo, vous aurez probablement à montrer votre passeport. Ne le laissez donc pas à La Havane ou à Varadero, même si vous ne faites qu'une excursion d'une journée ou deux.

■ Accès aux îles en avion

Isla de la Juventud

Il ne faut que 45 min de vol pour se rendre de La Havane à l'Isla de la Juventud. Plusieurs vols quotidiens quittent La Havane en direction de l'aéroport de Nueva Gerona. Comptez 70 CUC aller-retour. Il est nécessaire de réserver à l'avance ses places.

Cubana de Aviación *(www.cubana.cu)* dispose de deux bureaux sur l'Isla de la Juventud: l'un à **Nueva Gerona** *(Calle 39 n° 1415, entre Calle 16 et Calle 18,* ☎*46-32-4259)* et l'autre à l'**Aeropuerto Rafael Cabrera Mustelier** *(Carretera La Fe,* ☎*46-32-2184 ou 46-32-2300).*

L'Aeropuerto Rafael Cabrera Mustelier est situé à environ 5 km de Nueva Gerona et à 46 km de l'Hotel Colony, l'établissement le plus fréquenté par le tourisme international. Des autobus font la navette entre l'aéroport et Nueva Gerona pour 1 CUC, ce qui constitue le moyen de transport le plus économique. Pour vous rendre à l'Hotel Colony, vous pouvez prendre un car de tourisme affrété par cet établissement (il attend généralement devant l'aéroport et est gratuit pour les résidants de l'hôtel). Si vous n'avez pas réservé de chambre à l'Hotel Colony, montez tout de même à bord et négociez l'achat de votre billet (environ 10 CUC). Un taxi *(Cubataxi:* ☎*46-32-2222)* pour Nueva Gerona devrait vous coûter environ 5 CUC, et comptez 30 CUC pour rejoindre l'Hotel Colony de la même façon.

Cayo Largo

Plusieurs compagnies aériennes canadiennes, dont **Air Transat** *(www.airtransat. ca)*, offrent des vols directs vers l'**Aeropuerto Vilo Acuña** de Cayo Largo. Au départ de La Havane, **Cubana de Aviación** *(*☎*45-24-8141, www.cubana.cu)* en assure la liaison.

■ Accès aux îles en bateau

Isla de la Juventud

L'Isla de la Juventud est reliée à l'île de Cuba par un ferry rapide qui part du port de Surgidero de Batabanó, à environ 70 km au sud de La Havane. Mais nous ne vous recommandons pas cette option, car le prix est sensiblement le même que pour l'avion et la traversée nécessite beaucoup plus de temps (environ 2h30).

Appelé communément *la cometa*, cet hydroptère propose deux départs par jour au port de **Surgidero de Batabanó** *(50 CUC aller-retour;* ☎*46-32-4415)*. Bien que théoriquement il soit possible d'acheter sur place un billet pour la traversée, il est fortement conseillé de faire une réservation au moins une journée à l'avance pour le bus et la traversée depuis La Havane, à l'**Estación de Ómnibus Nacionales** (voir p 91), ou du terminal Viajero de la gare de trains (voir p 92). Enfin, pensez à réserver votre retour aussitôt arrivé sur l'île.

■ Déplacements sur les îles

Isla de la Juventud

Le réseau routier de l'Isla de la Juventud est en bon état; si vous louez une voiture, vous pourrez profiter pleinement des nombreux attraits de l'endroit tout en gagnant un temps précieux. Le transport en commun n'est guère plus fiable ici qu'ailleurs au pays, et l'horaire des autobus se limite généralement aux heures de pointe.

On trouve aussi quelques *taxis particulares* à Nueva Gerona, bien que leur présence soit moins visible ici que dans le reste du pays. Négociez ferme avec les chauffeurs avant d'utiliser leurs services. Vous pouvez aussi essayer l'auto-stop.

Location de voitures:

Havanautos
angle Calle 32 et Calle 39
Nuevo Gerona
☎ (46) 32-4432

Cayo Largo

Comptant seulement une quinzaine de kilomètres de route, Cayo Largo peut facilement être découvert en voiture ou en scooter. Pratiquement tous les hôtels font d'ailleurs la location de scooters. Il s'agit du moyen de transport le plus économique et le plus pratique pour visiter Cayo Largo. Les transports en commun s'effectuent à bord de cars touristiques faisant la navette entre les hôtels et l'aéroport. Aussi, un petit train routier coloré veille au transport des touristes jusqu'à Playa Sirena.

Location de voitures:

Transtur
Hotel Isla del Sur
☎ (45) 24-8245

Renseignements utiles

■ Communications

Isla de la Juventud

À Nueva Gerona, le **Telepunto ETECSA** (téléphone et Internet) se trouve dans la Calle 41, entre la Calle 28 et la Calle 30, alors que le **bureau de poste** est situé dans la Calle 39, à l'angle de la Calle 18.

■ Renseignements touristiques

Isla de la Juventud

Ecotur *(Calle 39, entre Calle 24 et Calle 26,* ☎*46-32-7101)* propose des tours organisés et pourra vous renseigner sur les visites de la région de Punta del Este.

Cayo Largo

Tous les hôtels de Cayo Largo renferment de petits comptoirs d'information touristique qui donnent généralement peu de renseignements, car ils sont plutôt destinés à la vente d'excursions à La Havane, à Trinidad et à Pinar del Río. Vous pouvez aussi vous y procurer un billet d'avion sans avoir à participer à une excursion. Si vous séjournez une semaine à Cayo Largo, n'hésitez pas à vous envoler vers la grande île de Cuba!

Vous trouverez aussi de l'information sur les sites Internet suivants:

www.cayolargodelsur.cu
www.cayolargo.net (en français)

■ Soins de santé

Isla de la Juventud

La **Farmacia José Martí** *(Calle José Martí, angle Calle 24, Nueva Gerona,* ☎*46-32-2484)* est ouverte 24 heures sur 24.

Cayo Largo

Clínica Internacional Pueblo Turístico
☎ (45) 24-8238

Attraits touristiques

Isla de la Juventud ★ ★

▲ *p 209*　◐ *p 210*　◑ *p 211*　🛏 *p 211*

L'histoire de l'Isla de la Juventud débute dès juin 1494, alors que Christophe Colomb, lors de son second voyage, aborde cette île qu'il nommera *La Evangelista*. Cependant, la découverte de peintures autochtones dans des grottes de la région de Punta del Este confirme que les aborigènes y séjournèrent il y a près de 3 000 ans, soit bien avant l'arrivée des Européens. On peut aujourd'hui admirer ces peintures à l'Isla de la Juventud, dans ce qui est considéré comme la «Chapelle Sixtine» de l'art mural autochtone en Amérique.

L'Isla de la Juventud ne fera pas l'objet d'un intérêt particulier pour la Couronne espagnole à l'époque de la colonie. Laissée à elle-même, l'île, qui dispose de réserves d'eau douce, sera convoitée par les pirates qui viendront s'y ravitailler. Ils viendront aussi, dit la légende, y cacher leurs trésors et, au XVIIᵉ siècle, cette île sera connue sous le nom d'«île au trésor». John Hawkings, Francis Drake et Henry Morgan font partie des célèbres pirates qui la fréquentèrent. Les pirates devront finalement laisser leur île aux mains des Espagnols, qui la coloniseront définitivement à partir de la moitié du XIXᵉ siècle. L'île fera dès lors l'objet d'une attention particulière, alors que les soulèvements indépendantistes font rage à Cuba. Rebaptisée du nom de «Reina Amalia Colony», elle ne tardera pas à devenir l'Isla de los Deportados (l'île des Déportés), puisque les Espagnols y envoyaient des prisonniers nationalistes.

Avec l'indépendance cubaine, sous la tutelle des États-Unis, la décision concernant le statut politique de l'île sera remise à plus tard. Plusieurs pensent alors que l'île passera sous le joug des États-Unis; ainsi quelque 300 colons américains viennent s'y installer. Ces derniers ont laissé la marque de leur passage sur l'île, plus particulièrement dans l'architecture de certaines maisons de Nueva Gerona. En 1926, l'île devient officiellement un territoire cubain, et le début de la construction de l'énorme prison Presidio Modelo marque

Trésor

L'écrivain Robert Louis Stevenson s'inspira de l'Isla de la Juventud pour écrire son célèbre roman intitulé *L'Île au trésor*.

le retour de la vocation carcérale de l'Isla de la Juventud. Il fut même un temps où il y avait plus de prisonniers que d'hommes libres sur l'île! Fidel Castro, pris au piège lors de l'attaque du Cuartel Moncada, fut l'un de ces prisonniers.

L'île porta successivement les noms d'Isla de las Cotorras (île des Perroquets) et d'Isla de los Pinos (île des Pins), puis devint en 1978 l'Isla de la Juventud (île de la Jeunesse), mais elle est communément appelée *La Isla* par les Cubains. Le gouvernement castriste se montra résolu à peupler cette île et à y mettre en place un modèle unique de socialisme. En perdant sa vocation carcérale, l'île devint une grande école pour des étudiants invités provenant de pays pauvres. Choyé par le régime, cet éden pour la jeunesse du monde échappera à la crise économique du début des années 1990. Fortement approvisionnés en vivres, les habitants de l'Isla de la Juventud évitèrent les pénuries qui sévirent ailleurs au pays. Les principales activités économiques de la région sont la culture des agrumes, principalement le pamplemousse, l'exploitation de mines de marbre, la pêche et le tourisme.

Nueva Gerona et ses environs ★

La plus grande ville de l'Isla de la Juventud est la tranquille et typique Nueva Gerona (40 000 hab.). La tardive colonisation de l'île et le passage de nombreux Américains au début du XXᵉ siècle lui ont donné un style architectural West Coast. En s'y promenant, on ne peut s'empêcher de penser à un village de film western, surtout près du port. Au fil des ans, et surtout depuis 1978, alors qu'elle devint un centre d'accueil d'écoliers venus des quatre coins du monde, Nueva Gerona s'est transformée.

Elle se présente toujours comme une ville cosmopolite, bien que l'affluence d'étudiants étrangers vers cette région ne soit plus ce qu'elle était.

C'est sous le signe de la jeunesse qu'a été nommé le Parque Central de Nueva Gerona: le **Parque Guerrillero Heroíco Ernesto Che**, qui rend hommage au guérillero argentin, symbole même de la jeunesse internationaliste cubaine. La place est relativement grande, mais peu intéressante si on la compare à ses homologues du reste du pays. Vous pourrez tout de même y voir l'ancien hôtel de ville, aujourd'hui transformé en école d'économie, et l'ancienne caserne militaire de Nueva Gerona, devenue l'**Escuela de Artes** *(Calle 39)*. Au coin de la Calle 39 et du parc se trouve l'**Iglesia Católica**, une charmante église typique construite en 1929.

Une promenade dans la **Calle 39**, qui porte le nom de José Martí, bien que les insulaires préfèrent l'appeler la Calle 39, vous permettra de découvrir une suite de jolies maisons coloniales. Bien qu'on ne puisse la voir que de l'extérieur, la maison coloniale où siège le Poder Popular (le «Pouvoir populaire»: gouvernement) s'avère particulièrement typique. Aussi, les principaux restaurants de Nueva Gerona montrent leurs plus beaux atours aux voyageurs qui marchent dans la Calle 39. La qualité de la production culturelle de la petite Nueva Gerona ne cesse d'étonner, et vous serez à même de le constater dans l'enceinte des nombreuses galeries d'art de la Calle 39.

Le **Museo de la Lucha Clandestina (Casa Natal Jesús Montané Oropesa)** *(1 CUC; mar-sam 9h à 17h, dim 8h à 12h; Calle 24, entre Calle 43 et Calle 45, ☎46-32-4582)* présente une collection d'objets et de photos retraçant l'histoire des préparatifs de la Révolution dans les années 1950, entre autres les activités de la cellule du Movimiento 26 de Julio. Cet établissement culturel mérite une courte visite, question de se familiariser avec le passé politique de l'Isla de la Juventud. Ce musée fut la demeure de Jesús Montané Oropesa, héros révolutionnaire et survivant de l'attaque de la Moncada du 26 juillet 1953.

Tout près du quai d'embarquement pour le traversier, aux abords du Río Las Casas, est amarré le ***Barco Pinero***, le bateau qui a emmené Fidel Castro de l'Isla de la Juventud à l'île de Cuba à la suite de sa libération de prison.

À 4 km au nord de Nueva Gerona, en direction de Playa Bibijagua *(empruntez la Calle 32 à Nueva Gerona et franchissez le Río Las Casas)*, les ruines de l'ancienne prison **Presidio Modelo ★★** *(entrée libre; mar-sam 8h à 16h, dim 8h à 12h)*, construite sous le règne du président Machado entre 1926 et 1931 d'après le modèle d'une prison de Joliet, dans l'État de l'Illinois, aux États-Unis, illustrent admirablement la vocation carcérale de l'Isla de la Juventud. Les lieux se révèlent stupéfiants: les énormes bâtiments ronds de cinq étages ne laissent pas présager, au premier coup d'œil, ce à quoi ils étaient destinés. Vous pourrez pénétrer à l'intérieur d'une des cinq tours et constater les conditions extrêmes dans lesquelles vivaient les prisonniers. Fidel Castro et ses compagnons d'infortune de l'attaque ratée du Cuartel Moncada, en 1953, eurent de la chance puisqu'ils furent emprisonnés dans l'infirmerie et non pas dans les cellules des tours. C'est de sa cellule que Fidel Castro put faire circuler dans la clandestinité son célèbre texte *La Historia me absolverá*. Les minuscules cellules, partagées par deux personnes, n'étaient pas dotées de barreaux à l'intérieur de la prison. De son *mirador* fortifié au centre de la prison, un garde pouvait surveiller les prisonniers qui ne respectaient pas les limites de leur cellule. La prison est aujourd'hui en ruine, bien que les toits et les structures principales demeurent en place. Vous pourrez voir les tunnels d'accès au mirador, conçus pour que les geôliers ne soient pas aperçus par les prisonniers. Aujourd'hui, les bâtiments administratifs, à l'entrée du complexe carcéral, ont été transformés en école secondaire, et l'on y trouve aussi un musée *(2 CUC)* sur l'histoire de la prison et ses célèbres occupants. Il s'agit de l'un des endroits les plus curieux du pays, une visite incontournable pour tous ceux qui découvriront l'Isla de la Juventud.

Les plages de sable noir de **Playa Bibijagua** ne sont pas les plus invitantes de l'Isla de la Juventud. Plutôt grises que noires, et souvent peu ou mal entretenues, ces plages font néanmoins l'orgueil des insulaires. Il est vrai que ces plages étonnent à première vue: la présence de sable noir sur quelques centaines de mètres contraste avec les plages typiques du pays. Aussi,

Playa Bibijagua se trouve dans un cadre naturel particulier, isolée entre des collines et bordée par une végétation plutôt dense et caractéristique de l'Isla de la Juventud. Elle mérite d'être découverte et, à moins que vous ne décidiez d'y loger au cours de votre séjour, Playa Bibijagua se prête bien à une excursion d'une demi-journée. Pour y aller, il convient de louer une voiture ou les services d'un chauffeur de taxi particular. Depuis Nueva Gerona, prenez la Calle 32 en direction est. L'entrée de Playa Bibijagua est très bien indiquée sur la route par de grands panneaux de signalisation.

À 3 km au sud-ouest de Nueva Gerona se trouve la **Finca El Abra** *(1 CUC; mar-sam 8h à 17h, dim 8h à 12h; Carretera Sigüanea)*, un musée déclaré monument national exposant des objets personnels de José Martí, l'idéologue et leader de la rébellion qui mena à l'indépendance de Cuba en 1898. José Martí vécut dans cette maison quelques mois au cours de l'année 1870 pour échapper au tumulte politique de l'époque et pour prendre un peu de repos. La famille Sardá, dont les descendants habitent toujours la Finca El Abra, faisait alors partie des amis intimes du père de José Martí. Devant la ferme à l'architecture typiquement coloniale, un arbre impressionnant, un *ceiba*, fut planté en 1945 pour commémorer le départ de José Martí le 8 décembre 1870. Le musée mérite une visite, question de découvrir une maison de campagne et de se familiariser avec la vie et l'œuvre de José Martí.

La Fe, un village typique, est situé au sud-est de Nueva Gerona. Il s'agit d'un endroit au charme particulier, fréquenté autrefois pour la qualité de ses eaux thermales. N'hésitez pas à faire un petit détour pour vous y rendre.

Le sud de l'île

Punta del Este ★ ★, une région isolée et difficile d'accès, se trouve dans la portion sud-est de l'Isla de la Juventud. On y découvre des paysages magnifiques, des collines au bord de la mer, des eaux cristallines et de longues plages. Ce parc naturel pratiquement vierge cache, dans des grottes côtières, les dessins les plus anciens de Cuba et de toutes les Caraïbes. Peints par les Siboneys il y a plus de 3 000 ans, ils ont été découverts au tournant du XXe

siècle par le célèbre ethnologue cubain Fernando Ortíz, dont les nombreux livres sont en vente un peu partout à Cuba. En plus de ses longues plages blanches complètement désertes, et de la possibilité d'y faire de la plongée sous-marine et de la plongée-tuba, la région de Punta del Este est caractérisée par ses marécages et par la présence de crocodiles. Pour l'observation de la faune et de la flore de l'Isla de la Juventud, cet endroit mérite une excursion d'une journée complète. Apportez de l'eau potable, des provisions et de l'insectifuge. Pour découvrir cet endroit, vous devrez obtenir un permis, être accompagné d'un guide et louer un véhicule (ou affréter un taxi officiel). Renseignements et réservations auprès des bureaux touristiques, de **Havanautos** (voir p 204) ou de l'**Hotel Colony** (voir p 210).

Dans la portion sud-ouest de l'île, **Playa del Tesoro** ★ ★, l'une des plages les plus extraordinaires du pays, est isolée sur la pointe du Cabo Francés, bénéficiant de sable blanc et d'eaux peu profondes. S'y aventurer procure le sentiment de découvrir l'île comme Christophe Colomb à son arrivée dans le Nouveau Monde. Playa del Tesoro a été aménagée pour recevoir les plongeurs et les personnes les accompagnant. Chaises longues, restaurant, bar, tables de pique-nique: rien n'a été oublié pour satisfaire les besoins des voyageurs. Un long quai reçoit les bateaux des plongeurs. Au restaurant, on sert des menus peu variés, généralement du poisson ou du porc, avec entrée et dessert inclus. Il est préférable d'apporter un insectifuge, car il y a des moustiques près de la plage, surtout à l'ombre des petits palmiers. Pour se rendre à Playa del Tesoro, on prend la navette gratuite qui part de la Marina Sigüanea, à 2 km de l'**Hotel Colony** (voir p 210).

🪶 *Activités de plein air*

■ *Plongée sous-marine*

Véritable paradis pour la plongée sousmarine, le **Cabo Francés** offre 56 sites de plongée sur une superficie d'environ trois milles nautiques. Coraux multicolores, éponges, grottes, épaves et poissons tropicaux: ce n'est pas un hasard si cet endroit est l'un des plus fréquentés des Caraïbes. Pour accéder aux sites de plongée, vous devrez vous inscrire au **Centro Internacional** de Buceo *(à partir de 40 CUC; Hotel Colony, Carretera Sigüanea Km 41, ☎46-39-8181)*, dont le personnel s'avère sympathique et professionnel. Si vous n'êtes pas accrédité, vous pouvez suivre un cours d'initiation sur place. Cependant, ces cours ne sont pas reconnus hors du centre. Si vous ne logez pas à l'Hotel Colony, vous pouvez vous rendre directement à la Marina Sigüanea, à un peu moins de 2 km de l'hôtel. Tous les matins, un car quitte l'Hotel Colony pour la marina. Puis, les yachts partent tôt en direction du Cabo Francés. La traversée de la baie dure environ une cinquantaine de minutes.

Si les plongeurs sont accompagnés de non-initiés, ces derniers seront choyés à **Playa del Tesoro** (voir p 207), l'une des plages les plus extraordinaires et les plus isolées du pays. On peut y faire de la plongée-tuba depuis la plage ou à partir du quai, la barrière de corail se trouvant à environ 200 m de la rive. Soyez prudent car cette barrière est presque infranchissable à la nage.Tout l'équipement nécessaire à la plongée peut être loué à la Marina Sigüanea ou au Centro Internacional de Buceo de l'Hotel Colony.

- -

Cayo Largo ★ ★

▲ *p 210* ⚓ *p 210*

Petite île d'une superficie de 38 km², Cayo Largo n'a que 200 m de largeur dans sa partie la plus étroite. Toute petite qu'elle soit, Cayo Largo exhibe fièrement près de 25 km de plages de sable blanc ininterrompues comptant parmi les plus belles du pays. Cayo Largo s'étend sur plusieurs kilomètres sous la mer grâce à son long littoral sud, qui fait le délice des plongeurs et des amateurs de sports nautiques.

Cayo Largo, qui se trouve à 180 km de La Havane et à 170 km de Varadero, fait partie des 350 petites îles formant l'archipel de Los Canarreos, au sud-ouest de Cuba. Avant l'essor de l'industrie touristique, quelques pêcheurs isolés provenant des îles Cayman et des pirates y ont séjourné par moments. De l'avis de certains, les pirates ont dû y cacher un quelconque trésor. C'est du moins l'idée que s'est fait le chasseur d'or Cyrus Wicker. Il aurait dépensé une fortune pour ne rien trouver d'autre qu'un climat superbe, avec une moyenne saisonnière

oscillant autour de 26°C, offrant 270 jours avec au moins huit heures d'ensoleillement et conséquemment des eaux chaudes toute l'année.

Si Cayo Largo et les îles avoisinantes satisfont un nombre grandissant de touristes qui cherchent un endroit tranquille et ensoleillé au bord de la mer, d'autres regretteront de n'y jouir que de cela. Pour la culture, les musées et la rencontre de Cubains, il faudra repasser. Tout se vend à des tarifs plus élevés qu'ailleurs au pays; c'est ici le prix à payer pour des vacances sans tracas sur de longues plages blanches ensoleillées.

Isla del Sol, le seul village de Cayo Largo, est habité par les travailleurs de l'industrie touristique. Entassés comme du bétail, parfois huit par chambre, ils ne jouissent pas des mêmes conditions de vie que les vacanciers... Dans ce village, appelé communément *El Pueblo* par les insulaires, vous trouverez la Marina Puerto Sol (aussi connue sous le nom de «Marina Cayo Largo del Sur»), composée de quelques magasins touristiques, de restaurants et du quai d'où partent quotidiennement les embarcations vers les îles avoisinantes ou pour les excursions de plongée sous-marine.

Juste à côté de la Marina Puerto Sol se trouve la **Granja de las Tortugas** *(1 CUC; tlj 9h à 17h)*, qui fait partie d'un programme de protection des tortues de mer. Les œufs pondus sur les plages de Cayo Largo sont récupérés et couvés ici jusqu'à l'éclosion. Les petites tortues retrouvent ensuite leur milieu naturel. Les tortues viennent pondre d'avril à septembre; renseignez-vous sur les excursions proposées pour admirer cet émouvant spectacle de la nature.

Plusieurs îles autour de Cayo Largo méritent d'être visitées, surtout si vous prévoyez demeurer une semaine ou deux à Cayo Largo. **Cayo Iguana**, comme son nom l'indique, est une île peuplée de nombreux iguanes. Sur **Cayo Rico** et **Cayo Cantele**, le gouvernement cubain fait l'élevage de singes et de divers animaux destinés aux laboratoires pharmaceutiques de La Havane; de plus, on y fait de l'apiculture. **Cayo Rosario** et **Cayo Los Pájaros** sont occasionnellement le rendez-vous des chasseurs, bien que les chasseurs d'images y soient les bienvenus à longueur d'année. En face de Cayo Largo, vous pourrez apercevoir trois îlots appelés

Cayos Ballenatos (les baleines), de petites montagnes qui ressemblent à trois baleines se profilant à l'horizon.

Les plages de Cayo Largo n'ont pas besoin d'introduction, et sachez que de nombreux visiteurs y pratiquent le nudisme. **Playa Sirena** ★★, la plus célèbre plage de Cayo Largo, se retrouve sur les cartes postales de l'île. Cette plage idyllique a la forme d'une goutte d'eau. Pour y aller, vous devez vous rendre à la Marina Puerto Sol d'Isla del Sol (aussi connue sous le nom de «Marina Cayo Largo del Sur»). Un minibus fait la navette deux fois par jour entre les hôtels et la Marina Puerto Sol, où il faut prendre un bateau-taxi. Le trajet dure tout au plus une quinzaine de minutes. Sur place, un bar, un restaurant et un bureau de tourisme proposent leurs services. Vous pouvez aussi louer des motomarines et des planches à voile.

Playa Paraíso est une autre charmante petite plage isolée de Cayo Largo. Un chariot tiré par un tracteur ou un minibus fait la navette gratuitement entre les hôtels et cette plage.

🎿 Activités de plein air

■ Plongée sous-marine

Cayo Largo offre des fonds marins parmi les plus beaux des Caraïbes, et les plus enthousiastes vous diront «*du monde entier*». En plus des éponges, la grande variété de coraux mous qu'on y découvre est particulièrement réputée, et les experts en ont long à raconter sur les falaises sous-marines de plus de 1 000 m qui se trouvent au large de Cayo Largo.

Le centre de plongée de la **Marina Puerto Sol** (☎45-24-8213) propose plusieurs excursions en mer, la location de tout l'équipement nécessaire à la plongée et des cours d'initiation à la plongée sous-marine. Ceux qui ne plongent pas peuvent accompagner les plongeurs pour profiter de l'excursion en bateau.

■ Voile

La **Marina Puerto Sol** (☎45-24-8213) propose la location de catamarans en plus d'organiser des excursions en mer. Une excursion d'une journée complète en catamaran, pour l'observation des barrières de corail et des îles environnantes, coûte environ 80 CUC *(incluant déjeuner, rafraîchissement et café)*. Vous pourrez effectuer votre réservation aux bureaux de tourisme des hôtels ou directement à la Marina Puerto Sol. On y organise aussi des voyages personnalisés et des excursions au coucher du soleil.

▲ Hébergement

Isla de la Juventud

Nueva Gerona et ses environs

Casa de Gerardo Ortega Abreu
$ ≡ ✱
3518 Calle 20, entre Calle 35 et Calle 37
☎ (46) 32-6560
Cette grande maison sur trois niveaux est proche du centre, avec deux chambres tout confort. Celle située sur la terrasse au dernier étage est la plus agréable. Les repas sont excellents et copieux.

Villa La Peña
$
3710 Calle 10, angle Calle 39
☎ (46) 32-2345
Cette *casa particular* propose deux chambres propres et agréables. L'accueil est tout à fait chaleureux, et la cuisine (spécialités végétariennes) est bonne et pas chère.

Rancho El Tesoro
$$ ⊌ ≡
Carretera La Fe
☎ (46) 32-3035
Le Rancho Tesoro compte 60 chambres bien aménagées, mais son principal attrait réside dans son emplacement, en pleine forêt et à proximité du Río Las Casas.

Villa Isla de la Juventud
$$ ≡ ⊌ ≋ ✱
Autopista Nueva Gerona-La Fe, Km 1
☎ (46) 32-3290
La Villa Isla de la Juventud, le meilleur établissement de l'île après l'Hotel Colony (voir ci-dessous), propose des chambres spacieuses et a toutes les caractéristiques d'un bon établissement. Par contre, le son élevé de la musique, le soir, pourra

en déranger plus d'un. Apportez vos «bouchons» pour les oreilles!

Le sud de l'île

Hotel Colony
$$$ = ≈ ₩

Carretera Sigüanea, Km 41
☎ (46) 39-8181

Isolé dans la partie sud-ouest de l'île, l'Hotel Colony est principalement fréquenté par les amateurs de plongée sous-marine, qui profitent d'un centre international de plongée sous-marine et des fonds spectaculaires des environs (voir p 207). La petite plage à proximité de l'hôtel n'est pas très plaisante pour la baignade, mais la piscine compense ce désagrément. Les chambres sont confortables, mais celles du bâtiment principal ont perdu de leur fraîcheur. La cuisine du restaurant (voir plus loin) est correcte, mais la variété des menus fait défaut. Location de voitures sur place. Réservations fortement conseillées.

Cayo Largo

La grande majorité des touristes qui visitent Cayo Largo réservent des forfaits «tout compris» (voir l'encadré à ce sujet, p 67) depuis leur pays d'origine. C'est en effet la meilleure façon d'obtenir les meilleurs tarifs, et tous les hôtels de l'île fonctionnent ainsi. Ils sont tous situés près des plages.

Deux grandes chaînes hôtelières se partagent les lieux d'hébergement. **Gran Caribe** (☎ 45-24-8111, www.gran-caribe.com) propose deux complexes hôteliers ainsi que des villas qui s'avèrent plus tranquilles. **Sol**

Meliá (☎ 45-24-8333, www.solmeliacuba.com) dispose des deux plus beaux établissements, le Sol Pelicano et le Sol Cayo Largo, ce dernier étant le plus luxueux.

Restaurants

---

Isla de la Juventud

Nueva Gerona et ses environs

Coppelia
Calle 37, entre Calle 30 et Calle 32
Fidèle à sa réputation, Coppelia propose d'excellentes crèmes glacées, et tout le monde s'y retrouve.

Cafetería La Cocinita
$
24 heures sur 24
Calle 18, angle 41
☎ (46) 32-4640
Ce restaurant sans prétention offre de bons sandwichs et les plats cubains habituels à des prix défiant toute concurrence puisqu'on paie ici en pesos.

El Cochinito
$
Calle 39, angle Calle 24
☎ (46) 32-2809
Comme son nom l'indique, El Cochinito sert des plats créoles à base de porc. Ambiance détendue et musique sur la terrasse tous les soirs.

Le sud de l'île

Hotel Colony
$$
Le restaurant de l'**Hotel Colony** (voir plus haut) propose en général une bonne cuisine, dont un buffet assez complet mais toujours le même. On y présente aussi un menu à la carte, et vous

jetterez votre dévolu sur le porc à la créole. L'ambiance est plutôt froide.

Cayo Largo

La langouste s'avère abondante à Cayo Largo. La variété, la qualité de la cuisine et les prix qu'on y trouve sont généralement supérieurs à ceux du reste du pays. Outre les restaurants des hôtels de Cayo Largo, vous trouverez quelques restaurants à la Marina Puerto Sol.

El Criollo
$$-$$$
☎ (45) 24-8137
El Criollo propose une cuisine typiquement cubaine. Les plats sont à base de porc, accompagnés de riz, de manioc et de bananes plantains. Bien que sa cuisine soit un peu grasse, vous y trouverez une ambiance agréable et relaxante.

La Taberna del Pirata
$$$
7h30 à 24h
Située à l'entrée de la Marina Puerto Sol, La Taberna del Pirata, en bordure de mer, est un établissement populaire, surtout entre 15h et 16h, alors que les vacanciers venus de La Havane et de Varadero pour une excursion d'un jour s'y rassemblent pour prendre une dernière consommation en attendant d'être conduits à l'aéroport. On y sert une cuisine internationale, principalement des repas à base de fruits de mer (langoustes, crevettes) et de poissons, mais aussi du poulet. La spécialité de la maison est un plat d'*ostiones* (huîtres) marinées dans une sauce tomate à l'ail et au tabasco.

♪ Sorties

■ Activités culturelles

Isla de la Juventud

Casa de la Cultura
Calle 37, angle Calle 24
☎ (46) 32-3591
La Casa de la Cultura propose de nombreuses soirées de musique traditionnelle cubaine.

🛍 Achats

Isla de la Juventud

Cubalse *(lun-sam 10h à 18h)* se présente comme la plus grande boutique et le plus grand supermarché de Nueva Gerona. On y trouve des produits d'importation. Il est situé dans la Calle 30, derrière le Coppelia et près du Parque Central.

Le **Mercado Agropecuario** *(Calle 24, angle Calle 35)* regorge de fruits et de légumes frais.

Centro de Desarollo de las Artes Visuales
lun-ven 8h à 17h
Calle 39, angle Calle 26
☎ (46) 32-3770
Le Centro de Desarollo de las Artes Visuales présente généralement de très belles expositions de peinture, de céramique et de sculpture des principaux artistes contemporains de l'Isla de la Juventud. Vous y trouverez plusieurs œuvres à des prix très compétitifs. Par ailleurs, la maison voisine abrite le **Fondo de Bienes Culturales**, qui dispose d'une petite sélection de pièces d'artisanat local.

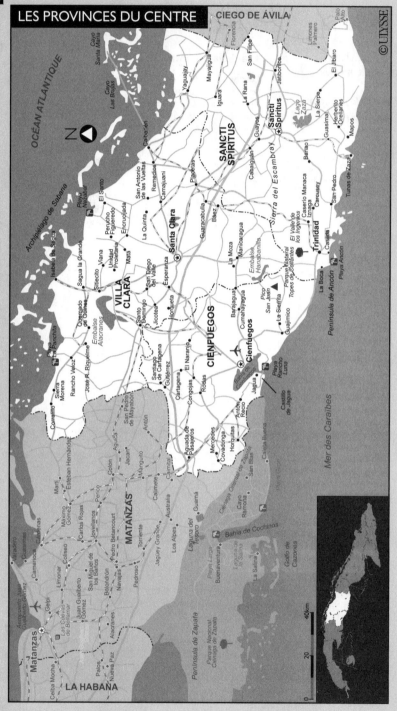

LES PROVINCES DU CENTRE

CIEGO DE ÁVILA

© ULYSSE

OCÉAN ATLANTIQUE

Mer des Caraïbes

SANCTI SPIRITUS

VILLA CLARA

CIENFUEGOS

MATANZAS

LA HABANA

Santa Clara

Cienfuegos

Trinidad

Sancti Spíritus

Matanzas

Archipélago de Sabana

Cayo Santa María

Cayo Las Brujas

Playa Mégubal

Isabela de Sagua

Caibarién

Remedios

San Antonio de las Vueltas

Camajuaní

Placetas

Yaguajay

Mayajigua

San Filipe

Florencia

Iguará

La Rana

Guayos

Limones Palmero

El Jíbaro

Jatibonico

Palo Alto

La Sierpe

Lago Zaza

Herberto Orellanes

Guasimal

Mapos

Tunas de Zaza

San Pedro

Carousey

Banao

Cabaiguán

Sierra del Escambray

El Valle de los Ingenios

Caserío Manaca Iznaga

Casilda

Playa Ancón

Péninsule de Ancón

La Boca

Péninsule de Ancón

Topes de Collantes

Parque Natural

Pico San Juan

La Sierrita

Guajimico

Cumanayagua

Barajagua

Embalse Hanabanilla

Manicaragua

La Moza

Güinia

Báez

Guaracabulla

La Quinta

Perucho Figueredo

Encrucijada

El Santo

Mata

Viana

Sitiecito

Unidad Proletaria

Sagua la Grande

Santo Domingo

San Diego del Valle

Esperanza

Horqueta

Jicotea

El Naranjo

Cruces

Santiago de Cartagena

Gutiérrez

Cartagena

Rodas

Congojas

Palmira

Aguada de Pasajeros

Mercedes

Covadonga

Horquitas

Antón Recio

Jagua

Castillo de Jagua

Playa Rancho Luna

Caleta Buena

San Blas

Caleta Buena

Caonao

Cruces

Ciénaga Chica de la Guásima

Cayo Ramona

Bahía de Cochinos

Laguna del Tesoro

Guamá

Australia

Laguna de la Salina

Golfo de Cazones

Péninsule de Zapata

Parque Nacional Ciénaga de Zapata

Playa Larga

Buenaventura

La Salina

Sierra Morena

Corralillo

Rancho Veloz

José R. Riquelme

Quemado de Güines

Embalse Alacranes

Playa Las Panchitas

Aguica

San Pedro de Mayabón

Antón

Jacán

Manguito

Calimete

Colón

Los Arabos

Perico

Pedro Betancourt

Jovellanos

Carlos Rojas

Máximo Gómez

Martí

Varadero

Guasimas

Camariaca

Cárdenas

Limonar

Coliseo

San Miguel de los Baños

Juan Gualberto Gómez

La Chévas de Bélemar

Bolondrón

Navajas

Pedroso

Aeropuerto Juan Gualberto Gómez

Ceiba Mocha

Palos

Nueva Paz

Alacranes

Gelpi

Torriente

Jagüey Grande

Los Alpes

40 km

20

0

Trinidad et les provinces du Centre

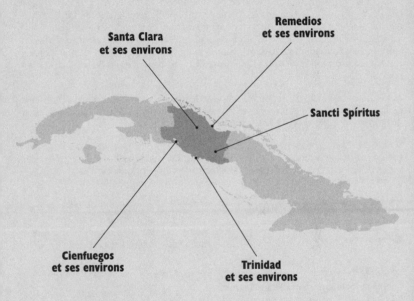

Santa Clara et ses environs

Remedios et ses environs

Sancti Spíritus

Cienfuegos et ses environs

Trinidad et ses environs

Régions les plus diversifiées du pays, les provinces du Centre sont populaires auprès des voyageurs. Il est vrai qu'en plus d'y découvrir des villes au riche passé historique, on peut profiter de belles plages ou encore s'évader en pleine nature.

Trinidad est sans conteste la star de cette région. Petites rues en pierres des champs, demeures aux devantures lisses et colorées, portes en fer forgé ou en bois sculpté, toitures en tuiles d'inspiration espagnole et arabe: cette petite ville est demeurée suspendue dans le temps, et elle vous plongera irrémédiablement dans l'atmosphère de l'époque coloniale espagnole. Trinidad présente aussi l'avantage de se trouver près des belles plages de sable blanc de la Península de Ancón, du magnifique Valle de los Ingenios, qui fut l'une des principales régions de production sucrière de l'époque coloniale, et de la Sierra del Escambray, qui se dresse aux alentours de la ville.

Mais d'autres villes méritent aussi un détour: Cienfuegos, située en front de mer et capitale de la province du même nom, présente un superbe témoignage de l'architecture néocoloniale qui lui valut le surnom de «perle du Sud» et d'être inscrite au patrimoine mondial de l'humanité de l'UNESCO; la capitale éponyme de la province de Sancti Spíritus, classée monument national, comporte un quadrillage inspiré d'un labyrinthe; capitale de la province de Villa Clara, Santa Clara est marquée par l'empreinte révolutionnaire de Che Guevara.

Après toutes ces visites, vous pourrez retrouver le calme en vous rendant dans l'ancienne bourgade de Remedios, qui respire le charme désuet du temps de la colonie, et profiter des superbes plages de Cayo Las Brujas et de Cayo Santa María.

Si vous avez une semaine ou deux devant vous, profitez-en pour effectuer ce circuit: vous repartirez avec une excellente connaissance du pays, en plus d'avoir profité des vertus des montagnes, des plages et des charmantes villes coloniales.

Accès et déplacements

■ En avion

Cienfuegos

L'**Aeropuerto Internacional Jaime González** (☎43-55-2047) est situé à 5 km au nord-est de Cienfuegos. Il ne reçoit pas de vols intérieurs, mais des vols hebdomadaires sont assurés depuis Toronto par **Sunwing** *(www.sunwing.ca)*. Comptez 5 CUC pour rejoindre le centre-ville en taxi.

■ En voiture

Cienfuegos

Toutes les agences de location de voitures ont un bureau en ville, dont **Cubacar** *(Calle 31, entre Av. 54 et Av. 56, ☎43-55-1645, www. transtur.cu)*, qui se trouve juste en face de l'hôtel La Unión.

Trinidad

Le bureau de **Cubacar** *(☎41-99-6257)* se trouve dans la Calle Simón Bolívar, à l'angle de la Calle Antonio Maceo.

Santa Clara

À Santa Clara, vous pourrez louer une voiture chez **Cubacar** *(Hotel Santa Clara Libre, Parque Vidal nº 6, ☎42-21-8177, www.transtur. cu)*.

Remedios et ses environs

Comme il n'existe pas de lignes de bus Víazul ou de train pour rejoindre Remedios, vous devrez soit prendre un taxi (voir plus loin), louer une voiture ou faire de l'auto-stop pour couvrir les 45 km qui séparent Remedios de Santa Clara.

Le meilleur moyen pour rejoindre les Cayos est de louer une voiture et d'emprunter le *pedraplén (4 CUC/véhicule aller-retour)*, où vous devrez présenter votre passeport. À Remedios, vous pourrez louer une voiture chez **Transtur** *(Carretera Caibarién, angle Av. Salado, ☎42-39-5555, www.transtur.cu)*.

■ En autocar

Cienfuegos

L'**Estación de Ómnibus Nacionales** *(Calle 49, entre Calle 56 et Calle 58)* se trouve à distance de marche du centre-ville, juste à côté de la gare de trains.

Víazul *(☎43-51-5720, www.viazul.cu)* relie Cienfuegos à **La Havane** *(20 CUC; 2 départs/ jour; durée: 4h)*, **Santa Clara** *(6 CUC; 1 départ/ jour; durée: 2h)*, **Trinidad** *(6 CUC; 2 départs/jour; durée: 1h30)* et **Varadero** *(16 CUC; 2 départs/ jour; durée: 4h ou 5h)*.

Trinidad

L'**Estación de Ómnibus Nacionales** *(Calle Piro Guinart nº 224)* se trouve en plein cœur du vieux secteur de Trinidad. Vous pouvez donc vous rendre à pied aux hôtels les plus près. Il est conseillé de réserver sa place à l'avance.

Víazul *(☎41-99-4448, www.viazul.cu)* assure des liaisons avec **La Havane** *(25 CUC; 2 départs/jour; durée: 6h)*, **Varadero** *(20 CUC; 2 départs/jour; durée: 4h; arrêts à Cienfuegos et Santa Clara)* et **Santiago de Cuba** *(33 CUC; 1 départ/jour; durée: 12h; arrêts à Sancti Spíritus, Camagüey, Holguín et Bayamo)*.

Sancti Spíritus

En périphérie de la ville, l'**Estación de Ómnibus** se trouve à l'intersection de la Carretera Central et de la route de Trinidad. Comptez 2 CUC à 3 CUC pour un taxi vers le centre-ville.

Les autocars **Víazul** *(☎41-32-4142, www. viazul.cu)* se dirigent vers **Trinidad** *(6 CUC; 1 départ/jour; durée: 1h30)*, **La Havane** *(25 CUC; 2 départs/jour; durée: 5h)*, **Varadero** *(18 CUC; 1 départ/jour; durée: 6h)* et **Santiago de Cuba** *(30 CUC; 1 départ/jour; durée: 11h; arrêts à Camagüey, Holguín et Bayamo)*.

Santa Clara

L'**Estación de Ómnibus** se trouve sur la Carretera Central, près de la Plaza de la Revolución, un peu éloignée du centre-ville.

Santa Clara se trouve sur le trajet des lignes de **Víazul** *(☎42-22 2523, www.viazul.com)*, qui rejoignent La Havane depuis les provinces de l'est: **La Havane** *(20 CUC; 6 départs/jour;*

durée: 4h), **Santiago de Cuba** *(35 CUC; 4 départs/ jour; durée: 12h; arrêts à Sancti Spíritus, Ciego de Ávila, Camagüey, Holguín et Bayamo)* et **Varadero** *(12 CUC; 1 départ/jour; durée: 3h30; arrêts à Cárdenas et Colón)*.

■ En train

Cienfuegos

La coquette **Estación de Trenes** *(Calle 49, entre Calle 58 et Calle 60, ☎43-52-5495)* de Cienfuegos se trouve juste à côté de la gare d'autocars. Départs vers **La Havane** *(11 CUC; 1 départ/2 jours; durée: 11h)*, **Santiago de Cuba** *(20 CUC; 1 départ/2 jours; durée: 12h)* et **Holguín** *(17 CUC; 1 départ/2 jours; durée: 8h)*.

Sancti Spíritus

L'**Estación de Trenes** *(Av. 26 de Julio nº 92)* de Sancti Spíritus se trouve près du Puente Yayabo. Un train part vers La Havane un jour sur deux, mais cette liaison est connue pour ses nombreux retards ou annulations.

Santa Clara

L'**Estación de Trenes** *(Calle Maceo, Parque de los Mártires, ☎42-20-2895)* se trouve juste au nord du centre-ville.

Plusieurs départs quotidiens se font à la station de Santa Clara: vers **La Havane** *(14 CUC; durée: 5h; arrêt à Matanzas)* et vers **Santiago de Cuba** *(33 CUC; durée: 12h; arrêts à Ciego de Ávila et Camagüey, entre autres)*.

■ En autobus touristique

Trinidad

Le **Trinidad Bus Tour** *(2 CUC aller-retour; départs à 9h, 11h, 14h, 16h et 18h, retours à 10h15, 12h15, 15h15, 17h15 et 19h15)* fait la navette tous les jours entre Trinidad, La Boca et les plages de la péninsule d'Ancón. L'autobus part de la Calle Lino Pérez (en face de Cubanacan) et fait un second arrêt dans la Calle Antonio Maceo, à l'angle de la Calle Francisco J. Zerquera (en face de Cubatur). Cette navette très pratique est aussi très populaire; rendez-vous donc au premier arrêt pour être certain d'avoir une place.

Trinidad et les provinces du Centre - Accès et déplacements

■ En scooter et à vélo

Trinidad

Dans l'enceinte du **Teatro Brunet** (voir p 225), vous pourrez louer des scooters *(24 CUC/jour)* et des vélos *(3 CUC/jour)*.

■ En taxi et en *bicitaxi*

Cienfuegos

On trouve des taxis de la compagnie **Cubataxi** *(☎43-55-9145)* devant les hôtels et autour du Parque José Martí, mais pour se rendre à Punta Gorda ou dans le centre, les calèches sont une solution aussi économique que pittoresque pour se déplacer le long du Prado.

Trinidad

Circuler en taxi à Trinidad n'est normalement pas nécessaire, à moins que vous ne vouliez quitter la ville pour vous rendre aux plages d'Ancón ou pour une excursion dans le Valle de los Ingenios. Vous trouverez des taxis le long de la Calle Antonio Maceo. Comptez environ 8 CUC pour aller de Trinidad à Ancón, et 15 CUC pour vous rendre à Topes de Collantes ou dans le Valle de los Ingenios.

Sancti Spíritus

On trouve des taxis officiels et particuliers à la station de bus et autour du Parque Serafín Sánchez, ainsi que des *bicitaxis* partout en ville.

Remedios

Une course en taxi de Santa Clara à Remedios vous coûtera environ 25 CUC.

Renseignements utiles

■ Communications

Cienfuegos

Accès Internet au **Telepunto ETECSA** *(Calle 31)*, juste en face de l'hôtel La Unión.

Trinidad

Le **bureau de poste** pour les envois internationaux se trouve dans le Parque Céspedes, à côté du **Telepunto ETECSA**. Ce dernier dispose de plusieurs ordinateurs avec une bonne connexion Internet. Le restaurant **Las Begonias** *(Calle Antonio Maceo, angle Calle Simón Bolívar)* propose aussi quelques ordinateurs, mais la connexion est moins bonne, avec des prix identiques à ceux pratiqués par ETECSA *(6 CUC/h)*.

Sancti Spíritus

Le **bureau de poste** *(Independencia nº 8)* se trouve au sud du Parque Serafín Sánchez. Juste à côté, vous trouverez le **Telepunto ETECSA** *(Independencia nº 14)*, qui dispose d'ordinateurs avec accès Internet.

Santa Clara

Des services de téléphone, de poste et d'Internet sont regroupés à l'**Hotel Santa Clara Libre** *(Parque Vidal nº 6)*.

■ Renseignements touristiques

Cienfuegos

Infotur *(lun-sam 10h à 17h, dim 10h à 13h; www.infotur.cu)* assure une permanence au resto-bar **El Palatino**, situé dans le Parque Martí.

Trinidad

Renseignements touristiques auprès d'**Infotur** *(☎41-99-8257)* sur la Plaza Santa Ana, dans l'enceinte de la Cárcel Real. Pour des excursions et de l'information générale, rendez-vous chez **Cubanacan** *(Calle Lino Pérez, entre Calle Antonio Maceo et Calle Francisco Cadahia, ☎41-99-4753)* ou chez **Cubatur** *(Calle Antonio Maceo, angle Calle Franciso Zerquera, ☎41-99-6314)*.

Sancti Spíritus

Cubatur *(Calle Máximo Gómez nº 7, en face du Parque Serafín Sánchez, ☎41-32-8518)*, fait aussi office de bureau **Infotur**. Vous pourrez donc aussi bien vous y informer sur la ville que réserver des excursions ou des billets de Víazul.

Santa Clara

L'**Hotel Santa Clara Libre** *(Parque Vidal nº 6)* dispose d'un bureau de tourisme.

Cayerría Norte

Le site Internet *www.cayosantamaria.info* regorge de détails en français sur le Cayo Santa María.

■ Soins de santé

Cienfuegos

Clínica Internacional
24 heures sur 24
Calle 37 nº 202, en face de l'Hotel Jagua, Punta Gorda
☎ (43) 55-1622
Cette clinique du réseau hospitalier national Servimed est réservée aux touristes étrangers. On trouve aussi sur place une bonne pharmacie.

Trinidad

Clínica Internacional
Calle Linos Pérez nº 130, angle Calle Reforma
☎ (41) 99-6492
Trinidad a également une Clínica Internacional. Une attention soignée et une bonne pharmacie caractérisent ces cliniques mises à la disposition des étrangers.

Santa Clara

L'**Hotel Santa Clara Libre** *(Parque Vidal nº 6)* abrite une pharmacie.

Attraits touristiques

Cienfuegos et ses environs ★ ★

△ *p 235*   ◍ *p 243*   ⤴ *p 245*   ◘ *p 246*

Capitale de la province du même nom, la ville de Cienfuegos (160 000 hab.) fut fondée en 1819 par le Français Louis de Cluet. Il s'établit ici avec une quarantaine de familles françaises de La Nouvelle-Orléans et donna au village le nom de Fernandina de Jagua. Le mot autochtone *jagua* signifie «beauté». D'ailleurs, la ville porte toujours le surnom de «la perle du Sud». Ce n'est que 10 ans après la fondation de Fernandina de Jagua que son nom fut changé pour Cienfuegos, cette fois du nom de son gouverneur. Grâce à sa situation géographique, sur la grande baie de Cienfuegos, la ville connut un important essor économique. L'accès maritime à cette baie est très étroit, ce qui servit de protection naturelle à la fois contre les humeurs de la mer des Caraïbes et les attaques de pirates et de corsaires.

La ville a aussi été le site d'une insurrection qui, en 1957, a sérieusement émoussé le prestige de Batista. En effet, le 5 septembre de cette année-là, plusieurs habitants de la ville se sont soulevés contre la dictature et, avec l'aide des militaires de la base navale de Cayo Loco, les insurgés arrivèrent à tenir en échec les forces armées fidèles au dictateur durant toute une journée. La bravoure dont fit alors preuve la population demeure gravée comme un symbole dans la mémoire collective de la ville.

«La perle du Sud» porte relativement bien son nom encore aujourd'hui, bien qu'elle soit passablement industrialisée. Au loin, sur la côte ouest de la baie de Cienfuegos, se dresse une centrale thermique dont la construction conjointe avec l'ex-Union soviétique avait été retardée à la suite de l'effondrement de l'Empire soviétique en 1990. La vocation industrielle de cette ville est toujours vivante et, heureusement, elle n'entache pas la beauté de ses anciens quartiers. D'ailleurs, le centre historique a été inscrit au patrimoine mondial de l'humanité de l'UNESCO en 2005, et le soin apporté à la conservation de ce quartier en a fait un lieu de promenade des plus agréables. Une à deux journées sont nécessaires pour découvrir la ville et ses alentours.

Quand on arrive par l'ouest de La Havane ou de Playa Girón, la route conduit directement au **Paseo del Prado**, la plus longue promenade de Cuba. Cette avenue est bordée par d'anciennes maisons aux multiples colonnes et coloris, dont plusieurs datent de la fondation de la ville, en 1819. Pour la parcourir sur toute sa longueur, on peut utiliser les petites voitures à chevaux qui la sillonnent du matin au soir. Elles vous permettront de franchir aisément la distance qui va du centre de la ville à Punta Gorda.

Empruntez vers l'ouest l'Avenida 54, qui, entre le Parque Martí et le Paseo de del Prado, est appelée communément **El Boulevard**. Il s'agit d'une portion de l'avenue qui est réservée aux piétons et sur laquelle on trouve de nombreux commerces et terrasses.

Le **Parque Martí** ★ ★ est le cœur de la ville. Ce grand parc, anciennement la Plaza de Armas, est charmant, et les édifices du XIXe siècle qui l'entourent sont remarquablement bien conservés. Tranquille, il est dominé par une statue de José Martí datant de 1902, devant laquelle une plaque commémore la fondation de la ville. Derrière, vous remarquerez une arche qui ressemble à l'Arc de triomphe parisien, un cadeau des ouvriers de Cienfuegos à la république naissante en 1902. Le Parque Martí de Cienfuegos est l'un des rares parcs cubains à avoir gardé sa *glorieta*, une gloriette où les orchestres de la ville venaient donner des concerts et où l'on pratiquait, les jours de fête, une danse traditionnelle connue sous le nom de *La Retreta*.

Au nord du parc, l'ancien **Colegio San Lorenzo** a été construit en 1927. Cette école avait une vocation religieuse avant la Révolution et est depuis un établissement d'enseignement secondaire. Le Colegio servit de dernier retranchement aux mutins lors de la révolte de 1957. Ceux-ci s'y enfermèrent dans les dernières heures de la lutte et offrirent aux forces de Batista une résistance aussi acharnée qu'inutile. Vous le reconnaîtrez à ses murs bleu ciel déteints.

À côté, le **Teatro Thomas Terry** ★ *(1 CUC; tlj 9h à 18h; Av. 56, entre Calle 27 et Calle 29, ☎43-51-3361)* est aménagé dans un très bel édifice, avec une entrée sous des terrasses et des colonnades. Ce théâtre, construit en 1889, accueillit autrefois Caruso et Sarah Bernard. Il offre une excellente acoustique, et la décoration intérieure, tout en bois, est magnifique. Le soir, on peut assister à des représentations théâtrales ou à des concerts de musique classique (voir p 245).

À l'ouest du parc, la **Casa de la Cultura Benjamín Duarte** *(Calle 25, angle Av. 54)* loge dans l'ancien Palacio Ferrer, une magnifique construction de style éclectique qui remonte à 1918. L'édifice attend d'être rénové depuis déjà plusieurs années, mais si les portes sont ouvertes, n'hésitez pas à visiter ce magnifique palais qui arbore

une jolie tour, le *mirador*, dont le sommet permet de voir presque toute la ville et son port. Plusieurs résidences sont flanquées de telles tours. À l'époque où elles furent érigées, ces tours devaient permettre aux marchands de voir quels étaient les vaisseaux qui arrivaient dans le port, ou qui s'y étaient amarrés durant la nuit.

Au sud du parc, le **Museo Provincial** ★ *(2 CUC; mar-sam 10h à 18h, dim 9h à 13h; Av. 54 no 2702, ☎43-51-9722)* est installé dans un édifice datant de la fin du XIXe siècle, qui abritait jadis le Casino espagnol, un club social. L'exposition permanente présente des meubles du XIXe siècle.

Le **Fondo de Bienes Culturales** *(entrée libre; lun-sam 9h à 18h, dim 9h à 13h; Av. 54 no 2506, ☎43-55-1208)* fait la promotion d'artistes et d'artisans contemporains de Cienfuegos. Cette fondation loge dans une demeure construite en 1891, siège du musée provincial pendant la Révolution.

Sur le même côté du parc, l'**Ayuntamiento**, ancien hôtel de ville de Cienfuegos, renferme maintenant le siège de l'Assemblée provinciale. Autre bel édifice de style éclectique, c'est de son balcon que Fidel Castro, lors de sa marche victorieuse vers La Havane, aux premiers jours de l'année 1959, annonça à la population de la municipalité le triomphe de la Révolution.

Dans la même rue, à l'angle de l'Avenida 56, la **Catedral de la Purísima Concepción**, construite en 1869, arbore une décoration qui dut autrefois être riche et plaisante, mais qui, aujourd'hui, aurait besoin d'être restaurée. Reste qu'il vaut la peine de jeter un coup d'œil sur les magnifiques vitraux, importés de France à grands frais, qui représentent les 12 apôtres.

Pas très loin du Parque Martí se trouve le **Museo Naval** ★ *(1 CUC; mar-sam 10h à 18h, dim 9h à 13h; Cayo Loco, angle Av. 60 et Calle 21, ☎43-51-9143)*, qui fut longtemps en rénovation et qui devrait rouvrir ses portes en 2009. On y retrace de façon vivante les événements qui secouèrent la ville, et le pays, en cette journée du 5 septembre 1957. Ce jour-là, à 6h, se joignant à un soulèvement populaire contre Batista et son régime, les militaires de la base navale de Cienfuegos, l'une des plus importantes du sud de l'île, se mutinèrent et fournirent aux insurgés secours et armes. Cet événement marqua

CIENFUEGOS

Cayo Loco

Bahía de Cienfuegos

8

Avenida 70

Santa Clara

Trinidad

Avenida 66

Avenida 64

Avenida 62

Pueblo Nuevo

Avenida 60

Calle 25
Calle 27
Calle 29

Avenida 58

Avenida 56

2 **1**

7

3

Calle 19

Parque José Martí

@

Avenida 56

El Boulevard

Avenida 54

Avenida 54

9

Reina

Calle 7
Calle 7A
Calle 2A
Calle 11

Avenida 50

Avenida 48

5

4 **6**

Avenida 54

Avenida 52

Calle 31
Calle 33
Calle 35

Calle 37 (Páseo del Prado)

Avenida 54

Avenida 52

Calle 13
Calle 15
Calle 17

Avenida 46

Avenida 44

Calle 21
Calle 23

Avenida 50

Avenida 46

Calle 39

Avenida 48

Calle 41
Calle 43

Avenida 44

Avenida 42

Rancho Luna

Avenida 40

Ensenada Marsillén

Avenida 38

Avenida 36

Avenida 34

Avenida 32

N

Punta Gorda

Punta Majagua

Calle 37 (Páseo del Prado)

Avenida 22

Avenida 20

Avenida 18

Avenida 16

Avenida 14

Avenida 12

Laguna del Cura

Avenida 10

Castillo de Jagua

Bahía de Cienfuegos

Avenida 8

Avenida 6

Avenida 4

- - - - - - - Rue piétonne

©ULYSSE

Avenida 2

Calle 35

H **10**

Ensenada de las Calabazas

★ **ATTRAITS TOURISTIQUES**

1.	BV	Colegio San Lorenzo
2.	BV	Teatro Thomas Terry
3.	BV	Casa de la Cultura Benjamín Duarte
4.	BV	Museo Provincial
5.	BV	Fondo de Bienes Culturales
6.	BV	Ayuntamiento
7.	BV	Catedral de la Purísima Concepción
8.	BV	Museo Naval
9.	AV	Cementerio de Reina
10.	CZ	Palacio de Valle

Punta Gorda

Parque La Punta

0   150   300m

un tournant décisif dans la lutte contre le dictateur, brisant le mythe du support indéfectible de l'armée au gouvernement. Le musée occupe la base navale d'où partirent les mutins. Une visite s'impose, si ce n'est pour l'ambiance qui y règne et l'architecture des bâtiments.

Les passionnés d'histoire et de vieilles pierres prolongeront leur découverte de la ville en rejoignant le **Cementerio de Reina** *(entrée libre; tlj 6h à 18h; Av. 50, angle Calle 7, Reparto Reina)*, situé à l'extrémité ouest de la ville. Fondé en 1839 et déclaré monument national, ce cimetière est l'un des plus vieux du pays. On y trouve les tombes des fondateurs français de la ville et de soldats espagnols morts pendant les guerres d'indépendance.

Du Malecón à Punta Gorda

Sur le Paseo del Prado, le style néoclassique devient omniprésent à mesure qu'on approche du **Malecón** bordé par la baie de Cienfuegos. Il s'avère très long et plutôt morne. Sur la gauche, les résidences et les petits parcs présentent peu d'intérêt, mais au crépuscule et à la tombée de la nuit, la plus longue avenue de Cienfuegos devient particulièrement fréquentée par les jeunes et les moins jeunes qui viennent y trouver un peu d'air frais, et sans doute un certain vent de liberté.

Le quartier de **Punta Gorda ★ ★** mérite qu'on y fasse une longue promenade le long de la baie. D'anciennes maisons de riches vacanciers s'y dressent, la plupart avec des devantures en bois inspirées d'une architecture plutôt américaine.

Punta Gorda est bien connue pour son incroyable **Palacio de Valle ★** *(tlj 10h à 23h)*. Construit entre 1894 et 1917, en guise de cadeau de mariage d'un père aimant à sa fille, le remarquable édifice d'inspiration mauresque comprend aussi des éléments inspirés d'une myriade de styles architecturaux. Le palais ayant été abandonné dans les années 1920, le fils de Fulgencio Batista l'acquit dans les années 1950 avec l'idée d'en faire un casino, projet que la Révolution ne lui permit pas de réaliser. Le Palacio de Valle présente de magnifiques éléments architecturaux et vaut assurément une visite. Il abrite maintenant l'un des meilleurs restaurants de Cienfuegos (voir

p 243), mais on peut néanmoins visiter les étages et les nombreuses salles laissées quelque peu à l'abandon, même si l'on n'y mange pas.

Poursuivez votre visite jusqu'au bout de la Calle 35, qui longe la baie et qui est bordée de belles maisons en bois. **La Punta** *(0,50 CUC; tlj 10h à 23h)*, ce petit parc occupant la pointe de Punta Gorda, est une halte bienvenue pour prendre un rafraîchissement tout en admirant le panorama de la baie de Cienfuegos.

Castillo de Jagua ★ ★

Le **Castillo de Jagua** *(1 CUC; lun-sam 9h à 17h, dim 9h à 13h)*, anciennement connu sous le nom de la Fortaleza Nuestra Señora de Los Ángeles de Jagua, fut construit sur la rive ouest de l'étroite et sinueuse entrée de la baie de Cienfuegos. Édifié entre 1733 et 1745, troisième construction militaire de l'île par ses dimensions, il eut pour rôle premier d'empêcher pirates et corsaires de venir profiter du refuge sûr et calme des eaux de la rade entre deux razzias.

Du Castillo de Jagua, on a une vue imprenable sur le goulet de la grande baie. Le fortin a été complètement restauré et abrite aujourd'hui un petit musée qui contient une intéressante section dédiée à l'histoire de la forteresse. Le village entourant le Castillo charme par son atmosphère de bout du monde.

Il existe plusieurs solutions pour se rendre au Castillo. La moins chère et la plus pittoresque consiste à prendre le petit **ferry** *(0,50 CUC; 4 départs/jour; durée: 45 min; embarcadère au Muelle Real, Av. 46, entre Calle 25 et Calle 23)* qu'utilisent les habitants du village entourant le Castillo pour venir travailler à Cienfuegos. Si vous avez votre propre véhicule, rejoignez l'hôtel Pasacaballo, au Km 22 de la route de Rancho Luna (voir ci-dessous), d'où vous pourrez prendre le traversier qui effectue, toutes les 30 min, la courte distance vers la rive d'en face, où se trouve le Castillo.

La route de Rancho Luna

La région de Rancho Luna est propice à une excursion d'un jour. Plages, champs fruitiers et excursions en montagne: on y trouve de tout pour tous les goûts! Pour vous y rendre, prenez la Carretera de Rancho Luna, perpendiculaire au Paseo del Prado, près du Malecón, la même qui conduit jusqu'à la ville de Trinidad.

Sur la route, 2 km après avoir quitté la ville, le **Cementerio Tomás Acea** *(entrée libre; tlj 7h à 18h)* exhibe une entrée impressionnante, inspirée du Panthéon d'Athènes. Classé monument national, ce grand cimetière fut construit en 1902, fruit d'une donation de Tomás Acea, une riche personnalité de Cienfuegos. Ce cimetière mérite d'être visité; ne manquez pas l'impressionnant monument en l'honneur des combattants du 5 Septembre.

En poursuivant vers le sud-est sur 15 km puis en prenant la route en direction de Pepito Tey, on trouve le **Jardín Botánico ★** *(2,50 CUC; tlj 9h à 17h)*, qui abrite au-delà de 2 000 espèces végétales, dont 300 essences différentes de palmiers, l'une des plus grandes collections au monde. Ce jardin botanique a la particularité d'avoir été acheté par l'université Harvard en 1917 des mains d'un Américain qui se consacrait à la culture de la canne à sucre. Avec l'arrivée de la Révolution, le jardin est passé sous la tutelle du ministère de l'Agriculture, puis de l'Académie des sciences de Cuba.

Playa Rancho Luna se trouve à 18 km au sud-est de Cienfuegos, toujours sur la Carretera de Rancho Luna. Cette belle plage dispose de points ombragés, et ses fonds marins se prêtent particulièrement à la plongée-tuba. Juste à côté, le **Delfinario** *(10 CUC; jeu-mar 9h30 à 16h; ☎43-54-8120)* propose les habituels spectacles de dauphins et d'otaries. Vous pouvez nager avec les dauphins pour un léger (!) supplément de 50 CUC.

À mi-chemin entre Cienfuegos et Trinidad, le complexe de *campismo* de **Villa Guajimico** (voir p 237) dispose de nombreux sentiers qui surplombent la mer en longeant de hautes falaises. On peut aussi visiter des grottes superbes. Guajimico est un endroit idéal pour profiter de la nature dans son ensemble. Vous pourrez aussi pratiquer des sports nautiques et surtout y faire de la plongée sous-marine (voir plus loin); les fonds marins, pratiquement vierges, sont exceptionnels. Un bateau est à la disposition des touristes pour les excursions et la pêche en haute mer.

🎿 Activités de plein air

■ Croisières et activités nautiques

À Cienfuegos, la **Marina Puertosol** *(Av. 6, angle Calle 35, ☎43-55-1241)* loue de nombreux types d'embarcations dont des catamarans *(8 CUC/h)* et des kayaks *(3 CUC/h)*. Elle offre aussi des croisières dans la baie de Cienfuegos ainsi que des sorties de pêche en haute mer.

Juste à côté, le **Club Cienfuegos** *(Calle 37, angle Av. 10, ☎43-51-2891)* propose le même type de services.

■ Plongée sous-marine

À mi-chemin entre Cienfuegos et Trinidad, la **Villa Guajimico** (voir p 237) a fait de la plongée sous-marine sa spécialité. Elle est souvent occupée par des groupes d'Européens qui y viennent exclusivement pour pratiquer ce sport. Location d'équipement et cours de plongée sont proposés. La Villa Guajimico dispose d'un bateau qui peut vous emmener jusqu'à l'un des nombreux sites de plongée répertoriés au large des côtes.

À **Playa Rancho Luna**, les plongeurs pourront s'adresser aux centres de plongée des hôtels **Faro Luna** *(☎43-55-1340)* ou **Rancho Luna** *(☎43-54-8087)*, qui offrent tous deux des plongées pour découvrir les barrières de corail *(à partir de 25 CUC)*, des cours et la location d'équipement pour la plongée-tuba *(5 CUC)*.

Trinidad et ses environs ★ ★ ★

▲ *p 237*   🍽 *p 243*   ⚓ *p 245*   🛏 *p 247*

Fondée en 1514 par Diego Velázquez sur un site habité par les Taïnos, la Villa de la Santísima Trinidad fut la troisième *villa* fondée à Cuba après Baracoa et Bayamo. Des trois plus anciennes villes cubaines, Trinidad (74 000 hab.) est celle qui a le mieux conservé son héritage architectural. S'y promener est une véritable incursion dans une époque que l'on peut encore sentir vibrer sur ses murs anciens. Au détour d'un simple coin de rue en galets suivant un tracé ancien et tortueux, Trinidad nous surprend avec des demeures rescapées du temps, et l'émerveillement frôle le sublime lorsque, par temps clair, les hautes montagnes de l'Escambray se découpent sur l'horizon.

Reconnue en 1978 comme monument national, puis en 1988 comme faisant partie du patrimoine mondial de l'humanité de l'UNESCO, cette vieille ville a une histoire qui est tout aussi fascinante que le laissent imaginer ses trésors architecturaux. La première activité commerciale de Trinidad fut l'exploitation de l'or. Les Autochtones de la région furent mis aux travaux forcés, et les abords des rivières et des montagnes furent explorés pendant quelques années, jusqu'à ce que la mine ne produise plus de minerai. Dès 1540, la ville de Trinidad perd lentement mais sûrement sa population, et les Autochtones la repeuplent. Cependant, en 1573, les Espagnols montrent de nouveau un intérêt pour la ville. La richesse proviendra alors de l'élevage, de la culture du tabac et de la contrebande avec la France, l'Angleterre et la Hollande. Attaquée et détruite à de nombreuses reprises par les corsaires et les pirates, Trinidad subit une dernière attaque en 1702. C'est à partir de cette date que commence la construction de Trinidad telle qu'on la connaît aujourd'hui. Entre 1724 et 1755, il n'y avait que 50 maisons construites à base de mortier et de pierre. Peu à peu, la culture de la canne à sucre commence à prendre de l'importance, jusqu'à devenir la principale source de richesse de Trinidad. L'esclavage gagna aussi en importance. Les premiers Africains à fouler le sol de la ville le firent dès 1514 comme employés domestiques, et en 1789 on autorisa pour la première fois à Trinidad l'achat et la vente libre d'esclaves. La prospérité sucrière provoqua un boom esclavagiste en 1846, et l'on importa à Trinidad, durant cette seule année, entre 2 000 et 3 000 esclaves. Cependant, l'avènement d'autres points de production sucrière au pays, mais surtout la destruction des plantations pendant les guerres d'indépendance (Trinidad appuyait les Espagnols), provoquèrent le déclin économique de Trinidad. Dans le Valle de los Ingenios, véritable grenier de Trinidad, la situation devint explosive par la présence majoritaire d'esclaves noirs, et de nombreuses rébellions eurent lieu dans la région.

La beauté de Trinidad incite à ce qu'on s'y arrête au moins pour deux nuits. Pour

Chinas peladas

Partout, les rues ont un revêtement de galets. Ces pierres, que l'on appelle communément *chinas peladas*, ont été installées en 1820 à l'initiative des habitants de Trinidad.

éviter l'importante affluence touristique, il est préférable de partir à la découverte de Trinidad tôt le matin, avant l'arrivée massive des autocars en provenance de La Havane ou de Varadero. Comme nulle autre, cette ville peut facilement être visitée à pied. Le quadrillage de la vieille ville est sinueux et plutôt compliqué en voiture.

Le vieux Trinidad

Pour commencer, le Palacio Cantero, qui abrite le **Museo Histórico Municipal ★** *(2 CUC; sam-jeu 9h à 17h; Calle Simón Bolívar, ☎41-99-4460)*, mérite d'être visité. Érigé au milieu du XIXᵉ siècle, il bénéficia d'une belle restauration. L'intérieur de cet ancien palais est tout simplement magnifique, et de nombreuses peintures originales ont été conservées intactes. Une jolie cour intérieure renferme quelques objets d'époque, et un escalier conduit à une tour coiffée d'un *mirador* qui offre un panorama saisissant sur Trinidad.

À l'angle de la Calle Simón Bolívar et de la Plaza de la Catedral, la **Galería de Arte de Trinidad ★** *(entrée libre; tlj 8h à 17h)* loge dans une maison de 1809, aux murs jaune ocre et aux fenêtres de bois d'un bleu ciel éclatant, laquelle était à l'époque la résidence du *regidor* de la ville. Aujourd'hui, on y trouve la plus importante collection d'œuvres d'arts visuels contemporaines de Trinidad. Les salles présentent des expositions d'œuvres d'artistes de Trinidad et de l'ensemble du pays.

La **Plaza Mayor ★ ★ ★**, soit l'Antigua Plaza de Trinidad, constitue le point culminant de la visite de Trinidad. De somptueuses demeures coloniales rénovées, aux couleurs vives, entourent l'une des plus belles

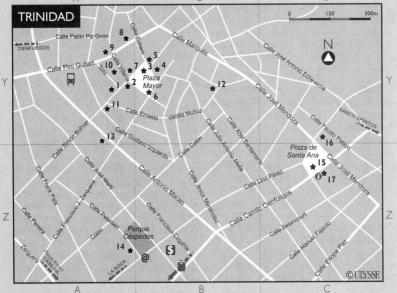

TRINIDAD

places de Cuba et des Caraïbes. Telle qu'on la voit aujourd'hui, la place fut construite en 1856 avec des matériaux provenant de Philadelphie aux États-Unis. Cependant, bien avant cette date, la Plaza Mayor fut au centre de l'histoire de cette ville et même de celle de l'Amérique latine, puisque c'est d'ici que le conquérant Hernán Cortés partit à la conquête du Nouveau Monde en 1518. Sur la place, une sculpture représente la Muse de la danse, tandis que deux lévriers de bronze en gardent l'entrée.

L'**Iglesia de la Santísima Trinidad** ★★ *(lun-sam 10h à 13h, dim 9h à 13h30)* fut érigée à partir de la moitié du XIXᵉ siècle. L'originalité de cette cathédrale réside dans le fait qu'elle est la seule de Cuba, et l'une des rares dans le monde, à ne pas avoir de clocher. On y célèbre la messe tous les jours à 20h.

La Plaza Mayor est bordée des meilleurs musées de la ville. Le **Museo Romántico** ★★★ *(2 CUC; mar-sam 9h à 17h, dim 9h à 13h; ☎41-99-4363)* possède d'excellentes collections qu'il expose en permanence, et la maison coloniale qui l'abrite, construite en 1740, est l'une des plus belles de Trinidad. La cour intérieure se révèle superbe, avec ses murs aux couleurs jaunes en lavis et ses boiseries vertes. L'une des collections du musée dévoile un mobilier original des résidences de la bourgeoisie cubaine du XIXᵉ siècle. Toutes les pièces (salon, salle à manger, chambres à coucher, cuisine et salle de bain) y sont représentées. Les hauts plafonds du salon principal s'avèrent magnifiquement taillés dans du bois de cèdre datant de 1774, et ils sont maintenus dans un état de conservation remarquable, compte tenu du climat tropical dans la région.

À l'entrée du musée, la **Galería de Arte de la Uneac** *(même horaire que le musée)*, soit la galerie de l'Union nationale des écrivains et des artistes cubains, présente une petite exposition temporaire d'œuvres d'artistes contemporains du pays.

Le **Museo de Arquitectura Trinitaria** ★★ *(1 CUC; sam-jeu 9h à 17h; Plaza Mayor, ☎41-99-3208)* constitue l'un des musées du genre les mieux conçus de Cuba. Aménagé dans l'ancienne résidence de Sánchez Iznaga, un autre représentant de cette illustre famille que sont les Iznagua, il est dédié à l'architecture de l'époque coloniale. Il dispose de huit salles d'exposition, et l'on y présente une collection de grillages, de portes et de matériaux de construction d'époque, auxquels se joignent des explications pertinentes quant à la façon dont les maisons étaient construites. Une salle intéressante est consacrée aux plantations sucrières et à l'architecture du temps de l'esclavage dans la région. Une charmante et paisible cour intérieure cache la pièce la plus originale du musée derrière une porte close: un bain à vapeur. N'oubliez surtout pas de demander que l'on vous montre cet excentrique et ingénieux équipement du début du XXe siècle!

Toujours sur la Plaza Mayor, le **Museo de Arqueología Guamuhaya** ★ *(en rénovation jusqu'en 2010; ☎41-99-3420)* renferme des objets, des instruments et des squelettes des premières nations ayant habité l'île de Cuba, les Siboneys et les Taïnos, ainsi que des céramiques historiques. La maison qui abrite ce musée mérite aussi qu'on s'y attarde. Construite en 1732, puis agrandie en 1835, elle a appartenu à la famille Padro, qui reçut à dîner, le 14 mars 1801, nul autre que le baron de Humboldt, le célèbre biologiste et voyageur allemand. Alexander von Humboldt, surnommé le second découvreur de Cuba, résidait alors à deux pas de la Plaza Mayor, au n° 35 de la Calle Echerri. Une plaque indique la maison où il s'installa brièvement lors de son passage à Trinidad.

Sur l'Avenida Guitart, le **Convento San Francisco** ★★, construction emblématique de Trinidad, aux teintes jaune ocre, se dresse devant la charmante petite place du même nom. Érigé à partir de 1731, puis de 1810 à 1813 jusqu'à sa hauteur actuelle, le couvent ne conserve de cette époque que le clocher, le reste ayant été reconstruit depuis.

Le dôme fut refait en 1930 à la suite de son effondrement. Aujourd'hui, le couvent de San Francisco abrite le **Museo de Lucha Contra Bandidos** ★ *(1 CUC; mar-dim 9h à 17h; Calle Fernando Hernández Echerri, Plaza San Francisco, ☎41-99-4121)*, qui retrace l'histoire des luttes révolutionnaires qui menèrent au renversement de Batista en 1959. On y raconte aussi les combats que livrèrent les révolutionnaires, après 1959, contre certains groupes armés dans les montagnes de l'Escambray. On y expose de nombreuses armes, des bateaux ayant appartenu à la CIA, des pièces d'avion d'espionnage et des photographies d'époque. Tout de suite après l'entrée, sur la droite, des escaliers mènent à la tour et aux terrasses de l'édifice. Cet endroit offre le meilleur panorama sur la ville et ses anciens quartiers, avec les montagnes d'un côté et la mer de l'autre. La vue des toits de tuiles qui font la renommée de la ville est particulièrement impressionnante. En redescendant, vous aurez ainsi le sentiment de pénétrer dans une ville différente que celle que vous aviez quittée en grimpant l'escalier.

En descendant l'Avenida Guitart, vous arriverez sur une jolie petite place, la **Plaza de Jigüe**. Elle porte le nom de l'arbre qui s'y trouvait (celui-ci a dû être abattu mais, au moment de notre passage, un nouvel arbre devait bientôt être replanté), et sous lequel fut fondée la Villa de Trinidad et célébrée la première messe. Fait marquant, cette messe fut dite par Bartolomé de Las Casas, un ardent défenseur des droits des Autochtones à l'époque coloniale. Il fut le premier à comptabiliser et à dénoncer les horreurs commises par les Espagnols envers les premiers peuples d'Amérique.

À Trinidad, on peut aussi se familiariser un peu avec la *santería*, ce culte inspiré des religions africaines et de la religion catholique, très répandu à Cuba. Pour ce faire, on visite la simple demeure d'un *Santero*, Israel, à **La Casa de la Santería** *(contribution volontaire; tlj 9h à 16h; Calle Villena n° 59)*. L'endroit est simple et vaut surtout le détour pour discuter avec Israel, qui pourra aussi vous faire une *limpieza* (nettoyage), une pratique typique des cultes afro-américains.

Au XVIIIe siècle, les riches propriétaires du Valle de los Ingenios avaient, bien sûr, leurs maisons en ville. Deux des plus fortunées familles de Trinidad, les Iznaga et les

Bartolomé de Las Casas

Ardent défenseur de la cause des Autochtones, Bartolomé de Las Casas, né à Séville, dans le sud de l'Espagne, en 1474, fut le premier évêque d'Amérique. Fils d'un des navigateurs qui accompagna Christophe Colomb à son premier voyage en sol américain, ce prêtre fut envoyé en Amérique, devint rapidement un riche propriétaire terrien et posséda de nombreux esclaves indigènes. Mais Bartolomé de Las Casas délaissa ses propriétés pour se consacrer à la défense des Autochtones, dont les droits étaient bafoués par les colons espagnols. Pour sa cause, il courtisa le roi Ferdinand le Catholique et le régent de Cuba. Nommé Protecteur des Autochtones, il fit des démarches qui portèrent leurs fruits puisque l'on interdira l'esclavage des indigènes en Amérique.

Las Casas écrivit, en Dominique, la *Historia de las Indias*, son œuvre majeure dans laquelle il brosse un tableau critique des traitements infligés aux Autochtones: *Les indigènes reçoivent un traitement pire que le fumier des plazas.* Il dénonce aussi «*ceux qui, par cupidité, font de Jésus-Christ le plus cruel des dieux, et du roi un loup affamé de chair humaine*». Dans ses propositions pour libérer les Autochtones de l'esclavage, il propose que des Africains et des Maures soient importés en Amérique, comme quoi même Las Casas pouvait se tromper dans ses jugements... Las Casas deviendra le premier évêque de l'État du Chiapas, au Mexique. Généralement bafoué par ses contemporains, Bartolomé de Las Casas est considéré aujourd'hui comme le premier défenseur de la cause des Autochtones.

Borrell, ne font évidemment pas exception à la règle. Malgré les travaux de restauration toujours en cours, un coup d'œil sur le **Palacio Iznaga** ★ *(Calle Gustavo Izquierdo, angle Calle Simón Bolívar)* vous donnera une bonne idée de la richesse et de l'opulence dans laquelle vivaient les membres de la famille Iznaga.

Mieux préservée, la **Casa Borrell** ★ *(Calle Ernesto Valdés Muñoz n° 18, angle Calle Caldos)* abrite l'Oficina de Restauración. La maison est formidable, non par ses dimensions, plutôt modestes, mais par son luxe. Ses peintures murales, de même facture que celles de la maison de l'**Ingenio Guáimaro** (voir p 227) du Valle de los Ingenios, et son plancher de marbre blanc sont d'une beauté à couper le souffle.

Cette richesse, responsable des belles heures de Trinidad durant les premières années du XIXe siècle, créa une demande pour des divertissements raffinés. Le **Teatro Brunet**, véritable centre culturel de la ville, fut le plus important et prestigieux théâtre de cette période d'abondance. Inauguré le

25 décembre 1840, il reçut nombre d'artistes de grande renommée, jusqu'à ce que, en 1901, son toit s'effondre. Les restes de ce théâtre font aujourd'hui office de bar (voir p 246).

Autour du vieux Trinidad

Moins fréquenté que l'ancien secteur de la ville de Trinidad, le **Parque Céspedes**, aménagé en 1909, bénéficie néanmoins d'un charme particulier. Une promenade sous ses arches fleuries, à l'ombre des nombreux feuillages, saura vous donner un moment de répit bien mérité des touristes et des *jineteros*. Le Parque Céspedes est plutôt le rendez-vous quotidien des habitants de Trinidad qui viennent discuter du temps qui passe, de sport ou de politique, et en ce sens, cette place est beaucoup plus vivante que sa célèbre homologue, la Plaza Mayor. Le parc est, au mois de novembre de chaque année, le théâtre de la semaine culturelle de Trinidad. Ces fêtes s'adressent davantage à la population locale qu'aux touristes: danse, musique folklorique, artisanat et cuisine typique; la mission des organisateurs de l'événement est de préserver l'héritage culturel et historique de Trinidad au sein de la population. En juin, on y célèbre aussi les fêtes du carnaval.

Autour du Parque Céspedes, les édifices de l'Assemblée municipale et du Théâtre municipal arborent une architecture éclectique. L'**Iglesia San Francisco de Paula**, au sud-ouest du parc, fut érigée dans les premières années du XIXe siècle. À cette époque, un hôpital avoisinait l'église. Cet hôpital a depuis longtemps disparu, mais l'église montre toujours sa franche façade.

Si vous prenez la Calle Camilo Cienfuegos à gauche (nord-est) et que vous vous rendez sur la **Plaza de Santa Ana ★**, vous pourrez apprécier la seule statue élevée en hommage à Bartolomé de Las Casas. La Plaza de Santa Ana était, au XVIIIe siècle, le point d'accès au Valle de los Ingenios et, par la même occasion, un important carrefour commercial. On peut y voir l'**Iglesia de Santa Ana**, l'une des plus anciennes églises de Cuba. Elle fut construite entre 1712 et 1812, mais elle est aujourd'hui en ruine.

Juste devant la Plaza de Santa Ana se trouve aussi la **Cárcel Real**, une prison construite en 1844. Il s'agit d'un très bel exemple d'architecture coloniale militaire, et l'intérieur mérite un coup d'œil. Cela est d'autant plus invitant que l'édifice abrite le **Restaurante Santa Ana** (voir p 244).

El Valle de los Ingenios ★ ★

Le Valle de los Ingenios a été déclaré patrimoine mondial de l'humanité en 1988, en raison du grand nombre de monuments architecturaux et archéologiques qu'il renferme. Regroupant plusieurs vallées, ce que l'on appelle le Valle de los Ingenios fut en effet le centre du boom sucrier de la région de Trinidad, et c'est de cette dernière que la ville tira sa richesse. Les ruines de près de 70 moulins à sucre parsèment la région.

Pour vous rendre dans le Valle de los Ingenios, vous n'avez qu'à suivre les indications le long de la route qui va de Trinidad à Sancti Spíritus: le chemin est bien indiqué et vous n'aurez aucune difficulté à vous y retrouver. Ceux qui n'ont pas de véhicule pourront facilement visiter la vallée en pre-

nant le vieux **train à vapeur** *(10 CUC; départ tlj à 9h; durée: 2h30; Calle Antonio Guiteras, ☎41-99-3348; réservations auprès des agences de tourisme en ville)* qui serpente lentement à travers la végétation luxuriante et effectue plusieurs arrêts dans la vallée. Des trains locaux partent aussi plusieurs fois par jour de la gare en direction de la vallée.

À 2 km de Trinidad, une petite route de terre conduit au **Mirador de la Loma ★**, d'où l'on peut apprécier toute l'étendue de cette vallée recouverte de plantations de canne à sucre. La route s'enfonce ensuite dans la vallée, dont la richesse est proverbiale. Cependant, toute cette richesse s'est créée au prix des travaux forcés de milliers d'esclaves noirs. D'ailleurs, de nombreuses rébellions d'esclaves éclatèrent dans cette vallée et, dans la confusion, plusieurs réussirent à s'enfuir, se cachant dans les nombreux replis des montagnes de l'Escambray.

L'**Hacienda Manaca Iznaga ★ ★**, à 15 km de Trinidad, est magnifiquement bien préservée. À travers les champs de canne à sucre, vous ne pourrez manquer, sur votre gauche, grâce à sa hauteur et à son caractère unique dans l'horizon, la **Torre Manaca Iznaga ★ ★** *(1 CUC)*, une tour d'observation érigée sur les vastes terrains de l'Hacienda Manaca Iznaga, d'où s'offre encore aujourd'hui un panorama spectaculaire. Dans le **Caserío de Manaca Iznaga**, un petit village d'agriculteurs, la tour fut érigée en 1820 par la famille Iznaga, l'une des plus riches de Trinidad. Avec ses 43,5 m de hauteur, elle fut construite pour surveiller le travail des esclaves, pour prévenir leur fuite et pour annoncer à temps d'éventuels mouvements de rébellion. Une légende entoure la construction de cette tour. On raconte que les deux frères Iznaga acceptèrent le défi lancé par leur père pour savoir qui des deux obtiendrait la main d'une femme qu'ils voulaient épouser. L'un d'eux devait creuser un puits, et l'autre devait construire une tour. Le père accorderait la main de la jeune femme à celui des deux qui aurait réussi le plus grand exploit. Cependant, les deux arrivèrent au même résultat: l'un creusa un puits de 43,5 m de profondeur, et l'autre construisit une tour de 43,5 m de hauteur! L'histoire ne raconte pas ce qu'il advint de la jeune femme prisée par les deux riches prétendants... Bâtie en 1750, l'ancienne maison coloniale de la famille demeure la figure de proue de l'hacienda. Cette maison est superbe: des boiseries bleu ciel et un intérieur spacieux évoquent le faste et la richesse de la famille Iznaga. L'architecture est dite «aux quatre vents»: où que vous soyez à l'intérieur, les fenêtres permettent aux vents d'y pénétrer et ainsi d'apaiser ses habitants des aléas de la chaleur tropicale. Les plafonds, les poutres et les portes de cèdre sont d'époque. Ajoutez le lustre d'origine au plafond, et le tout est un véritable bijou. Fait cocasse: la fenêtre de la chambre du Señor Iznaga est la seule de la maison qui n'a pas de barreaux. Les mauvaises langues racontent qu'il choisissait une esclave pendant le jour et qu'il ordonnait qu'on la lui apporte le soir venu. Cette *casona* a été entièrement rénovée, et elle abrite aujourd'hui un restaurant et un centre d'interprétation historique.

D'autres vestiges de cette période sont facilement accessibles depuis le village de Manaca Iznaga. Parmi les plus intéressants, la maison de l'**Hacienda Guachinango** ★ est à découvrir. C'est une jolie maison, un peu en retrait de la route, qui laisse encore admirer ses peintures murales originales. L'Hacienda Guachinango se trouve près de la propriété des Iznaga, sur la route qui mène à la petite agglomération de Condado. Pour s'y rendre, il faut faire environ 4 km vers l'ouest au départ de l'Hacienda Manaca Iznaga, puis tourner à droite dans une petite route revêtue. On arrive ainsi à un chemin de fer où il faut laisser la voiture et d'où l'on peut voir la maison à travers le feuillage des grands arbres.

En allant vers Sancti Spíritus, à plus ou moins 9 km du village de Manaca Iznaga, vous verrez la maison de l'**Ingenio Guáimaro** ★★ à ne pas manquer. L'extérieur néoclassique est plutôt austère, mais les peintures murales à l'intérieur sont d'un tout autre ordre. Les scènes italiennes qui y sont peintes montrent l'attrait qu'exerçait l'Europe sur l'esprit de ces riches planteurs du XVIIIe siècle. Pour vous rendre à la maison de l'Ingenio Guáimaro, faites près de 8 km vers le nord, puis prenez une petite route à droite. L'endroit est bien indiqué et, dès que vous aurez tourné, vous apercevrez la majestueuse résidence à quelque 300 m sur votre droite.

L'**Hacienda Buenavista** ★ mérite bien son nom. Juchée sur une petite colline, sa maison offre une vue superbe sur les environs. Elle est habitée par quelques familles plutôt sympathiques qui ne se préoccupent pas trop des rares touristes qui débarquent sur leurs terres. La maison est un peu délabrée, mais certains éléments de son architecture demeurent uniques. L'Hacienda Buenavista est située près de la route principale, sur la droite, environ 4 km avant d'arriver à Manaca Iznaga lorsque l'on vient de Trinidad.

L'hacienda qui possède le plus d'attraits reste certainement celle de l'**Ingenio San Isidro** ★★. Elle a une magnifique tour, et la maison du maître, bien que dans un piteux état, tient encore debout. Un peu en retrait se trouvent les ruines des baraquements des esclaves, de l'*ingenio* et des magasins. Pour vous rendre à l'Ingenio San Isidro, suivez les indications qui, de la route principale, vous signaleront de tourner à droite un peu après avoir passé l'Hacienda Buenavista. Il vous faudra alors faire environ 1,5 km sur une route difficile, mais carrossable, jusqu'à ce que vous aperceviez la petite tour sur votre droite.

Les haciendas Guachinango, Guáimaro, Buenavista et San Isidro ne sont que quelques-uns des sites montrant des vestiges de cette incroyable période durant laquelle le sucre était roi. Pour les plus aventureux, le Valle de los Ingenios représente tout un champ d'exploration offrant des heures et des heures de plaisir et de découverte.

La Sierra del Escambray ★★

Constituant une chaîne de montagnes de 90 km de long sur 40 km de large, entrecoupée de profondes vallées difficilement accessibles, la Sierra del Escambray fut, à la fin des années 1950, un centre important de la lutte contre le gouvernement de Batista. Le Directorio Revolucionario y établit une base d'opérations dès 1956, servant à la fois de refuge pour ceux qui, des grands centres, devaient échapper à la police du régime, et de point stratégique pour des attaques contre des petits postes militaires de la région. Plus tard, Castro fit sentir son autorité en y envoyant ses propres hommes, et Che Guevara vint y préparer son assaut contre Santa Clara. En guise d'étrange retour des choses, l'Escambray fut, dans les années qui suivirent la prise du pouvoir par les castristes, le principal centre d'opérations de la guérilla contre-révolutionnaire.

La Sierra del Escambray offre des paysages magnifiques. De hauts sommets, des chutes, des vallées ravissantes, une faune et une flore uniques (on y recense jusqu'à 15 espèces différentes de pins), bref, tout cela en fait un endroit idéal pour les amoureux de la nature. La route d'une cinquantaine de kilomètres, qui va de Trinidad à Manicaragua, pénètre profondément au cœur de ces montagnes spectaculaires. Il s'agit d'une route splendide sur toute sa longueur, et l'ascension, au départ de Trinidad, se révèle particulièrement saisissante. Du haut des contreforts de la sierra, vous aurez l'une des plus belles vues qui soit. Le *mirador* ★, qui se dresse à quelque 600 m d'altitude, présente une perspective incomparable de Trinidad et de la péninsule d'Ancón.

Situé à 20 km de Trinidad et d'une altitude moyenne de 800 m, le **Parque Natural Topes de Collantes** ★★ (☎42-54-0219, www. gaviota-grupo.com) préserve des paysages grandioses. C'est un endroit rêvé pour les amateurs de randonnée pédestre (voir plus loin). Un vaste complexe touristique, avec hôtels et restaurants, a été construit dans le village de **Topes de Collantes** et ses environs pour répondre aux besoins des visiteurs.

La route qui continue vers Manicaragua traverse des paysages extraordinaires, avec des chutes d'eau qui tombent à quelques mètres de la route, de vertes vallées parsemées de petites fermes ainsi que des falaises inoubliables, mais elle est en très mauvais état et il est préférable de rejoindre **Manicaragua** et **La Hanabanilla** en partant de Santa Clara (voir p 232).

La Boca ★

Sur la côte à 5 km au sud de Trinidad, la petite localité de La Boca est un paisible village de pêcheurs bordé d'une plage qui n'est toutefois pas très accueillante pour les baigneurs. L'accueil de l'endroit est chaleureux, et les couchers de soleil s'avèrent merveilleux à La Boca. Vous y verrez alors sur la mer les lanternes des pêcheurs au loin s'illuminer dans le crépuscule. Le petit port de l'endroit est des plus pittoresques, et vous pourrez y rencontrer de nombreux pêcheurs. On trouve ici de

nombreuses *casas particulares* (voir p 66), et il s'agit d'une bonne base pour profiter des attraits de la région: Trinidad, tout comme les belles plages de la Península de Ancón (voir ci-dessous), sont facilement accessibles en vélo.

La Península de Ancón ★★

À dix kilomètres de La Boca sur la côte, la Península de Ancón possède de superbes plages de sable blanc. On y vient des quatre coins du monde pour s'y reposer, loin des grands centres touristiques, tout en profitant des installations des hôtels qui s'y trouvent. Les fonds marins s'avèrent particulièrement beaux dans cette région, et les amateurs de plongée y trouveront leur compte.

Le **Trinidad Bus Tour** (voir p 215) est une navette pratique qui relie Trinidad à La Boca et aux plages de la Península de Ancón.

🐦 Activités de plein air

■ Croisières

Rendez-vous à la **Marina Marlin** (☎41-99-6205, www.nauticamarlin.com), tout près des hôtels de la Península de Ancón, pour embarquer sur un des voiliers pour une excursion d'une journée, ou pour une croisière plus longue, notamment avec la société **Windward Islands** (www.caribbean-adventure.com).

■ Plongée sous-marine

Les hôtels de la Península de Ancón, tout comme les agences de tourisme de Trinidad et la Marina Marlin (près des hôtels de la péninsule, ☎41-99-6205, www.nauticamarlin. com), proposent des sorties de plongée (à partir de 35 CUC) de même que des cours et des excursions de plongée-tuba. Le site le plus couru est celui de **Cayo Blanco**, à une vingtaine de kilomètres au large de la péninsule d'Ancón, où l'on admire une barrière de corail noir et de nombreux poissons tropicaux.

■ Randonnée pédestre

Plusieurs sentiers pédestres sont ouverts aux marcheurs dans le **Parque Natural Topes de Collantes**. La majorité d'entre eux demeu-

⭐ ATTRAITS TOURISTIQUES

1.	BY	Parque Serafín Sánchez
2.	AY	Cinema Conrado Benítez
3.	AZ	Biblioteca Provincial Rubén Martínez Villena
4.	AZ	Museo Provincial
5.	AZ	Museo de Historia Natural
6.	BZ	Plaza Honorato

7.	BZ	Iglesia Parroquial Mayor del Espíritu Santo
8.	AZ	Museo de Arte Colonial de Sancti Spíritus
9.	AZ	Puente Yayabo
10.	BZ	Callejón del Llano
11.	BZ	Galería de Arte Óscar Fernández Morera

rent relativement courts et faciles d'accès, mais la plupart sont payants et se font en groupe avec un guide. L'excursion la plus appréciée est celle qui va au **Salto de Caburni** *(6,50 CUC)*, une magnifique chute de 62 m au pied de laquelle il est possible de se baigner. Le sentier est d'une longueur de 2,5 km, et l'on doit compter environ 2h pour se rendre à la chute. Plusieurs excursions, d'une durée plus importante, requièrent plus d'organisation et conduisent jusqu'aux endroits les plus reculés du parc. Pour de plus amples renseignements sur ces services, le mieux est de vous informer aux bureaux du **Complejo Turístico** à droite en entrant dans la zone hôtelière du village, ou dans les différentes agences touristiques à Trinidad, qui organisent aussi des excursions dans le parc.

Sancti Spíritus ★

▲ *p 240*   🍴 *p 244*   🛍 *p 245*   🏨 *p 247*

Sancti Spíritus (134 000 hab.) évoque le charme et le rythme d'une ville provinciale. La vieille ville, classée monument national, présente un quadrillage inspiré d'un labyrinthe. Le plan d'urbanisme particulier de Sancti Spíritus fut conçu pour rendre plus difficile la prise de la ville par les pirates. Aujourd'hui, c'est la circulation qui est ardue, et les embouteillages sont fréquents. Mais ce même urbanisme original, lié à un passé riche en rebondissements et à un legs architectural colonial omniprésent, fait de Sancti Spíritus l'une de ces villes que l'on se plaît à parcourir à pied, sans objectif précis. Comptez une demi-journée ou une journée complète pour la visite.

Établie en 1514 par Diego Velázquez, Sancti Spíritus fut la quatrième *villa* fondée aux débuts de la colonisation espagnole.

Capitale de la province du même nom, Sancti Spíritus faisait autrefois partie de la province de Las Villas, une des trois provinces qui appuya le mouvement des luttes indépendantistes au XIXe siècle.

Le **Parque Serafín Sánchez** de Sancti Spíritus constitue le cœur de la ville. Il tient son nom de Serafín Sánchez, ami de José Martí et martyr de la seconde guerre d'indépendance. Malheureusement, la circulation ne rend pas cet endroit aussi paisible qu'il devait l'être autrefois. Cependant, il est entouré de quelques beaux bâtiments, tels le **Cinema Conrado Benítez** et surtout la **Biblioteca Provincial Rubén Martínez Villena**. Le premier étage de la bibliothèque se montre particulièrement intéressant. Sa coupole et son énorme lustre se révèlent d'une rare beauté.

Juste à côté de la bibliothèque se dresse une petite maison dont la construction remonte à 1740, et qui abrite maintenant le **Museo Provincial** *(1 CUC; lun-jeu et sam 9h à 18h, dim 8h à 12h; Calle Máximo Gómez n° 3, ☎41-32-7435)*. Ce musée est aménagé dans l'une des plus belles demeures de la ville. On y trouve une collection d'objets qui retrace les événements importants de la ville et de la province de Sancti Spíritus depuis la période précolombienne jusqu'à nos jours.

Au sud du parc, le **Museo de Historia Natural** *(1 CUC; lun-jeu et sam 9h à 17h, dim 8h à 12h; Av. Máximo Gómez, ☎41-32-6365)* se présente comme un petit musée consacré à l'histoire naturelle de la province de Sancti Spíritus. Visiblement conçu pour recevoir les étudiants de la région, il dispose de quatre petites salles dont l'une est réservée à la géologie et les autres à la zoologie. Prenez le temps d'aller jeter un coup d'œil à l'intérieur du planétarium, l'un des rares à Cuba; il est le plus ancien du pays et a été conçu en ex-Allemagne de l'Est.

En suivant l'Avenida Máximo Gómez vers le sud, vous découvrirez la **Plaza Honorato**, une charmante petite place coloniale où se dresse l'**Iglesia Parroquial Mayor del Espíritu Santo**. Érigée en 1522 puis reconstruite au XVIIe siècle à la suite de sa destruction par des pirates, cette église est toujours très appréciée et fréquentée par les habitants de la ville, et l'on remarquera entre autres ses splendides boiseries bleues. Autour de la Plaza, on trouve des restaurants, une

belle pharmacie aux allures d'apothicaire et quelques vendeurs ambulants procurant à l'endroit une atmosphère animée.

Tout près, l'un des trésors de la ville se trouve dans une maison coloniale de la première moitié du XVIIIe siècle. Le **Museo de Arte Colonial de Sancti Spíritus** ★★ *(2 CUC; mar-sam 10h à 17h, dim 9h à 12h; Calle Plácido n° 74, ☎41-32-5455)* est dédié aux arts décoratifs cubains de l'époque coloniale. La somptueuse maison, aménagée à l'image des demeures de l'aristocratie cubaine du XIXe siècle, renferme un mobilier d'époque décorant un ensemble de pièces, des jolies chambres à coucher à la salle à manger.

Au bout de l'Avenida Jesús Menéndez, vous verrez le **Puente Yayabo**, qui traverse la petite rivière du même nom. Construit en 1825, ce pont de pierres à arches demeure le plus ancien de Cuba.

Avant d'arriver au pont, vous verrez le **Callejón del Llano** ★, dont le nom officiel est la Calle A. Rodríguez, l'une de ces petites rues étroites au revêtement de pierres qui forment le quartier historique de la ville. Les maisons colorées aux toits de tuiles et les rues de pierres ne sont pas sans rappeler le charme de Trinidad.

En vous faufilant vers le nord, vous rencontrerez la **Calle Independencia**. Cette rue surnommée *El Boulevard* par ses habitants est la principale artère de la ville, et elle est piétonne entre le Parque Serafín Sánchez et la Calle Agramonte. On y trouve de nombreux commerces et une foule qui y circule quotidiennement, ce qui en fait un endroit de choix pour observer le quotidien des Cubains. À l'extrémité sud de l'artère piétonnière, poussez la porte du grand magasin Caribe, situé dans la splendide demeure bleue surnommée **La Colonia Español**, tour à tour salle de concerts puis restaurant. On emprunte désormais le majestueux escalier de marbre pour magasiner lits, baignoires, vêtements et autres commodités.

Dans un style très différent, le sympathique et coloré **Mercado Agropecuario** *(lun-sam 7h à 17h30, dim 7h à 12h)* donne lui aussi sur la Calle Independencia, tout comme la **Galería de Arte Óscar Fernández Morera** *(entrée libre; mar-jeu 8h à 12h et 13h à 17h, ven-sam 14h à 22h, dim 8h à 12h; entrée par la Calle Céspedes Sur n° 26, ☎41-32-3117)*, qui porte le nom du plus important peintre de Sancti Spíritus, et certaines de ses œuvres y sont exposées. Le charme de la galerie réside dans son patio colonial qui communique à l'arrière avec la Calle Céspedes.

🦐 Activités de plein air

■ Pêche

Dans la région de Sancti Spíritus, le **Lago Zaza** se trouve sur la route qui mène de Sancti Spíritus à La Havane. L'**Hotel Zaza** (voir p 240) domine le paysage de ce lac réputé pour la pêche à la truite. Information et location de matériel à l'hôtel.

Santa Clara et ses environs ★

▲ p 241   ● p 245   🥄 p 245   🗂 p 247

Santa Clara (238 000 hab.) se présente comme une jolie ville nichée au milieu de vertes collines. Capitale de la province de Villa Clara, Santa Clara fut fondée en 1689 sous le nom de «San Juan de los Remedios». Cette ville a une histoire pour le moins intrigante. C'est qu'elle fut fondée par des habitants de la ville voisine, Remedios. Selon les uns, ceux-ci s'installèrent à Santa Clara pour développer l'économie et l'élevage, et pour fuir les pirates, et selon d'autres, pour des raisons, disons-le ainsi, plutôt diaboliques... Le célèbre poète et historien uruguayen Eduardo Galeano, auteur entre autres du best-seller *Les veines ouvertes d'Amérique latine*, raconte que les habitants de Remedios furent poussés à fuir leur ville par le curé, inquisiteur de la paroisse. Ce dernier aurait soutiré d'une esclave possédée du démon *«que Remedios serait engloutie»* par la volonté du Diable. Plusieurs suivirent le curé, mais d'autres demeurèrent à Remedios.

Le **Parque Leoncio Vidal** constitue le centre de la ville. Agréable endroit, les rues qui le bordent sont fermées à la circulation automobile, ce qui ajoute grandement à son charme. Il arbore quelques grands arbres et un attrayant kiosque à musique.

Le Parque Vidal est entouré de très beaux édifices de la fin du XIXᵉ siècle. La **Casa de la Cultura**, ancien Casino espagnol construit en 1898, le **Teatro de la Caridad**, terminé en

1885, et le **Palacio Provincial**, de facture résolument néoclassique et où Máximo Gómez s'adressa au peuple de la ville en 1899, en sont les exemples les plus représentatifs.

Donnant sur le parc, le **Museo de Artes Decorativas** ★★ *(2 CUC; lun, mer et jeu 9h à 12h et 13h à 18h, ven-sam 13h à 22h, dim 18h à 22h; Parque Vidal nᵒ 3, ☎42-20-5368)* loge dans une magnifique maison coloniale érigée vers 1740. Transformée au cours des siècles, elle fut restaurée en 1820 et en 1980. Le mobilier qu'on y expose provient de plusieurs résidences de Santa Clara. L'exposition présente, par ordre chronologique, une suite de pièces représentant différentes ambiances d'arts décoratifs du XVIIᵉ jusqu'au XXᵉ siècle. Suivant la tradition baroque, les chambres comportent une décoration très chargée. Cette coutume remonte à l'aristocratie cubaine dont les membres, par sentiment d'infériorité envers l'Espagne, emplissaient les murs des chambres pour prouver leur richesse. Ce musée dispose de pièces extraordinaires dont une armoire sans clou et un lavabo utilisé à l'époque où il n'y avait pas d'eau courante. Pour apprécier la visite à sa juste valeur, il est fortement recommandé de louer les services d'un guide.

La mémoire de Che Guevara flotte perpétuellement sur la ville de Santa Clara. Située à environ 2 km à l'ouest du Parque Leoncio Vidal, la **Plaza de la Revolución** ★ est d'ailleurs dédiée au célèbre guérillero argentin qui lutta farouchement aux côtés de Fidel Castro pour renverser Batista à la fin des années 1950. Une gigantesque statue le représentant trône sur cette place, lieu de grands rassemblements politiques et culturels à Santa Clara. Construite en 1988 pour commémorer la bataille de Santa Clara dirigée par Che Guevara, la sculpture est l'œuvre du Cubain Delana. La statue en bronze est haute de 7 m, reposant sur un gigantesque socle de pierres de plus de 10 m de hauteur. Si le monument impressionne, la place est plutôt terne, comme la majorité de ces squares au pays.

Au-dessous de ce monument, ceux qui s'intéressent au mythique guérillero argentin ne peuvent pas manquer de découvrir le **Museo Memorial Nacional Comandante Ernesto Che Guevara** ★ *(3 CUC; mar-sam 8h à 21h, dim 8h à 17h; ☎42-20-5878)*. Il retrace le parcours de Che Guevara depuis son enfance jusqu'à sa mort: son voyage en Amérique latine, son séjour au Mexique, où il rencontra Fidel Castro en exil, le débarquement du *Granma* sur les côtes cubaines et son expérience révolutionnaire dans la Sierra Maestra. Le musée s'avère bien documenté, et l'on peut y voir nombre des objets personnels du Che, ses uniformes, des cartes écrites de sa main et plusieurs photos. Ne ratez pas le documentaire de 9 min sur la vie de Che Guevara présenté dans une salle à la sortie du musée.

La porte qui fait face à l'entrée du musée s'ouvre sur le **Mausoleo del Che ★**, là où reposent les restes du Che et de 38 Cubains qui furent tués avec lui en Bolivie. Une flamme éternelle brille en ce lieu touchant et solennel.

Suivre les pas de Che Guevara à Santa Clara, c'est aussi faire un arrêt au **Monumento del Descarrilamiento, Acción y Toma del Tren Blindado ★** *(1 CUC; mar-sam 9h à 17h30, dim 8h à 12h; Carretera de Camijuani, entre Línea et Puente,* ☎*42-20-2758)*, qui rappelle au visiteur la bataille décisive menée par Che Guevara contre un train blindé des forces de Batista, le 29 décembre 1958. Souhaitant donner le coup de grâce aux rebelles dans le centre du pays, Batista envoya un train, chargé d'armes et d'environ 400 soldats, vers Santa Clara. Mais une vingtaine d'hommes, sous les ordres du Che, attendaient le convoi de pied ferme. En effet, ayant préalablement sectionné les rails du chemin de fer, ils attaquèrent le train de 22 wagons à son arrivée à Santa Clara et parvinrent à dérober son contenu d'armement. L'endroit présente quelques

wagons de ce train ainsi que le bulldozer utilisé pour briser les rails.

La Hanabanilla

Situé dans la Sierra del Escambray près de **Manicaragua**, mais plus facilement accessible depuis Santa Clara, l'**Embalse Hanabanilla ★** est un magnifique lac enchâssé dans les replis des montagnes. D'une superficie de 32 km^2 et d'une profondeur d'environ 40 m, ce lac était célèbre autrefois pour ses hautes chutes. Cependant, la construction d'un barrage hydroélectrique et l'ennoiement subséquent de l'endroit vinrent modifier considérablement le paysage. C'est Fidel Castro lui-même qui ordonna la construction de l'hôtel qui surplombe aujourd'hui le lac. Sa vocation première fut de recevoir le tourisme national. Peu à peu, l'hôtel reçoit un plus grand nombre de touristes étrangers. L'endroit est agréable et se prête à quelques promenades sur le lac et dans les environs. Ces sorties ainsi que des excursions de pêche peuvent être organisées à l'**Hotel Hanabanilla** (voir p 242), situé sur les rives du lac.

Activités de plein air

■ *Pêche*

L'**Embalse Hanabanilla** est un endroit réputé pour la pêche à la truite. Matériel et excursions à l'**Hotel Hanabanilla** (voir p 242).

Les mains du Che

En 1997, soit 30 ans après la mort du Che en Bolivie, ses restes et ceux de quelques-uns de ses soldats morts au combat ont finalement été rapatriés et enterrés au pied du monument érigé en leur honneur. Des anthropologues cubains avaient mené durant de longues années l'enquête pour arriver à trouver enfin les restes de ce véritable héros pour le régime cubain. Ceux-ci, dit-on, ont été facilement identifiables à cause des mains manquantes sur le squelette. En effet, la rumeur veut que Castro n'ait cru à la mort de son Comandante que lorsque ses mains lui furent envoyées par colis spécial!

SANTA CLARA

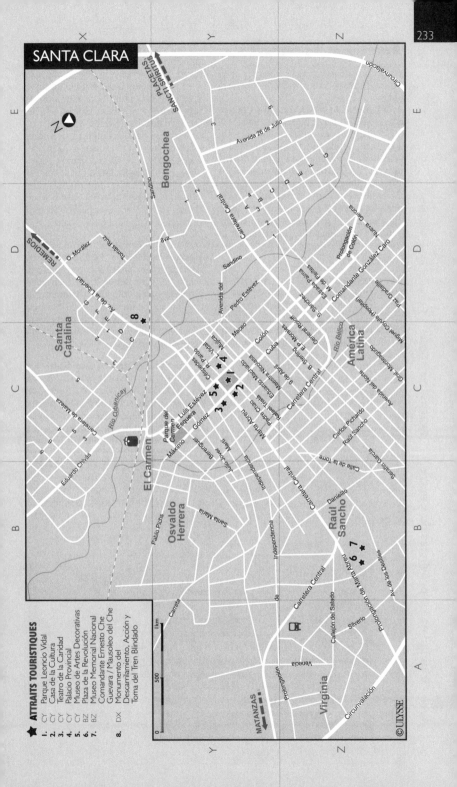

©ULYSSE

Remedios et ses environs ★ ★

⛰ *p 242* 🍴 *p 245*

À 45 km au nord-est de Santa Clara, Remedios (46 000 hab.) se présente comme une belle ville où l'on respire un «air de vrai» à chaque coin de rue. Grâce aux circonstances plutôt cocasses de l'histoire, Remedios n'a heureusement pas subi encore les affres du tourisme. Cocasse, l'histoire de Remedios? Son curé et inquisiteur, prophète de malheur, qui réussit à convaincre plusieurs de ses paroissiens de fuir la ville parce qu'elle allait être *«engloutie par la volonté du Diable»* (voir p 231), n'eut pas tout à fait tort.

Remedios subit les attaques répétées des pirates, mais pouvait se vanter de n'avoir jamais été la proie des flammes. Ironiquement, ce sont les Espagnols eux-mêmes qui mirent feu à leur ville pour que la volonté du roi d'Espagne et du capitaine général de Cuba, qui avaient ordonné l'évacuation de la ville sans succès, soit imposée une fois pour toutes. En 1691, le capitaine Pérez de Morales vient avec son armée mettre le feu à la ville en vue de brûler le Diable qui s'y cache. Le lendemain, quelques habitants de Remedios, plutôt sceptiques quant à la présence du Diable dans leur ville et remarquant qu'il n'y avait aucune odeur de soufre ou de chair de Diable calcinée, décidèrent de reconstruire leur ville. Toute cette histoire romancée nous est racontée par le poète et historien uruguayen Eduardo Galeano dans le livre *Mémoire du feu*.

Aujourd'hui Remedios est une petite ville endormie où il fait bon déambuler au hasard de la découverte. Au moment de notre passage en 2009, son centre historique était en cours de restauration. La **Plaza Martí ★ ★** est l'une des plus belles places coloniales de Cuba. Vaste, elle est bordée de nombreux bâtiments coloniaux et, fait unique pour un square à Cuba, deux églises s'y font face. La plus grande, l'**Iglesia Parroquial San Juan Bautista** *(lun-sam 9h à 11h, messe à 19h30)* présente une façade classique qui a du panache. L'**Iglesia de Nuestra Señora del Buen Viaje**, aussi sur la place, cache un bel intérieur malgré sa façade banale.

Toujours dans ce Parque Central, le **Museo Alejandro García Caturla** *(2 CUC; mar-sam 8h à 12h et 13h à 17h, dim 9h à 12h)* se présente comme un petit musée dédié à un musicien célèbre de Remedios. À moins que vous ne soyez un amateur de musique érudit, vous n'y trouverez pas grand-chose d'intéressant, bien que la demeure ait été classée monument national.

Le **Museo de las Parrandas Remedianas ★ ★** *(2 CUC; mar-sam 9h à 12h et 13h à 17h, dim 9h à 13h; Calle Máximo Gómez n° 71, entre Calle Alexandro del Río et Calle Andrés del Río)* raconte l'histoire vivante de la fête qui fait l'orgueil de la ville, *Las Parrandas*, une sorte de carnaval qui met en compétition les deux principaux quartiers de Remedios depuis 1820 pendant la période de Noël (voir l'encadré à ce sujet). Le musée présente des sculptures, des costumes, des banderoles, des instruments de musique, des photos et une maquette. N'oubliez pas de monter à

Las Parrandas

Pendant la période des fêtes, les gens des quartiers d'El Carmen et de San Salvador de Remedios construisent, chaque année, des monuments allégoriques immenses pour décorer le Parque Central. Puis commencent les rituels entourant un concours de feux d'artifice. À 9h du matin, les feux d'ouverture sont lancés, et la créativité des artificiers est surpassée d'année en année. De 21h jusqu'à 4h du matin, les deux quartiers poursuivent la compétition en lançant des feux toutes les demi-heures! Imaginez le spectacle... Finalement, de 4h au lever du soleil, les deux équipes clôturent les cérémonies avec les plus grands feux de la compétition. Le gagnant est déterminé par vote populaire.

l'étage où l'on retrouve une grande partie de la collection.

La **Calle Maceo**, une rue coloniale tortueuse, fait le plaisir des promeneurs solitaires. Au nº 56 loge le **Museo Municipal**, qui expose une petite collection sur l'histoire de la ville. Ce musée est malheureusement souvent fermé et ne semble pas répondre à un horaire fixe. Au nº 25, vous pouvez franchir l'entrée des bureaux de l'**Uneac** (Union nationale des écrivains et des artistes cubains). Une faune sympathique s'y donne rendez-vous à toute heure du jour et de la nuit. On y organise régulièrement des récitals de poésie.

Cayería del Norte

Juste au nord de Remedios, une nouvelle route, le *pedraplén*, a été construite afin de relier entre eux des *cayos* (petites îles) auparavant dispersés. Elle est accessible un peu au sud de Caibarién, à 8 km de Remedios, et se poursuit sur 40 km entre îles et mer. Vous devrez débourser 4 CUC aller-retour et présenter votre passeport pour l'emprunter. Le développement touristique va bon train sur cet archipel du nord de la province de Villa Clara, connu sous le nom de «Cayería del Norte», mais il est encore possible d'y trouver de belles plages désertes, en dehors de celles qui sont accaparées par les complexes hôteliers. Les voyageurs indépendants qui désirent profiter des *cayos* sans rester dans un «tout compris» préféreront passer la nuit à Remedios.

C'est au **Cayo Las Brujas** ★ ★, qui doit son nom (les sorcières) à une légende de sorcellerie, que l'on trouve une des plus belles plages de la région: **Playa Las Salinas**, qui se trouve non loin de l'hôtel **Villa Las Brujas** (voir p 242), l'unique option d'hébergement en dehors des «tout compris» de la Cayería del Norte.

Un peu plus loin, au bout de la route, le **Cayo Santa María** est de plus en plus envahi par les constructions, mais on y trouve aussi, à son extrémité est, la plage de **Perla Blanca**, paradisiaque mais sans ombre.

Hébergement

Cienfuegos et ses environs

Vous aurez le choix entre deux quartiers bien distincts pour vous loger à Cienfuegos: ceux qui voudront rester proche des principaux attraits, des activités nocturnes et de la gare de bus choisiront le **centre-ville**; **Punta Gorda** s'avère plus calme, mais aussi plus éloignée des points d'intérêt de Cienfuegos.

Ⓤ

Bella Perla
$$ ≡ ✳ P
Calle 39 nº 5818, angle Av. 60
☎ (43) 51-8991
wrodriguezdelrey@yahoo.es
Waldo et Amileidis vous réservent un charmant accueil dans leur belle maison coloniale, meublée d'antiquités et située à mi-chemin entre la gare de bus et le centre-ville. Les deux grandes chambres immaculées peuvent accueillir un lit pour enfant. Belle vue sur la ville depuis la terrasse sur le toit, où les excellents repas sont servis. Waldo, qui parle l'anglais, pourra vous donner de nombreuses et précieuses informations sur la ville et les alentours. Chaudement recommandé.

Villa Lagarto
$$ ≡ P ≋ ✳
Calle 35 nº 4B, Punta Gorda
☎ (43) 51-9966
villalagarto_16@yahoo.com
La Villa Lagarto se situe dans le haut de gamme des *casas particulares*, avec des prix en conséquence. Sa situation tout au bout de Punta Gorda, son beau jardin donnant sur la baie, les hamacs sur la terrasse et surtout sa piscine en font un endroit des plus reposants. Les deux chambres sont impeccables et l'accueil professionnel, mais on se sent plus ici à l'hôtel que chez l'habitant.

Ⓤ

Palacio Azul
$$$ ≡ 🔒 ✳ ♨
Calle 37 nº 1201, entre Av. 12 et Av. 14, Punta Gorda
☎ (43) 55-5828
www.hotelescubanacan.com
Cet hôtel-boutique splendide qui fait face à la mer a conservé beaucoup de ses caractéristiques originales datant de 1920, tels les carrelages et les boiseries. Il ne renferme que sept chambres, ce qui assure une certaine intimité et un service personnalisé. Trois d'entre elles disposent d'un

CIENFUEGOS ▲ ◉

Cayo Loco

Bahía de Cienfuegos

Avenida 70

Pueblo Nuevo

Avenida 66
Avenida 64
Avenida 62
Avenida 60 ▲ 1
Avenida 58
Avenida 56
@ El Boulevard
Avenida 54

Calle 25
Calle 27
Calle 29
Calle 19

Parque José Martí

Santa Clara
Trinidad

Reina

Calle 7A
Calle 2A
Calle 11
Calle 13
Calle 15
Calle 17
Calle 21
Calle 23

Avenida 54 — 2
5 ● ● 3

Paseo del Prado

Avenida 50
Avenida 48
Avenida 46
Avenida 44

Avenida 52
Avenida 54

Calle 31
Calle 33
Calle 35
Calle 37
Calle 39
Calle 41
Calle 43

Avenida 50

Avenida 46
Avenida 48
Avenida 44
Avenida 42
Avenida 40

Rancho Luna →

Avenida 38 ● 1
Avenida 36
Avenida 34
Avenida 32

Ensenada Marsillán

N ▲

Punta Majagua

Punta Gorda

Calle 37 (Paseo del Prado)

Avenida 22
Avenida 20
Avenida 18
Avenida 16
Avenida 14 ▲ 3
Avenida 12 ● 2
Avenida 10
Avenida 8
Avenida 6
Avenida 4
Avenida 2

Bahía de Cienfuegos

Castillo de Jagua ←

Laguna del Cura

Punta del Medio

Ensenada de las Calabazas

Calle 35
H 6 ●
4 ●

▲ 4

Punta Gorda
Parque La Punta

- - - - - Rue piétonne

© ULYSSE

0   150   300m

▲ HÉBERGEMENT

1. CV   Bella Perla
2. BV   Hotel La Unión
3. CY   Palacio Azul
4. BZ   Villa Lagarto

● RESTAURANTS

1. CW   Ache
2. CY   Club Cienfuegos
3. CV   Coppelia
4. CZ   Restaurante Covadonga
5. BV   Restaurante La Verja
6. CZ   Restaurante Palacio de Valle

balcon avec vue sur la mer; ce sont évidemment les plus populaires, alors pensez à réserver. Excellent rapport qualité/prix.

Hotel La Unión
$$$$ ☎ ≡ ♨ ⫯ ≋ ⚓ ❄
Calle 31, angle Av. 54
☎ (43) 55-1020
www.hotelescubanacan.com

L'Hotel La Unión fut, au tournant du XXᵉ siècle, l'un des plus beaux hôtels de Cienfuegos. Très bien rénové, il a conservé sa grandeur d'antan, avec ses beaux patios intérieurs agrémentés de fontaines. Les chambres, spacieuses et plutôt classiques, n'ont malheureusement pas autant de cachet que le reste de l'établissement. Par contre, cet hôtel est bien situé, à deux pas du Parque José Martí, et la vue depuis sa terrasse est magnifique. On trouve sur place toutes les commodités, dont une pharmacie.

La route de Rancho Luna

Plusieurs hôtels de qualité bordent la route de Rancho Luna, et l'on trouve aussi quelques *casas particulares* non loin du Club Amigo Rancho Luna.

Hotel Punta La Cueva
$$ ≡ ≋ ♨
Carretera Rancho Luna, Km 3
☎ (43) 51-3956
www.islazul.cu

L'Hotel Punta La Cueva dispose d'une très agréable piscine sur la baie de Cienfuegos. Cet hôtel est situé à mi-chemin entre la plage de Rancho Luna et Cienfuegos. L'établissement se révèle agréable et est entouré de jardins. On y propose des excursions en bateau dans la baie de Cienfuegos.

Club Amigo Rancho Luna
$$$ tout compris ≡ ≋ ♨
Carretera Rancho Luna, Km 18
☎ (43) 54-8012
www.hotelescubanacan.com

Sur les plages de Rancho Luna, ce complexe hôtelier dispose de nombreuses installations et de services propres aux grands établissements, à un prix avantageux. Bien que petite, la plage présente un intérêt certain si vous pensez séjourner quelques jours dans la région. Le bureau de tourisme de l'établissement propose de nombreuses excursions dans les montagnes de l'Escambray.

Hotel Faro Luna
$$$ ≡ ≋ ♨
Carretera de Pasacaballo, Km 18
☎ (43) 54-8030

Tout à côté du Club Amigo Rancho Luna, l'Hotel Faro Luna offre une petite plage privée. Cet établissement est résolument plus tranquille et plus exclusif que son homologue de Rancho Luna. Les excursions en montagne sont organisées conjointement par les deux hôtels.

Entre Cienfuegos et Trinidad

Villa Guajimico
$$$ ☎ ≡ ≋ ♨
Carretera Cienfuegos-Trinidad, Km 42
☎ (43) 54-0946
www.cubamarviajes.cu

Presque à mi-chemin entre les villes de Cienfuegos et de Trinidad, la Villa Guajimico propose une cinquantaine de *cabañas* disséminées à travers le bois tout près de la mer. On ne trouve guère de sites de *campismo* aussi luxueux dans tout le pays. De nombreux amateurs de

plongée et de sports nautiques viennent de loin pour profiter de cet endroit paisible et accueillant, alors pensez à réserver.

- - - - - - - - - - - - - - - -

Trinidad et ses environs

Casa de Bernardo & Sarahi
$$ ≡
179 Calle Francisco Peterseen, entre Zerquera et Mario Guerra
☎ (41) 99-3543
www.casabernardo.netfirms.com

Aménagée dans une belle maison coloniale, cette *casa particular* propose deux belles grandes chambres. On prend les repas dans le patio, entouré de plantes et au calme. L'accueil, tout comme la cuisine, est parfait.

Hostal Colina
$$ ≡
374 Calle Maceo, entre Lino Pérez et Colón
☎ (41) 99-2319
zulenaa@yahoo.com.es

Cette grande maison, avec son jardin tout aussi imposant, est l'une des plus belles *casas particulares* de la ville. On y offre deux chambres tout confort. La maîtresse de la maison vous accueille avec le sourire, et le service est professionnel. Réservations recommandées.

Hostal Yolanda María
$$
227 Calle Piro Guinart, face à la gare d'autocars
☎ (41) 99-6381
yolimar56@yahoo.com

Malgré les nombreux véhicules qui se donnent rendez-vous à ce point névralgique de Trinidad, l'agréable patio à l'arrière de cette splendide maison coloniale vous promet calme et repos. Deux chambres sont disponibles dans cette *casa particular*, et vous aurez le choix entre celle qui donne sur le patio et l'autre à l'étage, qui peut accueillir une petite famille et qui dispose d'une terrasse privée avec vue sur la ville, la mer et les montagnes de l'Escambray. Belle décoration et accueil très sympathique.

Finca María Dolores
$$$ 🐾 ⚍ ≋ ≡

Carretera del Sur, Km 3, en direction de Cienfuegos
☎ (41) 99-6394 ou 99-6410
www.hotelescubanacan.com

Dans un cadre tranquille et bucolique, les 44 charmants bungalows de la Finca María Dolores permettent aux touristes de

véritablement s'évader. Un petit restaurant économique, de même qu'un bar, sont situés à même la propriété et permettent aux personnes qui veulent rester tranquillement ici de ne pas aller inutilement en ville. Un *río* borde la propriété, et il est possible d'y faire une excursion en bateau jusqu'à son embouchure, près de Playa Ancón. De nombreuses autres activités sont aussi proposées.

Grand Hotel Trinidad
$$$$$ 🐾 ⚍ ≡ @

262 Calle José Martí
☎ (41) 99-6070
www.iberostar.com

Le Grand Hotel Trinidad est l'option la plus luxueuse en ville. Situé face au Parque Céspedes, l'édifice est très bien res-

tauré, et le splendide patio intérieur avec sa fontaine contraste avec la chaleur de la ville. Malheureusement, les chambres, bien que très confortables, ne sont pas meublées avec le même luxe que le reste de l'établissement.

La Sierra del Escambray

Hotel Los Helechos
$$ ≡ ⚍

Topes de Collantes
☎ (42) 54-0330 ou 51-0117 (réservations)
www.gaviota-grupo.com

L'Hotel Los Helechos propose des chambres bien aménagées, bénéficiant d'un grand confort et d'eau chaude, très prisée car la température baisse parfois abruptement une fois la

---

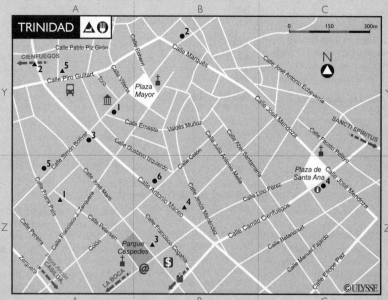

©ULYSSE

En «tout compris» sur la Península de Ancón

La Península de Ancón abrite trois hôtels appartenant au groupe **Cubanacan** *(www.hotelescubanacan.com)* et fonctionnant selon la formule «tout compris». Ils offrent tous les mêmes types de services. Pour de l'information générale sur les établissements «tout compris», voir l'encadré p 67.

Le **Club Amigo Costa Sur** *($$$ tout compris)* se trouve au bout de la péninsule, sur Playa María Aguilar, moins belle mais plus tranquille que Playa Ancón. Plus petit que les autres, ce complexe est bien adapté aux familles.

Le **Club Amigo Ancón** *($$$ tout compris)* ne gagnera pas la palme de l'architecture la plus en harmonie avec le paysage, mais l'établissement s'avère plus confortable que le Costa Sur, et la plupart de ses chambres donnent sur la mer.

Le **Brisas Trinidad del Mar** *($$$$ tout compris)* est apprécié des vacanciers pour sa proximité de la ville de Trinidad, ses aménagements et sa plage.

---

nuit tombée. Le restaurant est somme toute convenable, et les chambres disposent d'un balcon.

KurHotel Escambray
$$$ ≡ ⍟ ≋ ⁂ ⚹
Topes de Collantes
☎ (42) 54-0231 ou 51-0117 (réservations)
www.gaviota-grupo.com

Le KurHotel Escambray se définit comme une station santé touristique nationale et internationale. Construit en 1937, l'hôtel était à l'époque un centre de soins pour les tuberculeux. L'architecture de l'établissement s'impose, encore aujourd'hui, par son modernisme. Résolument tourné vers le tourisme international, le KurHotel Escambray héberge néanmoins une majorité de Cubains bénéficiant de faveurs spéciales ou profitant du climat salubre des montagnes pour leur convalescence. Fait intéressant à noter, l'hôtel serait la deuxième galerie d'art

du pays en importance. En effet, partout sur les étages, sont exposées des dizaines d'œuvres d'artistes cubains, certaines s'avérant très intéressantes. Les chambres sont impeccables et modernes. Le service est des plus attentifs, et le tout est d'une propreté exemplaire. Les deux restaurants font un peu penser à des cafétérias d'hôpital, sans pour autant rien enlever à la qualité de la cuisine qu'on y fait.

La Boca

Le petit village côtier de La Boca, à environ 5 km de Trinidad, propose d'excellentes *casas particulares*. En voici deux:

Hospedaje Vista el Mar
$$
47 Calle Real
La Boca
☎ (41) 99-3716

Si cette *casa* n'est pas les pieds dans l'eau, elle saura

vous séduire grâce à sa vue panoramique de la baie. Vous en profiterez d'ailleurs à chaque repas. Les deux chambres sont confortables, et vos hôtes se feront un plaisir de vous donner de précieux conseils pour votre séjour dans la région.

Hostal El Capitan
$$ ≡
82 Calle Real, sur la route de Playa Ancón
La Boca
☎ (41) 99-3055

Cette *casa* est facile à trouver: c'est la dernière du village de La Boca et la seule à donner directement sur la mer. Les deux chambres sont propres et confortables, mais on reste ici surtout pour profiter de l'accès à la mer, de l'agréable terrasse et des bons repas.

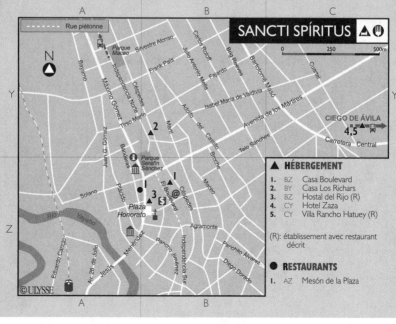

SANCTI SPÍRITUS

CIEGO DE ÁVILA
4,5

▲ **HÉBERGEMENT**

1.	BZ	Casa Boulevard
2.	BY	Casa Los Richars
3.	BZ	Hostal del Rijo (R)
4.	CY	Hotel Zaza
5.	CY	Villa Rancho Hatuey (R)

(R): établissement avec restaurant décrit

● **RESTAURANTS**

1.	AZ	Mesón de la Plaza

Sancti Spíritus

Casa Boulevard
$$ ≡ ❄

17 Calle Independencia Sur (face au bureau de poste)
☎ (41) 32-6745

Appartenant à la même famille que la Casa Los Richars, cette *casa particular* a la particularité d'offrir un grand appartement tout équipé, avec téléviseur, salle à manger, salon, grande chambre et balcon donnant sur la section piétonne de la Calle Independencia. Idéal pour les familles ou pour les longs séjours. Une autre chambre, beaucoup plus petite mais au même prix, est aussi disponible, Grande terrasse sur le toit.

Hotel Zaza
$$ ☎ ≡ ≈ ♨

Finca San José, Lago Zaza
☎ (41) 32-5490
www.islazul.cu

Ce grand hôtel d'une centaine de chambres, se dresse aux abords du lac Zaza. Le cadre naturel qui entoure l'établissement plaira assurément aux voyageurs. On y vient principalement pour pratiquer la chasse et la pêche (voir p 231).

Casa Los Richars
$$ ≡ ● ❄

28 Calle Independencia Norte
☎ (41) 32-3029

Cette *casa particular* est aménagée dans un grand appartement à l'étage. Ses deux chambres spacieuses ont vue sur le Parque Sánchez et sur son animation parfois bruyante. Accueil sympathique et ambiance familiale.

Hostal del Rijo
$$$ ☎ ≡ ♿ 🔒 ♨

12 Calle Honorato del Castillo, face à la Plaza Honorato
☎ (41) 32-8588
www.hotelescubanacan.com

Installé dans une demeure coloniale datant de 1819 et ayant appartenu au doc-teur Del Rijo (sa statue se trouve dans le parc en face de l'hôtel), ce splendide hôtel de 16 chambres fut rénové avec beaucoup de goût. Les chambres allient parfaitement le confort moderne à l'architecture historique des lieux. Le patio central, véritable havre de paix, accueille un très bon restaurant (voir p 244). Excellent rapport qualité/prix.

Villa Rancho Hatuey
$$$ ♨ ≈ ≡

Carretera Central, Km 383
☎ (41) 32-8315
www.islazul.cu

La Villa Rancho Hatuey se présente comme le ranch de l'ancien propriétaire de la célèbre brasserie qui produit la bière de marque Hatuey à Sancti Spíritus. À 2 km de Sancti Spíritus, sur la Carretera Central, cet établissement dispose de plusieurs bungalows sim-ples mais bien aménagés. On y trouve un bon restau-rant (voir p 244).

SANTA CLARA

El Carmen

Osvaldo
Herrera

Parque del
Carmen

Río Cubanicay

Av. de la Libertad

Pablo Pichs

Carreta

Santa María

Berenguer Gómez

Máximo Gómez

Luis Estévez

Esquerra

Julio Jover

Martí

Parque
Leoncio Vidal

Céspedes

R. Pardo

L. Vidal

Mujica

Avenida del

Pedro Estévez

Sandino

Independencia

Marta Abreu

Padre Chao

Rafael Tristá

Eduardo Machado

Maestra Nicolasa

9 de Abril

Colón

Cuba

Maceo

Carretera Central

Carretera Central

B. Sterling

E.P. Morales

General Roloff

S. Sánchez

Estrada Palma

M. de Peñas

Comandante González-Caro

Prolongación de Independencia

Callejón del Salado

Prolongación de
Marta Abreu

Silverio

Danielito

Calle de la Torre

Raúl
Sancho

Serafín
García

Carlos Pichardo

Raúl Sancho

Avenida del Norte

Río Bélico

América
Latina

Miguel Coyula González-Caro (Hospital)

Av. de los Desfiles

©ULYSSE

4

▲ HÉBERGEMENT

1.	CY	Casa Mercy	3.	CY	Hotel Santa Clara Libre
2.	CY	Florida Center	4.	BZ	Villa Los Caneyes

● RESTAURANTS

1.	CY	Colonial 1878
2.	CY	Sabor Latino

Santa Clara
et ses environs

Casa Mercy
$$ ≡

4 Calle E. Machado, entre Cuba
et Colón
☎ (42) 21-6941
omeliomoreno@yahoo.com
Les deux chambres de
cette *casa* sont impecca-
bles, et celle de l'étage,
avec sa terrasse, est par-
faite pour les familles. Le
Parque Vidal se trouve à
100 m, et les propriétaires
se feront un plaisir de vous
aider dans vos nombreuses
démarches touristiques.
Anglais et français parlés.

Florida Center
$$ ≡

56 Calle Maestra Nicolasa, entre
Colón et Maceo
☎ (42) 20-8161
angel.floridacenter@gmail.com
Difficile de trouver
une *casa particular* plus

attrayante que celle-ci. Les
antiquités foisonnent dans
cette splendide demeure
coloniale. Les deux cham-
bres donnent sur un jardin
verdoyant, et vous serez
comblé autant par le ser-
vice que par les repas.
C'est le genre d'endroit
qu'on ne voudrait plus
quitter, mais pour y rester,
ne serait-ce qu'une nuit, il
faut penser à réserver. Le
propriétaire parle l'anglais
et le français.

Hotel Santa Clara Libre
$$ ≡ ♨

Parque Vidal nº 6
☎ (42) 20-7548
www.islazul.cu
Le Santa Clara Libre est
une grande tour à l'aspect
plutôt lugubre qui a visi-
blement perdu des plumes
au fil des ans. Cependant,
son emplacement et ses
tarifs en font une bonne
option au cœur de la ville.
On trouve sur place deux

restaurants et une terrasse
sur le toit avec un bar.

Villa Los Caneyes
$$$ ❦ ≡ ♨ ▦

Av. Eucaliptos, angle Circunva-
lación
☎ (42) 21-8140
www.hotelescubanacan.com
La Villa Los Caneyes est
idéale pour quiconque
dispose d'une voiture de
location. L'établissement
se présente comme une
reproduction modernisée
d'un village autochtone
qui compte une multitude
de huttes éparpillées sur
un grand terrain boisé.
Il est agréable de se promener parmi les huttes et
de découvrir une végéta-
tion luxuriante. La piscine,
avec le bar et la caféteria
qui l'entourent, vous permettra de passer la journée
au soleil. Les chambres se
révèlent toutefois som-
bres et mal aérées. Les
employés répandent régu-
lièrement un insectifuge

dans les chambres; alors, demandez à voir et à «sentir» votre chambre avant de vous y installer. La cuisine du restaurant est bonne. De nombreux groupes organisés s'arrêtent à cette adresse.

La Hanabanilla

Hotel Hanabanilla
$$ ≡ ≋ ♨
Salto Hanabanilla
Manicaragua
☎ (42) 20-8550
www.islazul.cu

L'Hotel Hanabanilla compte une centaine de chambres confortables dans un site calme et apaisant. La plupart des chambres ont vue sur le lac. C'est d'ailleurs pour ses eaux regorgeant de poissons que la plupart des visiteurs choisissent cet établissement. L'hôtel propose des excursions de pêche et loue tout le matériel nécessaire.

Remedios et ses environs

El Chalet
$$ ≡ P ✿
29 Calle Brigadier González, entre Independencia et José A. Peña
☎ (42) 39-6538
toeva@capiro.vcl.sld.cu

Cette maison colorée, de style Art déco, abrite deux chambres. Celle sur le toit, plus spacieuse, profite aussi d'une grande terrasse. La maison, comme les chambres et le patio, est impeccablement entretenue. Accueil simple et amical, et repas savoureux.

Hostal la Casona Cueto
$$ ≡
72 Calle Alejandro del Río, entre Enrique Malaré et Máximo Gómez
☎ (42) 39-5350
luisenrique@capiro.vcl.sld.cu

On tombe vite sous le charme de cette superbe maison coloniale parfaitement rénovée. Le salon, avec son incroyable escalier, son piano et ses nombreuses antiquités, est un endroit parfait pour se reposer, tout comme la terrasse sur le toit. Les chambres ont un peu moins de cachet, mais elles sont confortables. Accueil sympathique.

Hotel Mascotte
$$$ ☎ ≡ ♨
114 Calle Máximo Gómez
☎ (42) 39-514
www.hotelescubanacan.com

Donnant sur la jolie Plaza Martí de la non moins jolie ville de Remedios, l'Hotel Mascotte renferme 10 chambres de bon confort. Le petit déjeuner est servi dans la cour intérieure ou au restaurant **Las Arcadas** (voir p 245). En rénovation courant 2009, cet établisse-ment devrait bientôt offrir un confort supérieur.

Cayería del Norte

Villa Las Brujas
$$$ ☎ ≡ ♨ 🔒
Cayo Las Brujas
☎ (42) 35-0023
www.gaviota-grupo.com

Séparé des côtes par une digue de 40 km de long, le Cayo Las Brujas abrite l'hôtel Villa Las Brujas (les sorcières), dont l'attrait principal est sans contredit sa plage (voir p 235). L'hôtel a été construit avec le souci de respecter la nature, et l'on accède aux chambres par des trottoirs de bois protégeant la flore abondante qui attire bon nombre d'oiseaux. La mer est toute proche, et vous pourrez vous endormir en l'écoutant. Des balcons attenants à chaque chambre donnent directement sur l'eau. Chacune des chambres offre un confort et une décoration agréables où règnent les matériaux naturels. Cet établissement est la seule option n'offrant pas obligatoirement de forfait «tout compris» sur les *cayos*.

En «tout compris» dans la Cayería del Norte

Plusieurs complexes hôteliers «tout compris» ont fleuri ces dernières années sur les *cayos*, notamment sur le Cayo Santa María et le Cayo Ensenachos. Ils appartiennent aux grandes chaînes **Sol Meliá** *(www.solmeliacuba.com)* et **Occidental Hotels & Resorts** *(www.royalhideawayensenachos.com)*. Pour de l'information générale sur ce genre d'établissement, voir l'encadré p 67.

Restaurants

Cienfuegos et ses environs

Voir carte p 236

Sur toute la longueur du Prado, vous trouverez de nombreuses cafétérias qui ont surtout l'avantage de proposer une cuisine rapide et bon marché dans une atmosphère on ne peut plus cubaine. Toujours sur le Prado, à l'angle de l'Avenida 52, vous pourrez combler toutes vos envies de crème glacée chez **Coppelia** *(tlj 11h à 23h).*

Ache
$
lun-ven 12h à 22h
Avenida 38 n° 4106, entre Calle 41 et Calle 43
☎ (43) 52-6173
Ce *paladar*, réputé comme l'un des meilleurs de Cienfuegos, sert une excellente cuisine créole, avec un bon choix de salades, dans une atmosphère familiale.

Restaurante Covadonga
$
Calle 37, entre Av. 0 et Av. 2, Punta Gorda
☎ (43) 51-6949
Renommé pour ses paellas, le Restaurante Covadonga sert une nourriture délicieuse dans un cadre agréable avec vue sur la baie.

Club Cienfuegos
$$-$$$
Calle 37, entre Av. 10 et Av. 12, Punta Gorda
☎ (43) 51-2891
Juste à côté du bel hôtel Palacio Azul, l'ancien Yacht Club de la ville renferme plusieurs bars et restaurants. On évitera celui du rez-de-chaussée qui accueille sur-tout les groupes organisés, mais le Club Cienfuegos, à l'étage, vous promet un repas gastronomique dans un cadre luxueux avec vue sur la baie. Menu international, belles tables, bougies: l'endroit idéal pour une soirée romantique.

Restaurante Palacio de Valle
$$-$$$
Calle 37, entre Av. 0 et Av. 2, Punta Gorda
☎ (43) 55-1003
Le Restaurante Palacio de Valle a emménagé dans un palais à l'architecture des plus éclectiques. Restaurant superbe et dépaysement garanti. Les fruits de mer sont la spécialité de la maison. Un piano à queue trône dans la salle à manger, et peut-être aurez-vous la chance d'entendre et de voir l'excentrique chanteuse de boléro Carmen Iznaga Guillén, nièce du célèbre poète cubain Nicolás Guillén. Elle chante d'ailleurs plusieurs des poèmes de son oncle.

Restaurante La Verja
$$$
Av. 54 n° 3306
☎ (43) 51-6311
Le Restaurante La Verja, très fréquenté par la population locale, offre une superbe atmosphère rustique qui sied bien à cet établissement du Boulevard: meubles coloniaux, grandes colonnes, piano, lumières tamisées, bref, c'est un véritable retour vers une époque révolue. La cuisine est par contre plus simple que le décor, proposant divers plats de viande.

La route de Rancho Luna

La Casa del Pescador
$$-$$$
Carretera Rancho Luna, Km 25
☎ (43) 29-6534
Ce restaurant est magnifiquement situé sur une petite plage de la baie de Cienfuegos. Cette maison rustique appartenait autrefois à un pêcheur. On y sert aujourd'hui des plats de poisson et de fruits de mer. Bon établissement pour profiter des paysages de la baie et pour prendre un repas léger le midi.

Trinidad

Voir carte p 238

Restaurante Las Begonias
$
Calle Maceo, angle Calle Simón Bolívar
Le Restaurante Las Begonias propose un menu à base de fruits de mer et de poissons, dont la spécialité de la maison, le «poisson du jour aux bégonias», qui est farci de légumes et gratiné au four: un véritable délice. On sert aussi des sandwichs et des pizzas. Bonne sélection de vins.

El Mesón del Regidor
$-$$
Calle Simón Bolívar n° 254, angle Calle Toro
☎ (41) 99-6572
El Mesón del Regidor est un restaurant convivial à l'ambiance détendue et au décor soigné. Poulet, porc et poisson forment ici la base d'une cuisine typique de qualité. Tandis que l'avant du restaurant s'ouvre sur la rue et sur le parc à proximité, une agréable cour intérieure arrière dégage une atmosphère de tranquillité. Pour ceux qui ne

Trinidad et les provinces du Centre - Restaurants - Trinidad

désirent que se désaltérer, un bar est également accessible à la porte voisine.

Trinidad Colonial
$-$$
Calle Antonio Maceo, angle Calle Colón
☎ (41) 99-6473

Ce restaurant fut l'un des premiers de l'histoire moderne de Trinidad. Ouvert en 1982, il loge dans une vieille maison du milieu du XIXe siècle qui a tout gardé de son charme. La salle peut servir jusqu'à 80 personnes dans un décor parfait. On a pris soin de conserver le caractère colonial de la maison en la meublant à l'ancienne, et en accrochant aux murs les photos de ses anciens propriétaires. La nourriture, excellente d'ailleurs, est servie dans une vaisselle d'une rare élégance. La spécialité de la maison demeure le *pescado con vegetales y queso*, soit le filet de poisson avec légumes gratinés. Un restaurant franchement agréable.

La Estela
$$
lun-ven 18h30 à 21h
Calle Simón Bolívar nº 557
☎ (41) 99-4329

Cet autre *paladar* s'avère lui aussi excellent. Une dizaine de tables sont placées sous les arbres dans la cour arrière de la maison. Ainsi, c'est entouré de plantes qu'on déguste des plats typiquement cubains. L'agneau est la spécialité maison, et la carte propose aussi différents vins et une bonne sélection de desserts. Service attentif. Attention, avant d'arriver à cette adresse, vous croiserez

certainement quelques *jineteros* qui tenteront de vous amener ailleurs.

Restaurante Santa Ana
$$
☎ (41) 99-6423

Dans l'ancienne **Cárcel Real** (voir p 226), on peut profiter du décor d'une autre époque pour se sustenter. La cour intérieure est magnifique, tout comme le restaurant avec ses lourds plafonds arborant les boiseries originales. Le midi on y sert un buffet, et le soir on propose un menu à la carte de cuisine cubaine, avec de nombreux plats de fruits de mer. Des musiciens viennent réchauffer l'ambiance les soirs de fin de semaine.

Sol y Son
$$
Calle Simón Bolívar nº 283, entre Calle Frank País et Calle José Martí

Ce populaire *paladar* offre une ambiance très agréable dans une maison datant de 1830. Les tables sont disposées dans la cour intérieure ornée d'une fontaine et d'une belle végétation où les lumières tamisées permettent les dîners en tête-à-tête. Le menu raconte l'histoire de la maison et vous donne ainsi accès un peu plus à l'intimité. Derrière la porte des cuisines, on prépare de délicieux plats de poisson, de fruits de mer ou de pâtes, servis en portions particulièrement généreuses. L'accueil du patron et le service se révèlent aussi agréables que l'établissement.

Sancti Spíritus
Voir carte p 240

Mesón de la Plaza
$-$$
11h à 23h
Av. Máximo Gómez nº 34
☎ (41) 32-8546

Ce restaurant se trouve dans la vieille ville, et il est aménagé dans une belle maison pourvue d'une grande salle à manger au décor colonial. L'endroit est très touristique et accueille souvent des groupes; néanmoins les spécialités espagnoles et cubaines sont délicieuses. Si vous n'avez pas encore goûté à la *ropa vieja* (littéralement: «vieux vêtements»), un plat de bœuf longuement mijoté, elle est ici très réussie.

Villa Rancho Hatuey
$-$$
à 2 km de Sancti Spíritus en direction de La Havane, sur la Carretera Central
☎ (41) 32-8315

Populaire auprès des groupes et des touristes cubains, le restaurant de l'hôtel Villa Rancho Hatuey offre une bonne table aux spécialités créoles habituelles.

Hostal del Rijo
$$
dim-ven
Calle Honorato del Castillo nº 12 (Plaza Honorato)
☎ (41) 32-8588

Le restaurant de l'**Hostal del Rijo** (voir p 240) propose une cuisine internationale de qualité qui fait changement des éternels plats créoles servis dans les restaurants officiels. Les viandes de porc ou de lapin sont préparées de façon originale, mais on trouve aussi au menu d'excellents sandwichs et un bon choix de desserts. Les quelques tables occupent le patio central de l'établissement, un endroit en plein air des plus agréables, idéal pour une soirée intime.

Santa Clara

Voir carte p 241

Colonial 1878
$

Calle Máximo Gómez n° 8, entre Calle Independencia et Parque Vidal
☎ (42) 20-2428

Le Colonial 1878 propose un menu *criollo* correct, que l'on peut déguster confortablement installé au milieu d'un beau patio.

Sabor Latino
$$

Calle Esquerra n° 157, entre Julio Jover et Berenguer
☎ (42) 20-6539

Ce *paladar* sert une cuisine créole de qualité, avec de bons plats de porc et de poulet. Ambiance familiale et sympathique.

Remedios

Café El Louvre
$

☎ (42) 39-5639

Sur la Plaza Martí, un café-bar attirera votre attention avec son nom peint en grosses lettres sur la façade. El Louvre n'a pourtant pas beaucoup en commun avec le célèbre musée! On peut s'y sustenter de poulet frit et autre casse-croûte, ou simplement s'attabler sur sa terrasse pour se rafraîchir avec un bon cocktail.

Las Arcadas
$-$$

Hotel Mascotte
Calle Máximo Gómez n° 112
☎ (42) 39-5144

Le restaurant de l'**Hotel Mascotte** (voir p 242) doit son

nom aux quelques arcades de l'architecture coloniale du bâtiment. On y mange des plats de cuisine simple dans un environnement calme.

♪ Sorties

■ Activités culturelles

Cienfuegos

Cinema del Prado
Paseo del Prado, angle Av. 54

Le Cinema del Prado présente tous les jours de bons films et des productions cubaines pour quelques pesos.

Teatro Thomas Terry
5 CUC

Av. 56, entre Calle 27 et Calle 29
☎ (43) 51-3361

Ce magnifique théâtre propose des pièces en espagnol et des concerts de musique classique. Le programme de la semaine est affiché à l'entrée de l'édifice. Le petit bar du théâtre est aussi un bon endroit pour prendre un verre.

Sancti Spíritus

Cine Conrado Benítez
Av. Máximo Gómez n° 3
☎ (41) 32-5327

Le Cine Conrado Benítez présente des films, mais aussi à l'occasion des pièces de théâtre. Il faut donc s'y rendre pour obtenir le programme des activités.

La Casa de la Trova
Av. Máximo Gómez n° 26
☎ (41) 32-6802

La Casa de la Trova constitue le meilleur endroit pour aller écouter des concerts de musique traditionnelle et actuelle cubaine.

Santa Clara

Casa de la Cultura Juan Marineyo
Parque Vidal n° 5
☎ (42) 21-7181

La Casa de la Cultura Juan Marineyo se présente comme le centre culturel communautaire de Santa Clara. À l'entrée, une petite galerie d'art expose les œuvres d'artistes contemporains de la région. L'enceinte de cette très belle maison construite en 1927 est le théâtre de nombreuses activités culturelles, et l'on y produit régulièrement des spectacles et des concerts. Devant la Casa de la Cultura, un panneau annonce l'horaire des activités.

Trinidad

La ville de Trinidad est très animée par la présence de nombreuses formations musicales. Plusieurs petits coins charmants vibrent toute la journée durant et jusqu'à la tombée de la nuit dans un cadre pittoresque et colonial.

La Casa de la Trova
mar-dim 9h à 2h
Calle Echerri n° 29
☎ (41) 99-6445

La Casa de la Trova, au sud de la Plaza Mayor, est la Mecque de la musique cubaine traditionnelle à Trinidad. Dans la petite cour intérieure de la maison coloniale où loge cette célèbre institution musicale, des groupes jouent toute la journée, pour le plus grand plaisir des touristes qui s'y aventurent. Un bar propose des cocktails à des prix concurrentiels. L'établissement est idéal pour prendre un peu de répit après une longue marche sous le soleil. La Casa de

Trinidad et les provinces du Centre - Sorties

la Trova est le théâtre de spectacles nocturnes plus élaborés commençant à 21h *(1 CUC)*.

La Casa de la Música
Calle Rosario n° 3, tout en haut de l'escalier, à droite de l'Iglesia de la Santísima Trinidad
☎ (41) 99-6622

La Casa de la Música présente tous les soirs, de 22h à 2h, des musiciens sur scène *(1 CUC)*. Durant la journée, la charmante maison revêt l'aspect d'une boutique où l'on peut se procurer des disques ou des instruments de musique. Entouré de centaines de fleurs, avec une vue magnifique, l'endroit est des plus enchanteurs. À mi-chemin de l'escalier qui monte jusqu'à la Casa de la Música se trouve un petit bar agréable qui diffuse toute la journée de la musique cubaine traditionnelle. Un endroit charmant pour prendre un verre en milieu d'après-midi.

■ Bars et boîtes de nuit

Cienfuegos

Cienfuegos offre une vie nocturne intense et intéressante. Les fins de semaine, on a l'impression que la musique jaillit de partout. La jeunesse locale se donne rendez-vous le long du Malecón, où l'on trouve de nombreux bars en plein air.

El Palatino
angle Av. 54 et Calle 27
☎ (43) 55-1244

El Palatino est installé dans une maison coloniale datant de 1840, et un premier bar-cafétéria y a ouvert ses portes en 1919. Ses très hauts plafonds de bois, sa décoration coloniale et

son emplacement sous les arcades bordant le Parque Martí donnent à cet établissement un cachet pittoresque, et en font un excellent endroit pour goûter au rhum cubain ou prendre un rafraîchissement ou un café. On y sert aussi de légères collations. Des groupes de musique cubaine animent l'atmosphère. Un incontournable à Cienfuegos.

Cafe Cantante
Calle 37 (Prado), angle Av. 54
☎ (43) 55-0288

On assiste ici, dans une ambiance locale, à de bons concerts de musique traditionnelle cubaine, les mercredis, jeudis, samedis et dimanches de 22h à 3h. Le bar est ouvert tous les jours.

Club El Benny
mar-dim
Av. 54, entre Calle 29 et Calle 31
☎ (43) 55-1105

Cette discothèque s'enflamme (surtout les fins de semaine) au son des musiques cubaines et internationales.

Club Cienfuegos
Calle 37, entre Av. 10 et Av. 12, Punta Gorda
☎ (43) 51-2891

Le bar de l'ancien Yacht Club de la ville est très agréable pour prendre un verre face à la baie de Cienfuegos dans un cadre luxueux. Musique le dimanche soir.

Trinidad

L'**Hotel Las Cuevas** *(Finca Santa Ana, à 3,5 km au nord du centre de Trinidad,* ☎ *41-99-6133)* abrite la grande discothèque de Trinidad, appelée **Las Cuevas** *(10 CUC, consommations incluses)*. Comme son nom l'indique, cette discothèque se cache

dans une grotte naturelle, d'ailleurs assez impressionnante. On y fait jouer de la salsa, du disco et du techno dans une ambiance assez unique!

Dans l'ancien théâtre de Trinidad (voir p 225), on a ouvert un bar: **Las Ruinas del Teatro Brunet 1840** *(3 CUC; Calle Antonio Maceo, entre Calle Simón Bolívar et Calle Francisco J. Zerquera)*. Les soirées s'animent de diverses activités culturelles, alors que, le jour, on peut s'y rafraîchir dans une ambiance plus tranquille. Le décor crée un bel effet, avec ses restes d'arches en briques parcourues de bougainvillées. On y donne aussi des cours de danse.

Santa Clara

La Marquesina
Parque Vidal, angle Máximo Gómez
☎ (42) 21-8016

Un bon endroit pour boire un verre en regardant la vie s'écouler dans le parc d'en face.

Club Mejunje
12 Calle Marta Abreu

Au milieu de belles ruines, on danse ici au son des musiques cubaines traditionnelles, et beaucoup plus modernes la fin de semaine.

🛍 Achats

Cienfuegos

Dans la rue piétonne qu'est El Boulevard (Avenida 54), vous trouverez de nombreux petits commerces s'adressant à la population locale.

Galería Maroya
Av. 54, entre Calle 24 et Calle 27
☎ (43) 55-1208
Dans les mêmes locaux que le **Fondo de Bienes Culturales** (voir p 218), cette galerie expose et vend des tableaux d'artistes cubains et des pièces d'artisanat.

Galería de Arte Universal
tlj 9h à 17h30
Av. 56 n° 2505, entre Calle 25 et Calle 27
☎ (43) 55-0676
Ici les expositions de peinture ou de sculpture d'artistes cubains contemporains changent tous les mois.

Trinidad

Casa del Tabaco
Calle Pérez, angle Martí, face au Parque Cespedes
Les aficionados de cigares, de rhum et de café devraient trouver leur bonheur dans ce magasin.

Mercado Libre de Artesanos
tlj 9h à 16h
Calle Toro, et aussi dans la Calle Capada, à l'angle de la Calle Media Luna
Le Mercado Libre de Artesanos de Trinidad s'avère particulièrement charmant et animé par de nombreux vendeurs colorés et tenaces. Ce marché en plein air offre un vaste choix de vêtements, de sculptures et d'artisanat local.

Sancti Spíritus

Fondo de Bienes Culturales
Calle Independencia n° 55, entre Agramonte et Honorato
Sancti Spíritus possède une boutique du Fondo de Bienes Culturales, qui dispose d'une bonne sélection d'artisanat local.

Santa Clara

Pour le magasinage, une activité rare dans cette région du pays, dirigez-vous vers la **Calle Independencia**, réservée aux piétons à partir de la Calle Maceo. On y trouve surtout des boutiques à l'intention de la population locale, entre autres la plus grande librairie de Santa Clara: la **Librería Vietnam** *(Av. Independencia n° 106,* ☎ *42-20-3233).*

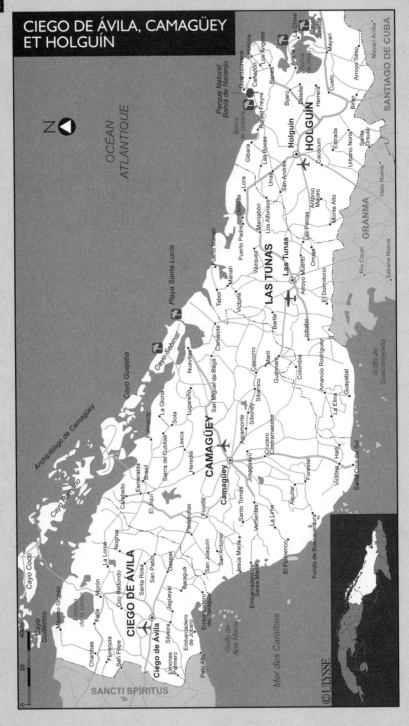

CIEGO DE ÁVILA, CAMAGÜEY ET HOLGUÍN

N

OCÉAN ATLANTIQUE

SANTIAGO DE CUBA

Parque Natural Bahía de Naranjo

Cayo Saetía

La Chiva

Mayarí

Mayarí Arriba

Helios

Arroyo Seco

Guardalavaca

Cañadón

Antilla

Los Ángeles

Banes

Cueto

Birán

Bijarú

Deleite

Rafael Freyre

Herrera

Santa Úrsula

Gibara

Las Bocas

Holguín

HOLGUÍN

Estrada

Urbano Noris

Hato Nuevo

Loma

Unas

San Andrés

Cacocum

Deiivas

Maniabón

Los Alfonsos

Las Parras

Antonio Maceo

Monte Alto

Puerto Manatí

Puerto Padre

Vázquez

LAS TUNAS

Arroyo Muerto

Omaja

GRANMA

Manatí

Las Tunas

El Dormitorio

Río Cauto

Playa Santa Lucía

Tabor

Victoria

Bartle

Jobabo

Sabana Nueva

Camalote

Guáimaro

Colombia

Nuevitas

Cascorro

Martí

Amancio Rodríguez

Golfo de Guacanayabo

La Gloria

Lugareño

San Miguel de Bagá

Siboney

La Elina

Guayabal

Archipiélago de Camagüey

Sola

Agramonte

Palmacito

Lesca

Sierra de Cubitas

Heredia

CAMAGÜEY

Crucero Contramaestre

Forestal

Cayo Guajaba

Brasil

Esmeralda

Camagüey

Jimaguayú

Haití

Victoria

Cayo Sabinal

Cañibello

El Aquil

Florida

Santo Tomás

Vertientes

La Lima

Aguilar

Santa Cruz del Sur

Piedrecitas

Jesús María

San Antonio

Cayo Romano

Nogrua

La Loma

San Joaquín

El Flamenco

Fundo de Buenaventura

Cayo Coco

Ciro Redondo

San Pablo

Gaspar

Baraguá

Embarcadero de Santa María

Cayo Guillermo

Morón

Santa Rosa

Jagüeyal

Embarcadero del Baraguá

Mer des Caraïbes

Maxeno Gómez

CIEGO DE ÁVILA

Silveira

Palo Alto

Golfo de Ana María

Laguna de la Leche

Falla

Ciego de Ávila

Embarcadero de Júcaro

Chambas

Florencia

Limones Palmero

San Filpe

SANCTI SPÍRITUS

40 km

20

0

©ULYSSE

Ciego de Ávila, Camagüey et Holguín

Cayo Coco
et Cayo Guillermo

Guardalavaca

Gibara

Banes

Morón

Ciego de Ávila

Camagüey
et ses environs

Cayo Saetía

Holguín

Birán

D e nombreux attraits se révèlent aux voyageurs dans les provinces de Ciego de Ávila, Camagüey et Holguín. On parcourt cette région à travers de nombreuses plantations de canne à sucre et de fruits exotiques, puis, entre Camagüey et Holguín, on entre dans le territoire des *vaqueros*. Ici, c'est le pays du bœuf. Mais cette partie du pays recèle aussi des sites d'intérêt historique qui figurent parmi les plus importants de Cuba. Cette région fut en effet un pivot essentiel durant les deux guerres d'Indépendance contre l'Espagne. Le premier véritable gouvernement cubain vit d'ailleurs le jour à Guáimaro, à quelque 60 km à l'est de Camagüey.

Camagüey, dont le centre historique est inscrit au patrimoine mondial de l'UNESCO depuis 2008, est la ville la plus intéressante de l'est du pays. Elle vous charmera par ses nombreux ensembles architecturaux, ses rues tortueuses et son ambiance propice à la promenade. D'autres villes, comme Holguín, vous plongeront dans le quotidien des Cubains; et d'autres encore, telle Morón, vous permettront de profiter des plages de l'archipel de Jardines del Rey, tout en évitant de rester dans un «tout compris».

L'archipel de Jardines del Rey, qui s'allonge sur la côte nord de ces provinces, est un véritable paradis. Cayo Coco et Cayo Guillermo sont synonymes de plages de sable blanc et fin plongeant dans la mer turquoise. Ces paysages de carte postale sont quelque peu dénaturés par les grands complexes hôteliers érigés pour accueillir les nombreux touristes, mais il est encore possible d'y trouver son petit coin de paradis, sans beaucoup de monde aux alentours.

En continuant vers l'est, vous trouverez encore des kilomètres de plages: entre Playa Santa Lucía et Guardalavaca, les amateurs de soleil, de plongée sous-marine et d'activités sportives en tout genre trouveront leur bonheur. Vous pourrez même vous rendre jusqu'à l'une des plus extraordinaires réserves naturelles du pays, Cayo Saetía, véritable paradis pour les chasseurs d'images, où vivent des zèbres, des buffles et des antilopes importés d'Afrique.

Enfin, la vieille ville de Gibara, qui côtoie la baie de Bariay où accosta Christophe Colomb le 27 octobre 1492, vous permettra de sortir des sentiers battus. Rues tranquilles, vieilles pierres et belle plage sont au rendez-vous, avec même un festival de cinéma qui commence à faire parler de lui.

Accès et déplacements

■ En avion

Ciego de Ávila

L'**Aeropuerto Máximo Gómez** (☎ 33-26-6003) est situé à une vingtaine de kilomètres au nord du centre-ville de Ciego de Ávila. Il est desservi plusieurs fois par semaine depuis La Havane par **Cubana de Aviación** (83 *Carretera Central, entre Honorato del Castillo et Maceo,* ☎ *33-20-1117 ou 33-26-6627, www. cubana.cu).*

Cayo Coco et Cayo Guillermo

L'**Aeropuerto Internacional Jardines del Rey** (☎ *33-25-303)* de Cayo Coco est desservi par de nombreuses compagnies aériennes internationales, dont Air Canada et Air Transat. Au niveau national, Aerocaribbean propose un vol quotidien aller-retour sur La Havane.

Camagüey

L'**Aeropuerto Internacional Ignacio Agramonte** (☎ *32-26-7150 ou 32-26-7155)* est situé à 4 km au nord-est de Camagüey. **Cubana de Aviación** *(Calle República nº 400,* ☎ *32-29-1338, ou 32-26-1010 à l'aéroport, www.cubana.cu)* relie Camagüey à **La Havane** deux ou trois fois par semaine *(85 CUC aller)* et assure des liaisons internationales hebdomadaires avec le Canada (Toronto et Montréal).

Holguín

L'**Aeropuerto Internacional Frank País** *(☎24-46-2512)* est situé à une quinzaine de kilomètres au sud de la ville. Comptez 15 CUC pour rejoindre le centre-ville en taxi.

Cubana de Aviación *(Pico Cristal, angle Libertad et Martí, ☎24-46-8148, www.cubana.cu)* offre un vol quotidien pour **La Havane**.

■ En voiture, en scooter et en calèche

Ciego de Ávila

À Ciego de Ávila, vous pourrez louer une voiture chez **Havanautos** *(Hotel Ciego de Ávila, ☎33-26-6345, www.transtur.cu)*.

Morón

À Morón, **Cubacar** *(www.transtur.cu)* a un bureau à l'**Hotel Morón** *(Av. Tarafa, ☎33-50-2028)*.

Cayo Coco et Cayo Guillermo

Les services de taxis ou de location de voitures sont les seuls moyens pour se rendre à Cayo Coco depuis Morón ou Ciego de Ávila. À noter que pour emprunter le *pedraplén*, cette grande digue reliant les *cayos* à l'île principale, il vous faudra payer 2 CUC et présenter votre passeport. On trouve des bureaux de location de voitures et autres véhicules dans tous les grands hôtels des *cayos*.

Camagüey

L'Hotel Camagüey, situé à l'extérieur de la ville au Km 4,5 de la Carretera Central Este, compte un bureau de **Transtur** *(☎32-27-2428, www.transtur.cu)* où vous pourrez louer une voiture.

Playa Santa Lucía

Pour louer une **voiture** à Playa Santa Lucía, adressez-vous à **Cubacar** *(Av. Turística Tararaco, ☎32-366-5216, www.transtur.cu)*. Vous pourrez louer des **scooters** dans la plupart des hôtels «tout compris» de la région. Le service de **calèche** *(2 CUC/pers.)* pour se rendre à Playa Los Cocos est également souvent proposé.

Guardalavaca

Tous les hôtels proposent la location de voitures ainsi que de scooters *(30 CUC/jour)*, très populaires auprès des voyageurs puisqu'ils permettent de découvrir les environs à peu de frais.

Holguín

La compagnie de location de voitures **Havanautos** *(www.transtur.cu)* compte des bureaux à l'aéroport *(☎24-46-8412)* et au centre-ville d'Holguín *(Pico Cristal, angle Libertad et Martí, ☎24-46-8559)*.

■ En autocar

Ciego de Ávila

L'Estación de Ómnibus Nacionales est située sur la Carretera Central, à 2 km du centre-ville en direction de Camagüey. Les autocars de **Víazul** *(☎33-22-5109, www.viazul.cu)* s'arrêtent à Ciego de Ávila sur la route entre **La Havane** *(30 CUC; 5 départs/jour; durée: 5h; arrêts à Sancti Spíritus et Santa Clara)* et **Santiago de Cuba** *(26 CUC; 3 départs/jour; durée: 8h; arrêts à Camagüey, Holguín et Bayamo)*.

Morón

L'**Estación de Ómnibus** *(Av. Martí 412, en face de la gare ferroviaire)* n'est pas desservie par la compagnie Víazul. Renseignez-vous sur place, et à l'avance, sur les possibilités de prendre les bus locaux.

Camagüey

L'**Estación de Ómnibus Interprovinciales** *(Carretera Central Oeste, angle Perú)* se trouve à 3 km du centre-ville. Comptez 2 à 3 CUC pour un transport en *bicitaxi* ou en taxi vers le centre. Camagüey étant une ville de transit où il n'est pas possible de faire de réservation, il est donc nécessaire d'arriver au moins 1h à l'avance pour avoir une chance d'avoir une place, surtout pour Santiago de Cuba.

Víazul (☎32-27-0396, www.viazul.com) assure les liaisons avec **La Havane** *(33 CUC; 5 départs/ jour; durée: 8h)*, **Santiago de Cuba** *(18 CUC; 6 départs/jour; durée: 7h; arrêts à Holguín et Bayamo)*, **Trinidad** *(16 CUC; 1 départ/jour, la nuit; durée: 4h30)* et **Varadero** *(27 CUC; 1 départ/jour; durée: 8h)*.

L'**Estación de Ómnibus Intermunicipal**, quant à elle, est située en face de la gare de trains. On y propose des départs vers Morón, Nuevitas et les autres localités régionales. Durant les mois des congés estivaux, en juillet et août, une correspondance est également assurée vers Playa Santa Lucía.

Playa Santa Lucía

Il n'existe pas de liaison Víazul régulière pour rejoindre Playa Santa Lucía. Cependant, depuis Camagüey, un service de minibus *(30 CUC/pers.)* peut être arrangé avec les *casas particulares*, mais il ne fonctionne qu'avec un minimum de 12 voyageurs, ce qui rend ce service peu pratique, sauf pour les groupes.

Depuis Camagüey, en été, un bus dessert quotidiennement Playa Santa Lucía (voir ci-dessus).

Holguín

L'**Estación de Ómnibus Nacionales** *(Carretera Central, près d'Independencia, ☎24-42-2111)* se trouve à environ 2 km du centre-ville. Comme Camagüey, Holguín est une ville de transit où vous ne pouvez pas faire de réservation (sauf en direction de La Havane), et il est nécessaire d'arriver au moins 1h à l'avance pour avoir une chance d'avoir une place, surtout pour Santiago de Cuba.

Víazul *(www.viazul.com)* offre des liaisons vers **La Havane** *(48 CUC; 3 ou 4 départs/jour; durée: 10h30; arrêts à Camagüey et Ciego de Ávila)*, **Santiago de Cuba** *(12 CUC; 2 ou 3 départs/jour; durée: 3h30)*, **Trinidad** *(28 CUC; 1 départ/jour; durée: 8h30)* et **Varadero** *(41 CUC; 1 départ/jour; durée: 11h)*.

■ En train

Ciego de Ávila

Ciego de Ávila est un passage obligé (de nuit) pour tous les trains qui font la liaison La Havane–Santiago de Cuba. Rendez-vous à l'**Estación de Trenes** *(Calle Van Horne, ☎33-22-3313)* pour connaître l'heure du passage du train vers **La Havane** *(durée: 7h)*, **Santiago de Cuba** *(durée: 9h)* ou **Morón** *(1 départ/jour; durée: 1h)*.

Morón

L'**Estación de Trenes** *(Av. Martí)* se trouve en plein centre-ville de Morón. Train quotidien pour Ciego de Ávila.

Camagüey

La gare ferroviaire *(☎32-29-2633)* se trouve tout juste au nord du centre-ville, à l'angle de la Calle República et de l'Avenida Finlay. Plusieurs départs quotidiens sont proposés à destination de **La Havane** *(durée: 10h; arrêts à Ciego de Ávila, Santa Clara et Matanzas)* et de **Santiago de Cuba** *(durée: 6h)*.

Holguín

L'Estación de Trenes d'Holguín n'était pas opérationnelle au moment de notre passage. Les trains passent par Cacocum, à une trentaine de kilomètres au sud d'Holguín.

■ En taxi, en *bicitaxi* et en *taxi particular*

Ciego de Ávila

Cubataxi
☎33-26-6666

Camagüey

On trouve partout en ville des *bicitaxis* prêts à vous amener n'importe où en ville. Les *taxis particulares* attendent les clients autour de la gare de trains et peuvent notamment vous conduire vers Playa Santa Lucía *(environ 50 CUC aller-retour)*.

Playa Santa Lucía

Si vous ne possédez pas votre propre véhicule, le *taxi particular* est sans aucun doute la meilleure option pour rejoindre Playa Santa Lucía depuis Camagüey. On trouve des taxis particuliers autour de la gare de trains; comptez environ 50 CUC aller-retour pour une voiture pouvant accueillir trois ou quatre personnes.

Holguín

Les voitures de **Cubataxi** (☎ *24-46-8294)* sont stationnées devant la gare de bus, et l'on en trouve facilement autour des parcs. Si vous cherchez un *taxi particular*, notamment pour vous rendre à Gibara, la gare de bus est un bon terrain de chasse. On trouve également de nombreux *bicitaxis* pour se déplacer en ville.

Guardalavaca

Il n'existe pas de transport public pour se rendre à Guardalavaca. Comptez environ 20 CUC pour vous y rendre en taxi depuis Holguín.

Gibara

Il n'existe pas de transport public pour touristes vers Gibara. Comptez environ 20 CUC pour vous y rendre en taxi depuis Holguín.

Renseignements utiles

■ Bureaux de change

Ciego de Ávila

Cadeca
Calle Independencia n° 118

Camagüey

Cadeca
Calle República n° 353

Holguín

Cadeca
Calle Libertad n° 205

■ Communications

Camagüey

Telepunto ETECSA
Calle República n° 453

Holguín

Telepunto ETECSA
Calle Martí, angle Maceo

Morón

Telepunto ETECSA
Calle Martí, en face du parc

■ Renseignements touristiques

Camagüey

Cubatur
Calle Agramonte n° 421, entre Recio et República
☎ (32) 25-4785
www.cubatur.cu

Cayo Coco et Cayo Guillermo

Infotur Jardines del Rey
Calle Máximo Gómez n° 82, entre Honorato del Castillo et Maceo
Ciego de Ávila
☎ (33) 26-6641
www.jardinesdelrey.cu

■ Soins de santé

Camagüey

Hospital Provincial Manuel Ascunce Domenech
☎ (32) 28-2012

Holguín

Hospital General Docente Interprovincial Vladimir I. Lenin
Av. Lenin
☎ (24) 46-2011

Guardalavaca

Clínica Internacional Guardalavaca
15 Calle 2da
☎ (24) 43-0291

Attraits touristiques

Ciego de Ávila

▲ *p 271* 🕐 *p 276* 🍴 *p 278*

Traversée par la Carretera Central, la ville de Ciego de Ávila (86 000 hab.) se trouve sur la route des voyageurs qui parcourent le pays. D'un point de vue touristique, il y a peu de chose à y voir et, pour plusieurs, ce n'est qu'un endroit pour attendre une correspondance d'autobus ou de train. Cependant, vous pouvez vous promener dans la ville au hasard de la découverte.

Le **Parque Martí** est le parc municipal. Il fait l'objet d'une rénovation majeure après avoir perdu son cachet colonial au profit de bâtiments gouvernementaux datant des années 1950 à 1970. Vous pourrez néanmoins vous y rendre pour trouver un peu d'ombre et de tranquillité sous les nombreux arbres.

Donnant sur le parc, le **Museo de Artes Decorativos** *(1 CUC; lun-sam 8h à 17h, dim 8h à 12h; Calle Independencia, angle Gómez)* mérite une demi-heure de votre temps pour faire le tour de ses collections de meubles, porcelaines et autres objets décoratifs.

Dans la **Calle Independencia**, l'artère commerciale de Ciego de Ávila, vous découvrirez quelques maisons de style et des boutiques destinées à la population locale. Le **Museo Provincial** *(1 CUC; mar-sam 8h à 17h, dim 8h à 12h; Calle José Antonio Echeverría nº 25, entre Calle Independencia et Calle Libertad, ☎33-22-8707)*, un peu éloigné du centre-ville, est tout de même accessible à pied par la Calle Independencia. Ce grand musée possède quelques pièces intéressantes, particulièrement une tête réduite d'un Autochtone et plusieurs pièces archéologiques de la région de Punta Alegre, sur la côte nord de la province.

La Trocha Morón-Júcaro ★

Durant la guerre de 1868-1878, pour circonscrire le conflit à sa partie orientale, les Espagnols construisirent, à la hauteur de Ciego de Ávila, un système défensif sophistiqué auquel on donna le nom de *trocha*. Les résultats furent satisfaisants, si bien que la *trocha* reprit du service lors de la seconde guerre d'Indépendance, avec moins de succès cette fois. Antonio Maceo la traversa le 29 novembre 1895, commençant ainsi l'invasion de la partie ouest du pays, épisode cardinal dans le déroulement du conflit.

La Trocha Morón-Júcaro était ainsi faite: à chaque kilomètre était construit un petit fortin surmonté d'une tourelle de guet; à mi-chemin entre chaque fortin, une redoute venait marquer l'espace préalablement débroussaillé; puis, chaque 150 m, une casemate venait fermer le cordon. Pour chaque kilomètre de fortification, 60 km de fils barbelés venaient assurer les approches de la ligne défensive du côté du levant. Et derrière tout cela, un chemin de fer balayait toute la largeur de l'île, assurant le transport de troupes et de matériels aux endroits névralgiques lors d'attaques de la part de l'ennemi.

Le chemin de fer qui va de Morón à Júcaro fonctionne toujours et, tout le long de la voie ferrée, des fragments de cette fameuse *trocha* sont visibles. Mais c'est un peu au nord de Ciego de Ávila, à environ 7 km de la ville, sur la route secondaire qui mène à Morón, que l'on peut en trouver les vestiges les plus éloquents. En 1995, pour célébrer l'événement marquant que fut le franchissement de la *trocha* par Maceo, le gouvernement cubain reconstruisit, sur une distance de 1 km, cet incroyable rempart en prenant soin de lui garder son allure originale. La vue de cette reconstitution donne une bonne idée de ce que pouvait représenter la Trocha Morón-Júcaro à l'époque des grandes guerres d'Indépendance.

De la route qui va à Morón, en passant par Ceballos, vous verrez sur votre droite la forme caractéristique de ces étranges fortins que craignaient tant les rebelles. Il est possible de se rendre avec sa voiture jusqu'à la *trocha* en passant par l'obélisque blanc, élevé pour célébrer l'exploit de Maceo, au nord de la partie reconstituée de l'ouvrage militaire.

Morón ★

▲ p 271   🛏 p 276   🍴 p 278

Morón (60 000 hab.), une petite ville de campagne tranquille, est aussi appelée la *Ciudad del Gallo* (la ville du coq). À votre arrivée à Morón, vous remarquerez devant l'Hotel Morón un clocher moderne coiffé d'un coq. Le dictateur Batista profita d'une visite dans la région pour l'inaugurer. Devenu symbole de son pouvoir, le coq fut enlevé de son clocher à l'arrivée au pouvoir des révolutionnaires, lesquels avaient maille à partir avec une population plutôt défavorable durant les premières années du nouveau gouvernement. Le coq que l'on voit aujourd'hui a été installé dans les années 1970. Cette tradition du coq vient d'une ville espa-

gnole, Morón de la Frontera. Le développement touristique de la ville est principalement dû à la proximité de **Cayo Coco** et de **Cayo Guillermo** (voir p 256); il est en effet possible d'être hébergé à moindre coût dans une *casa particular* à Morón et de profiter des plages des *cayos* pendant la journée.

La partie la plus intéressante de la ville se trouve tout le long de l'**Avenida Martí** et des rues adjacentes, entre le Parque Agramonte et le Parque Martí. Environ 1 km sépare les deux parcs et, tout le long des artères qui les joignent, on peut voir d'incroyables constructions d'un style éclectique des plus éclatés.

Le **Parque Agramonte ★**, que l'on retrouve au bout de l'Avenida Martí, à l'angle de la Calle Maceo, est le plus vieux parc de la ville. Inauguré au début du XIXe siècle, il s'entoure de certaines des plus anciennes constructions de la ville. Son délabrement ajoute étrangement à son charme.

Devant une gigantesque *ceiba* plantée en 1902 pour solenniser la naissance de la République, l'**Iglesia Católica** se tient toujours fièrement debout, comme indifférente à la décrépitude qui l'envahit. Construite en 1863, elle semble d'un autre temps au côté de ce **Teatro Reguero**, ouvert en 1921, dont la magnifique façade vaut définitivement le coup d'œil.

Le **Parque Martí** ★ est quant à lui affaire récente. Inauguré en 1926, il évoque une autre époque de Morón. Moins agréable que le Parque Agramonte, en grande partie à cause de la dense circulation automobile qui l'étouffe, il est tout de même entouré de magnifiques constructions de styles éclectique et néoclassique. L'âge d'or de la ville se lit sur ces devantures usées qui lorgnent les passants. L'**Hotel Perla del Norte** et son compagnon de fortune, l'**Hotel Ritz**, laissent tous deux deviner leur faste d'antan. Le **Casino Español**, terminé en 1927, présente aussi une architecture intéressante. Mais aux yeux de ses habitants, la plus belle construction de la ville se trouve un peu en retrait du Parque Martí. Le **Terminal de Ferrocaril** ★, édifié en 1923, vaut en effet la peine d'être vu. Il s'orne d'un plafond de verre tout simplement extraordinaire.

Activités de plein air

■ *Pêche*

La **Laguna de La Leche** *(7 km au nord de Morón)* est le plus grand lac naturel de Cuba. Il doit son nom à son aspect laiteux. On peut louer des embarcations de tout type sur place, à côté du restaurant La Atarraya *(☎33-50-5351)*, et pêcher des poissons d'eau douce.

La **Laguna La Redonda** *(sur la route de Cayo Coco, à 10 km de Morón)* est un lieu de pêche réputé, notamment pour la truite. Des excursions de pêche en bateau sont organisées *(à partir de 35 CUC/4h)*. N'oubliez pas votre insectifuge, sinon vous serez la proie des moustiques!

Cayo Coco et Cayo Guillermo ★ ★ ★

▲ *p 271*

Pour accéder aux *cayos* en voiture, environ 30 km au nord de Morón, vous emprunterez le *pedraplén*, une digue qui relie Cayo Coco à l'île de Cuba. Le droit de passage est de 2 CUC/voiture. Pensez à vous munir de votre passeport.

Cayo Coco ★ ★

L'une des plus grandes îles de l'**Archipiélago de Camagüey** (aussi connu sous le nom de **Archipiélago Jardines del Rey**), Cayo Coco est en voie de devenir l'une des principales régions touristiques de Cuba. Les plages de sable blanc et les eaux cristallines allant du bleu au turquoise constituent le principal attrait de cette île située sur la côte atlantique de Cuba.

Pour s'y rendre, on passe sur le *pedraplén*, une digue supportant une route spectaculaire qui, sur 17 km, traverse la mer puis des marais avant d'atteindre Cayo Coco. Cette route ayant été construite en 1991 par un remplissage de pierres et de terre sur les marécages, l'exploit de sa réalisation fait l'orgueil des habitants de la région. On peut voir une abondante faune marine tout au long du trajet et avoir le sentiment de réaliser un pèlerinage vers un paradis naturel.

Cayo Coco se définit comme une enclave touristique en plein expansion. Même si les Cubains peuvent désormais se rendre sur ces îles, la majorité des «locaux» que vous rencontrerez ici sont des employés des hôtels et des restaurants. Ainsi, si vous résidez dans un complexe hôtelier «tout compris» de Cayo Coco, nous vous suggérons de faire au moins une excursion vers Morón pour connaître le «vrai» Cuba.

Avant le développement du tourisme au début des années 1990, Cayo Coco se présentait comme une île déserte, bien que des légendes racontent que des pirates fréquentaient cette région. Le développement touristique inquiète cependant les environnementalistes. La construction de nombreux complexes hôteliers aura un impact certain sur cette zone pratiquement

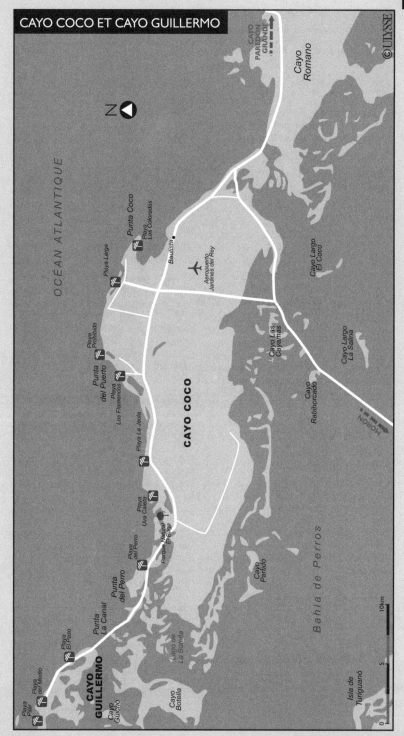

CAYO COCO ET CAYO GUILLERMO

N

OCÉAN ATLANTIQUE

CAYO
PAREDON
GRANDE

Cayo
Romano

Punta Coco

Playa Las Coloradas

Playa Larga

Bautista

Aeropuerto
Jardines del Rey

Cayo Largo
El Coco

Playa
Prohibida

Punta
del Puerto

Playa
Los Flamencos

CAYO COCO

Cayo Las
Cayamas

Cayo Largo
La Salina

Playa La Jaula

Cayo
Rabihorcado

MORÓN

Playa
Uva Caleta

Parque Natural
El Bagá

Playa
del Perro

Cayo
Partido

Punta
del Perro

Punta
La Canal

Bahía de Perros

Playa
El Paso

Lago de
La Botella

CAYO
GUILLERMO

Playa Pilar

Playa
del Medio

Cayo
Guicho

Cayo
Botella

Isla de
Tunguanó

0   5   10km

©ULYSSE

vierge à l'équilibre écologique fragile. Pour en savoir davantage, vous pouvez sortir des sentiers battus pour vous rendre au **Centro de Investigación de Ecosistemas Costeros**, à l'entrée de Cayo Coco, près de la rotonde. Administré par le ministère des Sciences de Cuba, cet organisme étudie l'écosystème de Cayo Coco afin de le protéger. D'ailleurs, sur ses conseils, il a été convenu que seulement 4% du territoire de Cayo Coco ferait l'objet de développement touristique.

Le **Parque Natural El Baga** *(25 CUC visite guidée de 3h30, boisson comprise; lun-sam 9h30 à 16h30; route de Cayo Guillermo, Km 17, ☎33-30-1062)* est une réserve naturelle de la faune et la flore de Cayo Coco. Ce parc de 769 ha permet d'observer aussi bien des crocodiles que des flamants roses et de nombreux autres oiseaux, dans une végétation luxuriante dont une forêt d'arbres à pain (*el baga* en espagnol). On trouve aussi sur place un centre d'interprétation.

Les superbes **plages** ★★ aux eaux émeraude de Cayo Coco sont évidemment l'attrait principal de l'île. Il en existe encore quelques-unes naturelles et plus désertes que celles qui sont bordées par les complexes hôteliers, entre autres **Playa Los Flamencos**, **Playa Prohibida** et **Playa Las Coloradas**. Ceux qui recherchent plus d'intimité se rendront sur **Cayo Romano** et **Cayo Paredón Grande**, deux îles à l'est de Cayo Coco qui abritent plusieurs plages quasi désertes.

Cayo Guillermo ★

Cayo Guillermo, une petite île de 13 km de long, se trouve au nord-ouest de Cayo Coco. Une superbe route se rend jusqu'à ce petit paradis naturel. Parmi les plages de Cayo Guillermo, **Playa Pilar** ★★ est la plus célèbre depuis qu'Hemingway l'a déclarée comme la plus belle de Cuba; elle fut d'ailleurs nommée en honneur de son bateau. En face de cette plage, **Cayo Media Luna**, sur lequel le dictateur Batista s'était fait construire une résidence, est un endroit réputé pour la plongée-tuba.

🏊 Activités de plein air

Les hôtels de Cayo Coco et de Cayo Guillermo proposent de nombreuses activités de plein air.

■ Pêche

Le **Cayo Guillermo Fishing Club** *(Marina Cayo Guillermo, ☎33-30-1738)* organise des voyages de pêche.

■ Plongée sous-marine

Cayo Coco

Le **Coco Diving Center** *(☎33-30-1323)*, juste à côté de l'Hotel Blau Colonial, organise plusieurs sorties par jour. Cayo Coco est bordé par une barrière de corail de 32 km sur laquelle on a marqué près de 20 sites de plongée. Les prix demandés varient en fonction du nombre d'immersions. Le centre offre la certification ACUC (American Canadian Underwater Certification).

Cayo Guillermo

Le **Diving Center** *(☎33-30-1738)* de Cayo Guillermo, affilié à la Marina Cayo Guillermo, est situé juste à côté de la Villa Cojimar. Il s'agit peut-être du centre de plongée le plus agréable et le plus chaleureux du nord de la province. Le personnel y fait toute la différence. Le centre organise plusieurs sorties par jour.

Camagüey et ses environs ★★

▲ p 272   🍴 p 276   ⚓ p 278   🏨 p 280

Camagüey (325 000 hab.) s'impose comme la plus intéressante ville de l'est du pays. Fondée en 1515 par Diego Velázquez sous le nom de Puerto Príncipe, la ville était établie à la Punta del Guincho, près de Nuevitas, sur le bord de la mer. Cependant, les habitants décidèrent de la déplacer l'année suivante sur les abords du Río Caonao, où les Autochtones ne tardèrent pas à l'attaquer et à la détruire. Finalement, ils choisirent son site actuel, près du village indigène de Camagüey, d'où son nom. Le siècle suivant, attiré par la légende des richesses qu'elle aurait recelées, le célèbre pirate Henry Morgan attaqua la ville en 1668. Il réussit à la prendre, mais il ne trouva pas les trésors qu'il croyait y dénicher. En 1679, le corsaire François Gramont attaqua à son tour la ville. Pour prévenir de nouvelles attaques, Camagüey adopta un quadrillage de rues ayant les caractéristiques d'un labyrinthe. Ainsi, les pirates et les corsaires qui

Ignacio Agramonte (1841-1873)

Figure capitale dans l'histoire de Cuba pour son rôle décisif durant la première guerre d'Indépendance, Ignacio Agramonte naquit à Camagüey au mois de décembre de l'année 1841. Avocat et éleveur prospère, il n'hésita pas à se lancer dans la mêlée lorsque, en 1868, débuta la guerre de Dix Ans (1868-1878). Agramonte se joignant aux insurgés, ses qualités de meneur d'hommes et de fin stratège le placèrent rapidement à la tête des forces rebelles de sa province natale. Libéral comme la plupart de ses concitoyens éleveurs, il s'opposa à Carlos Manuel de Céspedes et à ses amis planteurs, que les besoins en main-d'œuvre servile rendaient plutôt conservateurs en ce qui avait trait à l'esclavagisme. C'est Agramonte qui força les délégués de la convention de Guáimaro, à laquelle il participa, à inclure dans ce qui fut la première constitution cubaine l'abolition de l'esclavage. Au combat, il montra une telle détermination et de telles dispositions qu'il obtint bientôt le grade de général. Il fut malheureusement victime d'une balle perdue alors que, au mois de mai de l'année 1873, il se préparait à livrer bataille à un contingent de l'armée espagnole. Sa mort causa la consternation parmi les rebelles et enleva à la cause de l'indépendance cubaine l'un de ses plus prestigieux défenseurs.

s'y aventureraient pourraient se perdre et être pris en souricière. Aujourd'hui, il n'y a rien de plus agréable que de s'égarer dans cette ville que vous préférerez parcourir à pied. À cet égard, Camagüey évoque une petite ville européenne du XVIIIe siècle. Ici les petites rues tortueuses pavées de galets et les places publiques rappellent celles des villages italiens ou espagnols. Ce centre historique est d'ailleurs inscrit au patrimoine mondial de l'UNESCO depuis 2008.

Les *tinajones*, de grandes jarres en terre cuite, représentent le symbole de Camagüey. Au temps de la colonie, ces récipients étaient destinés à recueillir l'eau de pluie et à conserver l'huile et les denrées essentielles. La tradition des *tinajones* est passée de génération en génération, au point qu'un recensement en 1974 fit état de 18 000 *tinajones* dans la seule ville de Camagüey! Pour les voir, il faudra vous aventurer dans les patios des maisons coloniales.

Pour commencer votre visite de cette ville aux rues tortueuses, allez jeter un coup d'œil à la **Maqueta del Centro Histórico ★** *(1 CUC; lun-sam 9h à 21h, dim 8h à 20h; Calle Independencia, angle Calle General Gómez, ☎32-22-1388)*. Cette maquette représente l'ensemble du centre historique à une échelle de 1/500e avec une précision remarquable. Vous pourrez ainsi (peut-être) vous repérer avec plus de précision.

À quelques pas de là, rendez-vous à l'une des grandes places de la ville, la **Plaza de los Trabajadores**. La **Casa Ignacio Agramonte ★★★** *(2 CUC; mar-sam 9h à 16h, dim 9h à 11h; Calle Ignacio Agramonte n° 459, ☎32-29-7116)* fut la résidence du célèbre héros de la première guerre d'Indépendance cubaine. Cette ancienne demeure a été transformée en l'un des plus intéressants musées d'histoire de Cuba. Bien aménagé, dans une maison impeccablement restaurée, le musée montre la richesse et l'aisance dans laquelle vivait ce personnage plus grand que nature. Prenez le temps de bien regarder la maison de l'extérieur; elle est impressionnante par sa grandeur et la pureté de ses lignes.

Du côté opposé de la place s'élève l'**Iglesia de Nuestra Señora de las Mercedes ★★**. Construite en 1748, la plus grande église de Camagüey renferme de véritables trésors d'art religieux dont un Saint Sépulcre, à droite de l'autel. Œuvre d'un artiste mexicain, ce sarcophage datant de 1762 est l'une des pièces religieuses les plus importantes du pays. Il fallut faire fondre 23 000 pièces d'argent pour le recouvrir. Un ancien couvent de style colonial se cache derrière l'église, avec une cour intérieure dominée par de grands arbres et une chouette nichant dans le clocher de l'église. Dans les entrailles de l'église, ne manquez pas de visiter **Las Catacumbas** ★ *(dons appréciés; tlj 8h à 18h)*. Jusqu'au début du XVIIIᵉ siècle, il n'y avait pas de cimetière à Camagüey, et c'est sous l'église qu'on enterrait les défunts. Pour vous y rendre, vous devrez passer sous l'autel. À l'entrée se trouve une petite collection d'objets religieux. Puis on franchit une série de voûtes, aujourd'hui de briques pour pouvoir supporter l'autel de marbre. On y découvre deux tombeaux ouverts des XVIIIᵉ et XIXᵉ siècles, avec les dépouilles mortelles. On peut distinctement y voir les os des défunts, leurs cheveux, ce qui reste de leurs vêtements et les objets religieux avec lesquels ils furent enterrés.

L'**Avenida República**, l'artère commerciale de Camagüey, est un bon endroit pour se promener, s'arrêter pour une glace ou un *batido* de fruits exotiques ou encore entrer dans une vieille librairie. La grande majorité des petits commerces qu'on y trouve s'adressent aux Cubains. Loin des circuits touristiques, ces petits établissements procurent le véritable sentiment de partager le quotidien des habitants.

Sur cette avenue, vous verrez aussi la magnifique **Iglesia de la Soledad** ★ *(Av. República, angle Av. Agramonte)*, construite en 1755. Son extérieur typique cache des fresques dont on dit qu'elles comptent parmi les plus belles de l'île, sinon de toute l'Amérique latine.

Le **Museo Provincial Ignacio Agramonte** *(2 CUC; mar-sam 10h à 18h, dim 19h à 14h; Av. de los Mártires)* se trouve à l'extrémité nord de l'Avenida República, une fois passé les rails de chemin de fer. Cet énorme bâtiment, une ancienne caserne, renferme une vaste collection éclectique allant des animaux empaillés aux peintures d'artistes cubains des derniers siècles, dans des salles entourant un beau patio intérieur agrémenté de nombreux *tinajones*.

De retour dans le cœur du centre historique, rendez-vous au **Parque Ignacio Agramonte** ★, qui s'impose comme un des parcs les plus agréables de la ville. Dans ce square convivial, anciennement connu sous le nom de Plaza de Armas, il faut s'arrêter à l'ombre d'un arbre et observer le va-et-vient des passants. Ici les maisons de style néoclassique ont été restaurées, mais malgré cela, on y respire l'air du quotidien des habitants de Camagüey. Vous y trouverez quelques cafés et la **Casa de la Trova** (voir p 278). La statue du grand homme de Camagüey sur son cheval trône au centre du parc, à l'ombre de la **Catedral de Nuestra Señora de la Candelaria** ★, aussi connue sous le nom de Catedral Metropolitana, où depuis le *mirador (1 CUC; tlj 8h à 12h, 14h à 17h et 19h30 à 21h)*, tout en haut du clocher, on profite d'une splendide vue de la ville.

Pour ceux que la littérature intéresse, le petit musée de la **Casa Natal de Nicolás Guillén** *(entrée libre; lun-ven 8h à 16h; Calle Hermanos Agüeros nᵒ 58, entre Calle Cisnero et Calle Príncipe)* vaut un court détour. Le musée renferme quelques objets personnels de celui qui fut le plus important poète cubain du XXᵉ siècle. Il ne vécut dans cette maison qu'entre sa naissance et l'âge de quatre ans, mais le Centro de Investigación Sociocultural, qui y a élu domicile, s'évertue à garder sa mémoire bien vivante.

Entièrement restaurée, la **Plaza San Juan de Dios** ★★ se pare d'anciens bâtiments de l'époque coloniale qui ont repris de vives couleurs, du bleu au rose criard en passant par le jaune. Elle conserve néanmoins tout son charme d'antan. Pour s'y rendre, il faut franchir des rues étroites jusqu'au pavé de galets: vous voici en plein dans le tracé labyrinthique de Camagüey. En route, ne manquez pas les charmantes petites **Calle San Juan de Dios** et **Calle Ángel**, qui mènent à la place et dont les maisons multicolores font le bonheur des photographes.

L'**Iglesia San Juan de Dios** ★★, construite en 1728 mais restaurée depuis, a du panache, occupant entièrement un côté de la place avec les anciens locaux de l'hôpital qui logent maintenant le Centro Provincial de Patrimonio. L'église, magnifiquement décorée, arbore un retable sévère mais d'une grande beauté.

Frayez-vous un chemin à travers les petites ruelles populaires en direction de la Plaza del Carmen. En route, vous remarquerez l'**Iglesia del Cristo**, qui garde les portes du vieux **cimetière** ★ de la ville, fondé en 1812. La **Plaza del Carmen** ★★ s'est vue elle aussi offrir une restauration complète. Dominée

CAMAGÜEY

© ULYSSE

Av. Central
Cor. Pichardo
Esteban Varona
Manuel Ramón Silva
Fidel Céspedes
Calixto García
Miranda
Cor. Labrada
Enrique Villuendas
Ángel Ciro Betancourt
Pablo Lombida
Oscar Primelles
Av. Ignacio Agramonte
Padre Olallo
Bartolomé Masó
Avellaneda
Avenida República
Santa Rosa
López Recio
San Ramón
San Ramón
Santa Rita
Oscar Primelles
Santayana
Trinidad
Lugareño
Cisneros
Príncipe
San Martín
San Ramón
Bembeta
Hermanos Agüero
Maximiliano Ramos
Enrique Verona
Roosevelt
Acción Cívica
Padre Valencia
General Gómez
Cap. Escobar
Sabino Montes
Ángel Castillo
Padre Valencia
Aeropuerto Ignacio Agramonte
Av. Tarafa
Plaza de la Revolución
Estadio
Río Juan del Toro
Carretera Central
Aurelio Batista
Av. de la Libertad
Holguín
Río Hatibonico
Av. 26 de Julio
Camino Puro
Enrique Villuendas
Bartolomé Masó
Avellaneda
Keysar
Academia
Parque Martí
San Juan de Dios
Independencia
Cisneros
Hurtado
Martí
Lugareño
24 de Febrero
Cristo
Bembeta
Eugenia Sánchez
Rosa La Bayamesa
Raúl Lamar
Matías Varona
Carretera Central
Maceo
Cisneros
Martí
San Pablo
Lleces
Ángel
Palacio
Plaza de los Trabajadores
Plaza de la Revolución
LA HAVANE
General Gómez

N

5 Metros
Cuba Libre
0   200   400m

par l'Iglesia del Carmen, cette jolie place arbore de très beaux édifices coloniaux aux couleurs vives, de même que des statues beaucoup plus modernes représentant des scènes de la vie quotidienne.

Nuevitas

À quelque 80 km au nord-est de Camagüey, Nuevitas est une petite ville de 40 000 habitants qui peut présenter un intérêt pour ceux qui n'ont pas le temps d'explorer l'île. Grand port de mer qui s'étend sur les bords de la Bahía de Nuevitas, c'est loin d'être une des plus jolies villes de Cuba, mais ses quelques vestiges coloniaux à flanc de colline en font tout de même une destination non dépourvue d'attraits.

À Nuevitas, tout se passe autour de l'ancienne **Plaza Mayor**, maintenant simplement appelé le Parque. Adossée au Parque, se trouve l'**Iglesia Mayor**, achevée en 1878 comme l'atteste l'empreinte qu'ont laissée dans le plancher de l'allée centrale les bâtisseurs du lieu de culte. Du parvis de l'église, on a une très belle vue de la baie. Le **Museo Municipal** *(1 CUC; mar-dim 8h à 17h; Calle Máximo Gómez, entre Calle Maceo et Calle Joaquín Aguerro)* vous contera l'histoire de la ville.

Certains hôtels de Playa Santa Lucía organisent des excursions en bateau jusqu'à Nuevitas, ce qui a l'avantage de vous faire entrer par la baie et ainsi de côtoyer les trois îlots qui l'habitent. Nuevitas fait un bon pied-à-terre pour ceux qui veulent passer quelque temps sur **Cayo Sabinal** (voir p 263), une magnifique île pratiquement vierge, reliée à Nuevitas par une route de 28 km.

À l'est de Camagüey

À partir de Camagüey, on entre véritablement dans le pays des *vaqueros*, cette version cubaine du cowboy. Le sucre y est aussi présent, et plusieurs vestiges affirment hautement son influence passée, mais le bœuf est maître de l'espace, tant réel que folklorique. La surface des terres est plate, sans relief, et ceux qui conduisent à travers le pays trouveront les paysages un peu monotones. Reste que cette région, particulièrement jusqu'à Guáimaro, est riche en trésors historiques.

Le site le plus extraordinaire de toute cette zone est l'**Ingenio El Oriente** ★ ★ ★. Situé à environ 18 km de Sibanicú (une ville qui se trouve à une cinquantaine de kilomètres à l'est de Camagüey), l'Ingenio El Oriente est, de toutes les centrales sucrières du XIXᵉ siècle, la mieux préservée. En fait, il s'agit d'une véritable capsule temporelle. Pratiquement tous les bâtiments faisant partie de l'hacienda sont encore debout, de la *casa de vivienda* aux *barracones* des esclaves, de la maison du maître à l'incroyable *casa de maquinas* de forme octogonale. Les murs qui ceignent la centrale sont originaux et les planchers de briques des *barracones* encore visibles. Son premier propriétaire, un riche avocat de Camagüey du nom de Francisco Iraola Serrano, fit de cet *ingenio*, construit en 1844, l'un des plus prospères de la région. Il y eut en ses murs jusqu'à 120 esclaves. L'endroit a aussi une valeur historique certaine puisque la famille Iraola Serrano fut l'une des plus actives dans la lutte contre le gouvernement espagnol et que c'est ici, en 1868, qu'Ignacio Agramonte fut persuadé de se joindre à la révolte. Le lieu est tout simplement fantastique pour flâner un peu et imaginer ce que pouvait être la vie sur une sucrerie cubaine au milieu du XIXᵉ siècle. Il paraît que le gouvernement cubain souhaite, à moyen terme, en faire une destination touristique d'importance. Il est donc temps d'y passer si vous voulez profiter d'un site, à proprement parler, intact. Pour se rendre à l'Ingenio El Oriente, il faut être prêt à se lancer sur les routes secondaires de la province. Sortez d'abord de la ville de Sibanicú par la route de l'est, puis faites près de 2,5 km. Prenez ensuite la voie de gauche à l'intersection que vous rencontrerez après avoir passé le Centro de Recreación et filez sur une distance de 6,5 km, jusqu'à ce que vous arriviez au village de Pueblo Feliz. Juste avant d'entrer dans le village, il vous faudra prendre à gauche et filez 5 km, jusqu'à un panneau sur lequel est écrit *Granja Los Estropajos*. Tournez alors à gauche et, après 3,5 km, vous déboucherez sur l'*ingenio* et la collectivité Oriente Rebelde, qui naquit de la Révolution. Tout cela peut sembler compliqué, mais l'endroit en vaut définitivement l'effort.

Playa Santa Lucía ★ ★

Au départ de Camagüey, empruntez la route de l'Aeropuerto Ignacio Agramonte

La Constitution de Guáimaro

La première constitution cubaine fut ratifiée à Guáimaro, le 10 avril 1869, par les 15 délégués des provinces de l'Est de la colonie qui s'étaient soulevées contre la mainmise espagnole. Tentant de trouver un terrain d'entente entre les intérêts, parfois divergents, des différentes régions que représentaient les participants à cette assemblée constituante, la Constitution de Guáimaro fut un modèle d'équilibre entre les pouvoirs législatif et exécutif. Inspirée par le modèle américain, une Chambre des représentants, gardienne de l'autorité législative, faisait contrepoids à l'autorité du président, maître de l'exécutif. Ainsi, si pour devenir loi, les décisions de la Chambre devaient recevoir l'aval du président, toute réforme de la constitution devait être approuvée, à l'unanimité, par l'assemblée législative. Les signataires espéraient ainsi prévenir toute forme d'abus de pouvoir. La création d'un organe judiciaire indépendant vint terminer cette œuvre politique qui allait devenir le point de référence de toutes les chartes constitutionnelles à venir. La Constitution de Guáimaro contenait 29 articles, à travers lesquels l'abolition de l'esclavage faisait figure de bombe dans le contexte du Cuba du XIXᵉ siècle. Les passionnés d'histoire cubaine pourront en savoir plus en visitant le **Museo Municipal General de la Constitución** *(1 CUC; lun-ven 8h à 12h et 13h30 à 17h30, sam 8h30 à 12h; Calle Constitución nᵒ 85, entre Calle Máximo Gómez et Av. de la Libertad,* ☎*32-8-2970)*, dans la ville même de **Guáimaro**, à 30 km à l'est de Sibanicú.

vers le nord-est. Cette route de 86 km s'enfonce dans une région agricole et, au loin, vous pourrez apercevoir le petit massif montagneux de la Sierra Cubita. À la première grande intersection, tournez à droite. La route franchit ensuite une large zone d'élevage de bovins.

Sans contredit l'une des plus belles plages de Cuba, Playa Santa Lucía est tout en sable blanc, et ce, sur 19 km. Ici, de grands coquillages baignent à peu de profondeur, et quiconque est muni d'un équipement de plongée-tuba pourra nager des heures sous l'eau sans pour autant voir le temps passer... Protégée par une barrière de corail de 32 km, cette plage n'est pas touchée par les courants, qui se révèlent ainsi très faibles. Les adeptes de la plongée sous-marine (voir p 264) jouissent ici d'excellentes installations et de magnifiques fonds marins.

À côté du village de pêcheurs de La Boca, à 6 km au nord de Playa Santa Lucía, vous trouverez **Playa Los Cocos** ★ ★, une splendide plage bordée, comme son nom le suggère, de nombreux cocotiers.

Cayo Sabinal ★ ★

De Playa Santa Lucía, il vous est possible de rejoindre Cayo Sabinal grâce à des excursions organisées par la plupart des grands hôtels. Les plages de cette île sont magnifiques et à peu près vierges. Si vous le souhaitez, vous pouvez aussi emprunter la route qui passe par Nuevitas pour vous rendre sur place. On trouve sur place des petits restaurants installés en bordure des plages principales. Vous devrez vous acquitter du droit d'entrée *(5 CUC)* et montrer votre passeport avant de pouvoir passer la barrière qui vous permettra de rejoindre Cayo Sabinal.

🎣 Activités de plein air

■ Chasse et pêche

Le **Coto de Caza de Florida** se trouve aux abords de la Carretera Central, à 40 km à l'ouest de Camagüey. On y pratique la pêche, de même que la chasse au canard et à l'oie sauvage, sur trois lacs, surtout d'octobre à mars. Renseignements, réservations et hébergement à l'**Hotel Florida** *($$; Carretera Central, Km 531, Florida,* ☎*32-5-4670, www. islazul.cu)*.

■ *Plongée sous-marine*

À Playa Santa Lucía, **Shark's Friends** (☎*32-36-5182*) se trouve sur la plage entre les hôtels Villa Coral et Cuatro Vientos. Le centre de plongée propose plusieurs sorties par jour. La plage corallienne de ce bout de pays offre 35 sites de plongée, dont deux épaves en eaux peu profondes. Les inoffensifs requins gris viennent parfois tourner autour des plongeurs. On y propose les certifications et de la plongée de nuit.

- -

Holguín ★

▲ *p 275*   ◍ *p 277*   ⤴ *p 279*   🗋 *p 280*

Capitale de la province du même nom, Holguín (330 000 hab.) constitue la quatrième ville en importance au pays. Fondée en 1752 par le capitaine général García Holguín, la ville possède encore quelques vestiges d'architecture coloniale et porte fièrement le nom de *Ciudad de los Parques*. En effet, sur quelques centaines de mètres, sont alignés trois agréables parcs qui marquent véritablement le centre de la ville. Durement touchés par les ouragans en 2008, certains des vieux bâtiments de la ville gardent des séquelles du passage dévastateur d'*Ike*. Généralement laissée de côté par les voyageurs, cette ville pourra

Le frère Marie-Victorin: premier Québécois à Cuba

Connu au Québec en tant que fondateur du Jardin botanique de Montréal, le frère Marie-Victorin (1885-1944) fut l'un des premiers à faire des recherches botaniques sur l'île. Ses travaux scientifiques et le climat des Caraïbes, le menèrent sept fois à Cuba, dont cinq fois dans la région d'Holguín, où il fit de nombreuses découvertes sur la flore de l'île.

intéresser ceux qui préfèrent sortir des sentiers battus.

Le **Parque Calixto García ★**, ancienne Plaza de Armas, est le point de départ d'une visite d'Holguín. Vous y découvrirez une place entourée de galeries d'art et du **Museo Provincial La Periquera ★** (*1 CUC; mar-sam 8h à 12h, 13h à 16h30, dim 8h à 12h; Calle Frexes nº 198, entre Calle Maceo et Calle Libertad,* ☎*24-46-3395*). Ce petit musée est installé dans une demeure construite entre 1860 et 1868 par des esclaves noirs et chinois pour le compte d'un riche commerçant d'Holguín, Francisco de Ruldán. Il compte trois salles consacrées à l'histoire de la ville et de la province d'Holguín. On y trouve la fameuse *Hacha de Holguín*, œuvre précolombienne devenue symbole de la province. Cette immense maison fut le site de durs combats en 1878, alors que les forces rebelles tentèrent sans succès de déloger les soldats espagnols qui s'y étaient retranchés.

En quittant le Parque Calixto García, empruntez la Calle Maceo, l'une des rues les plus intéressantes d'Holguín, tant pour l'architecture néoclassique des maisons que pour l'ambiance nonchalante qui y règne, pour découvrir l'élégante façade du début du XXᵉ siècle du **Museo de Historia Natural** (*Calle Maceo nº 129,* ☎*24-42-3935*), qui fut gravement touché par les ouragans en 2008, et dont les dates de reconstruction ne sont pas encore connues.

Vous croiserez ensuite la **Plaza de la Marqueta** (*Calle Mártires, entre Calle Luz Caballero et Calle Martí*), qui fut, il y a de nombreuses années, un centre commercial important de la ville. Elle a désormais un caractère plus ludique, avec des concerts offerts dans l'enceinte du vieux bâtiment central. Notez les poteaux sculptés comme des totems le long de la Calle Mártires.

Au bout de la Calle Maceo se trouve le **Parque Peralta**, aussi connu sous le nom de Parque de las Flores. En son centre se dresse une statue de Julio Grave de Peralta (1838-1872), autre combattant de la première guerre d'Indépendance et héros de la ville. La **Catedral de San Isidoro**, construite au milieu du XIXᵉ siècle sur le lieu même où fut célébrée la messe qui officialisa la fondation de la ville en 1720, donne directement sur le parc. Son plafond de bois est d'une incroyable finesse.

Calixto García (1839-1898)

Calixto García, natif d'Holguín, a mérité une place de choix dans le panthéon des héros de la patrie cubaine, en vertu de sa participation déterminante aux guerres contre l'Espagne au cours de la dernière moitié du XIXe siècle. García ne fut pas, comme Agramonte ou Céspedes, issu de l'élite créole. Il s'occupa des affaires, modestes, de sa famille, jusqu'à ce que son complet dévouement à la cause de l'indépendance ne lui fasse prendre les armes. Son rôle durant le siège de Bayamo, au début des hostilités, le fit remarquer de ses supérieurs qui reconnurent en lui le génie militaire. Lorsque, à la suite d'un conflit avec Carlos Manuel de Céspedes, le général Máximo Gómez fut démis de ses fonctions, c'est finalement l'homme d'Holguín qui reçut le commandement des forces de l'Est.

Fait prisonnier durant les derniers jours de la guerre de Dix Ans (1868-1878), Calixto García fut libéré sous la condition de quitter son île natale. Il s'exila donc aux États-Unis, d'où il se mit immédiatement à organiser un mouvement de révolte contre l'accord de Zanzón, qui avait mis fin à la première guerre d'Indépendance. García revint bientôt à Cuba pour tenir les rênes de ce que l'on a appelé la Guerra Chiquita (1879-1880). Vouée à l'échec dès le début, la «petite guerre» résulta en l'arrestation et la déportation du commandant cubain vers les bagnes espagnols du nord de l'Afrique. Il ne devait revenir en Amérique qu'en 1895, pour se joindre à Martí et lancer avec lui la seconde guerre d'Indépendance (1895-1898). Nommé chef militaire des provinces de l'Oriente, il fut l'un des plus adroits généraux de l'armée rebelle. Humilié par les forces américaines qui, malgré son aide lors du débarquement de Playa Daiquirí, refusèrent de le laisser entrer à Santiago de Cuba, Calixto García démissionna de son poste dans l'armée cubaine dès le lendemain de la victoire sur l'Espagne et partit pour les États-Unis, où il mourut à Washington le 11 décembre 1898, quelques heures seulement après la signature du traité de Paris qui mettait fin à la guerre hispano-américaine.

Empruntez la Calle Libertad, une rue piétonne animée surnommée *El Boulevard*, pour vous rendre de l'autre côté du Parque Calixto García, jusqu'au **Parque Carlos Manuel de Céspedes ★**. Dominé par l'**Iglesia de San José**, construite en 1815 puis restaurée dans les années 1950, mais qui aujourd'hui tombe presque en ruine, ce parc est peut-être le plus agréable pour se reposer un peu de la chaleur et du bruit. L'ambiance y est plus sereine, plus calme que celle des deux autres principaux parcs de la ville.

Calixto García, héros des guerres d'Indépendance, naquit ici même à Holguín en 1839. Le **Museo Casa Natal Calixto García ★** *(1 CUC; mar-sam 9h à 17h30, dim 10h à 18h; Calle Miró n° 147, angle Calle Frexes, ☎24-45-2247)* est aménagé dans la maison familiale

où il vit le jour. Y sont exposés des objets lui ayant appartenu, et un bref résumé de sa vie mouvementée vient nous éclairer un peu sur celui que les Cubains vénèrent comme l'un des personnages les plus significatifs de l'histoire du pays.

Les restes humains de Calixto García reposent d'ailleurs à Holguín, à l'intérieur du mausolée construit à cet effet sur la **Plaza de la Revolución**. En 1980, on y amena en grande pompe, de La Havane, le cercueil du grand stratège. Le mausolée, surmonté d'une immense frise, relate les événements marquants de la vie du révolutionnaire. La Plaza de la Revolución, cette grande place située à environ 1,5 km du centre de la ville, sert de lieu de regroupement lors de ces grands rassemblements politiques pour lesquels l'île de Cuba est bien connue.

HOLGUÍN

MAYARÍ

(Carretera de Mayarí)

Río Marañón

Plaza de la Revolución

Av. XX Aniversario

10 ★

La Quinta

Av. Jorge Dimitrov (6)

Estadio General Calixto García

Av. de los Libertadores

San Carlos

Dagoberto Sanfield

La Aduana

Contramaestre

J. País

José Varona

Juan J. Moreno

C. Curbelo

GUARDALAVACA

Av. Ninio García

Reinaldo Hernández García

Mercantina Grajales

Independencia

Fretes

Revolución

20 de Mayo

10 de Octubre

Independencia

Sol Paz

Prado

Cuba

Colón

Gral. Rojas (Progreso)

Gral. Marrero (Fomento)

Gral. Feria (Cervantes)

Luz Caballero

San Carlos

Peralta

Cables

Julio G. Peralta

Gral. Vázquez (Peralejo)

Gral. Rodríguez (Coliseo)

LUZ

Vista Alegre

Narciso López

Morales Lemus

Miró

El Boulevard

9 ★

@ $

3 ◆

5 ★

6 ★

Aguilera

Máximo Gómez

4 ★

2 ★

7 ★ **8** ★

Garayalde

Cuba (Pedro Rodeñal)

Mártires

Maceo

Manduley (Libertad)

Maceo

Martí

Pérez Zorrilla

Fretes

Angel Guerre

Rastro

AEROPORT BAYAMO

Aéroport

GIBARA

Av. Capital

Benjamín Zeytes

G. Viñet

Littel

Manduley (Libertad)

Maceo

Pepe Torres

José Antonio Cardet

13 de Marzo

Unión

Victoria

Colón

Carbó

Lenin

Arias

Gral. Salazar (Desamparados)

Carretera Central

Comandante Fajardo

Carbó

Av. de Los Álamos

Av. Vladimir Lenin

SAN ANDRÉS

El Llano

11 ★

Av. Capitán Urbino

Mártires

Máximo Gómez

© ULYSSE

ATTRAITS TOURISTIQUES

★

1. BY Parque Calixto García
2. BY Museo Provincial La Periquera
3. BY Museo de Historia Natural
4. BY Plaza de la Marqueta
5. BY Parque Peralta
6. BY Catedral de San Isidoro
7. BY Parque Carlos Manuel de
       Céspedes
8. BY Iglesia de San José
9. BY Museo Casa Natal Calixto
       García
10. DX Plaza de la Revolución
11. AX Loma de la Cruz, San Andrés /
        Galería de Arte Pilgrim

Rue piétonne

0   250   500m

Surplombant Holguín, la **Loma de la Cruz San Andrés** ★, une petite colline coiffée d'une croix, attire de nombreux pèlerins. On y jouit d'un très beau point de vue sur la ville et la Sierra de Cristal qui se dresse à l'horizon. Une petite galerie d'art située dans une tourelle, la **Galería de Arte Pilgrim** *(lun-sam 8h à 17h)*, expose et met en vente des œuvres de peintres de l'Unión Nacional de Escritores y Artistas de Cuba (Uneac). Pour vous rendre au sommet de la colline, vous pouvez monter les 458 marches de l'escalier qui se trouve au pied de la Calle Manduley. Autrement, vous devez emprunter un chemin carrossable qui grimpe jusqu'à la croix.

Birán

Birán se trouve à environ 70 km au sud-est d'Holguín. On y vient pour voir la **Finca Las Manacas** ★, maintenant connue sous le nom de **Finca Birán**, lieu de naissance d'*El Compañero* Fidel Castro. Cette prospère ferme appartenait à Ángel Castro, homme sévère arrivé d'Espagne dans les dernières années du XIXᵉ siècle et devenu riche à force de travail et de persévérance. Il contrôlait déjà plus de 10 000 ha de terres lorsque Fidel se dirigea pour la première fois vers La Havane pour étudier au collège de Belén, alors un établissement réservé à l'élite havanaise. Pour les Cubains, c'est la preuve ultime du désintéressement de leur président: au lieu de se lancer dans un combat dont nul ne pouvait entrevoir l'issue, il aurait pu rester tranquille à profiter des fruits du labeur de son père.

Pour pouvoir visiter les bâtiments de la *finca*, il faut préalablement avoir reçu la permission du Parti communiste provincial. Les bureaux de cet organe tout-puissant sont situés face à la Plaza de la Revolución à Holguín. Si vous n'avez pas eu la prévoyance de vous munir d'une telle autorisation, vous pourrez toujours vous rendre jusqu'à la barrière pour jeter un coup d'œil sur le complexe. Le garde vous demandera tout simplement de ne pas franchir la barrière qui marque l'entrée des lieux.

Pour se rendre à la Finca Las Manacas, il faut prendre la route qui file vers Santiago de Cuba. Un petit panneau routier vous indiquera où tourner pour vous rendre au village de Birán, 7,5 km plus loin. La ferme des Castro se trouve à 2,5 km au nord de la petite localité.

Banes

Banes (81 000 hab.) est une petite ville agréable et sans prétention. Fulgencio Batista y naquit, et Fidel Castro s'y est marié, à l'**Iglesia de Nuestra Señora de la Caridad**, en 1948. Mais Banes est mieux connue comme capitale archéologique de Cuba. Il semble en effet que les collines verdoyantes de la région de Banes aient abrité, avant l'arrivée de Colomb, la plus grande concentration d'Autochtones de toute l'île. En témoignent d'ailleurs les 96 sites de fouilles actuellement étudiés. Le **Museo Arqueológico Indocubano** ★★ *(1 CUC; mar-sam 9h à 17h, dim 8h à 12h; Calle General Marreo nº 305,* ☎*24-8-2487)* fait voir une partie des découvertes faites lors de ces fouilles: des objets taillés dans la pierre ou dans des coquillages, des plats de terre cuite, une magnifique petite statuette en or, tout cela dans un espace bien aménagé et proprement organisé.

Guardalavaca

△ *p 275*   ⦿ *p 278*   ⤳ *p 279*   ▯ *p 280*

La plupart des gens qui viennent dans ce bout de pays le font dans le but de profiter des magnifiques plages de Guardalavaca. Si le sable blanc et la mer azur perdent, après quelques jours, un peu de leur charme, deux petites excursions peuvent combler agréablement vos temps libres.

L'**Acuario** ★★ *(40 CUC; tlj 9h à 17h;* ☎*24-3-0132)* est situé dans la magnifique Bahía de Naranjo. On a utilisé l'un des nombreux îlots de la large baie comme point d'appui pour élaborer l'aquarium. Les animaux ne sont donc pas pris dans des piscines artificielles, mais demeurent dans leur élément naturel, au milieu d'un paysage grandiose. Une fois par jour, à midi, les dauphins montrent leur savoir-faire, les phoques préparant le terrain en amusant le public. Ceux qui le désirent peuvent aussi nager avec ces magnifiques mammifères que sont les dauphins pour un supplément de 59 CUC. Pour se rendre à l'Acuario, il faut prendre un bateau au débarcadère qui se trouve un peu en marge de la route principale de Guardalavaca. Le tout est bien indiqué, et vous n'aurez aucune difficulté à vous y retrouver. Notez qu'il y a un restaurant à l'aquarium et qu'il est ouvert tous les jours de 13h à 15h et jusqu'en fin de soirée les mercredi et vendredi. Vous pouvez vous rendre au restaurant à n'importe quelle heure: la barque est alors gratuite.

Le **Museo Chorro de Maita** ★ *(2 CUC; mar-sam 9h à 17h, dim 9h à 13h, ☎24-3-0421)* est bien pour ceux qui s'intéressent sérieusement à l'archéologie. Ce petit musée, niché au milieu de ravissantes collines, expose de façon tout à fait respectueuse un petit cimetière taïno. Les squelettes qu'on peut y voir sont disposés exactement dans la même position que lorsqu'ils furent exhumés. Sur place, une boutique vend de jolies reproductions d'objets cultuels autochtones.

Juste en face du Museo Chorro de Maita, de l'autre côté de la route, se trouve quelque chose d'un peu moins rigoureux. La reconstitution du **Pueblo Taíno** *(3 CUC; tlj 9h à 17h)* semble plus destinée à attirer les touristes au restaurant qui s'y trouve qu'à éduquer les visiteurs. Un coup d'œil par-dessus la clôture pourrait s'avérer suffisant. Le restaurant présente, le soir, des spectacles de danses taïnos on ne peut plus approximatives pour les touristes qui viennent en autocar de Guardalavaca.

Pour se rendre au Museo Chorro de Maita et au Pueblo Taíno, il faut faire environ 6 km sur la route qui conduit à Banes, puis prendre la voie de droite d'un embranchement, à un endroit bien indiqué, et faire ensuite près de 2,5 km. Des bus touristiques s'y rendent aussi depuis Guardalavaca *(5 CUC)*.

Mais tout cela ne devrait pas vous faire oublier la mer bleue et le sable fin des **plages de Guardalavaca** ★★. En forme de demi-lune et isolée par une petite falaise en pente douce et parsemée d'une végétation tropicale luxuriante, **Playa Esmeralda** s'avère idéale tant pour la baignade que pour la pratique de sports aquatiques, entre autres la plongée sous-marine. Les plongeurs débutants s'élancent quotidiennement de la plage, alors que les plus expérimentés montent à bord d'un bateau qui les emmène vers la barrière de corail. À la tombée de la nuit, une promenade romantique sur la plage et un cocktail feront rapidement oublier aux vacanciers les aléas du travail

et du climat de leur pays d'origine. L'autre plage, celle de **Guardalavaca**, 2 km plus à l'est, est nettement plus étendue et parfois plus appréciée de la gent touristique qui aime prendre de longues marches, pieds nus dans le sable. La mer s'y révèle aussi propice à la baignade qu'aux sports nautiques. De nombreux hôtels ponctuent la plage, et quelques promenades ont été aménagées sous les palmiers. La vie nocturne y est particulièrement animée. Aussi, vous n'hésiterez pas à rejoindre l'extrémité est de Guardalavaca, soit à pied par la plage ou en scooter par la route principale (dirigez-vous vers la mer à l'intersection avec la route de Banes). Voici une petite route en terre battue, sinueuse et jalonnée de petites maisons de bois en bordure de mer. Ici le contraste avec le complexe touristique est frappant, et vous serez à même de constater et d'apprécier la vie tranquille des habitants du coin, des pêcheurs pour la plupart. Peu fréquentée, cette route s'allonge à peine sur quelques centaines de mètres. Outre la plage, il y a peu de chose à voir dans la région. Cependant, les aventuriers pourront se laisser tenter par le petit village de Guardalavaca.

🏊 Activités de plein air

■ Plongée sous-marine

L'**Eagle Ray Scuba Diving Center**, un centre de plongée situé tout près de l'Hotel Río de Mares, offre plusieurs sorties par jour. Guardalavaca possède 20 sites de plongée, dont quelques grottes sous-marines. Les prix s'ajustent en fonction du nombre de sorties.

- -

Cayo Saetía ★★

⚠ p 275

Si vous avez déjà rêvé de faire un safari-photo, mais que l'Afrique vous semble hors de portée, voici votre chance. En effet, Cayo Saetía, une île de 42 km² située dans la plus grande baie de Cuba, la Bahía de Levisa, sert d'asile à quelques troupeaux de buffles d'eau, d'antilopes, de cerfs, de sangliers et de zèbres. Tous ces animaux s'y promènent librement, limités dans leur course uniquement par la barrière naturelle que forme la mer. À bord de véhicules tout-terrain, il vous sera possible de traquer les bêtes et de réaliser de magnifiques clichés. En plus de sa faune plutôt particulière pour une île des Caraïbes, Cayo Saetía possède de magnifiques plages épousant les petites anses dessinées par de hautes falaises.

Cayo Saetía se trouve à environ 120 km d'Holguín. Pour s'y rendre, il faut aller d'abord jusqu'à Mayarí, puis, de là, faire près de 30 km jusqu'à une bifurcation clairement indiquée. Les hôtels de Guardalavaca proposent aussi des excursions d'une journée sur l'île, soit en autocar *(70 CUC/pers.)*, soit en hélicoptère *(140 CUC/pers.)*.

Gibara ★ ★

△ *p 276*   ◍ *p 278*   ➶ *p 279*

Voici une petite ville pittoresque, incontournable, qui se trouve en bordure de mer à l'ouest de Guardalavaca. Gibara (73 000 hab.) a merveilleusement conservé son héritage architectural du temps de la colonie et, à une trentaine de kilomètres d'Holguín, elle s'impose comme un arrêt tout indiqué pour les voyageurs qui sillonnent le pays ou qui logent à Guardalavaca et qui voudraient connaître la véritable Cuba. Gibara se remet doucement des dégâts causés par les ouragans de 2008, notamment *Ike*, qui fit de nombreux ravages en quelques heures lors de son passage ici. Pour vous y rendre depuis Guardalavaca, il vous faudra remonter vers Holguín puis aller vers le nord-est.

Christophe Colomb découvrit la région lors de son premier voyage en Amérique, le 29 octobre 1492, et il lui donna le nom de Río de Mares. La polémique se poursuit parmi les historiens à savoir laquelle de Baracoa et de Gibara fut le premier endroit où accosta le célèbre amiral. Mais surtout, ne posez pas cette question aux habitants de Gibara, pour qui il n'y a pas de doute quant à la primauté de leur ville... Il semble que Christophe Colomb ait passé une douzaine de jours à Gibara, y étant retenu à cause du mauvais temps. Il en profita pour faire connaissance avec les populations aborigènes de l'endroit. Dans son journal de voyage, il décrit une montagne qui a la forme d'une selle de cheval. Dans l'horizon lointain de Gibara, on peut encore apprécier cette montagne, la Silla de Gibara. Déjà, en 1737, la bourgade

fait l'objet d'attaques répétées de corsaires. Puis, le 16 janvier 1817, la véritable fondation de la ville a lieu avec la construction de la **Batería Fernando Septimo** (voir p 270), une forteresse pour défendre la ville des assauts des corsaires et des pirates. D'ailleurs, pour commémorer l'événement, la semaine du 16 janvier, la ville fait la fête alors qu'on y célèbre la semaine culturelle de Gibara. Au fil des années, la ville de Gibara est devenue prospère grâce au commerce maritime, alors que la bourgeoisie de Gibara fournissait en marchandises la ville d'Holguín. Pendant les guerres d'Indépendance, dans la seconde moitié du XIXe siècle, la richesse de Gibara et son allégeance à la Couronne espagnole obligent la construction d'autres fortifications, dont une muraille qui ceinture la ville. Avec La Havane, Gibara se définit comme la seule ville fortifiée du pays.

D'ailleurs, du haut de la **Loma de la Vigía** ★ ★, cette petite montagne située derrière la ville, vous verrez un petit fort de cette époque ainsi que les restes de la muraille. Le *mirador* qui s'y trouve est incontournable, puisque vous y jouirez d'un point de vue unique sur la mer, la ville et les toits de tuiles à la méditerranéenne des maisons coloniales.

Les fortifications aidant, il fallut 30 ans de guerres et de combats avant que les *mambises* (les indépendantistes) ne réussissent à prendre Gibara le 25 juillet 1868. Mais la construction, au nord de Gibara, de la Carretera Central, qui relie le pays d'est en ouest, a isolé la ville et a annoncé sa décadence économique. C'est sans doute grâce à cet isolement économique que Gibara a pu conserver, pour notre plus grand plaisir, son quadrillage original et plusieurs demeures coloniales et néoclassiques. Le pittoresque quartier historique de Gibara n'a pas encore été altéré par le tourisme. Vous pouvez ainsi profiter des petites merveilles de la ville par une promenade en toute tranquillité.

Commencez votre visite par le **Parque Calixto García**, autrefois la Plaza de Armas, où l'on trouve le **Cine Jiba**, qui accueille chaque année le **Festival Internacional del Cine Pobre** (voir p 279). Empruntez ensuite la Calle Independencia, au cœur de la vieille ville, qui regroupe la plupart des services et des boutiques de la ville. Le **Museo de Historia Natural** ★ *(entrée 1 CUC, photos 1 CUC; lun*

13h à 16h, mar-sam 8h à 12h et 13h à 17h, dim 8h à 12h; Calle Independencia nº 23, angle Calle J. Peralta) est un joli musée d'histoire naturelle. On y découvre une collection impressionnante de poissons et d'oiseaux empaillés. Le clou du spectacle: les squelettes d'une baleine et d'un dauphin.

Juste à côté, le **Museo de Arte Decorativo** *(Calle Independencia nº 19,* ☎*24-84-4407)*, tout comme son voisin le **Museo Municipal** *(*☎*24-84-4407)*, qui fut la demeure du général indépendantiste Calixto García quand il prit possession de la ville, sont en réparation jusqu'à une date indéfinie. Mais si les portes sont ouvertes, n'hésitez pas à demander à ce qu'on vous laisse y jeter un coup d'œil.

Vous pourrez ensuite vous rendre jusqu'au Malecón, le front de mer. Au bout, au sud-est, près du Parque Calixto García, vous découvrirez la **Plaza del Fuerte ★**. Donnant sur la place, la **Batería Fernando Septimo ★**, la première fortification de la ville au temps de la colonie, a été complètement restaurée, et constitue l'un des meilleurs endroits en ville pour prendre un verre (voir p 280).

Les plages proches de la ville ne sont pas les plus propres ni les plus agréables. Pour vous baigner, prenez plutôt la *lancha (2 CUC aller-retour; 6 départs par jour; durée: 15 min)* à l'embarcadère situé au bout de la Plaza del Fuerte. Ce traversier rejoint le village de San Antonio, de l'autre côté de la baie, et **Playa Blanca**, une petite plage de sable fin, déserte et naturelle, qui se trouve à quelques minutes de marche du village, passé le chantier de construction de bateaux.

CIEGO DE ÁVILA

▲ HÉBERGEMENT
1. BY Casa de Wilma Albizu Bermúdez
2. BX Hotel Ciego de Ávila

● RESTAURANTS
1. CZ La Romagnola
2. BZ Restaurante Don Pepe

©ULYSSE

0   200   400m

En «tout compris» à Cayo Coco et à Cayo Guillermo

La plupart des touristes qui se rendent à Cayo Coco et à Cayo Guillermo sont hébergés dans les nombreux grands complexes hôteliers qui offrent des forfaits «tout compris». Il est fortement conseillé de réserver ces chambres par l'intermédiaire d'une agence de voyages avant de partir, afin de profiter de tarifs bien plus avantageux que ceux proposés sur place. De plus, certains de ces grands hôtels n'offrent pas de chambres aux visiteurs qui n'ont pas de réservation. Pour plus d'information sur les «tout compris», voir l'encadré p 67. Voici une brève sélection d'établissements susceptibles d'être proposés par les voyagistes.

Cayo Coco

Le magnifique **Meliá Cayo Coco** *($$$$$ tout compris)* présente des chambres au luxe sans faille ainsi que quelques *cabañas* sur pilotis, au milieu d'une petite lagune, d'un charme incroyable.

Le complexe **NH Krystal Laguna Villas** *($$$$$ tout compris)* propose trois types d'hébergement, soit des villas sur pilotis construites sur la lagune, des chambres-salons idéales pour les familles et enfin des chambres spacieuses et conventionnelles.

Cayo Guilermo

L'agréable **Iberostar Daiquiri** *($$$$$ tout compris)*, avec ses chambres spacieuses distribuées dans des bâtiments de trois étages s'entourant de jardins, respire la tranquillité et est réputé pour sa bonne table.

⛰ Hébergement

- - - - - - - - - - - - - - - -
Ciego de Ávila

Cette ville de transit, bruyante et sans beaucoup d'attraits, ne devrait vous retenir pour la nuit qu'en cas de nécessité. Morón, une trentaine de kilomètres plus au nord, s'avère plus agréable.

Casa de Wilma Albizu Bermúdez
$$ ≡

217 Calle Maceo, entre Calle Bembeta et Calle Eduardo Mármol
☎ (33) 22-5477

Cette *casa particular* située dans un quartier calme offre deux chambres à l'étage, propres et confortables. Accueil sympathique.

Hotel Ciego de Ávila
$$-$$$ ≡ ≋ 🍴

Carretera de Ceballos, Km 2,5
☎ (33) 22-8013
www.islazul.cu

À 3 km du centre-ville, l'Hotel Ciego de Ávila, avec sa façade démodée et son intérieur défraîchi, fait résolument vieillot et n'attirera réellement que ceux qui sont à la recherche de forfaits de chasse et de pêche. Heureusement, comme pour compenser cette absence de style, la grande piscine et les nombreux palmiers présents sur les lieux redonnent un peu de couleur à ce tableau bien triste. Aussi, en attendant de rejoindre Cayo Coco, quelques touristes viennent trouver refuge ici le temps d'une nuit.

- - - - - - - - - - - - - - - -
Morón

Señora Marel Vázquez Rodríguez
$ ≡

Calle Serafín Sánchez n° 77, entre Martí et Castillo
☎ (33) 50-3186

Une seule chambre est offerte dans cette *casa particular*, mais elle est spacieuse, confortable, et possède son propre balcon. Ambiance familiale et bonne cuisine.

Maite Valor Morales
$$ ≡ P 🍴 ❄

40B Calle Luz Caballero, entre Libertad et Agramonte
☎ (33) 50-4181
maite69@enet.cu

Maite a plus de 10 ans d'expérience dans l'accueil des touristes. Elle parle l'anglais et l'italien, et pourra vous aider dans l'organisation de votre séjour. L'une des deux chambres de cette *casa particular* est un véritable petit appartement, avec cuisine et tout l'équipement nécessaire pour un séjour prolongé. Belle terrasse sur le toit.

Hotel Morón
$$-$$$ ≡ ♨ ≋
Av. Tarafa
☎ (33) 50-2230

L'Hotel Morón est le choix tout indiqué pour les voyageurs qui ne logent pas à Cayo Coco ou à Cayo Guillermo. L'établissement dispose d'une belle piscine et exhibe, dans sa cour, une végétation luxuriante qui monte jusqu'aux plus hauts étages de l'édifice. Un service exceptionnel est assuré par les étudiants de l'une des meilleures écoles d'hôtellerie du pays sous la supervision de leurs professeurs. L'hôtel est situé à environ 2 km au sud du Parque Martí.

Camaguey et ses environs

Casa Colonial Manolo
$-$$ ☙ ≡
Calle Independencia n° 251, entre Hermanos Agüero et General Gómez
☎ (32) 29-4606

Le grand appartement de Manolo se trouve dans un vieil immeuble colonial, avec balcons offrant une belle vue sur la Plaza Maceo, en plein centre historique de la ville. Le salon, avec ses meubles anciens et ses antiquités, fait office de lieu de rencontre entre les différents locataires de cette demeure qui dispose de deux chambres. Ces dernières sont confortables et décorées dans le style colonial, cadrant ainsi parfaitement avec l'ensemble de l'établissement. Seul inconvénient, le bar de la Plaza situé juste sous les fenêtres des chambres dérangera certainement ceux qui ont le sommeil léger (des boules

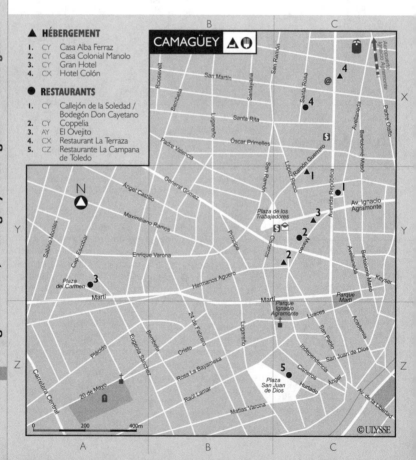

▲ **HÉBERGEMENT**

1.	CY	Casa Alba Ferraz
2.	CY	Casa Colonial Manolo
3.	CY	Gran Hotel
4.	CX	Hotel Colón

● **RESTAURANTS**

1.	CY	Callejón de la Soledad / Bodegón Don Cayetano
2.	CY	Coppelia
3.	AY	El Ovejito
4.	CX	Restaurant La Terraza
5.	CZ	Restaurante La Campana de Toledo

CAMAGÜEY ▲ ●

©ULYSSE

En «tout compris» à Playa Santa Lucía

Playa Santa Lucía accueille également plusieurs touristes qui viennent séjourner dans des complexes hôteliers «tout compris». Pour plus d'information sur ce genre d'établissement, consultez l'encadré à la p 67. Parmi les «tout compris» de l'endroit, le convivial

Club Amigo Caracol (*$$$$ tout compris*) offre un bon rapport qualité/prix et plaira aux familles. La nourriture est surprenante compte tenu de sa qualité. Les chambres sont grandes et aérées, et la plage est plus que correcte.

Quiès peuvent être utiles). Mais l'accueil chaleureux, les excellents repas et la grande terrasse sur le toit en font une adresse de choix qu'il convient de réserver. Deux chambres sont aussi disponibles dans l'appartement voisin. Attention aux *jineteros* qui essaient de vous amener à une autre adresse portant le même numéro civique.

Casa Alba Ferraz
$$ ≡ ✲

Calle Ramón Guerrero (Popular) nº 106, entre López Recio et San Esteban

☎ (32) 28-3030

Cette grande demeure coloniale abrite deux chambres donnant sur un patio intérieur fleuri. L'endroit est charmant et calme, avec un accueil familial.

Gran Hotel
$$$ 🍴 ≡ ✲ ≈

Calle Maceo nº 67, entre Calle Ignacio Agramonte et Calle General Gómez

☎ (32) 29-2094

www.islazul.cu

Très bien situé en plein centre historique de Camagüey, le Gran Hotel possède un charme du début du XXᵉ siècle. Après d'importants travaux de

réfection, l'hôtel peut aujourd'hui s'enorgueillir de proposer des chambres confortables, au mobilier simple mais de bon goût. L'autre ajout le plus remarquable est sa superbe piscine, qui fera les délices de ceux qui veulent se rafraîchir après une promenade dans les rues *muy calientes* de la ville. Les travaux de rénovation ont su conserver et mettre en valeur le cachet colonial de ce vieil édifice de charme. Un très bon rapport qualité/prix.

Hotel Colón
$$$ 🍴 ≡ ⊌

Av. República, entre Calle San José et Calle San Martín

☎ (32) 28-3380

www.islazul.cu

Sur l'Avenida República, à quelques rues de la gare ferroviaire, l'Hotel Colón est aménagé dans une demeure coloniale datant de 1827, dont la rénovation a gardé de nombreux détails d'époque. L'établissement a un cachet particulier, avec ses hauts plafonds et ses longs couloirs éclairés par la lumière du jour. Les chambres sont petites mais joliment meublées. Préférez les suites pour plus de confort. Le patio intérieur est couvert

d'arbres et de plantes: un endroit idéal pour un peu de repos ou de lecture.

Nuevitas

Hotel Caonaba
$$ ⊌

Calle Martí, angle Calle Albaiza

☎ (32) 24-4803

Cet hôtel est idéal pour ceux qui souhaitent passer quelque temps à explorer Cayo Sabinal: il n'y a qu'une trentaine de kilomètres pour se rendre aux fantastiques plages de l'île. L'Hotel Caonaba est juché sur une petite colline à l'entrée de la ville et offre une vue magnifique sur la baie. Ses 48 chambres, toutes propres, sont pour la plupart agrémentées d'agréables balcons.

Playa Santa Lucía

Hotel Escuela Santa Lucía
$$ ≡ ⊌

Carretera Santa Lucía

☎ (32) 33-6310

Cet hôtel-école est l'option la plus économique de Playa Santa Lucía. Situé à l'extrémité nord-ouest de la plage, ce petit établissement de 30 chambres compte sur un personnel accueillant. La plage qui lui fait face n'est

HOLGUÍN

274

HÉBERGEMENT ▲

1. BY Lourdes y Eduardo
2. BY Villa Aurora
3. EY Villa El Bosque
4. CZ Villa Islazul Mirador de Mayabe

RESTAURANTS ●

1. BY Dimar La Marqueta
2. BY La Begonia
3. BY Salón 1720
4. DY Taberna Pancho

Rue piétonne

0   250   500m

pas la meilleure de Playa Santa Lucía, mais il ne faut que quelques minutes de marche pour accéder aux plus beaux secteurs (certains préfèrent toutefois cette portion de la plage qui est moins fréquentée par les visiteurs). Réservations recommandées.

Holguín

Lourdes y Eduardo
$ ≡ ✳ **P**
Calle Mártires n° 25, entre Agramonte et Garayalde
☎ (24) 47-2233
À deux pas du centre-ville, cette *casa particular* n'offre qu'une seule chambre, propre et agréable. Accueil sympathique.

Villa El Bosque
$$-$$$ ≡ ≈ ♨
Av. Jorge Dimitrov
☎ (24) 48-1012
www.islazul.cu
Près du centre-ville, la Villa El Bosque est entourée d'un terrain boisé. La plupart des chambres sont réparties dans des bungalows rusti-

ques offrant une ambiance détendue et sympathique dans un cadre naturel! Un bon choix à Holguín pour se sentir en vacances.

Villa Aurora
$$ ≡ ✳
Calle Caballero n° 132, entre Gómez et Torres
☎ (24) 47-2801
mundo168@enet.cu
Depuis la rue, il faut monter l'escalier jusqu'au premier étage pour accéder à cette *casa particular* toute simple mais agréable. Les deux chambres se partagent un étage, avec un salon commun au milieu, ce qui en fait un endroit parfait pour les familles ou les petits groupes. Son emplacement, juste à côté de la Plaza de la Marqueta, est des plus pratiques.

Villa Islazul Mirador de Mayabe
$$$ ≡ ≈ ♨
Alturas de Mayabe, Km 8
☎ (24) 42-2160
www.islazul.cu
À 8 km au sud d'Holguín, la Villa Islazul Mirador de Mayabe est juchée sur une

élévation montagneuse au-dessus de la vallée de Mayabe. On peut y jouir d'un agréable point de vue et d'une ambiance champêtre, bien qu'on y fasse jouer une forte musique de discothèque par moments. L'établissement se compose de cabanes rustiques plutôt confortables. Forfaits «tout compris» disponibles.

Cayo Saetía

Villa Cayo Saetía
$$$$ *tout compris* ≡ ♨
Mayarí
☎ (24) 96-900 ou 96-901
www.gaviota-grupo.com
Les *cabañas* de la Villa Cayo Saetía sont confortables et spacieuses. L'hôtel propose une multitude d'activités, dont les fameux safaris en tout-terrain, des promenades en bateau dans la baie et des randonnées à cheval. Les plages sont un peu éloignées des *cabañas*, mais elles se révèlent magnifiques, bordées par des falaises de plus de 10 m de haut. Le restau-

---

En «tout compris» à Guardalavaca

Guardalavaca fait également partie de ces destinations cubaines où les visiteurs sont généralement hébergés dans de grands complexes hôteliers offrant des forfaits «tout compris» (voir l'encadré p 67). Voici quelques établissements qui sont susceptibles d'être proposés par les voyagistes.

Le **Club Amigo Guardalavaca Village** **($$$$** *tout compris)* offre une longue et superbe plage à sa clientèle. On y trouve toutes les installations nécessaires pour un séjour réussi. Les cham-

bres sont spacieuses et confortables, et plusieurs d'entre elles ont vue sur la mer. De plus, une série de bungalows sont situés près de la mer.

Le **Paradisus Río de Oro ($$$$$** *tout compris)* est l'un des plus beaux établissements touristiques de l'île. Les vacanciers apprécient particulièrement la décoration des chambres, la nourriture du buffet, le service courtois et raffiné, la plage magnifique et le calme des lieux.

rant est incroyable avec sa décoration pseudo-africaine et sa collection d'animaux accrochés un peu partout. Le transport vers la Villa Cayo Saetía s'effectue généralement en autocar ou en hélicoptère (voir p 269).

Gibara

Nous vous conseillons de réserver votre hébergement à l'avance, car Gibara ne compte qu'une dizaine de *casas particulares*, et le seul hôtel de la ville a fermé ses portes. Pendant le **Festival Internacional del Cine Pobre** (voir p 279), à la mi-avril, trouver une chambre en ville et même dans les environs sans avoir réservé plusieurs semaines à l'avance risque fort d'être une véritable mission impossible.

Campismo Silla de Gibara
$ ♨ ≋ ≡
☎ (24) 42-1586 ou 42-2881 (réservations)
Ce *campismo* situé dans les montagnes aux alentours de Gibara est un endroit idéal pour ceux qui veulent profiter de cette nature unique. Les chambres, qui peuvent accueillir de deux à six personnes, sont réparties dans des cabanes. Elles ne sont pas luxueuses, mais elles offrent toutes les commodités. Des balades à cheval et des sentiers de randonnée se trouvent sur place. Pour s'y rendre, il est nécessaire d'avoir un véhicule. L'établissement se trouve à 35 km au sud-est de Gibara, entre les villages de Floro Pérez et de Rafael Freyre.

Hostal Horizonte
$$ ≡ ✳ **P**
Calle Independencia nº 107, entre Agramonte et Cavada
☎ (24) 84-4495
Cette *casa* se trouve un peu excentrée, sur les hauteurs de la ville, ce qui lui permet d'offrir, depuis sa grande terrasse, une splendide vue panoramique sur Gibara et la baie. Les deux chambres, agréables et lumineuses, sont indépendantes du reste de la maison et donnent sur cette même terrasse où les délicieux repas sont servis. Accueil très sympathique.

Hostal Los Hermanos
$$ ≡
Calle Cespedes nº 18, entre Peralta et Caballero
☎ (24) 84-4542
Cette superbe maison coloniale, avec meubles antiques, hauts plafonds et jardin luxuriant, offre deux chambres différentes: celle donnant sur le jardin s'avère plus charmante, mais celle à l'étage, plus moderne, offre plus d'autonomie. Quel que soit votre choix, vous aurez droit à un accueil des plus cordiaux, dans un cadre imbattable.

 Restaurants

Ciego de Ávila

Voir carte p 270

La Romagnola
$
18h à 22h
Carretera Central, entre M. Gómez et Honorato del Castillo
☎ (33) 22-5989
Près du Parque Martí, La Romagnola est un restaurant italien au décor soigné et au menu de pâtes variées et peu dispendieuses. On y mange les plats italiens habituels, spaghettis et pizzas étant les spécialités de la maison. L'aménagement intérieur est simple mais de bon goût.

Restaurante Don Pepe
$$
Calle Independencia nº 103
☎ (33) 22-3713
Le plus bel établissement de Ciego de Ávila contraste avec le reste de la ville. Avec ses jolies portes en bois et sa toiture de style colonial, le Restaurante Don Pepe offre une atmosphère détendue qui saura vous plaire. On y sert de la cuisine créole.

Morón

Las Fuentes
$
Calle Martí, entre Libertad et Agramonte
☎ (33) 50-5758
Vous trouverez certainement un plat qui vous conviendra sur le menu de ce sympathique restaurant, qui propose des salades et des fruits de mer, de même que des spécialités cubaines et internationales. De plus, la décoration est agréable, tout comme le patio avec sa fontaine.

Camagüey et ses environs

Voir carte p 272

On trouve de nombreuses cafétérias, pratiques et bon marché aux alentours de la Plaza de los Trabajadores et le long de la Calle República.

Coppelia

Independencia, angle M.I. Agra
☎ (32) 29-4851
Pour une glace, rendez-vous à cette succursale de la chaîne Coppelia.

Restaurant La Terraza
$
Santa Rosa n° 8, entre Santa Rita et San Martín
☎ (32) 29-8705
La petite terrasse à l'étage qui donne son nom à ce *paladar* renferme quelques tables un peu trop rapprochées les unes des autres, ce qui crée une ambiance conviviale mais pas très intime. Au menu, de nombreux plats de viande, par exemple de l'agneau, que l'on peut accompagner d'une bonne variété de légumes, le tout à des prix plus que raisonnables.

Callejón de la Soledad / Bodegón Don Cayetano
$-$$
Callejón de la Soledad, angle República
☎ (32) 29-1961
Ces deux établissements se partagent le même emplacement. On profite de la belle terrasse, un véritable havre de paix à l'ombre de l'église de la Soledad, pour boire un verre ou manger quelques plats simples tels que des hamburgers. À l'intérieur, Don Cayetano propose des mets plus recherchés dans un décor boisé tout aussi agréable.

El Ovejito
$-$$
Calle Hermanos Agüero n° 280, Plaza del Carmen
☎ (32) 24-2498
L'emplacement de cet agréable établissement, directement sur la Plaza del Carmen, le rend encore plus

sympathique. Le restaurant est installé dans une belle vieille maison coloniale dont on ouvre les battants le soir venu. La spécialité de la maison est l'agneau, mais on trouve aussi bien d'autres plats. Un endroit romantique à souhait.

Restaurante La Campana de Toledo
$$
Plaza San Juan de Dios
☎ (32) 28-6812
Ce restaurant touristique est aménagé dans une jolie maison coloniale donnant sur la belle Plaza San Juan de Dios. Des tables sont disposées sous des arches et dans le patio. On y offre une très bonne ambiance et un service courtois. La spécialité de l'établissement est le Boliche de Mechado, du bœuf apprêté selon une recette traditionnelle de Camagüey, une région reconnue pour la qualité de son élevage de bétail.

Playa Santa Lucía

Resto Luna Mar
$$
Centro Comercial
☎ (32) 33-6146
Le Resto Luna Mar sert une nourriture internationale, avec plusieurs spécialités de plats de fruits de mer, dans un décor agréable: ses grandes portes de verre s'ouvrent sur la mer. Comme il s'agit d'un petit restaurant et qu'il y en a peu dans le coin, il vaut mieux réserver.

- - - - - - - - - - - - - - - - -

Holguín

Voir carte p 274

En cas de fringale, vous trouverez de nombreuses *cafeterías* le long d'*El Boulevard* (voir p 265), cette

rue piétonne qui rejoint les trois principaux parcs de la ville.

Dimar La Marqueta
$
Calle Mártires n° 133, entre Martí et Luz Caballero
Ce petit restaurant tout simple se spécialise dans les délices de la mer. La cuisine ouverte sur la salle en fait un endroit des plus sympathiques, et les plats qui y sont concoctés (entre autres les *camarones*) sont très réussis.

La Begonia
$
Calle Maceo n° 176, entre Calle Frexes et Calle Martí
Adjacent au Parque Calixto García, le restaurant La Begonia se présente comme un charmant petit casse-croûte avec une terrasse sous les fleurs.

Taberna Pancho
$
12h à 16h et 18h à 22h
Av. Jorge Dimitrov, près de la Plaza de la Revolución
☎ (24) 48-1868
Les amateurs de hamburgers et autres bons morceaux de viande ne manqueront pas d'aller faire un tour du côté de la Taberna Pancho. Comme son nom l'indique en espagnol, on y sert aussi des *cervezas*, idéales pour accompagner votre plat. Étonnamment, l'établissement est localisé à proximité des hôtels haut de gamme, donc malheureusement un peu trop à l'écart du centre-ville.

Salón 1720
$$
Calle Frexes, angle Miró
☎ (24) 46-8150
Considéré comme la meilleure table en ville, le Salón 1720 loge dans une grande et belle maison

coloniale datant de 1903. Les deux petites salles du restaurant, chics et intimes mais sans aucune vue sur l'extérieur, ne comptent qu'une vingtaine de places; les réservations peuvent donc être utiles. Le menu international se spécialise dans les fruits de mer et les poissons, et le service est impeccable. Avant ou après votre repas, le bar dans le patio ou celui de la terrasse sur le toit sont de bons endroits pour boire un verre.

Guardalavaca

El Cayuelo
$$
1 km à l'est de l'Hotel Las Brisas Guardalavaca
☎ (24) 3-0736
Voici une bonne option pour faire changement des restaurants des complexes hôteliers. Situé sur la plage, ce restaurant sert bien évidemment des poissons et des fruits de mer, délicieux et à prix raisonnables.

Gibara

On trouve quelques *paladares* à Gibara, et vous risquez fort d'être abordé pour qu'on vous y emmène. Le soir, ce sont dans les *casas particulares* que vous mangerez le mieux. La tortue de mer, une spécialité du coin, est souvent proposée au menu; refusez poliment si vous ne voulez pas encourager la pêche de cette espèce menacée.

Restaurante Faro Gibara
$-$$
11h à 19h
Plaza del Fuerte
☎ (24) 84-4596
Voici l'endroit idéal pour prendre le repas de midi

si vous faites une excursion d'un jour à Gibara. Le restaurant dispose d'une agréable terrasse devant la mer et d'une petite plage privée en contrebas. On y sert un menu de cafétéria (entre autres des pizzas), de la cuisine créole et quelques plats de fruits de mer et de poisson.

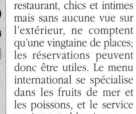

Sorties

■ Activités culturelles

Ciego de Ávila

Casa de la Trova
mar-dim 16h à 2h
Calle Libertad nº 130, angle Calle Simón Reyes
La Casa de la Trova présente des concerts de *trova*, de boléro et de jazz.

Morón

Casa de la Trova
mar-dim dès 14h
Calle Libertad nº 74, angle Av. Martí
La Casa de la Trova présente des spectacles de musique traditionnelle cubaine. On peut y voir des photos de musiciens et quelques instruments typiques.

Casa de la Cultura Haydée Santamaría
mar-dim
Av. Martí nº 218
☎ (33) 50-4309
La Casa de la Cultura Haydée Santamaría propose régulièrement des spectacles de danse folklorique et afro-cubaine. Le groupe Renacer Haitiano produit des spectacles de danse vaudou issue de la communauté haïtienne.

Galería de Arte
mar-dim
Av. Martí nº 151
En face de la Casa de la Cultura, la petite Galería de Arte expose des peintures d'artistes locaux.

Camagüey

Casa de la Trova
3 CUC
mar-dim 20h30
Calle Cisneros, Parque Ignacio Agramonte
☎ (32) 29-1357
La Casa de la Trova de Camagüey est particulièrement charmante. Cette institution de la musique traditionnelle cubaine loge dans une maison coloniale aux nombreuses arches et se cache derrière une grande porte en bois.

Uneac
Calle Cisneros nº 159
☎ (32) 29-1508
L'Uneac, l'Union nationale des écrivains et artistes de Cuba, organise de nombreuses expositions et activités culturelles, entre autres des concerts le samedi soir.

Teatro Principal
Calle Padre Valencia nº 64
☎ (32) 29-2472 ou 29-3048
Le Teatro Principal présente souvent des spectacles de musique et de danse. Le Ballet de Camagüey, fondé en 1967, y fait souvent des apparitions. Pour savoir ce qui s'y passe, le mieux est de s'informer sur place.

Cine Encanto
Av. Ignacio Agramonte, entre la Plaza de los Trabajadores et l'Avenida República
☎ (32) 29-5511
Le Cine Encanto fonctionne comme une espèce de cinémathèque. On y présente souvent des films étrangers, parfois français. Juste

à côté, sur le même côté de la rue, se trouvent aussi la **Sala Video Nuevo Mundo** et le **Cine Casablanca**, qui proposent de bonnes sélections de films. Les programmes sont affichés sur les portes de chaque établissement.

Holguín

Holguín est une ville où la musique résonne à tous les coins de rue, notamment en passant aux alentours du conservatoire de musique le long du Parque Peralta. Au centre de la **Plaza de la Marqueta**, dans un bâtiment quelque peu en ruine, de nombreux concerts sont présentés, la plupart du temps gratuitement. Rendez-vous sur place pour connaître la programmation.

Casa de la Trova

Calle Maceo n° 174, entre Calle Frexes et Calle Martí, Parque Calixto García
La Casa de la Trova est un endroit sympathique pour sortir en fin d'après-midi et aller écouter des groupes de musique populaire et traditionnelle.

Casa de la Música
2 à 5 CUC
Calle Frexes, angle Calle Libertad
Véritable temple dédié à la musique, la Casa de la Música bénéficie d'une terrasse donnant sur *El Boulevard*, d'un piano-bar un peu sinistre, d'une salle de concerts où l'on danse aux rythmes de la musique latino-américaine à partir de 23h, et enfin d'une grande terrasse sur le toit, avec vue sur le Parque Calixto García.

Casa de la Cultura

Calle Maceo n° 172, entre Calle Frexes et Calle Martí, Parque Calixto García
☎ (24) 42-2084
Voisine de la Casa de la Trova, la Casa de la Cultura dispose d'une petite galerie d'art où l'on projette des films sur bande vidéo.

Cabaret Nocturno
10 CUC
Carretera Central, Km 0,5 en direction de Las Tunas
☎ (24) 42-5185
Le Cabaret Nocturno est une institution à Holguín. Il se veut le pendant de l'Oriente, au Tropicana de La Havane. On y présente des spectacles de variétés de qualité tous les soirs dès 21h. Le Cabaret Nocturno est situé un peu à l'extérieur de la ville.

Gibara

Cine Jiba

Parque Calixto García
☎ (24) 84-4629
Cette salle de plus de 400 places affiche une bonne programmation de films cubains et internationaux. Ce cinéma accueille aussi tous les ans le **Festival Internacional del Cine Pobre** *(www.festivalcinepobre.org)*, qui a lieu à la mi-avril pendant une semaine. Sa particularité est de présenter des films à petits budgets. Cette manifestation attire de plus en plus de gens et, pendant cette période, il est très difficile de se loger dans la région sans avoir de réservations.

■ Bars et boîtes de nuit

Camagüey

El Cambio
tlj 10h à 2h
Calle Martí, angle Calle Independencia, Parque Ignacio Agramonte
L'un des rares établissements à avoir conservé son charme d'avant la Révolution, ce petit café est aménagé dans une maison du début du XXᵉ siècle où l'on vendait autrefois des billets de loterie et du rhum. L'interdiction des loteries, en 1960, changea la vocation de l'établissement, qui affiche toutefois, sur ses murs intérieurs, la marque de cette époque révolue, au milieu des nombreux graffitis. Bonne sélection de rhums et ambiance conviviale.

Holguín

Salón 1720
Calle Frexes, angle Miró
☎ (24) 46 8150
Pour prendre un verre et vous mélanger à la jeunesse dorée locale, rendez-vous au Salón 1720. Le bar dans le patio est plus tranquille que celui de la terrasse située sur le toit, où l'on assiste, les fins de semaine, à des concerts gratuits.

Guardalavaca

Dulce Vida
☎ (24) 3-0218 ou 3-0018
La discothèque de l'Hotel Las Brisas Guardalavaca, La Dulce Vida, est particulièrement animée une fois la nuit tombée.

La Roca
☎ (24) 3-0167

La discothèque extérieure La Roca se trouve à même Playa Esmeralda et constitue l'établissement idéal pour une sortie réussie sous les étoiles. L'ambiance tropicale invite à la fête, et les plus endurcis veilleront sans peine jusqu'aux petites heures du matin.

Gibara

La Batería
Plaza del Fuerte

Dans l'enceinte de l'ancienne forteresse, on prend un verre face à la mer. Musique et concerts les fins de semaine.

 Achats

Camagüey

Fondo de Bienes Culturales
lun-ven
Av. de la Libertad nº 112, entre Rodríguez et Javier de la Vega

Un peu excentré, le Fondo de Bienes Culturales se trouve au sud de la rivière et propose de l'artisanat local.

Playa Santa Lucía

Le **Centro Comercial Cubanacán Palmarés** fait face à la mer. Il s'agit d'un petit complexe de neuf boutiques et d'un point de vente de crème glacée. On y trouve des cigares, de l'artisanat et une *tienda*. Le centre commercial est ouvert de 9h à 18h tous les jours.

Holguín

Fondo de Bienes Culturales
lun-sam 10h à 17h
Calle Frexes nº 196
☎ 42-3782

Le Fondo de Bienes Culturales loge dans la maison adjacente au musée. Vous y trouverez un vaste choix d'artisanat conçu dans la province d'Holguín.

Guardalavaca

Pour rapporter quelques souvenirs dans vos bagages, rendez-vous au petit **marché d'artisanat** qui se trouve à côté de l'hôtel Club Amigo Atlántico.

Santiago de Cuba et l'Oriente

Guantánamo

Baracoa

La Sierra Maestra

Autour de Santiago de Cuba

Santiago de Cuba

SANTIAGO DE CUBA
ET LA SIERRA MAESTRA

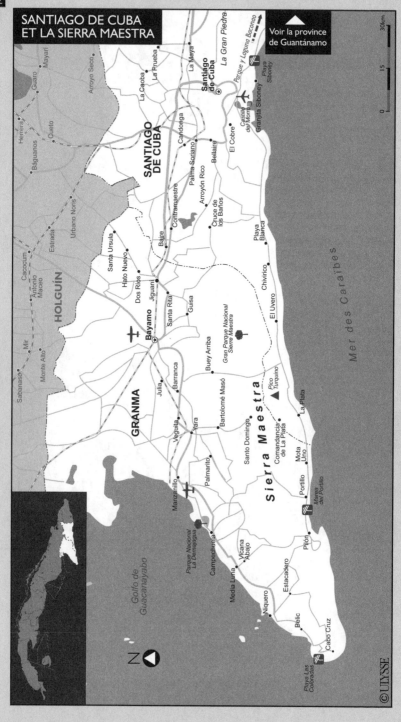

Voir la province
de Guantánamo

0   15   30 km

SANTIAGO
DE CUBA

HOLGUÍN

GRANMA

Sierra Maestra

Mer des Caraïbes

Golfo de
Guacanayabo

N

©ULYSSE

La Gran Piedra
Parque y Laguna Baconao
Playa Siboney
Santiago
de Cuba
La Maya
La Caoba
La Prueba
Granjita Siboney
Castillo
del Morro
Cardonga
El Cobre
Palma Soriano
Bellaire
Arroyón Rico
Cruce de
los Baños
Playa Blanca
Contramaestre
Baire
Chivirico
El Uvero
Santa Ursula
Hato Nuevo
Dos Ríos
Jiguaní
Santa Rita
Guisa
Gran Parque Nacional
Sierra Maestra
Bayamo
Buey Arriba
Pico
Turquino
La Plata
Barranca
Bartolomé Masó
Comandancia
de La Plata
Mota
Uno
Julia
Veguita
Yara
Santo Domingo
Portillo
Marea
del Portillo
Manzanillo
Palmarito
Campechuela
Vicana
Abajo
Pilón
Parque Nacional
La Demajagua
Media Luna
Niquero
Estacadero
Belic
Cabo Cruz
Playa Las
Coloradas
Mayarí
Guaro
Arroyo Seco
Herrera
Báguanos
Queto
Cacocum
Antonio
Maceo
Estrada
Urbano Noris
Mir
Monte Alto
Sabanazo
La Caoba

L'Oriente fut l'une des six grandes provinces du pays jusqu'en 1976. Elle englobait alors les provinces actuelles de Las Tunas, Granma, Holguín, Santiago de Cuba et Guantánamo. Pour des raisons pratiques de proximité, nous faisons référence ici aux trois provinces de l'extrême est du pays, à savoir Granma, Santiago de Cuba et Guantánamo.

Santiago de Cuba, la deuxième agglomération en importance de l'île, est une ville vivante où la musique, dont les racines sont aussi métissées que la population locale, surgit à chaque coin de rue. Berceau de toutes les révolutions, elle est parfaitement représentée par sa devise: *Rebelde ayer, hospitalaria hoy, heroica siempre* (rebelle hier, hospitalière aujourd'hui, toujours héroïque). Ses nombreux musées, ses petites rues de quartier pittoresques qui descendent vers le port, ses parcs ombragés, mais aussi ses nombreux parcs et plages se trouvant assez proches de la ville pour être visités dans la journée, vous retiendront assurément quelques jours.

À l'ouest de Santiago, la province de Granma est la plus montagneuse du pays, car la mythique Sierra Maestra la traverse. S'élever à ses hauteurs, c'est gravir le Pico Turquino, le plus haut sommet du pays, et faire la découverte de la Comandancia de la Plata, l'endroit où Fidel Castro avait installé son poste de commandement au plus fort des combats entre ses guérilleros et l'armée cubaine dans les années 1950. Capitale de la province de Granma, Bayamo est une ville tranquille qui n'attire pas les foules de touristes et offre l'occasion de se plonger dans l'univers quotidien des Cubains. La route qui longe le flanc sud de la Sierra Maestra permet de faire un circuit intéressant en traçant un large cercle autour de la plus haute chaîne de montagnes du pays, tout en longeant la mer.

Aujourd'hui capitale de la province du même nom, Guantánamo est mondialement connue pour la base navale américaine et pour son hymne, *La Guantanamera*. Cependant, le meilleur de cette province se trouve plus à l'est. La côte orientale de Cuba donne une impression de bout du monde. Elle a été façonnée au cours des siècles par le fœhn, un vent naissant de la chaleur de la mer et créant un microclimat semi-désertique qui a favorisé la croissance de cactus. La saisissante route de 160 km qui sépare Guantánamo de Baracoa franchit des montagnes escarpées et zigzague à travers des paysages à couper le souffle. Pour les habitants de Baracoa, cette route qui traverse les montagnes *«est comme une branche infinie que quelqu'un a voulu accrocher au ciel»*. Vous y découvrirez de petites maisons basses et plusieurs plantations de cacaoyers.

Baracoa est une ville magique. Ici les mythes et les légendes valsent d'un commun accord avec la réalité historique. Première *villa* fondée par les Espagnols en 1511, Baracoa, mot d'origine arauca, signifie «présence de la mer». Puisque l'architecture coloniale n'a pas su résister aux aléas du temps, le charme de Baracoa est mystérieux et tout en nuances. Est-ce le caractère particulier des habitants de Baracoa vivant dans une ville qui a été oubliée au cours des siècles? Le cadre naturel qui l'entoure? La mer et les montagnes? L'esprit des nombreux indigènes qui peuplèrent autrefois ces terres et dont on peut trouver encore aujourd'hui des descendants sur l'île? L'esprit de Baracoa, c'est sans doute un peu de tout cela, avec en prime un sentiment du jour premier, car ce serait à Baracoa que Christophe Colomb aurait foulé le sol cubain en 1492. Vous aurez certainement de la peine à quitter cet endroit du bout du monde, après être parti à la découverte des rivières, des plages et des petits villages de cultivateurs de cacao dans les montagnes environnantes.

Accès et déplacements

■ En avion

Santiago de Cuba

Situé à 5 km au sud de la ville, l'**Aeropuerto Internacional Antonio Maceo** (☎ 22-69-8614) s'avère moderne et fonctionnel avec ses bureaux d'information touristique, son service de location de voitures et ses taxis. Comptez environ 10 CUC pour le trajet en taxi vers le centre-ville. Par ailleurs, quelques autobus font la navette sans horaire régulier. Pour l'auto-stop, rendez-vous à la Carretera del Morro, à quelques centaines de mètres de l'aéroport.

Cubana de Aviación *(Calle Enramada, angle Lacret, ☎22-65-1577 ou 22-69-1214 à l'aéroport, www.cubana.cu)* propose de un à trois vols quotidiens en direction de **La Havane** *(environ 100 CUC, aller simple)*. **Aerocaribbean** *(Calle Lacret, à côté du bureau d'Infotur, ☎22-68-7255 ou 22-69-4000 à l'aéroport)* offre quatre vols par semaine à destination de **La Havane** *(environ 115 CUC, aller simple)*. En saison, plusieurs compagnies de charter, dont **Sunwing** *(www.sunwing.ca)* depuis Toronto, volent directement vers Santiago de Cuba.

Bayamo

L'**Aeropuerto Carlos Manuel de Céspedes** *(☎23-42-7514)* se trouve sur la route qui mène à Holguín, à 4 km du centre-ville de Bayamo. **Cubana de Aviación** *(52 Calle Martí, ☎23-42-7507, www.cubana.cu)* y propose plusieurs vols par semaine pour **La Havane** *(environ 100 CUC)*.

Manzanillo

L'**Aeropuerto Internacional Sierra Maestra** *(route de Cayo Espino, Km 7, ☎23-57-7401)* accueille des vols internationaux, notamment de **Sunwing** *(www.sunwing.ca)*, et propose plusieurs vols hebdomadaires à destination de **La Havane** avec **Cubana de Aviación** *(environ 100 CUC; www.cubana.cu)*.

Guantánamo

Cubana de Aviación *(517 Calle Calixto García, ☎21-35-5912, www.cubana.cu)* propose une liaison quotidienne entre Guantánamo et **La Havane** *(118 CUC)*.

Baracoa

Cubana de Aviación *(www.cubana.cu)* offre deux vols par semaine entre **La Havane** et l'**Aeropuerto Baracoa** *(128 CUC; jeu et dim)*.

■ En voiture

Santiago de Cuba

Les grands hôtels de Santiago de Cuba, de même que ceux des plages à l'est de Santiago, proposent tous la location de voitures. Voici quelques adresses de l'agence Transtur:

Transtur
Aeropuerto Internacional Antonio Maceo
☎22-68 6161
Av. de los Desfiles y Las Americas, Centro de Tráfico
☎22-65-2323
Hotel Las Américas
Av. de las Américas, angle Calle General Cebreco
☎22-68-7160
Hotel Meliá Santiago de Cuba
Av. de las Américas, angle Calle M
☎22-68-7170
www.transtur.cu

Bayamo

À Bayamo, vous pourrez vous adresser à **Vía Rent a Car** *(Hotel Telégrafo, Calle Saco nº 108, entre Calle Marmol et Calle General García, ☎23-42-1252, www.gaviota-grupo.com)* pour louer une voiture.

Manzanillo

À Manzanillo, vous pourrez louer une voiture chez **Transtur** *(Hotel Guacanaybo, Av. Camilo Cienfuegos, ☎23-57-7736, www.transtur.cu)*.

Guantánamo

L'autoroute de 86 km reliant Santiago de Cuba et Guantánamo est l'une des meilleures du pays. Cette autoroute de plusieurs voies est généralement vide. Elle a été vraisemblablement construite pour protéger le pays contre une attaque éventuelle des États-Unis à partir de leur base de Guantánamo. Pour louer une voiture en ville, rendez-vous chez **Havanautos** *(angle Calle del Prado et 6 Este, ☎21-35-5405)*.

Baracoa

Vous pourrez louer une voiture au bureau de **Havanautos** *(☎21-64-5343)* de l'aéroport de Baracoa.

■ En autocar

Santiago de Cuba

Víazul *(Av. Libertadores, angle Yarayo, devant la Plaza de la Revolución, ☎22-62-8484, www.viazul.cu)* propose des liaisons avec **La Havane** *(51 CUC; 4 départs/jour dont 1 express; durée: 16h, express 14h; la liaison normale fait des arrêts à Bayamo, Holguín, Camagüey et Santa Clara)*, **Trinidad** *(33 CUC; 1 départ/jour;*

durée: 11h), **Varadero** *(49 CUC; 1 départ/jour;*
durée: 15h) et **Baracoa** *(15 CUC; 1 départ/jour;*
durée: 5h; arrêt à Guantanamo). Les réservations sont conseillées.

Bayamo

Il y a plusieurs départs quotidiens à l'**Estación de Ómnibus Intermunicipales** *(Carretera Central Vía Santiago nº 395,* ☎23-42-6892) en direction de Manzanillo et des autres villes de la province de Granma.

Au départ de l'**Estación de Ómnibus Nacionales** *(Carretera Central Vía Santiago, à côté de la station intermunicipale),* **Víazul** (☎23-42-7482, *www.viazul.com)* assure des liaisons vers **La Havane** *(44 CUC; 3 départs/jour; durée: 12h; arrêt à Holguín)* et **Santiago de Cuba** *(7 CUC; 5 départs/jour; durée: 2h).*

Ces deux gares se trouvent à environ 1,5 km du centre historique de la ville; comptez 1 CUC pour vous y rendre en *bicitaxi.*

Manzanillo

La compagnie Víazul ne dessert pas Manzanillo.

Guantánamo

L'**Estación de Ómnibus Interprovinciales** (☎21-32-5588) se trouve un peu à l'écart de Guantánamo, à l'ouest sur la Carretera de Santiago de Cuba *(Km 2,5).* Si vous partez le jour même, vous pouvez acheter directement votre billet à l'Estación de Ómnibus. Pour réserver à l'avance, vous devrez passer par l'**Agencias de Ómnibus Nacionales** (☎21-4-2216). Les autocars **Víazul** *(www.viazul.com)* qui assurent la liaison quotidienne entre **Santiago de Cuba** *(6 CUC; 1 départ/jour; durée: 1h30)* et **Baracoa** *(10 CUC; 1 départ/jour; durée: 3h30)* s'arrêtent à Guantanamo.

Baracoa

Au départ de l'**Estación de Ómnibus** *(Calle José Martí, près de l'Avenida de los Mártires,* ☎21-64-3880),* **Víazul** *(www.viazul.com)* assure un service quotidien vers **Santiago de Cuba** *(15 CUC; 1 départ/jour; durée: 5h; arrêt à Guantanamo).* Il est fortement conseillé de réserver sa place un ou deux jours à l'avance.

■ En train

Santiago de Cuba

L'**Estación de Trenes de Santiago** *(Av. Jesús Menéndez,* ☎22-62 2836) a complètement été refaite à la fin des années 1990, dans un style grandiose qui n'a rien à envier aux célèbres terminaux européens. Malheureusement, comme partout au pays, les liaisons en train sont sujettes à de nombreux retards et annulations. Lors de notre récente visite à Cuba, même le fameux *tren francés,* réputé comme le plus fiable et le plus confortable pour rejoindre La Havane depuis Santiago de Cuba, ne fonctionnait pas. Il est donc primordial de bien s'informer des horaires avant tout projet de voyage en train. En théorie, plusieurs trains partent de Santiago pour se rendre à **La Havane** *(30 CUC à 60 CUC; durée: 12h à 16h),* desservent les principales villes sur la ligne.

L'achat des billets se fait le jour même à l'**Agencia de Ferrocariles** (☎22-65-1381), qui se trouve à côté de la gare, ou à l'agence **Viajero** *(lun-ven 9h à 19h, sam 8h à 11h; 565 Calle Aguilera, entre Plácido et Monseñor Barnada,* ☎22-65-2143) pour les achats à partir de trois jours avant le départ.

Bayamo

L'**Estación de Trenes** *(Calle Línea, au bout de la Calle José A. Saco,* ☎23-42-3012) se trouve à distance de marche du centre-ville. Vous pourrez y prendre des trains à destination de **La Havane** *(1 départ aux deux jours),* de **Manzanillo** *(2 départs/jour),* de **Camagüey** *(1 départ/jour)* et de **Santiago de Cuba** *(1 départ/jour).*

Manzanillo

Les trains partent de l'**Estación de Trenes de Manzanillo** *(au bout de la Calle Merchán,* ☎23-5-7216) et desservent **La Havane** *(26 CUC; 1 départ/jour; arrêt à Bayamo).*

Guantánamo

Située au nord du Parque Central de Guantánamo, l'**Estación de Trenes** *(Calle Pedro Pérez,* ☎21-32-5557) est plus jolie que pratique. Les départs se font en direction d'Holguín et de La Havane un jour sur deux. Il faut réserver plusieurs semaines à l'avance pour obtenir des billets. D'autres petites villes bordant la baie de Guantánamo sont accessibles par train local.

Santiago de Cuba et l'Oriente - Accès et déplacements

■ En taxi et en *bicitaxi*

Santiago de Cuba

On trouve facilement des taxis de la compagnie officielle **Cubataxi** *(☎22-65-1038)* devant les hôtels et autour du Parque Céspedes.

Si vous recherchez un *taxi particular*, rendez-vous à la gare de trains ou autour de la Plaza de Marte.

Bayamo

Les taxis officiels de **Cubataxi** *(☎23-42-4313)* peuvent vous amener jusqu'au Gran Parque Nacional Sierra Maestra pour environ 50 CUC aller-retour.

On trouve aussi en ville de nombreux *bici-taxis (comptez de 10 à 15 pesos/trajet)*, ainsi que des **calèches** *(1 peso)* effectuant entre autres des trajets réguliers entre la gare de trains et la gare de bus.

■ En scooter

Santiago de Cuba

Un scooter peut être une façon agréable et pratique de visiter les alentours de Santiago. Vous pourrez en louer un à l'**Hotel Meliá Santiago de Cuba** *(24 CUC/24h; Av. de las Américas, angle Calle M, ☎22-64-4181)*.

Renseignements utiles

■ Bureaux de change

Santiago de Cuba

Banco Financiero Internacional
Calle Félix Peña, une rue à l'ouest du Parque Céspedes
On trouve aussi des bureaux de change dans tous les grands hôtels, notamment une Cadeca à l'**Hotel Meliá Santiago de Cuba** *(Av. de las Américas, angle Calle M)*.

Manzanillo

Cadeca
184 Calle Martí, entre Narciso López et Pedro Figueredo

Bayamo

Cadeca
Calle Saco, en face de l'hôtel Telégrafo

Baracoa

Cadeca
421 Calle Martí

■ Communications

Santiago de Cuba

Telepunto ETECSA
Calle Heredia, angle Pena (sous la cathédrale)
Téléphone et Internet.

Bayamo

Telepunto ETECSA
109 Calle General García
Téléphone et Internet.

Bureau de poste
2 Calle Libertad, Plaza de la Revolución

Guantánamo

Le service de courrier est proposé par la réception de l'**Hotel Guantánamo** *(Calle 13 Norte, angle Calle Abogado)*.

Baracoa

Telepunto ETECSA
Calle Maceo, angle Rafael Trejo
Téléphone et Internet.

■ Renseignements touristiques

Santiago de Cuba

Infotur *(Calle Heredia, angle Lacret, Parque Céspedes, ☎22-66-9401, www.infotur.cu)* partage ses bureaux avec l'agence **Cubatur** *(☎22-68-6033)*.

Vous trouverez également de l'information touristique sur Santiago de Cuba sur les sites Internet *www.santiago.cu* et *www.santiagoencuba.com*.

Bayamo

Le bureau d'**Infotur** se trouve à l'**Hotel Telégrafo** *(Calle Saco nº 108, entre Calle Marmol et Calle General García)*.

Manzanillo

Le bureau d'information touristique de l'**Hotel Guacanayabo** *(Av. Camilo Cienfuegos)* pourra répondre à toutes vos questions.

Guantánamo

Rendez-vous chez **Havanatur** *(Calle Aguilera, entre Maceo et García,* ☎ *21-32-6365)* afin d'organiser une excursion vers Caimanera pour apercevoir la base américaine.

Baracoa

En plus des bureaux d'**Infotur** *(129 A Calle Maceo,* ☎ *21-64-1781)*, d'**Ecotur** *(24 Calle Coronel Cardoza, entre Mariana Grajales et Primero de Abril,* ☎ *21-64-3665)* et de **Cubatur** *(Calle Maceo, angle Pelayo Cuervo,* ☎ *21-64-5306)*, on trouve de précieuses informations sur le site Internet *www.baracoa.org*.

■ Sécurité

Santiago de Cuba

Le *jineterismo*, cette tendance des jeunes à soutirer ingénieusement aux touristes quelques dollars pour veiller sur une mère malade ou en échange d'une boîte de cigares, est répandu à Santiago, bien qu'à des proportions moindres qu'à La Havane. Ici tout est en nuances, et l'amitié est la plus fréquente méthode des *jineteros* pour aboutir à leurs fins. Certains mal intentionnés ont su marier leur naturel amical aux difficultés économiques du pays. Les situations de malaise dans les relations entre les touristes et les *Santiagueros* sont malheureusement courantes. Les vols ont lieu généralement une fois que la confiance s'est installée et que vous avez négligé la surveillance de vos effets personnels.

■ Soins médicaux

Santiago de Cuba

Clínica Internacional de Santiago de Cuba
Av. Pujols, angle Calle 10, Reparto Terraza
☎ (22) 64-2589

Baracoa

Clínica Internacional de Baracoa
Calle Martí, angle Roberto Reyes
☎ (21) 64-1037

Attraits touristiques

Santiago de Cuba ★ ★ ★

▲ *p 312*   ◍ *p 319*   ➴ *p 321*   ▣ *p 323*

Capitale de la culture afro-cubaine au pays, Santiago de Cuba est une ville chaude sous le soleil de midi et endiablée jusqu'aux petites heures du matin. De nuit comme de jour, un rythme lointain résonne dans les rues tortueuses et escarpées de Santiago, un appel à la danse et à la découverte. Elle représente ce que La Nouvelle-Orléans est aux États-Unis ou Salvador de Bahia au Brésil. Ici les cultures se mêlent, créant une diversité ethnique unique au pays. Les Africains, les Français, les Espagnols, les Chinois et même les Autochtones ont formé, au cours des siècles, une culture qui a influencé le reste du pays. Berceau du *son*, la base rythmique de la musique cubaine, Santiago de Cuba peut se vanter d'être la plus exotique et la plus typique des grandes villes du pays.

Les 25, 26 et 27 juillet sont les jours les plus importants du carnaval de Santiago, dédié à Santiago Apóstol (l'apôtre saint Jacques). C'est le moment de l'année où la ville est le plus fidèle à elle-même, alors que la joie s'empare de la population qui descend de tous les quartiers dans les rues du vieux quartier de Santiago.

Santiago de Cuba se trouve entre les hautes montagnes de la Sierra Maestra et la mer. Sa situation géographique, devant une large baie, a permis le développement rapide de cette ville qui fut un temps capitale du pays. Fondée en 1515 par Diego Velázquez, elle s'enrichit de l'exploitation du cuivre et des richesses qui passaient par la ville avant de se rendre en Espagne.

Hernán Cortés, qui orchestra la conquête du Mexique, fut le premier maire de Santiago. Les fortunes colossales qu'il amassa avec Diego Velázquez ne sont pas étrangères aux nombreuses merveilles architecturales de cette époque que l'on peut encore admirer aujourd'hui. Santiago de Cuba était promise à un futur brillant, jusqu'à ce que La Havane, mieux située sur la route du commerce maritime, lui rafle la palme. En moins de 40 ans, Santiago perdit son titre de capitale du pays.

Deux événements importants sont venus marquer son histoire au cours des années qui ont suivi. La révolte des esclaves d'Haïti a poussé vers Santiago la majorité des quelque 27 000 Français qui ont pris racine sur l'île de Cuba. La présence française se lit sur l'architecture de la ville, particulièrement dans le quartier de Tívoli, ou dans sa musique, avec cette fameuse *tumba francesa* qui, inspirée du menuet français, marqua si profondément la musique cubaine. Et puis il y eut la guerre américano-espagnole de 1898, qui, de la Loma San Juan à Siboney, a laissé des vestiges qui rappellent au peuple de Santiago le souvenir d'un affront à sa dignité.

Mais Santiago de Cuba s'inscrit avant tout dans l'histoire comme le «berceau des révolutionnaires». De nombreux soulèvements populaires allaient entraîner dans leur sillage la naissance des grands généraux qui fomentèrent les luttes pour l'indépendance de Cuba au XIXe siècle. Carlos Manuel de Céspedes et Antonio Maceo Grajales furent quelques-uns des principaux artisans de ces luttes. Puis c'est ici que Fidel Castro commença ses activités révolutionnaires avec les résultats que l'on sait. Avec Frank País et les autres membres du Grupo Generaciones, ils attaquent en 1953 le Cuartel de Moncada, une caserne de la police de Santiago. Une offensive ratée qui vaudra à Castro l'emprisonnement puis l'exil volontaire. Il choisira aussi cette région pour le débarquement du *Granma*, un bateau provenant du Mexique avec, à son bord, Che Guevara et d'autres rebelles.

Aujourd'hui, Santiago de Cuba, capitale de la province de Santiago, est la deuxième ville en importance à Cuba avec quelque 450 000 habitants, et son économie est surtout basée sur l'agriculture et quelques industries.

Parque Céspedes ★★★

La découverte de Santiago de Cuba, qui a conservé comme nulle autre à Cuba les balcons et les portes en fer forgé caractéristiques de l'architecture coloniale, commence naturellement par le Parque Céspedes. Un monument, au centre de l'ancienne Plaza de Armas, est dédié à Carlos Manuel de Céspedes, considéré comme le «père de la patrie». Ce grand propriétaire terrien et producteur de sucre libéra ses esclaves avant de s'impliquer dans les luttes pour l'indépendance du pays au XIXe siècle.

Dominant le Parque Céspedes, la **Catedral Nuestra Señora de la Asunción ★★★**, communément appelée Catedral de Santiago, est l'une des plus anciennes cathédrales de Cuba. Construite en 1522 puis restaurée en 1932, cette cathédrale classique est dominée par une superbe sculpture, *L'Ange de l'Annonciation*, nichée entre deux hauts clochers en dôme. L'intérieur est tout de bois sculpté.

La basilique loge en son flanc gauche le **Museo Arquidiocesano Mons. Enrique Pérez Serantes** (*1 CUC; lun-sam 9h30 à 17h; ☎22-65-4586*). Installé dans deux salles aux plafonds de style mudéjar absolument étourdissants, le musée se targue de posséder l'une des plus complètes collections de manuscrits se rapportant aux premières années de la colonisation. Les objets religieux et les toiles qui y sont exposés sont de nature à intéresser les amateurs d'art religieux.

Du côté ouest du parc, l'**Hotel Casa Granda ★★**, avec sa coquette terrasse surélevée, s'impose comme le rendez-vous des voyageurs à toute heure du jour et de la nuit. Cigare dans une main et *ron añejo* de sept ans dans l'autre, vous pourrez y revivre l'époque où Graham Green y séjourna pour écrire une partie de *Our Man in Havana*.

SANTIAGO DE CUBA

Rue piétonne

Vers l'aéroport

N

Vista Alegre

Santa Bárbara

Sueño

Plaza de la Revolución Antonio Maceo

COBRE

Parque Ferreiro

Avenida de las Américas

Avenida Cebreco

General Cebreco

Avenida Menuléy

Avenida Victoriano Garzón

Juan Clemente Zenea-Escario

José Antonio Saco Enramada

Vicente Miniet

Aguilera

Luis Fernández Marcané

Alfredo Bravo Correoso

Alfredo Zayas Alfonso

Carlos Mendieta

Miniet

Zomorana

Diego Velázquez

Prudencio Martínez - Pedrera

1ra de Portuondo

General Carlos Roloff - Ceita

Avenida 24 de Febrero

Avenida Céspedes

Raúl Pujol

Avenida

Calle

Terra

Matanzas

Pinar del Río

Ángel Luis Salazar

Avenida de los Libertadores

Avenida Patricio Lumumba

Avenida Los Pinos

Santa Bárbara

Estrella

Av. Mariana Grajales

Avenida de Acanda

Avenida René Ramos Latour

Julián de Casal

G. Miró

Paseo de Martí

Satunino Lora

Monseñor Barnada - Cuartel de Pardo

Donato Mármol

Porfirio Valiente (Calvario)

G. Moncada

(San Mateo)

Pío Rosado

Los Maceos

Habana

Trinidad

Félix Peña

Calle Hartman

Gómez

Corona

Indio

Morúa Delgado

Diez de

Factoría

General Máximo Gómez - S. Germán

Juan Bautista Sagarra

José A. Saco - Enramada

Aguilera

Heredia

Bartolomé Masó - San Basilio

G. Lacret

Diego Palacios (Santa Rita)

Eduardo Yero (Rey Pelayo)

Heredia

V. Betancourt

Voir agrandissement

Parque Céspedes

Padre Pico

Sagarra

Avenida Juan Gualberto Gómez

Carretera Bacardí

Quiala

Libertad

Yarine

Hatuey

Avenida Crombet

Paseo de Martí

Padre Callejas

Gonzalo de Quesada - San Ricardo

Narciso López - San Antonio

Sao del

General Portuondo

General Octubre

Peralejo

La Alameda

Carlos Dubois - Barracones

Avenida Jesús Menéndez

Castillo del Morro

Bahía de Santiago de Cuba

Río Yarayo

800m

400

0

N

X

Y

Z

E

D

C

B

A

Du côté ouest du parc, la **Casa Museo Ambiente Histórico Cubano** ★ ★ ★ *(2 CUC, photos 1 CUC; lun-jeu et sam 9h à 13h et 14h à 17h, ven 14h à 17h, dim 9h à 13h; Calle Félix Peña n° 610, ☎22-65-2652)* est un musée reproduisant différentes ambiances coloniales par l'ameublement et la décoration. Il loge dans la **Casa Diego Velázquez**, un véritable chef-d'œuvre architectural de l'époque coloniale qui fut érigée en 1515 pour Diego Velázquez et qui résiste au temps. L'intérieur s'avère extraordinaire: les meubles, les toitures et les balcons sont tous originaux et de bois sculpté, des tons pastel garnissent les murs, et des boiseries et de nombreuses plantes dans le patio ajoutent aux plaisirs de la découverte.

Toujours sur les abords du Parque Céspedes, dans la Calle Aguilera, l'**Ayuntamiento** est fermé au public, mais il demeure intéressant de par l'influence mauresque qui le caractérise. C'est de son balcon que Fidel Castro annonça au monde le succès de la Révolution, et c'est d'ici qu'il amorça sa fameuse marche à travers l'île jusqu'à La Havane, aux premiers jours de 1959.

À l'est du Parque Céspedes

Du Parque Céspedes, si vous allez vers l'est, vous découvrirez certains des musées les plus intéressants de la ville, ainsi que deux parcs où se réunissent, à toute heure du jour, les habitants de la ville. Vous irez aussi vers ce grand temple dédié à la Révolution qu'est devenu le Cuartel de Moncada.

Le **Museo del Carnaval** ★ ★ *(1 CUC; lun-sam 9h à 17h, dim 9h à 13h; Calle Heredia n° 303, angle Calle Pío Rosado, ☎22-62-6955)* est installé dans une maison du XVIIIe siècle dont les murs, toits et planchers ont été conservés dans leur état original. Le musée retrace l'histoire du carnaval de Santiago. Vieille de 400 ans, cette célébration annuelle portait autrefois le nom de *Fiesta de Mamarchos*. La première salle du musée porte sur la période coloniale, et l'on peut y voir de superbes masques, des costumes et des photos d'époque. La salle des instruments de musique expose tous les instruments typiques utilisés pendant les célébrations (*tumba francesa, conga, corneta china*, etc.). En visitant le musée, vous aurez sans doute la piqûre et l'envie de venir à Santiago en juillet pour le carnaval.

Non loin de là, le **Museo del Ron** *(2 CUC; lun-sam 9h à 17h; 350 Calle San Basilio, angle Carnicería, ☎22-65-8818)* attirera ceux qui veulent en savoir plus sur la fabrication de ce fameux alcool, et admirer une impressionnante collection de bouteilles de rhum cubain. Malheureusement, toutes les explications sont écrites en espagnol, mais des guides multilingues se feront un plaisir de vous conter le long processus. On peut acheter aussi sur place du rhum de la province de Santiago, et même en déguster quelques-uns au bar installé au sous-sol.

Vous pouvez ensuite monter la **Calle Carnicería**, puis emprunter la Calle Aguilera vers le sud jusqu'au **Museo Provincial Emilio Bacardí Moreau** ★ ★ ★ *(2 CUC; mar-sam 9h à 17h, dim 9h à 13h; Calle Pío Rosado, angle Calle Aguilera, ☎22-62-8402)*. Ce musée est une œuvre léguée par Emilio Bacardí Moreau (1844-1922), bien connu pour son rhum. Premier maire de Santiago de la République de 1902, il acheta avec sa fortune nombre d'objets historiques, d'œuvres d'art et de pièces archéologiques. Fondé en 1899, le Museo Bacardí est considéré comme le plus ancien musée de Cuba. L'édifice actuel fut construit à partir de 1920 puis inauguré en 1927. Au rez-de-chaussée, le musée présente une collection d'objets historiques depuis la conquête espagnole jusqu'à la guerre de 1895. On y trouve toute une section d'artisanat mambi, dont le fantastique modèle d'une de ces torpilles utilisées dans la zone de combat du Río Cauto. À l'étage, une collection de peintures et de sculptures provenant d'Europe, des États-Unis et de Cuba occupent tout l'espace. La fameuse toile de Juan Emilio Hernández Giro (1882-1953), *La Jura de Hernán Cortés*, y est exposée, tout comme la tout aussi fameuse statue du Che signée Alberto Lescay. Finalement, au sous-sol de l'édifice majestueux, plusieurs pièces archéologiques provenant d'Égypte et de pays des continents américains, dont une incroyable momie péruvienne, complètent l'exposition. Le fait saillant du musée est la surprenante réplique extérieure d'une rue coloniale de Santiago évoquant un décor de cinéma; cette ruelle conduit jusque dans un patio et à un puits derrière le musée. À bien des égards, il s'agit de l'un des meilleurs musées au pays.

En remontant une rue vers le nord, vous pourrez suivre l'artère commerçante prin-

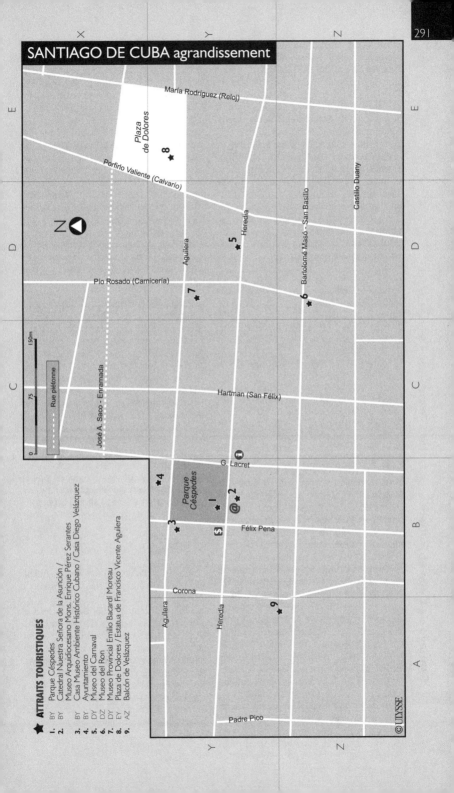

SANTIAGO DE CUBA agrandissement

María Rodríguez (Reloj)

Plaza de Dolores

★ 8

Porfirio Valiente (Calvario)

Castillo Duany

Bartolomé Masó - San Basilio

Heredia

Aguilera

★ 5

Pío Rosado (Carnicería)

★ 7

★ 6

José A. Saco - Enramada

0   75   150m

Rue piétonne

Hartman (San Félix)

G. Lacret

❶

★ 4

Parque Céspedes

🅢

@ ★ 2

★ 1

★ 3

Félix Pena

Corona

Aguilera

Heredia

★ 9

Padre Pico

★ ATTRAITS TOURISTIQUES

1. BY   Parque Céspedes
2. BY   Catedral Nuestra Señora de la Asunción /
         Museo Arquidiocesano Mons. Enrique Pérez Serantes
3. BY   Casa Museo Ambiente Histórico Cubano / Casa Diego Velázquez
4. BY   Ayuntamiento
5. DY   Museo del Carnaval
6. DZ   Museo del Ron
7. DY   Museo Provincial Emilio Bacardí Moreau
8. EY   Plaza de Dolores / Estatua de Francisco Vicente Aguilera
9. AZ   Balcón de Velázquez

©ULYSSE

291

cipale de la ville, la **Calle José A. Saco**, plus souvent appelée par son ancien nom, la **Calle Enramada**, qui est piétonne de 9h à 21h entre la Calle Corona et la Plaza de Dolores. On y trouve autant de librairies que d'échoppes spécialisées en tout genre, avec de nombreux flâneurs devant toutes ces vitrines. En poursuivant vers l'est, vous aboutirez à la **Plaza de Dolores ★**, un des parcs les plus agréables et les plus animés de la ville. En son centre trône la majestueuse **Estatua de Francisco Vicente Aguilera**, installée en 1912 en mémoire de cet homme désintéressé qui a tout sacrifié à la guerre contre l'Espagne. Le parc est entouré de plusieurs restaurants et cafés, dont **La Isabelica** (voir p 319), un endroit parfait pour une pause-café.

En continuant vers l'est, un peu avant à la **Plaza de Marte**, les amateurs de sciences naturelles se donneront rendez-vous au **Museo Tomás Romays** *(1 CUC; lun-ven 8h30 à 16h, sam 8h30 à 14h; Calle Enramada nº 601, angle Calle Barnabás, ☎22-62-3277)*, un musée relativement grand dont l'une des salles est exclusivement consacrée à la faune et à la flore cubaines.

De la Plaza de Marte, vous n'êtes pas très loin du Parque Abel Santamaría et du Cuartel de Moncada. C'est ici que vous sentirez avec le plus d'acuité le poids de cet événement marquant dans l'histoire du pays que fut l'attaque du 26 juillet 1953.

Vous reconnaîtrez sans peine le **Cuartel de Moncada ★★**. Cette forteresse aux murs peints de jaune abrite désormais l'excellent **Museo 26 de Julio ★★** *(2 CUC; mar-sam 9h30 à 17h, dim 9h à 14h30; Av. Moncada, angle Calle General Portuondo, ☎22-66-1157)*. Construite par les Espagnols en 1859, la forteresse portait à l'époque le nom de *Reina Mercedes* et servait de prison et de caserne. La République ayant été constituée au tournant du XIXᵉ siècle, elle fut renommée Cuartel de Moncada, du nom d'un général de la guerre d'Indépendance qui fut emprisonné à cet endroit. Détruite par le feu en 1936, elle fut reconstruite sous Batista, à l'époque chef de l'armée cubaine. Le Cuartel de Moncada entre dans l'histoire moderne du pays le 26 juillet 1953, au moment où il est attaqué par un groupe politique inconnu de l'époque, Generación del Centenario, sous les ordres d'un certain Fidel Castro... L'attaque eut lieu en plein carnaval. À 5h du matin, 120 hommes

armés, tous vêtus d'uniformes de l'armée cubaine, semèrent la confusion parmi les gardiens de la caserne. Mais la véritable armée sut réagir à temps: six rebelles furent tués dans l'attaque et apparemment 55 autres furent torturés puis assassinés le même jour à l'intérieur de la forteresse. Depuis 1959, le Cuartel de Moncada a été transformé en école, et l'on peut y voir de nombreux enfants jouer dans le parc de la forteresse. Portant leur uniforme rouge et blanc, souriants et joueurs, ils ravissent souvent la vedette au musée... lequel s'attarde aux périodes de luttes à Cuba, depuis les Autochtones jusqu'à nos jours, avec une attention particulière portée à l'histoire du Cuartel de Moncada. On y présente de nombreux textes et photos d'époque, des uniformes tachés de sang et des objets personnels des rebelles.

Le **Parque Abel Santamaría** tient son nom du jeune révolutionnaire Abel Santamaría, qui, après avoir organisé l'assaut des baraquements de Santiago de Cuba avec Fidel, y perdit la vie. Il comporte un étrange monument: une fontaine surmontée d'un large bloc de ciment sur lequel on peut voir les visages du jeune homme et de José Martí. Au fond du parc se trouve le **Museo Abel Santamaría** *(1 CUC; lun-sam 9h à 17h; ☎22-62-4119)*, établi dans ce qui fut autrefois un hôpital et où Fidel prononça son célèbre discours *La Historia me absolverá*. Le musée expose quelques photos et présente des données historiques sur la période précédant la Révolution qui illustrent les critiques que Fidel porta sur l'éducation, l'économie, la pauvreté et la santé.

Un peu plus loin, en suivant l'Avenida de los Libertadores, vous arriverez à l'un des plus étonnants monuments de Santiago. Au centre de la **Plaza de la Revolución Antonio Maceo ★**, une immense statue de Maceo à cheval domine 23 colossales machettes qui rappellent le 23 mars 1878, date du recommencement des guerres d'Indépendance. Derrière, une flamme éternelle brûle sur une des colonnes. Sous le monument, la **Sala de Exposición Holográfica** *(1 CUC; lun-sam 10h à 17h; angle Carretera Central et Av. de las Américas)* présente une exposition d'hologrammes reproduisant des fusils, des uniformes et différents objets qui ont marqué les rébellions qui menèrent à la Révolution de 1959.

La préparation du rhum

Dans l'ancienne fabrique de Bacardí à Santiago de Cuba, appelée aujourd'hui la Ron Caney, la première étape de la préparation du rhum consiste à extraire la mélasse de la canne à sucre. Cette mélasse est fermentée jusqu'à obtenir un alcool à 38°, lequel est dilué avec de l'eau distillée dans des tonneaux de cuivre. Puis l'alcool est transvasé dans d'autres tonneaux de cuivre dans lesquels il est mélangé avec des amandes et du caramel pour lui donner sa saveur et sa couleur caractéristiques. Le tout est encore transvasé, mais, cette fois-ci, dans des tonneaux de chêne blanc du Canada, dans lesquels on le fait vieillir de une à 25 années. Le rhum est ensuite filtré et goûté, puis on le laisse reposer 15 jours dans des tonneaux de cuivre pour s'assurer qu'il n'y ait aucun dépôt. Finalement, le rhum est embouteillé, et il devient le compagnon privilégié des joies et des peines de la population cubaine.

À l'ouest du Parque Céspedes

Si vous prenez la Calle Bartolomé Masó, juste derrière la cathédrale, et que vous vous dirigez vers le port, vous déboucherez sur le **Balcón de Velázquez** ★ *(entrée libre, photo 1 CUC; mar-sam 9h à 18h, dim 9h à 13h)*. Le Balcón de Velázquez est un *mirador* charmant duquel vous pouvez voir la baie de Santiago de Cuba dans toute sa splendeur. Autrefois poste de guet pour surveiller les navires qui entraient dans le port ou en ressortaient, il se définit maintenant comme un endroit agréable pour flâner un peu.

La **Calle Padre Pico** ★ coupe la Calle Bartolomé Masó à une rue du Balcón de Velázquez. Dans une suite de côtes et de courbes, elle s'engouffre dans le quartier populaire de Tívoli par un long escalier, terrain de jeu de prédilection des enfants. Ce quartier a été fondé et habité par des Français qui vinrent s'installer à Santiago de Cuba à partir de 1791. On y a tourné de nombreux films, et il s'agit de l'un des points névralgiques pendant le carnaval de Santiago.

Montez les escaliers jusqu'à la Calle Santa Rita, d'où vous apercevrez, juché sur une petite colline, le **Museo de la Lucha Clandestina** ★ ★ *(1 CUC; mar-dim 9h à 17h; Calle General Rabí n° 1, ☎22-62-4689)*, qui a emménagé dans une superbe résidence coloniale construite au début du XVIIIᵉ siècle, où se sont succédé de riches familles de Santiago. Poste de police entre 1951 et 1956,

cette maison entra dans l'histoire du pays quand elle fut attaquée par les rebelles du Movimiento 26 de Julio et leur chef d'alors, Frank País. L'objectif des rebelles était d'appuyer le débarquement du *Granma*, le yacht qui transportait Fidel Castro, son frère Raúl, Che Guevara et les autres révolutionnaires, en créant une manœuvre de diversion auprès de l'armée cubaine. Musée dédié aux rebelles du Movimiento 26 de Julio depuis 1976, il présente des photographies, différents objets et des uniformes. Aussi, l'histoire de Frank País, de sa naissance jusqu'à sa mort en 1957, y est racontée de long en large.

L'Avenida Jesús Menéndez, mieux connue sous son ancien nom de **La Alameda**, longe le port et l'Estación de Trenes. Cette avenue est toujours très passante, et les cyclistes rivalisent d'ardeur avec les camions et les voitures pour se tailler une place sur le pavé. Les édifices qui la bordent datent pour la plupart de la fin du XIXᵉ siècle, et ils abritent diverses industries typiques de Santiago, dont la plus célèbre est la **Ron Caney** *(on ne visite pas)*, qui produit chaque année plusieurs millions de litres de rhum, dont 70% sont exportés.

Devant l'horloge qui trône au centre de La Alameda, la **Fábrica de Tabacos Celia Sánchez** *(5 CUC; lun-sam 9h à 16h; Calle Jesús Menéndez, entre Calle Aguilera et Calle Aduana)* n'est plus ouverte au tourisme libre. Il faut maintenant passer par l'agence de voyages **Cubatur** *(voir p 286)*, dont les bureaux sont situés en face de la cathédrale. Si l'on accepte de se joindre à un groupe, on pourra alors voir à l'œuvre des artisans du tabac confectionner les réputés cigares cubains. Un petit point de vente propose tous types et marques de cigares.

Au nord du Parque Céspedes

Deux petits musées intéressants se trouvent aussi au nord du Parque Céspedes, tous deux venant confirmer le titre de «berceau des révolutionnaires» dont Fidel Castro a paré la ville. La **Casa Museo Frank y José País** *(1 CUC; lun-sam 9h à 17h; Calle San Bartolomé n° 226, entre Calle Habana et Calle Los Maceo,* ☎*22-65-2710)* relate la vie de ces deux frères qui ont donné leur vie pour le triomphe de la Révolution. Frank fut le maître d'œuvre de la lutte de guérilla urbaine du Movimiento 26 de Julio et l'un des hommes les plus assidûment traqués par la police secrète de Batista. On finit par lui mettre la main dessus, à Santiago de Cuba, le 30 juillet de l'année 1957. Il fut aussitôt assassiné, écartant du même coup le seul homme qui eût pu disputer à Fidel la direction du mouvement révolutionnaire. Frank País n'avait alors que 20 ans.

À quelques rues de la Casa Museo Frank y José País se trouve le **Museo Casa Natal Antonio Maceo** *(1 CUC; lun-sam 9h à 17h; Calle Los Maceo n° 207, entre Calle Corona et Calle Rastro,* ☎*22-62-3750)*. C'est en effet dans cette modeste maison que naquit, le 14 juin de l'année 1845, le héros et grand stratège militaire Antonio Maceo. Déclarée monument national, la maison abrite un musée où sont exposés plusieurs objets et documents ayant appartenu au «Titan de Bronze». C'est un excellent endroit pour qui veut en apprendre un peu plus sur ce personnage dont la vie a marqué si profondément l'histoire du pays.

Loma San Juan ★★

La Loma San Juan, mieux connue sous le nom de «San Juan Hill», fut, durant la guerre de 1898, le lieu de la plus importante bataille terrestre entre Américains, appuyés d'éléments de l'armée de libération cubaine, et Espagnols. C'est ici que Theodore Roosevelt, qui allait devenir le 26e président des États-Unis, mena ses *Rough Riders* dans une attaque qui enflamma l'imagination fébrile de ses compatriotes.

La Loma tomba finalement aux mains des attaquants, dans la seconde semaine de juillet, quelques jours seulement après la victoire de la flotte des États-Unis sur la marine espagnole. Dès lors, la ville n'eut plus qu'à se rendre.

Alors située à l'extérieur de la ville à proprement parler, la Loma San Juan fait maintenant partie de la banlieue de Santiago de Cuba. Se dressant à environ 4 km à l'est du Parque Céspedes, elle constitue un endroit charmant d'où la vue se révèle formidable. La colline a été aménagée de façon à faire honneur aux dizaines de monuments et d'armes d'époque posés là en hommage à ceux qui y ont laissé leur vie. Au bas de la colline, sur son flanc sud, se trouve l'**Árbol de la Paz**, immense *ceiba* qui marque le lieu de la reddition de la ville. Ceint de plaques de bronze portant les noms des Américains et des Cubains tombés lors des combats, ce symbole ne doit pas faire oublier les profonds différents qui déjà s'élevaient entre les deux alliés. À deux pas de là, pour bien appuyer ce fait, une lettre de Calixto García, alors responsable des armées rebelles de l'Oriente, adressée au général en chef des forces américaines, le général Shafter, annonce déjà les difficultés à venir. Datée du 17 juillet et reproduite à grande échelle, la missive présente les récriminations du général cubain qui s'y plaint ouvertement de la manière dont lui et ses troupes sont traités par les forces américaines, et plus particulièrement du fait de ne pouvoir entrer dans la ville pour prendre part aux cérémonies entourant la reddition des forces espagnoles. À partir de ce moment, les Cubains furent en effet relayés au second rang par les États-Unis, lesquels récoltèrent unilatéralement les fruits de près de trois années de cette guerre menée par les forces indépendantistes.

La colline de San Juan domine la partie est de Santiago. Pour y avoir accès, il faut prendre à droite juste un peu après avoir passé le **Parque Zoológico** *(1 CUC; mar-dim 10h à 17h;* ☎*22-642458)* sur l'Avenida Raúl Pujol.

Cementerio Santa Ifigenia ★★

Situé à environ 3 km au nord-ouest du Parque Céspedes, le **Cementerio Santa Ifigenia** *(1 CUC; tlj 7h à 18h; Calle Raúl Perozo,* ☎*22-63-2723)* est, avec celui de La Havane,

Antonio Maceo (1845-1896)

Né à Santiago de Cuba, le 14 juin 1845, d'un père mulâtre vénézuélien et d'une mère de race noire fraîchement affranchie, Antonio Maceo fut, assurément, le plus grand combattant de l'histoire de Cuba. On dit que sa mère lui aurait fait promettre, dès son plus jeune âge, de combattre, jusqu'à la mort s'il le fallait, pour libérer Cuba de la mainmise espagnole. Elle allait être exaucée au-delà de ses plus profondes aspirations.

En 1868, Maceo se joignit dès le début des hostilités au duel entre Cuba et l'Espagne que venait de déclencher Carlos Manuel de Céspedes et, en cinq années seulement, sa vaillance lui mérita le grade de général de l'armée rebelle. Il prit part, avec Calixto García, à la Guerra Chiquita (1879-1880), mais, devant l'inévitable défaite, il dut prendre les chemins de l'exil. Après de nombreux séjours en Amérique centrale et dans les Antilles, il s'installa finalement aux États-Unis, où il s'employa à amasser de l'argent pour la cause de l'émancipation de son île. Ses activités le mirent en relation avec José Martí et Máximo Gómez, auxquels il se joignit en 1893. De retour à Cuba en 1895, aux côtés de Martí, il devint rapidement l'un des piliers de la guerre qui devait finalement mener à la libération du joug espagnol. L'invasion de la partie occidentale de l'île, qu'il compléta en 92 jours, du 22 octobre 1895 au 23 janvier 1896, demeure la plus extraordinaire prouesse militaire de l'histoire des guerres d'Indépendance. Parti de Mangos de Baraguá, situé à une soixantaine de kilomètres au nord de Santiago de Cuba, il traversa la grande île sur toute sa longueur, engageant les forces espagnoles à 27 reprises avant de s'arrêter à Mantua, à l'extrémité est de Cuba. Cet exploit lui valut pourtant de devenir la cible première de l'armée d'occupation, qui mit un terme à sa carrière militaire en l'abattant, près de la petite ville de San Pedro del Cacahual, le 7 décembre 1896.

Surnommé le «Titan de Bronze», Maceo fut souvent accusé de vouloir créer une république noire à Cuba, ce qui lui valut d'être traité avec méfiance par un segment important de la classe des riches créoles de l'île. Aujourd'hui il est toutefois perçu, avec José Martí et Máximo Gómez, comme l'un des principaux responsables de la victoire finale sur l'Espagne.

le plus célèbre cimetière du pays. Classé monument national, il fut établi en 1878 et contient les restes de certaines des personnalités les plus importantes de l'histoire de Cuba. Mariana Grajales, mère d'Antonio Maceo, Carlos Manuel de Céspedes, Emilio Bacardí Moreau, Frank País, Miguel Matamoros, créateur du *son*, base rythmique de la musique cubaine, José Martí, tous y ont trouvé leur dernier repos. Le **Mausoleo a José Martí** ★★, magnifique œuvre d'art, vaut à lui seul le prix d'entrée. Six cariatides, chacune arborant les symboles d'une des six régions de l'île, supportent le dôme de ce grandiose monument. Pour vous rendre au

cimetière, si vous ne disposez pas d'une voiture, le plus agréable est de prendre une de ces voitures tirées par des chevaux qui circulent sur La Alameda. Elle vous conduira jusqu'aux portes du cimetière pour quelques pesos.

Pendant que vous y êtes, vous pouvez jeter un coup d'œil sur le petit **Fuerte Yarayo**, qui se dresse à l'angle de la Carretera Bacardí et de la Calle Yarayo. Le fortin fut construit par les Espagnols en 1868 afin de protéger la ville des attaques des rebelles. Il s'agit d'un bel exemple de construction militaire espagnole de cette période.

Autour de Santiago de Cuba

△ *p 314*

Castillo del Morro de San Pedro de la Roca ★★★

Érigé par les Espagnols à partir de 1640, le **Castillo del Morro de San Pedro de la Roca** *(4 CUC; tlj 9h à 19h; Carretera del Morro, Km 7, ☎22-69-1569)* avait pour objectif, jusqu'aux premières années du XVIIIᵉ siècle, la défense de la ville de Santiago contre l'attaque de corsaires et de pirates. Pendant sa construction, il fut attaqué par les Anglais en 1662. Aidé de corsaires jamaïquains, le chef de la flotte anglaise, Christopher Myns, réussit à s'emparer de la forteresse durant un mois. Puis les Anglais se retirèrent de Santiago, et ils tentèrent en vain de la reprendre une seconde fois au XVIIIᵉ siècle.

Le Castillo del Morro, inscrit au patrimoine de l'humanité de l'UNESCO, se présente comme un des plus beaux forts à Cuba. La beauté du Castillo del Morro est mise en valeur par les éléments naturels dont il est entouré: la mer et les montagnes. L'ensemble impressionne, et l'endroit est idéal pour admirer de superbes couchers de soleil sur la mer des Caraïbes. Son emplacement fut choisi par les Espagnols, car il se trouve à l'entrée de la baie, sur une colline agissant comme une défense naturelle, 70 m au-dessus du niveau de la mer. Au XIXᵉ siècle, pendant les guerres d'Indépendance, le Castillo servait de prison. Les *mambises* y étaient emprisonnés, entre autres le général Flor Crombet ainsi qu'Emilio Bacardí, le fondateur et propriétaire de la *ronera* portant son nom. Ce dernier était un patriote reconnu et conspirait contre les intérêts de la Couronne espagnole. Le Castillo connut sa dernière heure de gloire le 17 juillet 1898. Il témoigna de la célèbre attaque navale mettant aux prises les flottes américaine et espagnole dans la baie de Santiago. À la suite de cet affrontement, les Espagnols perdirent leurs derniers territoires coloniaux en Amérique, soit Cuba et Puerto Rico. La forteresse passa aux mains des États-Unis, et ce, jusqu'au 25 janvier 1904. Le Castillo del Morro fut ensuite remis à l'artillerie cubaine, puis complètement abandonné en 1920 jusqu'à la Révolution.

Les travaux de restauration commencèrent dans les années 1960, et ce n'est que le 23 juillet 1978 que fut inauguré le **Museo de la Piratería ★** *(tlj 9h à 21h)*, qui se trouve dans l'enceinte du Castillo del Morro. On y présente un panorama relativement complet de l'histoire des corsaires et des pirates dans les Caraïbes et en Amérique latine. Des cartes, des dessins et quelques objets d'époque illustrent tant bien que mal l'histoire de ces aventuriers qui firent jadis la pluie et le beau temps dans cette région du monde. Tous les textes explicatifs sont en espagnol, et vous devrez être accompagné d'un guide si vous voulez profiter au maximum de votre visite.

Pour vous rendre au Castillo del Morro, empruntez la Carretera del Morro, la même route qui mène à l'aéroport. Cette route comporte plusieurs côtes, et les jeunes de Santiago s'y donnent rendez-vous régulièrement pour des courses de descente à vélo. Vous pouvez aussi emprunter la Carretera Ciudad Mar, une route panoramique qui longe la baie de Santiago.

Vous y verrez au loin le **Cayo Granma**, une petite île de pêcheurs qui portait autrefois le nom de Cayo Smith, du nom de son ancien propriétaire américain. Il est possible de se rendre sur l'île en prenant le petit traversier *(3 CUC aller-retour)* qui fait la navette, toutes les 40 min, d'un débarcadère facilement repérable sur la Carretera Turística. Une fois sur l'îlot, vous pourrez profiter d'une agréable promenade à travers les étroites ruelles du village qui s'y est établi. Il y a maintenant quelques *paladares* sur le Cayo Granma. C'est un endroit délicieux pour prendre un repas.

El Cobre ★★

Le **Santuario Nacional de Nuestra Señora de la Caridad del Cobre** *(tlj 6h30 à 18h; www.virgendelacaridaddelcobre.org)* représente le lieu de pèlerinage le plus chéri au pays. À 27 km au nord-ouest de Santiago, l'apparition soudaine de cette église sur la route a quelque chose de magique. Du haut de sa colline verdoyante, elle pose fièrement avec ses deux clochers et ses tons pastel. Figure emblématique de la région, elle attire de nombreux pèlerins venus des quatre coins du pays.

Bayamo, mère de l'hymne national guatémaltèque!

C'est à Bayamo, on le sait, que fut créée, en 1868, *la bayamesa*, l'hymne national cubain. Ce que l'on ignore, c'est que Bayamo fut aussi le lieu de naissance de l'hymne national du Guatemala. Aussi incroyable que cela puisse paraître, le compositeur de ce chant solennel, insigne suprême de la petite république d'Amérique centrale, fut un Cubain de Bayamo portant le nom de José Joaquín Palma (1844-1911). Sous un nom d'emprunt, il remporta en effet le premier prix à un concours lancé par le gouvernement guatémaltèque, alors désireux de se munir de ce symbole indispensable à l'expression de sa souveraineté. Le gouvernement ne révéla la supercherie que quelques mois avant la mort de l'artiste, et le Guatemala continue de saluer son drapeau au son d'un air cubain. Une statue à la mémoire de José Joaquín Palma a été élevée dans un petit parc tout près du Pórtico de San Juan Evangelista, sur l'Avenida Amando Estévez, à l'angle de la Carretera Central.

Celle qui suscite toutes ces dévotions est la Vierge noire de la Caridad del Cobre, la patronne de Cuba. L'histoire de cette Vierge noire, dont on peut voir la statue dans une petite boîte vitrée à l'étage *(interdit de prendre des photos)*, remonte aux débuts de la colonisation alors qu'elle fut aperçue par des pêcheurs. On voue à cette Vierge un culte fervent, car elle accomplirait des guérisons miraculeuses. À l'entrée de l'église, vous pourrez donc voir toutes sortes d'objets, par exemple des béquilles, des souvenirs de la guerre d'Angola et, fait assez particulier, quelques pièces appartenant à des membres des Forces armées révolutionnaires. L'église présente une architecture classique simple. L'intérieur est dépouillé, avec des confessionnaux et des balustrades en bois et quelques pièces de marbre. Une promenade dans les environs offre de belles échappées sur l'église. Les messes du dimanche attirent de nombreux pèlerins.

Pour aller à El Cobre, vous devrez emprunter la Carretera Central, l'ancienne route de Bayamo. Un taxi depuis Santiago vous coûtera environ 30 CUC aller-retour. L'agence **Cubatur** (voir p 71) organise aussi des excursions à El Cobre *(19 CUC/pers.; durée: 3h)*.

À l'est de Santiago

La route panoramique qui longe la côte à l'est de Santiago regorge de beaux paysages de mer et de montagne. Elle conduit à la Gran Piedra, une montagne idéale pour la randonnée pédestre (voir p 300), ainsi qu'aux plages de Siboney, Daiquirí et Baconao. Chemin faisant, vous remarquerez la présence de nombreux monuments dédiés aux rebelles qui périrent dans cette région, alors qu'ils battaient en retraite à la suite de l'attaque ratée du Cuartel de Moncada, le 26 juillet 1953.

À 16 km de Santiago de Cuba, la **Granjita Siboney** ★ *(2 CUC; tlj 9h à 17h; Carretera de Siboney, Km 13,5, ☎22-63-9168)* est la maison où se réunirent les rebelles avant l'assaut du Cuartel de Moncada et où ils cachaient leurs armes et leurs uniformes. La Granjita renferme des photocopies de documents d'époque, des voitures, des armes et des uniformes ayant appartenu aux rebelles. On peut aussi y voir le puits où les armes furent cachées.

Siboney est une petite ville accueillante dotée d'une jolie plage où il est préférable de s'aventurer en sandales. C'est ici que les Américains, en 1898, après avoir mis en œuvre leur débarquement à Playa Daiquirí, établirent leur tête de pont. L'endroit est idéal pour ceux qui souhaitent se mélanger à la population locale. Les *casas particulares* et les *paladares* y foisonnent, et les gens se montrent accueillants.

La Gran Piedra ★★

La bifurcation qui mène jusqu'à La Gran Piedra se trouve à environ 2 km au nord de la Granja Siboney, et elle est bien indiquée. Préparez-vous toutefois à grimper; la route s'élève de façon tout à fait spectaculaire jusqu'à cette énorme pierre de 75 000 tonnes qui surplombe la sierra à 1 226 m d'altitude. Elle a servi de base à un *mirador (1 CUC)* offrant une vue imprenable sur la mer et les contreforts de la chaîne de montagnes.

Il est possible d'emprunter l'un des nombreux sentiers qui sillonnent le site et de visiter les ruines de nombreuses plantations qui donnèrent jadis vie à ces montagnes. Pour ce faire, il vaut mieux louer les services d'un guide. Les sentiers ne sont pas marqués, et le danger de se perdre est plus que réel. L'Hotel Gran Piedra est habitué de jouer le rôle d'intermédiaire dans ce cadre.

C'est ici, au cœur de ces sommets difficiles d'accès, que s'établirent bon nombre de Français fuyant les troubles de Saint-Domingue au tournant du XIXe siècle. Ils introduisirent à Cuba la culture du café, culture qui s'adapta bien à la topographie des lieux. Les vestiges d'une cinquantaine de plantations de café, inscrites au patrimoine de l'humanité de l'UNESCO, sont disséminés un peu partout dans le site.

De toutes ces plantations, le **Cafetal La Isabelica** ★★★ *(2 CUC; tlj 8h à 16h)* est certainement la plus extraordinaire. Aménagée au début du XIXe siècle par Victor Constantin Cuzeau, autre émigré français d'Haïti, la caféière occupait à l'origine 156 ha, et 32 esclaves y travaillaient. Détruite en 1868 selon les désirs de Carlos Manuel de Céspedes, qui voulait ruiner l'économie de la région, elle fut rétablie à partir de 1961 sur les antiques fondations toujours existantes. L'atmosphère qui se dégage de ce lieu fabuleux est tout à fait extraordinaire. On a l'impression d'être plongé dans cette époque marquante. On peut y voir les restes d'une vieille route de pierre, une partie des *baracones* des esclaves et l'endroit où se trouvait la grande roue qui servait à dépulper le café. Les séchoirs situés devant la maison ont été complètement refaits, tout comme les annexes ayant servi de magasins et d'ateliers.

Certains séchoirs du *cafetal*, localisés un peu plus bas, environ 0,5 km avant de croiser l'Hotel Gran Piedra, ont servi de fondement au **Jardín Botánico** ★ *(3 CUC; mar-dim 8h à 16h)*, un magnifique jardin botanique. Les meilleurs mois pour le visiter sont avril, mai, septembre et octobre, alors qu'il est en pleine floraison. Les oiseaux-mouches semblent particulièrement apprécier l'endroit.

Parque Baconao

La route de 30 km qui traverse le Parque Baconao, déclaré réserve de la biosphère par l'UNESCO, se trouve comme coincée entre les montagnes et la mer. Les terres qui la bordent sont plutôt arides, et les quelques petites plages et sites touristiques qu'on y trouve sont parfois d'une valeur mal assurée. Le **Valle de la Prehistoria** *(2 CUC; tlj 8h à 18h; ☎22-63-9239)*, constitué de répliques approximatives, en béton, de quelques grands dinosaures, ne vaut pas le détour. Le **Museo del Transporte** *(1 CUC; tlj 8h à 17h; ☎22-63-9197)* est plus intéressant, et il plaira sûrement aux amateurs de vieilles voitures. Plusieurs anciens modèles y sont en montre, la plupart dans un état de conservation impressionnant.

Presque au bout de la route, l'**Acuario de Baconao** *(5 CUC; mar-dim 9h à 17h)* présente quotidiennement plusieurs spectacles de dauphins et de phoques. Le problème est qu'il faut maintenant passer par les grands hôtels pour organiser la visite de l'Acuario.

Presque toutes les plages du Parque Baconao sont occupées par des hôtels ou des centres de villégiature pour militaires. Quoi qu'on en dise, elles sont de toute façon plus ou moins attrayantes. Leur plus grande qualité est d'être près de Santiago.

Au bout de la route qui passe par les plages de la région de Siboney, la **Laguna Baconao** ★ se définit comme une grande lagune où se mêlent eau douce et eau salée, attirant une faune particulière, entre autres des crocodiles. Le nom taïno de Baconao signifie «fils de l'arbre»; les Taïnos eux-mêmes habitaient cette région avant l'arrivée des Espagnols. Aujourd'hui, la lagune se prête tout au plus à des excursions de pêche, et les bureaux touristiques des hôtels de la région proposent régulièrement ce type de forfaits.

Carlos Manuel de Céspedes (1819-1874)

Surnommé le père de la Patrie, Carlos Manuel de Céspedes est né à Bayamo le 18 avril 1819. Fils d'un riche planteur de l'Oriente, il commença son éducation à La Havane avant de s'embarquer pour l'Espagne, en 1840, où il compléta ses études de droit. Les troubles qui secouaient alors la métropole donnèrent au jeune Céspedes un avant-goût de ce qu'allait être son destin. Il se mêla d'emblée à la guerre civile qui secouait la péninsule ibérique, ce qui lui valut de devoir quitter précipitamment le pays en 1843. Il profita de cette situation pour parfaire sa culture et voyager en Europe.

De retour à Cuba en 1844, il s'intéressa rapidement à la politique et se joignit à la franc-maçonnerie, instrument de diffusion important des idées libérales à Cuba. L'un des principaux instigateurs de la révolte contre le pouvoir espagnol sur l'île, Céspedes lança le bal au mois d'octobre 1868 en libérant les esclaves de son domaine de La Demajugua, à quelques kilomètres au sud de Manzanillo, puis, après avoir lancé son fameux *Grito de Yara*, appel à l'indépendance cubaine, en s'attaquant à la petite garnison de la tranquille ville de Yara. Devenu de facto commandant des armées rebelles et chef du gouvernement provisoire, Céspedes révéla son caractère impérieux qui lui valut pourtant beaucoup d'inimitié. Afin d'éviter que se brise en différentes factions le mouvement indépendantiste, il dut se résoudre à convoquer une assemblée constituante et à céder quelques-uns de ses pouvoirs. Malgré les concessions faites aux délégués des différentes provinces réunis à Guáimaro au mois d'avril 1869, il n'arriva pas à contenir son tempérament autoritaire, surtout en matière militaire, ce qui lui valut d'être déposé, à l'automne de l'année 1873, par la Chambre des représentants de la République cubaine en armes. Dès lors, abandonné par les siens, il se mit à chercher un moyen de quitter l'île pour laquelle il avait tout sacrifié. Au début de 1874, alors qu'il s'était réfugié dans une ferme près de San Lorenzo, en Oriente, un contingent espagnol découvrit sa cachette et, après une futile résistance, Céspedes fut abattu par ses assaillants.

Homme hautement cultivé, Céspedes était résolu à donner, coûte que coûte, un statut indépendant à Cuba. Pour ce faire, il ne tolérait aucune dissension. Sa détermination lui a valu d'être révéré comme le symbole même de la volonté d'indépendance de la nation cubaine.

Mayarí Arriba ★

La **Sierra del Cristal**, au nord de Santiago de Cuba, fut la zone d'opération du deuxième front du M-26-7, aussi appelé «Second Front Frank País». Commandée avec une main de fer par Raúl Castro, frère de Fidel, cette zone de combat prenait Santiago de revers et coupait la route qui y menait. Moins escarpées que celles de la Sierra Maestra, les montagnes de la Sierra del Cristal, entrecoupées de larges vallées, permirent aux forces révolutionnaires d'aménager un terrain d'aviation et de se constituer une petite escadrille composée de quatre avions dissemblables.

La **Comandancia** ★ ★ *(Av. del Mausoleo)* occupe un espace boisé un peu en retrait de la ville de Mayarí Arriba. On peut y voir le bureau et la chambre de Raúl Castro, ainsi que la grande pièce où se rencontrait son état-major. Un musée moderne a été construit sur place, et les objets et les

Santiago de Cuba et l'Oriente - **Attraits touristiques** - Autour de Santiago de Cuba cartes qu'on y expose aident grandement à donner aux visiteurs une idée de ce que put être la vie dans la sierra durant cette période trouble. Les camions, véhicules tout-terrains et avions utilisés par l'Armée du second front, sont aussi en montre aux abords du musée.

Au bout de l'Avenida del Mausoleo se trouve le **Mausoleo ★** même, élevé à la mémoire de tous ceux qui sont tombés durant les longues années de guerre civile. L'endroit est assez spectaculaire avec son avenue bordée de palmiers et sa grande place où se tiennent de grandes démonstrations patriotiques. Une flamme éternelle brûle devant une cascade de plantes d'un rouge incandescent descendant de la colline qui surplombe le monument, symbole du sang versé par les patriotes. Cela tranche sur l'atmosphère presque intimiste qui règne à la Comandancia.

Activités de plein air

■ Plongée sous-marine

Il y a, au large de Santiago de Cuba, 73 sites de plongée. Plusieurs hôtels possèdent un centre de plongée, dont l'**Hotel Club Bucanero** (voir p 316). Le centre propose plusieurs plongées quotidiennes *(environ 40 CUC par sortie)*.

■ Randonnée pédestre

Pour une belle journée de marche non loin de Santiago, allez à la **Finca Juan González** *(20 km à l'ouest de la ville, sur la Carretera Mar Verde)*. S'y trouvent de jolis sentiers qui zigzaguent sur les flancs de la Sierra Maestra. Il est également possible de casser la croûte avec les gens de la ferme. On conseille d'apporter un peu de nourriture, car ils n'en ont pas toujours. L'endroit est enchanteur et idéal pour un beau pique-nique.

La Gran Piedra est un des rares endroits facilement accessibles de Cuba où l'on peut pratiquer la randonnée pédestre en montagne. La sortie pour La Gran Piedra est bien indiquée, à une quinzaine de kilomètres à l'est de Santiago, sur la Carretera de Siboney. En voiture, vous pouvez vous rendre pratiquement jusqu'au sommet de La Gran Piedra (1 200 m) et profiter de nombreux sentiers pédestres. On peut y

voir d'anciennes caféières françaises et admirer de beaux points de vue sur l'ensemble de la région. Une balade d'un jour est suffisante pour jouir des lieux, mais il est aussi possible de camper sur le site ou de demeurer dans l'une des agréables *cabañas* de l'Hotel Gran Piedra. L'hôtel peut aussi vous aider à trouver un guide pour vos promenades en forêt.

La Sierra Maestra ★ ★

▲ *p 316* ◗ *p 320*

La Sierra Maestra et les grandes plaines qui la bordent au nord sont admirables, et le Gran Parque Nacional Sierra Maestra se révèle d'une grande beauté. Province où domine la culture de la canne à sucre, Granma est aussi le berceau de la Révolution de 1868 et l'un des premiers champs d'action de l'épopée des castristes. De Carlos Manuel de Céspedes à Fidel Castro, cette région un peu isolée a de tout temps été un bastion de l'indépendance et de la liberté.

Bayamo ★ ★

L'une des plus anciennes *villas* de Cuba, Bayamo est aujourd'hui surnommée la «ville des calèches», puisque cette tradition ne s'est jamais perdue au fil des ans. Elles sont des centaines, zigzaguant tranquillement dans les rues de la ville. Bayamo fut fondée en 1513 par le conquérant espagnol Diego Velázquez. Son plan d'urbanisme est plutôt complexe, puisqu'il fut conçu comme un labyrinthe pour prévenir l'attaque des pirates et des corsaires, bien que Bayamo soit assez éloignée de la mer pour ne pas être réellement menacée par de telles attaques. Au cours des siècles, Bayamo prospéra grâce à la contrebande de produits finis provenant de France et de Hollande, échangés contre de la viande et du cuir jusqu'au XVIIᵉ siècle. La ville a cependant suivi un parcours historique plutôt calme jusqu'aux guerres d'Indépendance, pendant lesquelles elle fut un centre important de conspiration des nationalistes. C'est d'ailleurs un musicien d'ici, Manuel Muñoz Cedeño, qui a composé la musique de l'hymne national cubain, *la bayamesa*. Aussi, Bayamo peut se vanter d'être la première ville cubaine à avoir interdit l'esclavage, le 17 décembre 1868. Aujourd'hui, il reste malheureusement peu de bâtiments rappelant le passé colonial de la ville; c'est que Bayamo fut mise à feu le 12 janvier 1869 par les nationalistes, sous les ordres du général de Céspedes, avant de la rendre aux Espagnols.

Et c'est par l'ancien Parque Céspedes, aujourd'hui la **Plaza de la Revolución** ★ ★, que nous vous proposons de débuter la visite de Bayamo (220 000 hab.). Cet espace est des plus agréables, propice à la détente, sur un banc à l'ombre d'un vieil arbre, et s'élève au milieu de la place une statue de Carlos Manuel de Céspedes. Face à celle-ci, le buste de Perucho Figueredo, flanqué des paroles qu'il composa pour l'hymne national du pays, rappelle l'importance de Bayamo dans le vaste mouvement en faveur de l'indépendance de Cuba.

Dans la Calle Maceo, devant la place de la Révolution, la **Casa Natal Carlos Manuel de Céspedes** ★ ★ *(1 CUC; mar-ven 10h à 17h30, sam 10h à 14h et 20h à 22h, dim 10h à 14h;* ☎ *23-42-3864)* a été transformée en musée. Cette maison a été merveilleusement restaurée. Ayant survécu à l'incendie de 1869, elle constitue un exemple sans pareil de l'architecture pré-révolutionnaire de Bayamo. À l'époque, elle ne comprenait en fait qu'un seul étage, le premier ayant été ajouté au tournant du XIXᵉ siècle. Le musée expose au rez-de-chaussée plusieurs objets et documents ayant appartenu au héros ou servant à illustrer des épisodes de sa vie, alors qu'on utilise le premier étage pour présenter une éloquente collection de meubles d'époque.

Dans la maison voisine, le **Museo Provincial de Granma** *(1 CUC; mar-ven 9h à 17h, sam 10h à 13h et 19h à 22h, dim 9h à 13h et 19h à 21h; Calle Maceo,* ☎ *23-42-4125)* expose une petite collection sur l'histoire de la province de Granma. C'est dans cette demeure que Manuel Muñoz Cedeño composa la musique de l'hymne national cubain.

L'**Ayuntamiento** *(Calle General García nᵒ 13)* donne aussi sur la Plaza de la Revolución. Il fut le premier hôtel de ville de l'île à accepter d'incorporer une clause proclamant l'abolition de l'esclavage à sa charte. Un petit musée a été installé à gauche de l'entrée.

La **Catedral de San Salvador de Bayamo** se dresse un peu plus à l'ouest (en suivant la Calle Maceo), sur la Plaza del Himno. Malgré l'incendie de 1869, une partie de sa structure est, par bonheur, sortie indemne de cette tragédie. La **Capilla de Nuestra Señora de los Dolores** ★ ★ est une œuvre d'art exceptionnelle. Construite en 1733, si l'on se fie à la date gravée dans une poutre à l'arrière de la chapelle, elle a un des plus splendides retables de Cuba. Fait de bois d'essences rares, il est grandiose et incroyablement travaillé. Le plafond de la chapelle est aussi remarquable par ses gravures représentant des spécimens de la flore et de la faune cubaines. Le principal bâtiment de l'église, reconstruit après l'incendie, serait, quant à lui, plus ou moins intéressant, n'eût été de la surprenante fresque qui domine l'une de ses arches et qui représente l'arrivée des *mambises* devant la Capilla aux premiers jours de la révolte contre la domination espagnole.

Quelques édifices situés près de la Plaza de la Revolución valent un léger détour. La **Casa de la Nacionalidad**, qui fait face à la Capilla de Nuestra Señora de los Dolores, a appartenu à un général de l'armée de libération, Esteban Tamayo Tamayo, et elle arbore une intéressant patio. La **Biblioteca Municipal**, bel exemple d'architecture de style éclectique situé au nᵒ 52 de la Calle Céspedes, fut à l'origine la maison de ville de Francisco Vicente Aguilera, homme extraordinaire et fortuné qui fut le véritable instigateur de la révolte de 1868. Céspedes, plus passionné et plus cultivé, le remplaça bientôt à la tête du mouvement, mais jamais la détermination de Francisco Aguilera ne devait faiblir. Il est mort en 1877, sans le sou, ruiné par le conflit qu'il avait jugé inévitable.

Un peu en retrait du quartier historique, aux abords du Río Bayamo, se trouve le **Museo Nico López** *(0,50 CUC; mar-sam 9h à 17h, dim 9h à 13h; Calle Abigail González,* ☎ *23-42-3742)*. Le musée présente la petite histoire du révolutionnaire Nico López, qui tenta d'aider la cause de Fidel Castro et de ses rebelles. Il rappelle l'attaque que Nico López organisa contre ce bâtiment dans le but de prévenir que ne soient envoyés, lors de l'attaque du Cuartel de Moncada, des renforts à Santiago de Cuba. De l'ancien baraquement construit en 1903, il ne reste que le club

Santiago de Cuba et l'Oriente - Attraits touristiques - La Sierra Maestra

des officiers. Du toit, on a une vue magnifique sur la campagne qui ceint la ville et sur la Sierra Maestra. Les passionnés de l'histoire révolutionnaire cubaine pourront aussi se rendre, non loin de là, au **Museo de los Asaltantes** *(0,50 CUC; mar-sam 9h à 17h, dim 9h à 13h; angle Calle Augusto Márquez et Calle Capotico)*, installé dans l'ancien Hospedaje Gran Casino, d'où fut organisée l'attaque contre la caserne.

Près de l'Hospedaje se trouve le **Pórtico de San Juan Evangelista ★** *(Av. Amando Estévez, angle Carretera Central)*. C'est tout ce qui reste de l'église construite en 1702. Le portique a tout de même quelque chose de noble, et il est situé dans un petit parc agréable, quoique bruyant, site du premier cimetière à ciel ouvert d'Amérique latine.

De Bayamo à Manzanillo ★★

À 40 km de Bayamo, sur la route principale, se trouve la petite localité de **Yara**. C'est ici que Carlos Manuel de Céspedes lança son fameux appel à la révolte, devenu le *Grito de Yara*, avant de se jeter, avec les quelque 160 hommes qui l'accompagnaient, contre la petite garnison de la ville. Aucun vestige de cet épisode endiablé n'a survécu; Yara fut la première à goûter à la politique de la torche de Céspedes. Le **Museo Municipal** *(1 CUC; mar-sam 8h à 12h et 14h à 18h, dim 8h à 12h; Calle Grito de Yara nº 93, ☎23-58-8602)* ne contient malheureusement rien d'intéressant sur le *Grito de Yara*, événement pourtant déterminant.

La route qui va de Yara à Santo Domingo, plus spécialement les 17 km qui séparent Bartolomé Masó de Santo Domingo, laisse voir des paysages d'une rare grandeur. Les montagnes sont ici si escarpées que l'on comprend bien que jamais les forces de Batista n'auraient pu y déloger les rebelles.

La petite communauté de **Santo Domingo** est le centre principal du splendide **Gran Parque Nacional Sierra Maestra ★★★** *(11 CUC; tlj 7h à 16h, pas d'entrée après 13h; ☎23-56-5635)*. On y trouve l'hôtel **Villa Santo Domingo** (voir p 317) ainsi que le **Centro de Información Flora y Fauna** (200 m après l'hôtel), auprès duquel on obtient de l'information sur les visites guidées. L'accès à cet endroit unique est réglementé (aussi bien pour préserver ce lieu clé de l'histoire révolutionnaire

Dos Ríos

Dos Ríos mérite une place dans l'histoire cubaine car c'est l'endroit où tomba, sous les balles des fusiliers espagnols, José Martí, dit l'Apôtre de la Révolution. En effet, Martí ayant débarqué à Playitas de Cajobabo, sur la pointe est de la province de Guantánamo, le 11 avril 1895, il ne fallut aux forces d'occupation que cinq semaines pour abattre cet homme qui lança la seconde guerre d'Indépendance (1895-1898), celle qui devait finalement sonner le glas de la présence espagnole à Cuba. On dit qu'il serait arrivé sur le champ de bataille monté sur un magnifique cheval blanc; il n'aurait fallu que peu de temps aux Espagnols pour comprendre qu'il s'agissait là d'un personnage important! Un monument marque l'endroit où il fut tué, le 19 mai 1895, à quelque 40 km au nord-est de Bayamo.

que pour protéger la nature), ainsi vous devrez obligatoirement être accompagné d'un guide pour vous lancer sur les chemins du parc. Près de Santo Domingo, au cœur du parc, on peut se promener tranquillement et profiter de la beauté des lieux. Un petit cours d'eau qui descend des montagnes offre quelques petites piscines naturelles dans lesquelles on peut se laisser glisser. Les principaux sentiers partent du belvédère d'**Alto de Naranjo**, à 5 km de Santo Domingo. Celui qui mène à la **Comandancia de la Plata ★★★** *(10 CUC/pers.; 3 km aller)* est l'un des plus populaires, la visite de l'ancien camp des rebelles étant le but de cette balade. L'ascension du **Pico Turquino ★★★** *(35 CUC incluant une nuit en refuge; 15 km aller)*, plus haut sommet de la Sierra Maestra avec 1 974 m, s'apparente beaucoup plus à une randonnée, et les paysages traversés en valent la chandelle. Une autre randonnée permet de poursuivre à travers les montagnes jusqu'à **Las Cuevas**, un petit village niché au pied de la montagne, au bord de la mer des Caraïbes *(40 CUC incluant deux nuits en refuge)*.

Manzanillo

À 60 km de Bayamo, Manzanillo s'avère spectaculaire du haut d'une colline d'où la route plonge vers la mer et d'où les toits de tuiles des maisons de la ville forment une véritable mosaïque.

Manzanillo a été fondée vers 1513 près du Río Yara, la plus longue rivière du pays (370 km), navigable au XVIe siècle. Manzanillo s'impose déjà comme une ville importante au pays au XVIe siècle, grâce à son port qui recevait les marchandises de contrebande en destination de Bayamo. Cependant, dès 1570, les pirates et les corsaires s'en prennent aux habitants. L'histoire de la ville rapporte l'attaque, en 1600, de Philibert Giron, un pirate d'origine française qui captura le curé de Manzanillo pour demander une rançon. Mal lui en prit, car la population réussit à libérer le prisonnier et à capturer le malfrat. Au XIXe siècle, Manzanillo est de nouveau attaquée par les pirates; puis, en 1882, le dernier chargement d'esclaves passe par son port. La production sucrière s'accroît sur ses terres, et la ville prospère grâce à son commerce avec Bayamo. Manzanillo est aussi le berceau de la première œuvre littéraire du pays, *Espejo de la Pasión*, signée par l'écrivain Silvestre de Balboa en 1792. D'un point de vue musical, Manzanillo est aussi connue pour ses orgues de Barbarie qui furent importés de France à la fin du XIXe siècle, puis fabriqués sur place.

Aujourd'hui, Manzanillo (130 000 hab.) se présente comme une petite ville tranquille où il est agréable de se promener dans des rues typiques au gré de la découverte. Dans le **Parque Céspedes**, le parc municipal de Manzanillo, le **Museo Histórico Municipal** *(1 CUC; mar-sam 9h à 18h, dim 8h à 12h et 20h à 22h; Calle Martí no 226; ☎23-57-2053)* retrace l'histoire de Manzanillo en présentant quelques pièces archéologiques de la période précolombienne. La maison qui abrite le musée est intéressante. Elle date de 1883 et a été construite dans le style néoclassique.

Au centre du Parque Céspedes, **La Glorieta** ★ a été inaugurée le 24 juin 1924. Symbole de la ville, cette gloriette où l'on présente souvent des concerts les dimanches est une réplique quasi exacte de celle du Patio de los Leones de Granada, en Andalousie, et son style est d'inspiration mauresque. Cette inspiration se retrouve aussi dans la décoration de la **Casa de la Cultura** ★ *(tlj 7h à 22h; Calle Merchám no 147)*. L'intérieur de cet édifice construit en 1936 est orné d'azulejos de couleurs vives. Plusieurs grandes mosaïques représentant Colomb lors de son passage sur l'île sont accrochées aux murs des grandes pièces du bas. Le patio mauresque plaît par l'équilibre de sa décoration.

L'**Iglesia de la Purísima Concepción** *(Calle Maceo)*, située devant le parc, n'est pas inintéressante; elle possède un très beau retable.

De Manzanillo à Playa Las Coloradas ★★

La route qui longe la côte, de Manzanillo à Playa Las Coloradas, est fabuleuse. Les attraits touristiques y sont nombreux, tout comme les plages, malheureusement plutôt quelconques.

À 15 km au sud de Manzanillo, le **Museo La Demajagua** ★★ *(1 CUC; lun-ven 8h à 17h, dim 9h à 12h; Carretera Central, ☎23-57-2053)* se révèle être un site extraordinaire. La Demajagua est le nom donné à l'hacienda de Carlos Manuel de Céspedes. L'*ingenio* était situé ici, sur ce promontoire d'où l'on a une vue imprenable. Les champs de canne à sucre descendent jusqu'à la mer, le vert satiné des uns et le bleu lumineux de l'autre se mariant pour donner au paysage une étrange profondeur. On peut s'imaginer ce que devait représenter pour Céspedes un tel endroit et combien il dut lui en coûter de le quitter. Un petit musée retrace la carrière politique de Céspedes à travers des objets et des documents d'époque, alors que les restes de l'*ingenio* se trouvent un peu plus loin, sous un grand arbre qui a emprisonné dans ses racines l'une des immenses roues du moulin. La cloche qui servit à appeler les esclaves, en ce fameux 10 octobre 1868 où Céspedes leur annonça qu'ils étaient dorénavant des hommes libres, peut être vue sous une arche du monument élevé pour commémorer l'événement.

Au sud de La Demajagua, on entre sur les terres de la Révolution de 1959 et des événements qui y ont mené. Partout, le long des routes et dans les villages, des monuments ont été élevés à la mémoire de ceux qui sont tombés à la suite du débarquement du *Granma*. En effet, descendus à Playa Las Coloradas dans des conditions difficiles, rapidement découverts par l'aviation et pourchassés par plusieurs détachements de l'armée cubaine, la plupart de ceux qui mirent pied à terre en ce 2 décembre 1956 furent rapidement massacrés.

À **Cinco Palmas**, à quelque 20 km au nord-est de Media Luna (voir ci-dessous), une touche rieuse dans cet enfer est soulignée par un monument marquant l'endroit où Fidel et Raúl Castro se retrouvèrent après avoir erré des jours durant dans les champs de canne à sucre de la côte. On dit que Fidel aurait alors demandé à Raúl de combien de fusils il disposait. Un seul fut la réponse du benjamin, ce à quoi Fidel aurait rétorqué que cela devrait suffire pour faire la Révolution.

La petite ville de **Media Luna** ★ abrite un nombre surprenant de bungalows d'inspiration américaine. Ces cottages en bois auraient fait leur apparition dans la foulée de l'arrivée des responsables des moulins américains, nombreux dans ces régions, qui auraient amené avec eux un style de maison avec lequel ils étaient familiers. On trouve un peu partout sur la côte entre Manzanillo et Playa Las Coloradas, et jusqu'à Pilón, des exemples de ces constructions simples et attrayantes, mais rarement dans l'état de préservation incroyable de celles que l'on retrouve à Media Luna. Le plus bel exemple est peut-être cette construction qui abrite le **Museo Celia Sánchez** ★ ★ *(entrée libre; mar-sam 9h à 17h, dim 9h à 13h; Av. Raúl Podio nº 111, ☎23-59-3466)*. Celia Sánchez, révolutionnaire de la première heure et amie de Fidel, farouche *guerrillera* et figure politique importante dans les premières années de la Révolution, vit le jour ici, dans cette maison confortable. L'intérieur est tapissé d'objets, de photos, de documents jetant sur l'histoire de cette femme extraordinaire un éclairage touchant.

En poursuivant vers le sud-ouest, on atteint le **Parque Nacional Desembarco del Granma** ★ *(3 CUC; centre d'information à Belic)*, inscrit au patrimoine mondial de l'humanité depuis 1999. C'est bien sûr la flore exceptionnelle de la région qui est ainsi protégée, avec de nombreuses espèces endémiques. Plusieurs sentiers permettent de profiter de la nature (visites guidées uniquement). Cependant, le parc est un lieu mythique car c'est à **Playa Las Coloradas** que Castro et sa bande touchèrent terre en décembre 1956, à leur retour du Mexique. En fait, le nom de l'endroit peut porter à confusion. Ce n'est pas sur une plage, mais bien au milieu des mangroves que le *Granma* accosta. Un **mémorial** et un **musée** *(1 CUC; mar-sam 8h à 18h, dim 8h à 12h)* commémorent cet événement.

La route du sud ★ ★

La route qui longe la côte entre Pilón et Santiago de Cuba est des plus impressionnantes. La Sierra Maestra descend en effet jusqu'à la mer, y plongeant de façon vertigineuse. Le climat y est sec et la lumière particulièrement éblouissante. Sur le chemin, on rencontre quelques petits villages et quelques plages, certaines passablement intéressantes.

Pour se rendre à **Pilón**, il faut prendre à gauche à l'*entronque* de Pilón, sur la route qui va de Manzanillo à Playa Las Coloradas. On s'enfonce alors dans les montagnes, et la route glisse à travers d'étroites vallées, au milieu de collines sur lesquelles se sont installés quelques agriculteurs épars. Encore ici, le *Granma* est omniprésent, et l'on nous signale par exemple, à grand renfort de panneaux bien visibles, le col par lequel Che Guevara traversa la route pour se rendre en un lieu de rendez-vous plus avant dans la *sierra*. En descendant vers Pilón, on découvre une plaine sèche et caillouteuse. Pilón est une autre petite ville née de la centrale sucrière qui occupe son centre. On y trouve ici aussi quelques constructions de cette architecture de type bungalow, mais dans un piteux état pour la plupart.

Les plus belles plages de la côte entre Pilón et Santiago de Cuba se trouvent à **Marea del Portillo**, à une dizaine de kilomètres à l'est de Pilón. On y a importé du sable blanc pour satisfaire les touristes qui viennent passer quelques semaines dans les grands hôtels qui s'y sont établis.

C'est réellement à partir de Marea del Portillo que la route devient dramatique. Castro prit d'ailleurs cette direction à la suite de la débandade qui marqua son arrivée à Cuba. Son besoin d'armes le poussa à s'attaquer au poste militaire du premier village qu'il rencontra sur son chemin, **La Plata**. L'opération fut un succès et, le moral des survivants étant à la hausse, il s'enfuit dans la montagne, rejoignant le **Pico Turquino** (voir p 302). **El Uvero** eut aussi à faire face à une attaque de la petite bande. Les deux villes possèdent d'ailleurs des musées relatant de long en large les premiers actes des révolutionnaires.

Il faut compter environ 3h pour parcourir les 175 km qui séparent Pilón de Santiago de Cuba, à moins qu'on ne s'arrête fréquemment pour profiter de la beauté des paysages.

🪶 Activités de plein air

■ Plongée sous-marine

À **Marea del Portillo**, le centre de plongée situé près de l'Hotel Marea del Portillo, offre des plongées à partir de 35 CUC, équipement compris. Il y a 17 sites ouverts le long de la barrière de corail, dont une épave en eaux peu profondes.

■ Randonnée pédestre

Le **Gran Parque National Sierra Maestra** (voir p 302) propose plusieurs randonnées exigeantes, avec une ou deux nuits en refuge, mais qui traversent des paysages splendides. Elles sont toutes accompagnées d'un guide.

Guantánamo

▲ *p 317* 🛏 *p 321* 🍴 *p 322*

Connue mondialement grâce à la chanson *La Guantanamera*, et à cause de la base navale américaine, la ville de Guantánamo (244 000 hab.) a peu à offrir aux touristes, et certains seront déçus d'apprendre qu'on ne peut voir la base navale américaine de Guantánamo depuis la capitale de la province. Pour cela, vous devez vous rendre à Caimanera.

Guantánamo a subi l'influence de l'architecture soviétique. Le préfabriqué et le béton sont la norme. La **Plaza de la Revolución Mariana Grajales** va tout à fait dans ce sens. Inaugurée le 26 juillet 1985, cette place porte le nom de la mère de plusieurs *mambises* qui luttèrent pour l'indépendance de Cuba au XIXe siècle, entre autres le célèbre général Antonio Maceo.

À quelques kilomètres au nord-ouest de Guantánamo, le **Zoológico de Piedra** *(1 CUC; lun-sam 9h à 18h; Alto de Boquerón de Yateras, ☎ 21-86-5143)* est aménagé dans une caféière sur les terrains de la résidence d'Ángel Iñigo, un sculpteur autodidacte. L'endroit est surprenant: on y retrouve plutôt un jardin de sculptures d'animaux formant une sorte de zoo de statues de pierre.

La base navale américaine de Guantánamo

Créée en 1903, la base a une superficie de 110 km², et 8 000 Américains habitent son territoire. Un bail de 99 ans fut signé en 1933, et le contrat stipule que l'entente ne peut prendre fin que si les deux pays impliqués s'entendent en ce sens. Il y a fort à parier que les États-Unis ne voudront pas enlever à Castro cette épine de son pied. Le gouvernement américain paie toujours les 4 000$ annuels pour la location de ce territoire, mais le gouvernement cubain refuse d'encaisser les chèques. Terrains de golf, McDonald's, cinémas, boîtes de nuit, tout est en place pour que les militaires, les civils et leurs familles s'y sentent comme à la maison. Cependant, cet îlot idyllique de l'*American way of life* a pris des allures inusitées au cours de la crise des *balseros* cubains.

À la mi-août 1994, la base navale américaine de Guantánamo hébergea plus de 22 000 réfugiés cubains à la suite de la décision de Bill Clinton de ne pas les accepter aux États-Unis, mais plutôt de les envoyer dans des camps. Ceux-là mêmes qui, au péril de leur vie, quittèrent leur pays dans des radeaux de fortune pour la Floride se retrouvèrent soudainement emprisonnés dans des camps tout près de Cuba. Ironiquement, des réfugiés cubains ont tenté de traverser à la nage la baie de Guantánamo, cette fois pour retourner à Cuba. Selon les autorités américaines, plus de 350 réfugiés ont réussi l'exploit pendant la crise des *balseros*. Cependant, plusieurs

LA PROVINCE DE GUANTÁNAMO

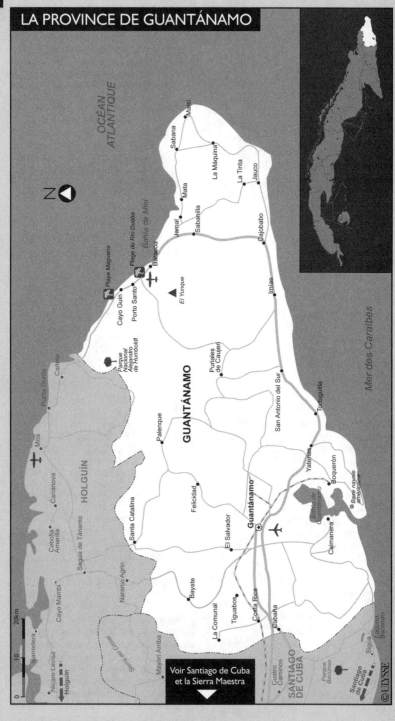

OCÉAN ATLANTIQUE

Maisí

Sabana

La Máquina

La Tinta

Jauco

Mata

Sabanilla

Bahía de Miel

Jamal

Cajobabo

Plage du Río Duaba

Baracoa

Playa Maguana

El Yunque

Cayo Guín

Porto Santo

Imías

Parque Nacional Alejandro de Humboldt

Puriales de Caujerí

Mer des Caraïbes

GUANTÁNAMO

San Antonio del Sur

Puerta Gorda

Cañete

Palenque

Tortuguilla

Moa

HOLGUÍN

Yateras

Cananova

Santa Catalina

Felicidad

Boquerón

Base navale américaine

Cebolla Amarilla

Sagua de Tánamo

El Salvador

Guantánamo

Caimanera

Bahía de Guantánamo

Cayo Mambí

Naranjo Agrio

Bayate

Costa Rica

Barredera

Nícaro-Levisa

Holguín

Mayarí Arriba

La Comunal

Tiguabos

Cabaña

Cuatro Caminos

Sigua

Laguna Baconao

Parque Baconao

Santiago de Cuba

SANTIAGO DE CUBA

Voir Santiago de Cuba et la Sierra Maestra

20km

10

0

©ULYSSE

n'en revinrent jamais, emportés par les courants. On estime que, bon an mal an, une centaine de Cubains réussissent à se rendre à la base de Guantánamo à la nage pour se réfugier en territoire américain.

Depuis 2002 et la «guerre contre le terrorisme», la base de Guantánamo a fait de nouveau beaucoup parler d'elle sous la présidence de George W. Bush, car elle est devenue en partie un camp de détention pour les «combattants irréguliers» capturés en Irak ou en Afghanistan. De nombreuses protestations se sont élevées contre cette prison, illégale pour certains, inhumaine pour d'autres. À son arrivée à la Maison-Blanche en janvier 2009, Barack Obama a déclaré qu'il souhaitait fermer le camp de détention d'ici 2010.

Aujourd'hui, on ne peut visiter la base de Guantánamo à partir de Cuba. Conséquence de la guerre froide, vous devrez tout d'abord obtenir une permission spéciale aux États-Unis et faire le voyage depuis Norfolk, en Virginie, à bord d'un avion de l'armée américaine... Même le Mirador de Malones, qui fait face à la base navale américaine de Guantánamo, n'est plus accessible au public. Ainsi, pour apercevoir cette fameuse base navale, il faudra vous rendre à **Caimanera**, un petit village à partir duquel vous pourrez apercevoir la base, de l'autre côté de la baie. Depuis l'**Hotel Caimanera** (voir p 318), vous pourrez réfléchir aux difficiles relations qui perdurent entre les États-Unis et Cuba tout en sirotant un *Cuba libre* bien froid. Il est nécessaire de passer par le bureau de **Havanatur** de Guantánamo (voir p 287) pour obtenir les autorisations nécessaires pour accéder à l'hôtel (passeport et 24h de délai sont généralement nécessaires).

La Guantanamera

La Guantanamera est la plus populaire des chansons cubaines. La mélodie fut composée dans les années 1940 par Joseito Fernández pour une émission de radio au cours de laquelle il annonçait les potins du jour avec des chansons. L'air musical devint si célèbre qu'on en fit le symbole de Cuba. Aujourd'hui, un poème de José Martí accompagne la mélodie de *La Guantanamera*.

Refrain	Traduction
Guantanamera, guajira	Guantanamera, paysanne,
Guantanamera (bis)	Guantanamera
Yo soy un hombre sincero	Je suis un homme sincère
De donde crece la palma	D'où croît le palmier
Y antes de morirme quiero	et avant de mourir je veux
Echar mis versos del alma	De mon âme exprimer les vers
Con los pobres de la tierra	Avec les pauvres de la terre
Quiero yo mi suerte echar	Je veux jouer mon destin
El arroyo de la sierra	Le ruisseau des montagnes
Me complace más que el mar	Me plaît davantage que la mer
No me pongan en lo oscuro	Ne me jetez pas dans l'obscurité
A morir como un traidor	À mourir comme un traître
Yo soy bueno y como bueno	Je suis bon, et c'est comme un bon
Moriré de cara al sol	Que je mourrai face au soleil

Baracoa ★ ★ ★

▲ p 318   ● p 321   ➜ p 322   ▯ p 323

Baracoa (82 000 hab.) est une ville allongée et cachée parmi les montagnes, près de l'**Ensenada de Miel** ou **Bahía de Miel**, une petite baie partiellement ouverte sur la mer. Première *villa* fondée par les Espagnols à Cuba, le 15 août 1511, Baracoa est bien définie par cet adage: *Bien que je sois la plus petite ville de Cuba, je serai toujours la première*. Baracoa fait partie de ces villes où il fait bon se prélasser, et si le climat humide peut vous empêcher de profiter tous les jours des plages et de la nature environnante, vous pourrez profiter de ces moments pour déguster le délicieux chocolat local. Car Baracoa est aussi reconnue pour son cacao; d'ailleurs, la plus grande usine de production cubaine de chocolat se trouve ici, et la **Casa del Chocolate** (voir p 321) est une halte obligatoire pour les amateurs de ce délicieux produit. La baie voisine de Baracoa, Porto Santo, à 1 km au nord de Baracoa, est entrée dans l'histoire du Nouveau Monde le 27 novembre 1492. D'aucuns prétendent que c'est à cet endroit que Christophe Colomb foula le sol pour la première fois à Cuba, puisqu'il décrit dans ses notes de voyage *«une montagne carrée qui ressemble à une île»*. Cette montagne, **El Yunque**, se découpe sur le ciel de Baracoa. Cependant, certains historiens trouble-fête affirment que c'est plutôt la ville de Gibara que Colomb décrit dans son journal de voyage. Ces discussions alimentent encore aujourd'hui nombre de débats à Cuba. À partir de 1791, fuyant l'indépendance haïtienne, plusieurs Français sont venus s'installer dans la région de Baracoa. Ils ont laissé une trace indélébile dans la culture cubaine, apportant avec eux violon et piano, des pas de danse et une influence économique importante sur la société. Bien que déjà en déclin, la ville de Baracoa a participé à sa manière aux luttes d'indépendance au XIXe siècle. Tous les ans, les habitants de Baracoa célèbrent, au lever du soleil du 1er avril, l'arrivée du général indépendantiste Antonio Maceo Grajales. Ils rappellent ainsi comment le peuple de Baracoa descendit dans les rues pour accueillir leur libérateur et l'appuyer dans sa lutte.

Isolée du reste du pays, une population pauvre et peu instruite reflétait l'image de Baracoa au moment de la révolution cubaine de 1959. Une jolie anecdote de cette époque rappelle ces événements. Alors que la campagne d'alphabétisation battait son plein à Cuba au cours des premières années de la Révolution, on fit descendre des montagnes entourant Baracoa les enfants qui y vivaient. La plupart d'entre eux n'avaient jamais vu la ville, et encore moins l'électricité et ses lumières. Alors qu'ils descendaient dans la nuit vers Baracoa, l'un d'eux dit: *Quel est donc ce village qui a les étoiles si basses?*

L'histoire de Baracoa est truffée de personnages mythiques et de légendes. Parmi les personnages historiques qui ont fui la civilisation en s'isolant à Baracoa, *El Pelu* est sans doute le plus mystérieux. *El Pelu*, dont on peut voir aujourd'hui une photo au musée du Fuerte Matachín (voir p 310), aurait été un prophète de malheur. L'histoire l'a rendu coupable de tous les fléaux qui se sont acharnés sur Baracoa. Cet homme portait les cheveux longs, une longue barbe et des colliers de coquillages. Hippy avant son temps, il fut rejeté à la fin du XIXe siècle par les habitants de Baracoa. Il s'enfuit dans les montagnes en maudissant Baracoa. *Les habitants de cette ville sont tellement incultes qu'elle ne prospérera jamais*, dit-il. C'est ce qui est connu ici comme *«la maldición del Pelu»*.

Plus récente, la venue de Magdalena, appelée communément *La Rusa*, marquera pour longtemps Baracoa. Chanteuse d'opéra et fille d'un fonctionnaire du Tzar, elle fuit le socialisme en Russie et s'installe à Baracoa, où elle ouvre un hôtel au début des années 1950. Mais le socialisme la suivra jusqu'ici! Elle décidera pourtant de collaborer au Movimiento 26 de Julio, un mouvement de résistance. Alors que la Révolution triomphe de ses adversaires, elle fait un don de 25 000$ au nouveau gouvernement. Fidel et son frère Raúl viendront à Baracoa et logeront à l'**Hotel La Rusa** (voir p 318). *La Rusa* meurt en 1978, mais elle demeurera à jamais immortalisée dans la petite histoire de Baracoa et dans *La consécration du printemps*, un roman du célèbre écrivain cubain Alejo Carpentier.

Baracoa se présente comme l'une des rares villes de Cuba qui ait conservé son tracé d'origine. Paradoxalement, l'architec-

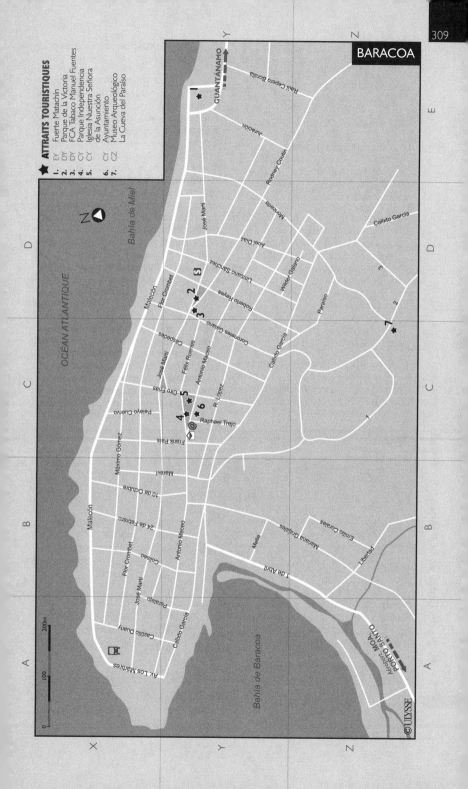

BARACOA

ATTRAITS TOURISTIQUES

★
1. EY Fuerte Matachín
2. DY Parque de la Victoria
3. DY FCA Tabaco Manuel Fuentes
4. CY Parque Independencia
5. CY Iglesia Nuestra Señora
       de la Asunción
6. CY Ayuntamiento
7. CZ Museo Arqueológico
       La Cueva del Paraíso

OCÉAN ATLANTIQUE

Bahía de Miel

Bahía de Baracoa

GUANTÁNAMO

PUERTO DE MOA

©ULYSSE

0   100   200m

ture des bâtiments qui la compose a été modifiée considérablement au cours des siècles. La Calle Martí, rue principale de Baracoa, traverse cette petite ville d'un bout à l'autre, joignant les deux forts côtiers de la ville. Moins passant, le Malecón de Baracoa longe la mer, reliant aussi les deux extrémités de Baracoa. Le site du Malecón a malheureusement été gâché par la construction de nombreux HLM à l'architecture typiquement socialiste. De plus, le passage des ouragans a transformé en ruines plusieurs d'entre eux.

Le **Fuerte Matachín** ★ *(1 CUC; tlj 8h à 12h et 14h à 18h; Calle Martí, angle Juración, ☎21-64-2122)* est une des trois fortifications coloniales de Baracoa. À l'entrée de la ville, devant le Parque Maceo, ce fort sert de musée historique de Baracoa. Vous y découvrirez de nombreux documents, croquis et photographies d'époque. Devant ce fort, une statue représentant Christophe Colomb rappelle le passage du célèbre navigateur à Baracoa en 1492.

En forme de *Y*, le **Parque de la Victoria** est une place typique de Baracoa où se trouve la fabrique de cigares **FCA Tabaco Manuel Fuentes**, qu'on ne peut plus visiter, mais il est toujours possible de jeter un coup d'œil de l'extérieur pour voir à l'œuvre des artisans du tabac.

Vous trouverez un peu d'ombre sous les nombreux arbres du **Parque Independecia**, le plus agréable square de Baracoa; tout à côté se dresse l'**Iglesia Nuestra Señora de la Asunción** ★★, qui date de 1805. Même si cette église n'a pas une grande valeur architecturale, tant dans sa façade que dans son intérieur, sa principale curiosité est la **Cruz de la Parra**. Cette croix aurait été transportée d'Europe et aurait été plantée à Porto Santo par Christophe Colomb lors de son premier voyage. Afin de la protéger, elle fut déplacée bien des années plus tard dans l'enceinte de cette église, puisque les pêcheurs en coupaient des bouts pour en faire des talismans. Ce qui reste de cette croix, qui avait à l'origine près de 2 m de hauteur, est aujourd'hui exposé dans une petite boîte vitrée. L'Iglesia Nuestra Señora de la Asunción ouvre généralement ses portes très tôt tous les matins. Devant l'église trône un buste de **Hatuey**, un célèbre chef autochtone rebelle qui fut brûlé vif par l'Église catholique à Baracoa au temps de la colonie. L'emplacement du buste, qui fait face à l'église, est très symbolique. Plusieurs considèrent Hatuey comme l'un des premiers rebelles d'Amérique.

El Tibaracón

À Baracoa, le sable empêche le Río de Miel et le Río Duaba d'atteindre directement la mer. Ce phénomène, appelé *El Tibaracón* par les habitants de Baracoa, oblige ces rivières à contourner les bancs de sable et à déboucher quelques centaines de mètres plus loin.

Le Río de Miel, qui évite les bancs de sable de la petite baie de l'Ensenada de Miel, est embelli par l'arrivée des *tetis*, de petits poissons transparents. Une fois l'an, généralement au mois d'août ou de septembre, les *tetis* apparaissent soudainement alors que la Lune est à son point le plus éloigné dans le ciel, juste avant qu'elle ne commence à renaître.

Le Río de Miel s'entoure d'une légende selon laquelle le conquistador espagnol Diego Velázquez y serait venu. On raconte que, lors de son séjour à Baracoa, Velázquez se serait baigné dans le Río de Miel avant de se marier à Baracoa. Ceux et celles qui se baignent dans le Río de Miel, dit la légende, se marieront à Baracoa.

Le bel édifice orangé attenant au Parque Independencia est l'**Ayuntamiento**, la mairie de Baracoa. Construit dans les années 1930, il dispose d'un joli patio où vous pouvez pénétrer aux heures d'ouverture des bureaux, question de prendre un peu d'air frais et d'admirer l'endroit.

La Calle Calixto García mène à l'**Hotel El Castillo** (voir p 318). Cette ancienne forteresse, construite entre 1739 et 1742, surplombe du haut de sa colline la ville de Baracoa. On peut y apprécier un point de vue unique sur la ville, El Yunque, la baie de Baracoa et l'embouchure du Río de Miel. Vous verrez aussi des tuiles en terre cuite sur les toits des maisons, rappel des influences espagnoles et françaises. Donnez-vous-y rendez-vous pour le lever du soleil sur la mer, un véritable présent de la nature.

Le **Museo Arqueológico La Cueva del Paraíso** ★ *(3 CUC; lun-sam 8h à 18h; Calle Moncada, angle Calle 2da, ☎21-64-3300)* se trouve aussi sur les hauteurs de Baracoa, à 500 m au sud de l'Hotel El Castillo. Installé dans une grotte naturelle, ce musée expose d'intéressantes pièces archéologiques appartenant aux Taïnos. La plupart des céramiques, pierres et coquillages furent trouvés sur place. On peut d'ailleurs observer dans une seconde cavité les vestiges d'une grotte funéraire. Le panorama de la ville et de la baie vaut à lui seul le déplacement.

Autour de Baracoa

La plage à l'embouchure du **Río Duaba** ★ mérite certainement une excursion. Elle fait partie du site d'un ancien village autochtone où l'on peut trouver encore aujourd'hui certaines pièces archéologiques jonchant le sol. Cette longue plage sablonneuse est méconnue, et vous y découvrirez dans toute sa splendeur le phénomène naturel du *Tibaracón*. Cependant, les courants la rendent dangereuse pour la baignade. Pour vous y rendre, tournez à droite devant la petite école de l'Alto del Pino, au nord de Baracoa. Vous reconnaîtrez l'endroit au buste du général Maceo et aux deux canons qui sont érigés en face de l'école. C'est ici que ce général a tendu une embuscade à l'armée espagnole pendant les guerres d'Indépendance. Le chemin de terre qui mène à l'embouchure du Río Duaba est bordé de palmiers

royaux, emblème du pays. Le chemin est court et en mauvais état par endroits, mais vous arriverez à le franchir sans trop de difficulté en voiture. En arrivant près de la mer, tournez à droite, puis suivez le chemin sur une distance d'environ 1 km. Au bout, quelques petites maisons pittoresques vous accueillent.

Playa Maguana ★ ★, à 22 km à l'ouest de Baracoa, avec son sable blanc, ses cocotiers et son hôtel (voir p 318), est la plus belle plage de la région. Si vous ne possédez pas de véhicule, adressez-vous aux agences habituelles (voir p 287) qui proposent des excursions à Playa Maguana.

Le **Parque Nacional Alejandro de Humboldt** ★ ★ *(10 CUC; tlj; ☎21-64-3300 ou 21-64-3665)* se trouve à une trentaine de kilomètres à l'ouest de Baracoa. Ce magnifique parc d'une superficie de 700 km² fut déclaré patrimoine de l'humanité par l'UNESCO en 2001. Ici comme ailleurs au pays, on ne peut s'aventurer dans le parc sans être accompagné d'une guide *(à partir de 5 CUC/pers.)*, mais en contrepartie, cet endroit naturel et encore sauvage est dans un état de conservation remarquable, et les visites se font dans le respect total de la nature. La diversité de ce parc, avec ses forêts, ses montagnes, ses cours d'eau, ses lagunes et ses marécages, ainsi que ses nombreuses espèces endémiques, forme un écosystème unique dans les Caraïbes. De nombreux sentiers sont ouverts au public (voir p 312). Il est préférable de profiter des premières heures de la journée pour visiter le parc, et n'oubliez pas d'apporter boisson et nourriture car vous n'en trouverez pas sur place.

🦜 *Activités de plein air*

■ *Randonnée pédestre*

Il est possible de partir en expédition pour escalader **El Yunque** (voir p 308), la célèbre montagne que Christophe Colomb aurait aperçue à son arrivée à Cuba en 1492. L'aller-retour se fait en 5h, mais la dernière partie de l'ascension s'avère difficile. Pour faire ce parcours, vous devrez louer les services d'un guide de montagne. Renseignements auprès des agences touristiques locales de Baracoa (voir p 287).

Santiago de Cuba et l'Oriente - Activités de plein air - Baracoa

Le **Parque Nacional Alejandro de Humboldt** (voir p 311) renferme de nombreux sentiers accessibles à tous. D'une longueur de 3 km à 7 km, ils permettent d'admirer la flore et la faune du parc, et de profiter des cours d'eau et autres cascades pour vous rafraîchir. Toutes ces randonnées sont obligatoirement accompagnées d'un guide *(5 CUC à 10 CUC/pers.)*, et chaque sentier accueille quotidiennement un nombre maximal de visiteurs. On peut se rendre directement au parc, ou réserver une excursion auprès des agences de Baracoa (voir p 287).

▲ Hébergement

Santiago de Cuba

Casa Amparo
$$ ≡ ❀
161 Calle Santa Rita, entre Corona et Padre Pico
☎ (22) 65-6351
amparohl@yahoo.es
Une seule chambre est offerte dans cette *casa particular*, mais ceux qui auront pris soin de réserver profiteront d'une vue splendide de la ville, qui n'a rien à envier au Balcón de Velázquez. La chambre, confortable et moderne, se trouve à l'étage et donne sur la grande terrasse privée. Tranquillité assurée. La maîtresse de maison peut organiser des massages et des cours de danse à domicile.

Casa Colonial Maruchi
$$ ≡ bc/bp
357 Calle Hartmann (San Félix), entre Trinidad et San Germán
☎ (22) 62-0767
Cette *casa particular* a autant de caractère qu'elle est confortable. Les deux chambres sont grandes et meublées d'antiquités, et l'agréable patio intérieur héberge un paon… L'accueil est tout aussi charmant.

Casa Nenita
$$ ≡ bc
472 Calle Sánchez Hechavarría, entre Carnicería et Calvario
☎ (22) 65-4110
Cette grande maison coloniale abrite l'une des meilleures *casas particulares* de Santiago. Située à deux pas du Parque Céspedes, elle compte deux grandes chambres propres et calmes, qui se partagent une salle de bain. L'intérieur de la maison, tout comme le patio fleuri, sont superbes. Un havre de paix pour se reposer de la chaleur de Santiago. Accueil charmant.

Hotel Libertad
$$ ❧ ≡ ⱳ @
658 Calle Aguilera, face à la Plaza de Marte
☎ (22) 62-3080
www.islazul.cu
Situé dans un bel immeuble historique, cet hôtel de 17 chambres offre un confort simple mais correct. Par contre, certaines chambres ne disposent pas de fenêtres. On trouve sur place plusieurs services, dont l'accès Internet, et le bar sur le toit (voir p 322) est un bel endroit pour boire un verre à la tombée de la nuit.

Hotel Escuela Gran Hotel
$$ ≡ ⱳ ❀
Calle Enramadas, angle Calle San Félix
☎ (22) 65-3020
www.granhotelstgo.cu
Situé à deux pas du Parque Céspedes, cet hôtel-école est installé dans l'ancien Hotel Bayamo. Il s'agit d'un établissement agréable dont le personnel, chaleureux et avenant, semble heureux de côtoyer les étrangers. Parmi les 15 chambres, quelques-unes ont des balcons, mais la plupart sont un peu sombres. C'est tout de même un des plus charmants hôtels de Santiago, et il affiche souvent complet: il est donc conseillé de réserver.

Hotel Las Américas
$$$ ❧ ≡ ⱳ ≋
Av. de las Américas, angle Calle General Cebreco
☎ (22) 64-2011
www.islazul.cu
L'Hotel Las Américas reçoit de nombreux jeunes voyageurs ainsi que des touristes latino-américains. L'accueil est généralement sympathique, et l'endroit offre une bonne atmosphère détendue. L'établissement se révèle propre, et les chambres sont petites, simples et bien équipées. Situé en face du Meliá, il se trouve à environ 3 km du Parque Céspedes, ce qui n'est pas pratique si vous comptez sortir en ville. Cependant, il offre un bon rapport qualité/prix, et l'on trouve sur place de nombreux services (bureau de change, location de voitures…) de même qu'une discothèque.

Hotel San Basilio
$$$ ❧ ≡ ⱳ
403 Calle San Basilio, entre Carnicería et Calvario
☎ (22) 65-1702
www.hotelescubanacan.com
Cet hôtel-boutique de la gamme Encanto du groupe Cubanacan propose un excellent rapport

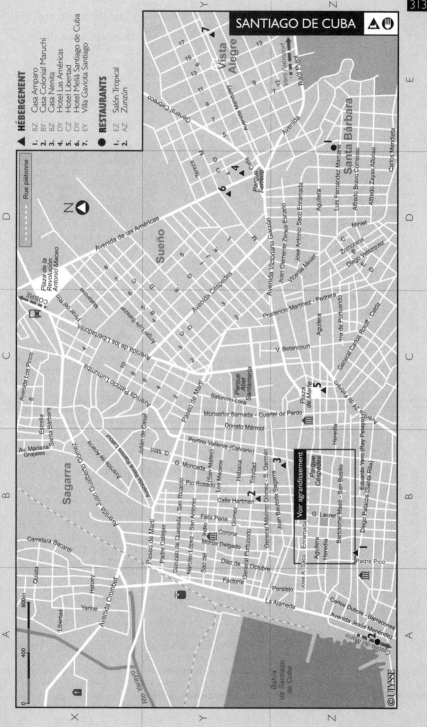

SANTIAGO DE CUBA

▲ HÉBERGEMENT

1. BZ Casa Amparo
2. BY Casa Colonial Maruchi
3. BZ Casa Nenita
4. DY Hotel Las Américas
5. CZ Hotel Libertad
6. DY Hotel Meliá Santiago de Cuba
7. EY Villa Gaviota Santiago

● RESTAURANTS

1. EZ Salón Tropical
2. AZ Zunzún

Rue piétonne

Plaza de la Revolución Antonio Maceo

Sueño

Vista Alegre

Sagarra

Santa Bárbara

Parque Céspedes

Parque Ferreiro

Plaza de Martes

Parque Abel Santamaría

Voir agrandissement

Vers l'aéroport

Bahía de Santiago de Cuba

Castillo del Morro

© ULYSSE

qualité/prix. Installé dans une ancienne clinique qui a gardé tous ses charmes coloniaux, l'Hotel San Basilio offre huit belles chambres dont la plupart s'ouvrent sur le patio intérieur. La taille de l'établissement assure un service personnalisé et une quiétude qu'on retrouve rarement dans des établissements plus onéreux.

Villa Gaviota Santiago
$$$ ☎ ≡ ❄ ≈ ♨ P
Av. Manduley nº 502, entre Calle 19 et Calle 21, Vista Alegre
☎ (22) 64-1368

La Villa Gaviota Santiago se trouve un peu éloignée du centre-ville, dans le chic quartier de Vista Alegre. Ce motel dispose aussi d'un ensemble de belles maisons ayant quatre ou cinq chambres, un excellent choix pour les groupes ou les familles.

Hotel Casa Granda
$$$$ ☎ ≈ ≡ ♨
Calle Heredia nº 201, angle Calle General Lacret
☎ (22) 68-6600 ou 65-3021
www.gran-caribe.com

L'Hotel Casa Granda saura ravir les romantiques et ceux qui désirent se laisser séduire par le charme colonial de Santiago. Situé aux abords du Parque Céspedes, en plein cœur du quartier historique, le plus vieil hôtel de Santiago exhibe une élégance du début du XXᵉ siècle. La Casa Granda a été complètement rénovée, et ses deux terrasses, l'une au rez-de-chaussée et l'autre au cinquième étage, offrent des panoramas splendides sur la ville et la baie. Le restaurant se veut particulièrement raffiné (voir p 320). Les chambres sont confortables et les salles de bain modernes. Les meilleures chambres disposent d'un balcon donnant sur le Parque Céspedes.

Hotel Meliá Santiago de Cuba
$$$$-$$$$$ ≡ ≈ ♨ ⊷ 》》 ⅄
Av. de las Américas, angle Calle M
☎ (22) 68-7070
www.melia-santiagodecuba.com

Le nec plus ultra des établissements de Santiago, l'Hotel Meliá Santiago de Cuba présente une architecture résolument moderne qui contraste avec celle du reste de la ville. Aménagé dans un style plutôt impersonnel des hôtels de cette catégorie, cet établissement se distingue toutefois par les nombreux services et installations qu'il propose: gymnase, salle de jeux, discothèque, salon de coiffure, sauna, hydromassage, trois piscines, bureau de change, pharmacie, poste… En plus des restaurants, un bar se trouve sur un *mirador* au 15ᵉ étage. Sa localisation, à environ 3 km du Parque Céspedes, n'est malheureusement pas des plus pratiques.

Autour de Santiago de Cuba

Rancho Club Motel
$$-$$$ ☎ ≡ ≈ ♨
Carretera Central, Km 4,5
☎ (22) 63-3202
www.islazul.cu

Le Rancho Club Motel se trouve un peu à l'extérieur de la ville, sur la route qui va vers El Cobre. Cela a l'avantage d'en faire un endroit des plus tranquilles. La vue de la ville et de la baie de Santiago de Cuba y est des plus impressionnantes. Les chambres sont correctes et bien aménagées.

Castillo del Morro

Balcón del Caribe
$$-$$$ ☎ ≡ ≈ ♨
Carretera del Morro, Km 7,5
☎ (22) 69-1506
www.islazul.cu

Comptant 72 chambres et 22 bungalows, le Balcón del Caribe en attire plus d'un en raison de son emplacement idyllique, à quelques centaines de mètres à peine de la forteresse du Castillo del Morro. Les chambres sont sobres, sans aménagement superficiel. Mais une attention plus poussée du côté de la décoration n'aurait certainement pas nui. Quoi qu'il en soit, à l'arrière de l'hôtel, vous trouverez une magnifique piscine entourée de palmiers et donnant directement sur la mer des Caraïbes. Le panorama qui se déploie à partir de ce «promontoire» est grandiose. Un bar et un restaurant charmants complètent le tout. Ceux qui veulent éviter la cohue du centre de Santiago trouveront ici l'endroit rêvé.

El Cobre

Hospedería El Cobre
$ ♨
☎ (22) 34-6246
www.virgendelacaridaddelcobre.org

Située juste derrière l'église, l'Hospedería El Cobre offre l'atmosphère d'un couvent. On a l'impression d'y être en pèlerinage. Les 12 chambres proposées sont petites et simples. Un bon endroit pour méditer et se perdre dans ses pensées.

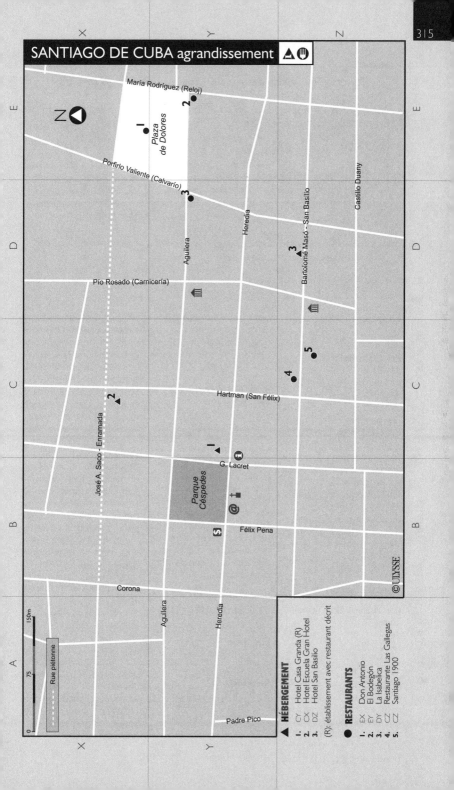

SANTIAGO DE CUBA agrandissement

María Rodríguez (Reloj)

Plaza
de Dolores

Porfirio Valiente (Calvario)

Heredia

Bartolomé Masó - San Basilio

Castillo Duany

Aguilera

Pío Rosado (Carnicería)

José A. Saco - Enramada

Hartman (San Félix)

G. Lacret

Parque
Céspedes

Félix Pena

Corona

Aguilera

Heredia

Padre Pico

150m

75

Rue piétonne

©ULYSSE

▲ HÉBERGEMENT

1. CY Hotel Casa Granda (R)
2. CX Hotel Escuela Gran Hotel
3. DZ Hotel San Basilio

(R): établissement avec restaurant décrit

● RESTAURANTS

1. EX Don Antonio
2. EY El Bodegón
3. DY La Isabelica
4. CZ Restaurante Las Gallegas
5. CZ Santiago 1900

En «tout compris» dans les environs de Santiago de Cuba

Plusieurs complexes hôteliers offrent des forfaits «tout compris» dans les environs de Santiago de Cuba (pour plus d'information sur cette formule d'hébergement, consultez l'encadré p 67). Voici deux complexes situés sur le territoire du Parque Baconao qui sont susceptibles d'être proposés par les voyagistes:

Le **Club Amigo Carisol Los Corales** (*$$$ tout compris*) est situé pas très loin de la Laguna de Baconao. On y trouve une animation constante qui occupera petits et grands.

L'**Hotel Club Bucanero** (*$$$$ tout compris*) fait face à une petite plage isolée dans une baie sablonneuse bordée d'une falaise abrupte. Centre international de plongée sur place.

La Gran Piedra

Hotel Gran Piedra
$$-$$$ ♨ ❀

Carretera Gran Piedra, Km 14,5
☎ (22) 68-6147
www.islazul.cu

Les *cabañas* et les bungalows de la Villa Gran Piedra sont de toute beauté. La plupart ont deux chambres à coucher, chacune ayant sa propre salle de bain. Elles sont propres, isolées, nichées au milieu des fleurs, des oiseaux et des odeurs de montagne. Le panorama y est somptueux et le personnel accueillant.

Parque Baconao

Casa de María Elena Gonzales Gómez
$$ ≡ ﷽

10 Calle Obelisco
Siboney
☎ (22) 39-9200

Cette grande *casa particular* donne directement sur la côte, et si cela ne suffisait pas, vous pourrez aussi profiter de la piscine. Les deux chambres sont indépendantes, et la terrasse offre une vue magnifique. Si c'est complet, vous ne devriez pas avoir de problème à trouver une autre *casa* à Siboney.

Hotel Costa Morena
$$ ≡ ♨ ﷽

route de Baconao, Km 38,5
☎ (22) 35-6126
www.islazul.cu

Situé au bord de la mer, cet établissement n'offre toutefois pas de plage, mais plutôt deux piscines, l'une étant un bassin naturel et l'autre étant aménagée. Les chambres sont banales, mais elles offrent toutes une vue sur la mer, et c'est l'établissement le moins cher des environs.

- - - - - - - - - - - - - - - - - - -

La Sierra Maestra

Bayamo

Hotel Telégrafo
$-$$ ≡ ♨ ❀

Calle Saco n° 108, entre Calle Marmol et Calle General García
☎ (23) 42-7372

L'Hotel Telegrapho est un hôtel-école. Comme celui de Santiago de Cuba, c'est un endroit charmant, et le personnel y est plus qu'agréable. Et l'on semble apprécier grandement la présence des étrangers. Les chambres sont propres, et le style colonial y a été très bien préservé; les plafonds hauts et les meubles d'époque en sont témoins. La dizaine de chambres disposent toutes d'un balcon, et la chambre-salon, à 30 CUC, est une aubaine. Le restaurant de l'hôtel se trouve dans un magnifique patio couvert. Définitivement une bonne adresse, spécialement si l'on considère le prix.

Señora Rebeca Gómez Paneque
$$ ☏ ≡ ❀

105 Calle Maceo, entre Calle Martí et Calle Marmol
☎ (23) 42-2327

Cette énorme maison coloniale se trouve juste à côté de la Casa de la Trova. La chambre est à la mesure de la demeure et s'avère pratique pour ceux qui voudraient rester quelques jours dans le coin.

En «tout compris» dans la Sierra Maestra

Plusieurs grands complexes hôteliers proposent des forfaits «tout compris» dans le sud de la Sierra Maestra, le long de la côte. Le **Club Amigo Marea del Portillo** *($$$ tout compris)* et le **Faralón del Caribe** *($$$ tout compris)* sont deux établissements voisins. Tous deux situés sur la plage, ils offrent les services habituels de ces complexes, mais le Farallón del Caribe s'avère plus séduisant et dispose d'une meilleure vue. Centres de plongée sur place.

Casa Ana Martí Vasquez
$$ ≡ ✳
4 Calle Céspedes, entre Maceo et Canducha
☎ (23) 42-5323
À deux pas de la cathédrale, cette *casa particular* est une vraie maison de poupée. Les deux chambres sont meublées d'antiquités et ne manquent de rien pour votre confort. La plus grande donne sur le patio, et l'on accède à la seconde, plus petite et moins tranquille, par un escalier assez raide. Bon accueil.

Villa Bayamo
$$ ≡ ≋ ♨
sur la route de Manzanillo
☎ (23) 42-3102
www.islazul.cu
Situé à 3 km à l'ouest de Bayamo sur la route qui mène à Manzanillo, cet endroit tranquille propose des chambres sans beaucoup de charme, réparties dans des bungalows. Un établissement très correct en raison des prix pratiqués.

Gran Parque Nacional Sierra Maestra

Campismo La Sierrita
$ ♨ ≋
8 km au sud de Bartolomé Masó
☎ (23) 5-3326 ou 42-4200 pour réserver
Les refuges de ce *campismo* sont basiques et peuvent accueillir jusqu'à quatre personnes. L'endroit est souvent rempli de randonneurs, Cubains et touristes confondus, prêts à se lancer sur les sentiers du parc.

Villa Santo Domingo
$$ ♨ ≡
☎ (23) 56-5635
www.islazul.cu
L'hôtel Villa Santo Domingo, caché dans une vallée, est constitué d'une série de bungalows accueillant le tourisme international. Sa localisation est parfaite pour découvrir toutes les beautés du parc de Sierra Maestra.

Manzanillo

Casa de Adrián y Tonia
$$ ≡
49 Calle Martires de Viet-Nam, angle Caridad
☎ (23) 57-0329
Sur les hauteurs de la ville, cette *casa particular* offre une chambre agréable. Belle vue depuis la terrasse et bons repas.

Hotel Guacanayabo
$$ ≡ ≋ ♨
Av. Camilo Cienfuegos
☎ (23) 57-4012
www.islazul.cu
L'Hotel Guacanayabo se dresse à l'entrée de la ville sur une colline qui surplombe la mer. Il offre un confort acceptable, et l'accueil est sympathique. De nombreux Cubains fréquentent cet hôtel, il s'agit donc d'un bon endroit pour les rencontrer. Vous pourrez vous rendre à pied dans les vieux quartiers de Manzanillo; mais n'oubliez pas que vous devrez grimper la côte après votre longue marche sous le soleil!

Playa Las Coloradas

Campismo Las Coloradas
$
route de Niquero, Km 17
☎ (23) 42-4807
www.cubamarviajes.cu
Ce *campismo* est le seul hébergement disponible à proximité du Parque Nacional Desembarco del Granma. Les bungalows peuvent accueillir de quatre à six personnes. L'endroit peut vite être rempli. Accès à la plage et nombreux moustiques.

Guantánamo et ses environs

Casa Foster
$
761 Calle P. Pérez, entre Jesús del Sol et Prado
☎ (21) 32-5970
Cette grande maison accueille des touristes depuis des années. Les chambres sont bien aménagées, et la terrasse sur le

toit est agréable. Ambiance familiale.

Hotel Guantánamo
$$ ≡ ♨ ≋

Calle 13 Norte, angle Calle Ahogado
☎ (21) 38-1015
www.islazul.cu

Le grand Hotel Guantánamo est identique à plusieurs hôtels de Cuba, un modèle architectural choisi pour la majorité des hôtels construits dans les années 1970 et 1980. L'accueil est somme toute sympathique et la piscine bien entretenue. Cet établissement dispose d'une discothèque et d'un cabaret.

Hotel Caimanera
$$$ ≡ ♨ ≋

Loma del Norte
Caimanera
☎ (21) 49-9414

À Caimanera, l'Hotel Caimanera est reconnu comme l'un des seuls hôtels loin des centres touristiques qui mérite pleinement ses trois étoiles. Son principal attrait demeure toutefois sa vue sur la base navale américaine de Guantánamo. Passez par le bureau **Havanatur** de Guantánamo (voir p 287) pour faire vos réservations, car une autorisation spéciale est requise pour séjourner à proximité de la base américaine, et les voyageurs indépendants devront certainement se joindre à un groupe organisé par Havanatur.

- - - - - - - - - - - - - - - - - -
Baracoa

Il existe de nombreuses *casas particulares* à Baracoa, et vous n'aurez sans doute aucun mal à trouver votre bonheur.

Rafael Navarro Gallardo
$ ≡

29 Calle Félix Ruenes, entre Corneles Galano et Céspedes
☎ (21) 64-3441
rada@bca.edusol.rimed.cu

Cette *casa particular* n'offre qu'une seule chambre, à l'étage, avec une terrasse aménagée sur le toit offrant une splendide vue sur la baie. L'accueil est sympathique et les repas délicieux. Rafael parle l'anglais.

Hotel La Rusa
$$ ♨≋

Av. Máximo Gómez nº 161
☎ (21) 64-3011
www.gaviota-grupo.com

Au pied du Malecón, en plein centre de Baracoa, l'Hotel La Rusa est un petit établissement facilement identifiable grâce à ses murs jaunes. Cet hôtel appartenait jadis à *La Rusa*, une chanteuse d'opéra d'origine russe (voir p 308). Fidel Castro et son frère Raúl furent parmi les invités de marque de cet hôtel aux débuts de la Révolution. Encore aujourd'hui, les artistes du coin s'y donnent rendez-vous pour prendre un verre à la tombée de la nuit. Cet établissement se révèle un peu vieillot, et le caractère prime sur le confort. Toutes les chambres, petites (même exiguës), offrent un point de vue sur la mer. L'accueil est sympathique et la clientèle généralement cubaine.

Isabel Castro Vilato
$$ ≡ P

35 Calle Mariana Grajales
☎ (21) 64-2267

Cette maison coloniale cache un beau jardin, avec arbres, plantes, fruits et légumes, où il fait bon se reposer. Les deux chambres sont lumineuses et agréables, et l'accueil parfait. Une bonne adresse qu'il faut réserver à l'avance.

Hotel El Castillo
$$$ ♨≡ ♨ ≋

Calle Loma del Paraíso, près de Calixto García
☎ (21) 64-5165
www.gaviota-grupo.com

L'Hotel El Castillo se présente pour plusieurs comme l'établissement cubain offrant le meilleur rapport qualité/prix au pays. Dans une ancienne forteresse du temps de la colonie espagnole, cet établissement surplombe Baracoa du haut d'une colline. L'endroit a été entièrement restauré en 1990, et l'on a ajouté un superbe *mirador* aux constructions coloniales. Le panorama de la ville et des environs s'avère stupéfiant. Et que dire de la piscine, juchée au sommet de la colline, au centre d'une petite place de la forteresse! Les chambres rustiques de l'hôtel comportent encore d'anciens murs de la place forte, et votre regard se portera naturellement vers les fenêtres, d'où il embrassera la mer et la ville de Baracoa. Vous ne voudrez pas manquer aussi le lever du soleil, un véritable festin pour les sens. Les chambres numérotées 101 et 201 se révèlent les plus belles et les plus spacieuses de l'établissement.

Autour de Baracoa

Villa Maguana
$$$ ♨≡ ♨

route de Moa, Km 22
☎ (21) 64-1204
www.gaviota-grupo.com

Si c'est le calme ou le repos que vous recherchez, n'allez pas plus loin. Cet hôtel, accolé à la splendide Playa Maguana, offre des chambres sympathiques

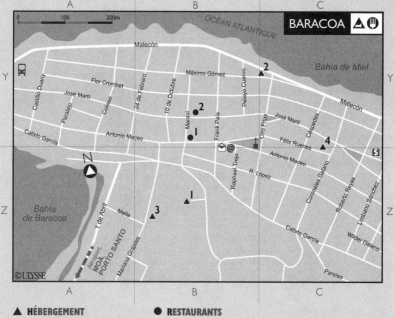

BARACOA

▲ HÉBERGEMENT

1.	BZ	Hotel El Castillo (R)
2.	CY	Hotel La Rusa
3.	BZ	Isabel Castro Vilato
4.	CY	Rafael Navarro Gallardo

(R): établissement avec restaurant décrit

● RESTAURANTS

1.	BY	Casa del Chocolate
2.	BY	La Colonial

et confortables réparties dans plusieurs bâtiments. Beau jardin, accueil chaleureux et réservations nécessaires.

⑪ Restaurants

Santiago de Cuba

Voir cartes p 313 et p 315

La Isabelica
$

Calle Calvario, angle Calle Aguilera, Plaza de Dolores
Le typique café La Isabelica est un endroit sympathique débordant de caractère, idéal pour goûter un vrai café cubain, servi noir et sucré. Pourquoi ne pas profiter de l'occasion pour tremper la pointe d'un

cigare dans votre café et le fumer paisiblement en lisant un roman? Le soir, une faune particulière y vient, des jeunes pour la plupart.

Restaurante Las Gallegas
$

Av. Bartolomé Masó 305 Altos, entre Calle Hartmann (San Félix) et Calle General Lacret
☎ (22) 62-4700
Ce *paladar* propose une cuisine typiquement cubaine (riz, salade, haricots, poisson ou poulet) et une ambiance familiale. Pour les voyageurs qui ne dorment pas dans les *casas particulares*, mais qui veulent découvrir (et goûter!) de plus près la réalité du pays, l'occasion est idéale. La salle à manger, avec son

balcon donnant sur la rue, est des plus agréables.

Don Antonio
$-$$

Calle Aguilera, entre Calvavio et Reloj, Plaza de Dolores
☎ (22) 65-2307
Installé sur la Plaza de Dolores, le restaurant Don Antonio propose un menu de mets créoles. La viande, le poisson et les fruits de mer y sont à l'honneur, et le *Arroz con pollo a la Santiaguera* est la spécialité de cet établissement qui dispose d'une salle à manger d'inspiration coloniale.

El Bodegón
$-$$
mer-lun
Calle Aguilera, Plaza de Dolores
☎ (22) 62-3913
Ce grand restaurant installé sur deux étages offre une

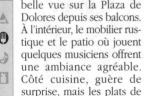

belle vue sur la Plaza de Dolores depuis ses balcons. À l'intérieur, le mobilier rustique et le patio où jouent quelques musiciens offrent une ambiance agréable. Côté cuisine, guère de surprise, mais les plats de viande sont réussis.

Salón Tropical
$$
lun-ven 17h à 23h, sam-dim 12h à 23h
310 Calle Fernández Marcané, entre Calle 9 et Calle 10, Santa Bárbara
☎ (22) 64-1161
Un peu excentré, ce *paladar* est considéré comme le meilleur en ville. On mange à une belle terrasse installée sur le toit de la maison, avec une splendide vue. Les viandes grillées et les poissons sont préparés simplement mais à la perfection. Service professionnel.

Santiago 1900
$$
Calle San Basilio n° 354
☎ (22) 62-3507
Le Santiago 1900 est aménagé dans l'ancienne demeure d'Emilio Bacardí, et le décor original, baroque et grandiose, est le seul véritable attrait de ce restaurant. Car le menu, qui propose des plats créoles sans surprise, ainsi que l'addition et le service, ne sont pas à la hauteur du cachet des lieux. Le patio et la terrasse sur le toit sont néanmoins de bons endroits pour boire un verre.

Hotel Casa Granda
$$-$$$
Parque Céspedes
☎ (22) 68-6600
Le restaurant de l'Hotel Casa Granda propose un menu varié dans un cadre colonial élégant. Le menu sort de l'ordinaire: ici les crustacés et les viandes se parent de sauce ou se transforment en filet mignon, pour votre plus grand plaisir. Gardez une place pour le dessert, car la sélection des denrées sucrées est aussi longue qu'appétissante, ce qui est assez rare à Cuba.

Zunzún
$$$
Av. Manduley n° 159, angle Calle 7, Vista Alegre
☎ (22) 64-1528
Considéré comme l'un des meilleurs restaurants en ville, Zunzún prépare une cuisine créole avec un bon choix de poissons et de fruits de mer. L'addition s'avère un peu élevée, mais le cadre est tout à fait charmant, et vous aurez le choix entre l'une des salles à manger, qui peuvent accueillir de 4 à 20 personnes, et la terrasse à l'avant. Réservations recommandées.

Castillo del Morro

Restaurante El Morro
$$
☎ (22) 69-1576
Situé à quelques pas du Castillo El Morro, ce restaurant est un peu cher pour les mets créoles qu'on y sert, mais la vue est comprise dans le prix. Le restaurant domine la falaise et offre une incroyable échappée sur la mer. Le patio fleuri est plus que charmant et le service prompt et efficace. Pas une mauvaise adresse, qui se combine bien avec une visite du fort.

La Sierra Maestra

Bayamo

El Sagitario
$
Calle Marmol n° 107, entre Maceo et Francisco Vicente Aguilera
☎ (23) 42-2449
Ce *paladar* est spécialisé dans la viande de porc et le poisson. Les portions et la qualité sont convenables. On mange dans la cour, à l'arrière de la maison, et le service est convivial.

La Bayamesa
$
Calle General García, Plaza de la Revolución
☎ (23) 42-1775
Ce restaurant accueille ses convives dans un cadre agréable et même chic. La spécialité maison est le poulet, servi à différentes sauces. L'addition s'avère peu élevée car on paie en pesos, et il est préférable de réserver les soirs de fin de semaine.

La Casona
$
Plaza del Himno
Situé devant l'Iglesia San Salvador, ce petit restaurant sert des pâtes et des pizzas dans un cadre simple et sympathique.

La Sevillana
$
mer-lun
165 Calle General García
☎ (23) 42-1472
Comme son nom l'indique, les spécialités espagnoles (mises au goût cubain), telle la paella, sont ici au menu. Le cadre est tout à fait charmant, et les soirs de fin de semaine, piano et chansons réchauffent l'atmosphère.

Tropi-crema
$
Plaza de la Revolución
Pour une glace, rendez-vous à la terrasse du Tropi-crema.

Manzanillo

Heladería El Jardín
Av. 1 de Mayo, angle Calle Sariol
Vous pouvez prendre une glace à l'Heladería El Jardín, qui dispose d'une terrasse près du Parque Infantil.

Hotel Guacanayabo
$$

Av. Camilo Cienfuegos

☎ (23) 57-4012

Seul le restaurant de l'Hotel Guacanayabo offre un choix raisonnable de bons plats en ville; il est le plus populaire auprès des habitants de la région qui viennent y célébrer des mariages et d'autres événements familiaux. Ces derniers jouissent de tarifs en pesos cubains, contrairement aux voyageurs étrangers, qui doivent payer l'addition en pesos convertibles.

Guantánamo

Restaurante los Ensueños
$

Calle Ahogado, angle Calle 16 Norte

☎ (21) 38-1601

Ce restaurant est pour plusieurs le meilleur de Guantánamo. Son avantage certain est qu'il propose à sa clientèle de choisir un menu personnalisé, tant et aussi longtemps que le choix est effectué quelques heures à l'avance. Situé près de l'Hotel Guantánamo, l'établissement bénéficie d'une terrasse à l'étage. Les petits déjeuners y sont particulièrement copieux.

Baracoa

Voir carte p 319

Casa del Chocolate
$

Calle Antonio Maceo, angle Maraví

☎ (21) 64-1553

Il serait dommage de passer à Baracoa sans aller faire un tour à la Casa del Chocolate. On y déguste de délicieuses crèmes glacées, au chocolat bien sûr, que l'on peut accompagner d'un chocolat à boire, froid ou chaud, épais et onctueux à souhait. La salle elle-même est glacée par l'air conditionné, et les prix sont en pesos.

La Colonial
$-$$

123 Calle Martí, entre Maraví et Frank País

☎ (21) 64-5391

Le seul *paladar* en ville s'est forgé une solide réputation au fil des ans. Vous aurez le choix entre un menu *tierra* (spécialité de porc) et un menu *mar*, sensiblement plus cher. On y mange dans deux belles salles à manger ou dans le patio. Service professionnel.

Hotel El Castillo
$$

Calle Loma del Paraíso, près de Calixto García

☎ (21) 64-5165

L'Hotel El Castillo est réputé pour la qualité de son restaurant. Les repas créoles sont la spécialité de la maison. Le décor colonial et le *mirador*, tout en haut de la forteresse, assurent une soirée réussie à quiconque se propose d'y dîner.

Sorties

■ Activités culturelles

Santiago de Cuba

La scène musicale de Santiago est exceptionnelle. Ce n'est pas pour rien que le *son*, ce rythme à la base d'une grande partie des musiques latines du continent, est né ici. Procurez-vous le journal **Cartelera Cultural** (disponible dans les grands hôtels) pour connaître tous les événements du moment.

La Casa de la Trova

Calle Heredia, entre Calle Carnicería et Calle San Félix

☎ (22) 65-2689

La Casa de la Trova de Santiago se présente comme la plus connue des maisons de ce genre au pays. Le décor se veut typique, rempli de photographies de musiciens célèbres et oubliés qui sont venus y improviser un air de rumba ou de cha-cha-cha. Les musiciens et les artistes s'y donnent rendez-vous toute la journée, et différents groupes jouent les uns après les autres pour votre bon plaisir. Renseignez-vous sur place pour prendre des cours de danse.

La Casa de la Música
3 CUC à 5 CUC
22h à 2h30

555 Calle Corona, entre Aguilera et Enramada

☎ (22) 65-2227

L'un des endroits les plus chauds en ville, la Casa de la Música organise des concerts tous les soirs. *Salsa* et *son* sont au programme. Dans la journée, le magasin de disques attenant est un bon endroit pour se procurer des albums de musique cubaine.

Casa de las Tradiciones
2 CUC

154 Calle Rabí, entre Princesa et San Fernando

☎ (22) 65-3892

Ce petit endroit tout simple aux allures défraîchies, avec de vieilles photos sur les murs, propose tous les soirs (de 21h à 24h) de bons concerts de musique traditionnelle cubaine. Ambiance locale et quelques *picadas* à grignoter.

Cabaret Tropicana
44 CUC
lun-sam 22h
☎ (22) 64-3036

Le Cabaret Tropicana se trouve près de la *circum-valación* en direction de Baconao et de l'aéroport, au croisement avec l'Autopista Nacional. «Frère» du célèbre cabaret de La Havane, il présente des spectacles à large déploiement avec costumes et décors tropicaux.

Bayamo

La Casa de la Trova
1 CUC
mar-sam à partir de 21h, dim 9h à 18h
Calle Maceo, angle Martí

Cette sympathique Casa de la Trova propose des spectacles de différents groupes de musique traditionnelle cubaine. Le patio ombragé est un agréable endroit pour se prélasser en dégustant le cocktail maison.

Guantánamo

Casa de la Cultura
Parque Martí
☎ (21) 32-6391

Concerts de musique traditionnelle tous les soirs.

Tumba Francesa
715 Seraphín Sánchez

Cet endroit original propose de la musique et des danses de la culture haïtienne.

Baracoa

Casa de la Trova
1 CUC
Av. Maceo, près de l'église

La Casa de la Trova se présente comme un bon établissement pour écouter et voir à l'œuvre des groupes de musique folklorique et des *descargas* (improvisations) de musiciens amateurs. La Casa de la Trova

est surtout fréquentée par la population locale, ce qui en fait derechef l'endroit idéal pour rencontrer des Cubains. Plus la nuit avance, plus l'ambiance s'anime, parfois peut-être trop au goût de certains, alors que le rhum commence à faire ses effets sur la clientèle.

Casa de Cultura
Calle Maceo nº 124
☎ (21) 4-2364

La Casa de Cultura présente des expositions d'art local ainsi que de petits concerts de musique traditionnelle tous les soirs.

■ Bars et boîtes de nuit

Santiago de Cuba

Los Dos Abuelos
2 CUC
lun-sam 22h à 2h, dim 16h à 20h
Plaza de Marte, Calle Pérez Carbó nº 5
☎ (22) 62-3302

Los Dos Abuelos (les deux grands-parents) dispose d'une agréable petite cour intérieure ombragée qui fait office de salle de spectacle, de bar et de cafétéria. Des concerts de musique traditionnelle cubaine y sont présentés tous les soirs. L'établissement s'avère chaleureux et fort animé. Le prix des consommations est abordable.

Hotel Libertad
3 CUC (deux boissons incluses)
mar-dim 18h à 2h
658 Calle Aguilera, face à la Plaza de Marte
☎ (22) 62-3080

La terrasse sur le toit de l'Hotel Libertad offre une splendide vue sur la ville et les montagnes. On y boit un verre en écoutant de la

musique et, certains soirs, des grillades y sont servies.

Bayamo

Le samedi soir à Bayamo, toute la ville se retrouve autour de la Plaza de la Revolución et le long de l'artère piétonne (Calle General García), où bars, comptoirs de nourriture et musique (provenant entre autres des orgues de Barbarie) créent une belle animation.

Baracoa

El Patio
118 Calle Maceo

Ce bar en plein air s'anime tous les soirs à partir de 21h. Juste à côté, **La Terraza** propose aussi des concerts *(1 CUC)*.

■ Fêtes et festivals

Santiago de Cuba

Le **Carnaval de Santiago** est l'événement le plus important et le plus attendu de l'année. Dédié à Santiago Apótol (l'apôtre saint Jacques), il s'étend dans tout le vieux quartier de Santiago, alors que défilés, danses et musiques sont au programme. Il a lieu à la fin juillet, et les 25, 26 et 27 juillet sont les jours les plus endiablés.

Presque aussi célèbre que le carnaval, le **Festival del Caribe** *(www.casadelcaribe. cult.cu)* anime la ville pendant une semaine au début de juillet. Chaque année, un pays différent des Caraïbes est à l'honneur, avec divers expositions, dégustations culinaires, concerts, danses et défilés.

Le **Festival Internacional de la Trova** a lieu au mois de mars et réunit les stars et amateurs de cette musique qu'est la *trova*.

■ Sports professionnels

Si le baseball vous intéresse, Santiago de Cuba a l'une des meilleures équipes de l'île, et l'**Estadio de Baseball Guillermo Moncada** (☎ *22-64-2640)*, sur l'Avenida de las Américas, est l'un des plus beaux stades du pays. La saison dure traditionnellement d'octobre à avril, avec plusieurs matchs par semaine.

🛍 Achats

Santiago de Cuba

Librería Internacional
9h à 19h
Calle Heredia
Au sous-sol de la cathédrale de Santiago, la Librería Internacional dispose d'une relativement bonne sélection de livres neufs et de disques. On peut aussi parfois y trouver des romans en langues étrangères, surtout en anglais.

La Casa de la Música
555 Calle Corona, entre Aguilera et Enramada
☎ (22) 65-2227
Le magasin de disques attenant à la **Casa de la Música** (voir p 321) offre une très bonne sélection de disques d'artistes cubains.

Fábrica de Tabacos Celia Sánchez
lun-sam 9h à 16h
Calle Jesús Menéndez, entre Calle Aguilera et Calle Aduana
On ne visite cette fabrique de tabac qu'en groupe orga-

nisé (voir p 293), mais cela n'empêche pas d'y acheter quelques bons cigares.

Galeries d'art

Galería de Oriente
mar-dim 9h à 21h
Calle General Lacret n° 653, angle Calle Aguilera
☎ (22) 65-7501
À quelques pas de l'Hotel Casa Granda, aux abords du Parque Céspedes, la Galería de Oriente expose des œuvres de peintres de Santiago. Cette galerie dispose d'une très bonne sélection d'art contemporain. Profitez-en pour jeter un coup d'œil sur le magnifique patio intérieur de cet ancien casino, le Club San Carlos, construit en 1900.

Galería la Confronta de la Uneac
lun-ven 8h à 17h, sam 8h à 12h
Calle Heredia n° 268, entre Calle Carnicería et Calle San Félix
☎ (22) 65-3465
À partir du Parque Céspedes, en empruntant la Calle Heredia vers l'ouest, vous verrez de nombreuses maisons coloniales, puis la Galería la Confronta de la Uneac. Vous pourrez y admirer des œuvres d'art créées par les membres de l'Uneac (Union nationale des écrivains et artistes cubains) de Santiago. Le patio est des plus agréables pour prendre un verre (à partir de 14h).

Galería de Arte Universal
mar-dim 9h à 17h
angle Calle C et Calle M
☎ (22) 64-1198
La Galería de Arte Universal se trouve tout près de l'Hotel Las Américas. Cette galerie fait la promotion d'artistes contemporains cubains. Les œuvres

sont en général de bonne qualité, et l'endroit mérite certainement un détour si vous vous intéressez à l'art moderne.

Bayamo

Librería la Literaria
Calle General García, angle Plaza de la Revolución
La Librería la Literaria propose quelques livres d'art ainsi que de l'artisanat local.

Baracoa

Fondo de Bienes Culturales Galería Yara
tlj 8h à 12h et 14h à 18h
Calle Maceo n° 120
Le Fondo de Bienes Culturales Galería Yara dispose d'une vaste sélection d'artisanat local, entre autres des œuvres du sculpteur local Ramón Domínguez, que l'on peut également visiter dans son humble atelier *(Calle Calixto García n° 43)*.

Taller Los Orishas
131 Calle Martí, entre Frank País et P. Cuervo
www.luiseliades.com
Ne manquez pas de visiter l'atelier du peintre Luis Eliades Rodríguez, qui expose ses œuvres au même endroit. Ses toiles colorées ont déjà été présentées un peu partout dans le monde.

Les numéros de page en **gras** renvoient aux cartes.

Index – A

Index

Distances en kilomètres, par le chemin le plus court

Exemple: la distance entre Pinar del Río et Cienfuegos est de 390 km.

	Baracoa	Camagüey	Cienfuegos	Guantánamo	Holguín	La Havane	Matanzas	Pinar del Río	Sancti Spíritus	Santa Clara	Santiago de Cuba
Camagüey	431										
Cienfuegos	873	327									
Guantánamo	115	431	758								
Holguín	224	207	534	224							
La Havane	1080	534	251	965	741						
Matanzas	1018	272	200	903	679	102					
Pinar del Río	1240	694	390	1125	901	160	262				
Sancti Spíritus	728	182	145	613	389	352	290	512			
Santa Clara	808	262	65	693	469	272	210	432	80		
Santiago de Cuba	145	330	660	75	155	858	796	999	512	600	
Varadero	1020	474	202	905	681	144	42	304	292	210	794

Lexique français-espagnol

Quelques indications sur la prononciation de l'espagnol en Amérique latine.

Consonnes

c   Tout comme en français, le *c* est doux devant *i* et *e*, et se prononce alors comme un **s**: *cerro* (serro). Devant les autres voyelles, il est dur: *carro* (karro). Le **c** est également dur devant les consonnes, sauf devant le **h** (voir plus bas).

g   De même que pour le **c**, devant **i** et **e** le **g** est doux, c'est-à-dire qu'il est comme un souffle d'air qui vient du fond de la gorge: *gente* (hhente).

Devant les autres voyelles, il est dur: *golf* (se prononce comme en français). Le **g** est également dur devant les consonnes.

ch   Se prononce **tch**, comme dans «Tchad»: *leche* (letche). Tout comme pour le *ll*, c'est comme s'il s'agissait d'une autre lettre, listée à part dans les dictionnaires et dans l'annuaire du téléphone.

h   Ne se prononce pas: *hora* (ora).

j   Se prononce comme le **r** de «crabe», un **r** du fond de la gorge, sans excès: *jugo* (rrugo).

ll   Se prononce comme **y** dans «yen»: *llamar* (yamar). Dans certaines régions, par exemple le centre de la Colombie, **ll** se prononce comme **j** de «jujube» (*Medellín* se prononce Medejin). Tout comme pour le **ch**, c'est comme s'il s'agissait d'une autre lettre, listée à part dans les dictionnaires et dans l'annuaire du téléphone.

ñ   Se prononce comme le **gn** de «beigne»: *señora* (segnora).

r   Plus roulé et moins guttural qu'en français, comme en italien.

s   Toujours **s** comme dans «singe»: *casa* (cassa).

v   Se prononce comme un **b**: vino (bino).

z   Comme un **z**: *paz* (pass).

Voyelles

e   Toujours comme un **é**: *helado* (élado) sauf lorsqu'il précède deux conson-   nes, alors il se prononce comme un **è**: *encontrar* (èncontrar).

u   Toujours comme **ou**: cuenta (couenta).

y   Comme un **i**: y (i).

Toutes les autres lettres se prononcent comme en français.

Accent tonique

En espagnol, chaque mot comporte une syllabe plus accentuée. Cet accent tonique est très important en espagnol et s'avère souvent nécessaire pour sa compréhension par vos interlocuteurs. Si, dans un mot, une voyelle porte un accent aigu (le seul utilisé en espagnol), c'est cette syllabe qui doit être accentuée. S'il n'y a pas d'accent sur le mot, il faut suivre la simple règle suivante:

On doit accentuer l'avant-dernière syllabe de tout mot qui se termine par une voyelle: ***amigo***.

On doit accentuer la dernière syllabe de tout mot qui se termine par une consonne sauf *s* (pluriel des noms et adjectifs) ou *n* (pluriel des verbes): ***usted*** (mais ***amigos***, ***hablan***).

Expressions et mots usuels

■ Présentations

au revoir	*adiós, hasta luego*
bon après-midi ou bonsoir	*buenas tardes*
bonjour (forme familière)	*hola*
bonjour (le matin)	*buenos días*
bonne nuit	*buenas noches*
célibataire (m/f)	*soltero/a*
Comment allez-vous?	*¿Cómo esta usted?*
copain/copine	*amigo/a*
de rien	*de nada*
divorcé(e)	*divorciado /a*
enfant (garçon/fille)	*niño/a*
époux, épouse	*esposo/a*
Excusez-moi.	*Perdone/a.*
frère, sœur	*hermano/a*
Je ne comprends pas.	*No entiendo.*
Je suis...	*Soy...*
Belge	*belga*
Canadien(ne)	*canadiense*
Français(e)	*francés/a*
Québécois(e)	*quebequense*
Suisse	*suizo*
Je suis un(e) touriste.	*Soy turista.*
Je suis désolé,	*Lo siento,*
je ne parle pas	*no hablo*
espagnol.	*español.*
Je vais bien.	*Estoy bien.*
marié(e)	*casado/a*
merci	*gracias*
mère	*madre*
Mon nom de famille est...	*Mi apellido es...*
Mon prénom est...	*Mi nombre es...*
non	*no*
oui	*sí*
Parlez-vous	*¿Habla usted*
français?	*francés?*
père	*padre*
Plus lentement	*Más despacio,*
s'il vous plaît.	*por favor.*
Comment vous	*¿Cómo se*
appelez-vous?	*llama usted?*
S'il vous plaît.	*Por favor.*
veuf(ve)	*viudo/a*

■ Directions

à côté de	*al lado de*
à droite	*a la derecha*
à gauche	*a la izquierda*
dans, dedans	*dentro*
derrière	*detrás*
devant	*delante*
en dehors	*fuera*
entre	*entre*
ici	*aquí*
Il n'y a pas...	*No hay...*
là-bas	*allí*
loin de	*lejos de*
Où se trouve... ?	*¿Dónde está...?*
Pour se rendre à...?	*¿Para ir a...?*
près de	*cerca de*
tout droit	*todo recto*
Y a-t-il un	*¿Hay aquí una*
bureau	*oficina*
de tourisme ici?	*de turismo?*

■ L'argent

argent	*dinero/plata*
carte de crédit	*tarjeta de crédito*
change	*cambio*
chèque de voyage	*cheque de viaje*
Je n'ai pas d'argent.	*No tengo dinero.*
L'addition,	*La cuenta,*
s'il vous plaît.	*por favor.*
reçu	*recibo*

■ Les achats

acheter	*comprar*
appareil photo	*cámara*
argent	*plata*
artisanat typique	*artesanía típica*
bijoux	*joyeros*
cadeaux	*regalos*
Combien cela coûte-t-il?	*¿Cuánto es?*
cosmétiques et	*cosméticos y*
parfums	*perfumes*
disques, cassettes	*discos, casetas*
en/de coton	*de algodón*
en/de cuir	*de cuero/piel*
en/de laine	*de lana*
en/de toile	*de tela*
fermé	*cerrado/a*
film, pellicule photographique	*rollo/film*
J'ai besoin de...	*Necesito...*
Je voudrais...	*Quisiera...*
journaux	*periódicos/diarios*
la blouse	*la blusa*
la chemise	*la camisa*
la jupe	*la falda/la pollera*
la veste	*la chaqueta*
le chapeau	*el sombrero*
le client, la cliente	*el/la cliente*
le jean	*los tejanos/*
	los vaqueros/
	los jeans
le marché	*mercado*
le pantalon	*los pantalones*
le t-shirt	*la camiseta*
le vendeur, la vendeuse	*dependiente*
le vendeur, la vendeuse	*vendedor/a*
les chaussures	*los zapatos*
les lunettes	*las gafas*
les sandales	*las sandalias*
montre-bracelet	*el reloj(es)*

Lexique français-espagnol

or	*oro*
ouvert	*abierto/a*
pierres précieuses	*piedras preciosas*
piles	*pilas*
produits solaires	*productos solares*
revues	*revistas*
un grand magasin	*almacén*
un magasin	*una tienda*
un sac à	*una bolsa de*
main	*mano*
vendre	*vender*

■ Divers

beau	*hermoso*
beaucoup	*mucho*
bon	*bueno*
bon marché	*barato*
chaud	*caliente*
cher	*caro*
clair	*claro*
court	*corto*
court	
(pour une personne petite)	*bajo*
étroit	*estrecho*
foncé	*oscuro*
froid	*frío*
grand	*grande*
gros	*gordo*
J'ai faim.	*Tengo hambre.*
J'ai soif.	*Tengo sed.*
Je suis malade.	*Estoy enfermo/a.*
joli	*bonito*
laid	*feo*
large	*ancho*
lentement	*despacio*
mauvais	*malo*
mince, maigre	*delgado*
moins	*menos*
ne pas toucher	*no tocar*
nouveau	*nuevo*
Où?	*¿Dónde?*
petit	*pequeño*
peu	*poco*
plus	*más*
Qu'est-ce que c'est?	*¿Qué es esto?*
Quand?	*¿Cuando?*
quelque chose	*algo*
rapidement	*rápidamente*
rien	*nada*
vieux	*viejo*

■ La température

Il fait chaud.	*Hace calor.*
Il fait froid.	*Hace frío.*
nuages	*nubes*
pluie	*lluvia*
soleil	*sol*

■ Le temps

année	*año*
après-midi, soir	*tarde*
aujourd'hui	*hoy*
demain	*mañana*
heure	*hora*
hier	*ayer*
jamais	*jamás, nunca*
jour	*día*
maintenant	*ahora*
minute	*minuto*
mois	*mes*
janvier	*enero*
février	*febrero*
mars	*marzo*
avril	*abril*
mai	*mayo*
juin	*junio*
juillet	*julio*
août	*agosto*
septembre	*septiembre*
octobre	*octubre*
novembre	*noviembre*
décembre	*diciembre*
nuit	*noche*
pendant le matin	*por la mañana*
Quelle heure est-il?	*¿Qué hora es?*
semaine	*semana*
dimanche	*domingo*
lundi	*lunes*
mardi	*martes*
mercredi	*miércoles*
jeudi	*jueves*
vendredi	*viernes*
samedi	*sábado*

■ Les communications

appel	*llamada*
à frais virés (PCV)	*por cobrar*
attendre la tonalité	*esperar la señal*
composer le préfixe	*marcar el prefijo*
courrier par avion	*correo aéreo*
enveloppe	*sobre*
interurbain	*larga distancia*
la poste	*correos*
et l'office des télégrammes	*y telégrafos*
le bureau	*la oficina*
de poste	*de correos*
les timbres	*estampillas/sellos*
tarif	*tarifa*
télécopie (fax)	*telecopia*
télégramme	*telegrama*
un annuaire	*un botín*
de téléphone	*de teléfonos*

■ Les activités

musée ou galerie	*museo*
nager	*nadar*
plage	*playa*
plongée sous-marine	*buceo*
se promener	*pasear*

■ Les transports

à l'heure prévue	*a la hora*
aéroport	*aeropuerto*
aller simple	*ida*
aller-retour	*ida y vuelta*
annulé	*annular*
arrivée	*llegada*
avenue	*avenida*
bagages	*equipajes*
coin	*esquina*
départ	*salida*
est	*este*
gare, station	*estación*
horaire	*horario*
l'arrêt	*una parada*
d'autobus	*de autobús*
l'autobus	*el bus*
l'avion	*el avión*
la bicyclette	*la bicicleta*
la voiture	*el coche, el carro*
le bateau	*el barco*
le train	*el tren*
nord	*norte*
ouest	*oeste*
passage de chemin de fer	*crucero ferrocarril*
rapide	*rápido*
retour	*regreso*
rue	*calle*
sud	*sur*
sûr, sans danger	*seguro/a*
taxi collectif	*taxi colectivo*

■ La voiture

à louer	*alquilar*
arrêt	*alto*
arrêtez	*pare*
attention, prenez garde	*cuidado*
autoroute	*autopista*
défense de doubler	*no adelantar*
défense de stationner	*prohibido aparcar o estacionar*
essence	*petróleo, gasolina*
feu de circulation	*semáforo*
interdit de passer, route fermée	*no hay paso*
limitation de vitesse	*velocidad permitida*
piétons	*peatones*
ralentissez	*reduzca velocidad*
station-service	*servicentro*
stationnement	*parqueo, estacionamiento*

■ L'hébergement

air conditionné	*aire acondicionado*
ascenseur	*ascensor*
avec salle de bain privée	*con baño privado*
basse saison	*temporada baja*
chalet (de plage), bungalow	*cabaña*
chambre	*habitación*
Combien ça coûte?	*¿Cuánto vale?*
double, pour deux personnes	*doble*
eau chaude	*agua caliente*
étage	*piso*
gérant, patron	*gerente, jefe*
hébergement	*alojamiento*
lit	*cama*
petit déjeuner	*desayuno*
piscine	*piscina*
rez-de-chaussée	*planta baja*
simple, pour une personne	*sencillo*
toilettes, cabinet d'aisance	*baños*
ventilateur	*ventilador*

■ Les nombres

0	*cero*	23	*veintitrés*
1	*uno, una*	24	*veinticuatro*
2	*dos*	25	*veinticinco*
3	*tres*	26	*veintiséis*
4	*cuatro*	27	*veintisiete*
5	*cinco*	28	*veintiocho*
6	*seis*	29	*veintinueve*
7	*siete*	30	*treinta*
8	*ocho*	31	*treinta y uno*
9	*nueve*	32	*treinta y dos*
10	*diez*	40	*cuarenta*
11	*once*	50	*cincuenta*
12	*doce*	60	*sesenta*
13	*trece*	70	*setenta*
14	*catorce*	80	*ochenta*
15	*quince*	90	*noventa*
16	*dieciséis*	100	*cien, ciento*
17	*diecisiete*	200	*doscientos, doscientas*
18	*dieciocho*	500	*quinientos, quinientas*
19	*diecinueve*	1 000	*mil*
20	*veinte*	10 000	*diez mil*
21	*veintiuno*	1 000 000	*un millón*
22	*veintidos*		

Le voyageur inté-ressé à en connaître un peu plus peut se procurer le guide de conversation *L'Espagnol pour mieux voyager en Amérique latine* publié par les Guides de voyage Ulysse.

Lexique français-espagnol

Légende des cartes

★ Attraits
▲ Hébergement
● Restaurants
▨ Mer, lac, rivière
▨ Forêt ou parc
▢ Place
✪ Capitale de pays
✪ Capitale provinciale ou territoriale
- - - - - Frontière internationale
.... Frontière provinciale ou territoriale
- - - - Chemin de fer
::::::::: Tunnel

✈ Aéroport international
✛ Aéroport régional
$ Banque
✉ Bureau de poste
@ Café internet
⚰ Cimetière
✝ Église
🧳 Gare ferroviaire
🚌 Gare routière

H Hôpital
ℹ Information touristique
▲ Montagne
🏛 Musée
🌲 Parc national ou provincial
🏖 Plage
▢ Point d'intérêt / Bâtiment
⛳ Terrain de golf
⛴ Traversier (ferry)

Symboles utilisés dans ce guide

@ Accès Internet
♿ Accessibilité totale ou partielle aux personnes à mobilité réduite
≡ Air conditionné
◎ Baignoire à remous
🏋 Centre de conditionnement physique
🔒 Coffret de sûreté
🍴 Cuisinette
🌀 Label Ulysse pour les qualités particulières d'un établissement
☕ Petit déjeuner inclus dans le prix de la chambre
≈ Piscine
❄ Réfrigérateur
🍴 Restaurant
bc Salle de bain commune
bc/bp Salle de bain privée ou commune
))) Sauna
✹ Spa
P Stationnement
☎ Téléphone
tlj Tous les jours
✦ Ventilateur

Classification des attraits touristiques

★★★ À ne pas manquer
★★ Vaut le détour
★ Intéressant

Classification de l'hébergement

L'échelle utilisée donne des indications de prix pour une chambre standard pour deux personnes, en vigueur durant la haute saison.

$	moins de 20 CUC
$$	de 20 CUC à 40 CUC
$$$	de 41 CUC à 80 CUC
$$$$	de 81 CUC à 160 CUC
$$$$$	plus de 160 CUC

Classification des restaurants

L'échelle utilisée dans ce guide donne des indications de prix pour un repas complet pour une personne, avant les boissons et le pourboire.

$	moins de 12 CUC
$$	de 12 CUC à 20 CUC
$$$	plus de 20 CUC

Tous les prix mentionnés dans ce guide sont en pesos convertibles (CUC).

Les sections pratiques aux bordures grises répertorient toutes les adresses utiles. Repérez ces pictogrammes pour mieux vous orienter:

▲ Hébergement
🍴 Restaurants
♪ Sorties
🛍 Achats